CARLOS BOUSOÑO

LA POESÍA DE VICENTE ALEIXANDRE

SEGUNDA EDICIÓN CORREGIDA Y AUMENTADA

BIBLIOTECA ROMÁNICA HISPÁNICA

EDITORIAL GREDOS, S. A.

MADRID

EDITORIAL GREDOS, S. A.

Sánchez Pacheco, 83, Madrid. España.

Depósito Legal: M. 6874 - 1968.

Gráficas Cóndor, S. A., Sánchez Pacheco, 83. Madrid, 1968. -- 3077.

LA POESÍA DE VICENTE ALEIXANDRE

BIBLIOTECA ROMÁNICA HISPÁNICA

Dirigida por DÁMASO ALONSO

II. ESTUDIOS Y ENSAYOS

NOTA A LA TERCERA EDICIÓN DE ESTE LIBRO

En esta tercera edición de *La poesía de Vicente Aleixandre* he realizado, con respecto a la segunda, numerosas modificaciones, algunas de las cuales paso a señalar (prescindo, pues, de cuanto sean simples retoques o cambios no sustanciales).

Por lo pronto, en la parte de "La visión del mundo", he agregado tres capítulos nuevos: el III, el VIII y el IX. El VIII versa sobre *En un Vasto Dominio*, pues aunque no se trata en esa parte de estudiar libro a libro el conjunto poético de nuestro autor, sino de mostrar las líneas fuertes de su interpretación de la vida, he creído necesario detenerme a considerar de un modo especial la citada obra, ya que ésta supone un importantísimo momento en la cosmovisión que, justamente, como digo, pretendo determinar.

El capítulo IX, nuevo también, repito, se titula "Cosmovisión simbólica y cosmovisión realista". En él se intenta resolver, no sé con qué éxito, un importante problema estético de la poesía contemporánea, que por uno de esos azares o descuidos u olvidos que tantas veces, por desgracia, afectan a los estudios sobre poesía, ni siquiera, que yo sepa, había sido planteado antes.

En la edición segunda, y también en la primera, existía, como en ésta, un capítulo titulado "Consideraciones generales sobre la imagen". Pero de esas páginas sólo he dejado en pie escasísimos renglones. Todo ha sido ahora, en efecto, reescrito, ya que se hacía indispensable llevar el máximo de precisión al problema tal vez más delicado e importante que la poesía contemporánea puede plantearnos: el de su revolución imaginativa, resultado del subjetivismo y el irracionalismo del tiempo en que se origina. En consecuencia, podemos considerar que prácticamente es nuevo también el capítulo X.

Aparte de esos esenciales aumentos, hay en la edición actual numerosos párrafos y algunos apartados nuevos que tocan, precisan o completan aspectos no estudiados antes por mí, o estudiados tal vez, a mi juicio actual, con menos justeza o acierto.

INTRODUCCIÓN

La obra de Vicente Aleixandre es ya copiosa: *Ámbito*, que apareció en 1928; *Pasión de la Tierra*, publicado en Méjico en 1935, pero escrito en 1928-1929; *Espadas como Labios*, editado en 1932; *La Destrucción o el Amor*, en 1935; *Mundo a Solas*, que, aunque redactado entre 1934 y 1936, se ha publicado en 1950; *Sombra del Paraíso*, que vio la luz en 1944; *Nacimiento Último*, que la vio en 1953, *Historia del Corazón*, en 1954, *En un Vasto Dominio*, en 1962, y *Retratos con Nombre*, en 1965.

Tal es el material con el que contamos. Sobre él hemos de realizar todas nuestras pesquisas, que consistirán sobre todo en perseguir el estilo de nuestro poeta, llegar a la determinación de aquellas notas más personales por las que se distingue, para alcanzar después a explicarnos tal estilo, viendo la relación que éste tiene con la visión del mundo de su autor. Tratándose de Aleixandre, no parece ser ésta una tarea excesivamente complicada. Poetas hay cuya labor consiste prácticamente sólo (y ya es suficiente) en la plasmación de un matiz sentimental inaudito: realizar una investigación sobre tales autores nunca resulta imposible, pero sí difícil. En cambio, a otros poetas les corresponde, como lo más arduo, además de lo anterior, el ensanchamiento del idioma, de su sintaxis y de la técnica poética en general. Por obra y gracia de su talento, el lenguaje, que con tanta originalidad manejan, da un estirón, pequeño o grande, enriqueciéndose de nuevas posibilidades [1]. Caracterizar a tales escritores no es un trabajo

---

[1] Claro que esta división es sólo teórica, pues en la práctica nunca es tan radical. Todo artista tiene, en diferente proporción, las características de los dos grupos que hemos considerado, y sólo la especial intensidad con que se

tan costoso: la novedad de los procedimientos que usan facilita mucho el aislamiento de su estilo. Creo que a Aleixandre puede insertársele en este último sector de innovadores, por lo que bastantes de los capítulos del presente libro estarán dedicados a mostrar los matices inéditos con que aumenta el caudal de nuestra lírica y de su expresión, idiomática o imaginativa. Otros capítulos, por el contrario, quizá contribuyan a poner en claro la íntima contextura de una buena parte de la poesía novecentista, pues algunos de los problemas ligados a los versos de nuestro poeta son genéricos de toda una promoción y hasta de todo un período literario.

Como se ve, intento fijar el estilo de Aleixandre, dentro del marco de su tiempo, de dos diferentes maneras: viendo lo que tiene de común con sus contemporáneos y con la tradición mediata o inmediata y lo que tiene de distinto, de innovador, de inventor. El tino en una clase de estudios como el que he realizado radica en elegir lo esencial: si lo he conseguido o he fracasado en mi empeño es cosa que sólo el lector puede dictaminar imparcialmente. En sus manos dejo este libro.

---

inclina hacia uno de ellos ha de definirle. Únicamente es en este sentido como puede afirmarse que Gustavo Adolfo Bécquer pertenece al grupo primero, y que Góngora, Quevedo y Rubén Darío se hallan incluidos en el segundo.

Capítulo primero

DATOS BIOGRÁFICOS [1]

Nació Vicente Aleixandre en Sevilla, el 26 de abril de 1898. Su abuelo era intendente militar de aquella región, y en el viejo caserón de la Intendencia (hoy remozado palacio de Yanduri) se abrieron por vez primera los ojos del futuro poeta. Sin embargo, los años sevillanos no fueron muchos, ni aun contados en vida infantil: a los dos años, destinado su padre (que era ingeniero) a Málaga, en esta ciudad vemos al niño Vicente durante nueve, hasta cumplir la edad de once. Juegos en el parque, mientras era párvulo de un colegio de monjas; primera amistad; primer contacto con la humana fantasía: un libro de cuentos de grandes y gruesas letras...

A los siete años, un caballero de bigote retorcido, pero célebre entre los pequeños estudiantes por su bondad, vio llegar a su colegio a un niño rubio y algo tímido, que pronto se sintió libre como los pájaros en aquella casa donde la disciplina brillaba por su ausencia. La bondad de don Buenaventura Barranco —el angélico profesor del mostacho— todo lo perdonaba, haciendo felices a la bandada de traviesos diablillos a quienes pretendía educar.

Durante los veranos, una casita de las afueras, situada en la playa de Pedregalejo, acogía a la familia Aleixandre. La luz mediterránea

---

[1] Redactado totalmente el presente libro, eché de ver que le faltaba la presentación humana del poeta estudiado. Vicente Aleixandre mismo, en carta de 8 de julio de 1949, me proporcionó bastantes de los datos que doy en este capítulo primero.

hirió así la retina de aquel niño que luego iba a verla posada tantas veces sobre las cosas. El mar, azul y enorme, era quizá lo que más amaba : cielo, arena, espuma. En su poesía habría de verse luego la huella de este amor.

Pero otras diversiones de clase diferente le distraían también : las primeras lecturas. El autor de *Mundo a Solas* nos dirá después : "Los cuentos de Grimm, de Andersen, hirieron mi fantasía y quizá influyeron en mí más de lo que se ha sabido. Los cuentos de hadas me proporcionaban felicidad. Recuerdo que, sin escribir, porque no podía ni se me ocurría, yo me sumía en largas imaginaciones, en confusos relatos sin fin que yo me inventaba, donde perdía pie y hallaba un placer que mantenía cuidadosamente secreto" [2].

La familia Aleixandre (el padre, la madre, el hijo y la hija) se trasladó a Madrid cuando Vicente tenía once años. En la calle de Ventura de la Vega se hallaba situado el Colegio Teresiano, donde nuestro poeta ingresó como alumno. Los profesores madrileños se parecían poco al buenazo de don Buenaventura, y el niño los sentía como ajenos a su espíritu, refugiado en la lectura, creciente afición que nunca había de abandonarle. Si primero habían sido cuentos y relatos para chicos, ahora, a los once, a los doce años, Vicente leía, sin pedir permiso a nadie, todo lo que caía en sus manos. Su abuelo tenía una pequeña biblioteca, y de allí sacaba lo mismo los folletines de Fernández y González que las traducciones de los dramas de Schiller ; las novelas de Conan-Doyle que la *Ilíada* de la colección de Montaner y Simón. "Un descubrimiento fue Galdós —nos cuenta Aleixandre— [3], admiración que ha perdurado a través de todos mis gustos y que tuvo influencia en mis aficiones literarias, proporcionándome un punto de solidez y fijación en mis fluidas lecturas de la inicial adolescencia." La poesía, sin embargo, era un terreno no sólo desconocido para él, sino evitado. En el prólogo a *La Destrucción o el Amor* [4] nos cuenta su autor cómo cierta Preceptiva, con sus pedestres "ejemplos", le hacía huir de un "artificio al parecer estéril, fatigoso". Sin embargo, a los quince años leía novelas del XIX y teatro

---

[2] De una carta del poeta, 8 de julio de 1949, dirigida al autor de este libro.

[3] Ídem, id.

[4] Segunda edición, ed. Alhambra, Madrid, 1945.

clásico, embriagándose en los asuntos y los humanos hechos, sin prestar atención al verso ni al lenguaje en que estaban escritos. Entretanto, el bachillerato había terminado. A los quince años, por consejo familiar, comienza a estudiar Derecho e Intendencia Mercantil. En el primer curso, una asignatura llamó su atención: la Literatura española. Escapadas a la Biblioteca Nacional, donde apresuradamente devoraba todo cuanto caía en su manos: tomos de Rivadeneyra, libros de Galdós, Valera, Alarcón, Pardo Bazán... La lectura del siglo XX vino después: "He pensado siempre —dice nuestro poeta— [5] que la lectura de *Azorín*, Valle-Inclán, Baroja..., fue la que preparó el terreno para el fulminante efecto que la caída en mis manos del primer gran poeta había de producirme".

Era en 1917, y Vicente Aleixandre se hallaba veraneando en un pueblecito de la sierra de Ávila: Las Navas del Marqués. Allí conoció, según cuenta en el citado prólogo a *La Destrucción o el Amor*, a otro muchacho que más tarde sería el poeta, crítico y filólogo Dámaso Alonso. En las largas horas de amistad de aquel verano, en el trueque de libros y opiniones, éste dio a Aleixandre una antología de Rubén Darío: el efecto puede ser fácilmente imaginado. Fue el gran descubrimiento de la poesía, el abrirse un escenario de maravilla, la súbita contemplación de una luz límpida, distinta y embriagadora. Rápidamente quiere conocer todo lo que hasta ahora había evitado. Lee a Antonio Machado, primero; después, a Juan Ramón Jiménez. Comienza a escribir, influido por esas dos sombras, las primeras ingenuas composiciones, que han desaparecido.

Así define Aleixandre aquel momento: "Rubén Darío fue el primer gran poeta que tuve entre las manos, y aunque no me influyó en mis primeros poemas, le debo más de lo que parece. La familiaridad, en el verso, con su materia verbal, el número y el ritmo, ese fluidísimo conocimiento que ha de estar en la sangre del poeta, creo que a él se lo debo más que a nadie. Sin embargo, la estricta sensibilidad modernista me fue ajena siempre, y aunque en 1918 leí a los poetas de esa escuela pasada, yo los admiraba, pero no me influían" [6].

---

5 Carta citada.
6 Ídem, íd.

En 1920 terminó sus dos carreras y entró en la Escuela de Inten-
dentes Mercantiles de Madrid, como profesor ayudante. Durante dos
años dictó lecciones en la cátedra de Legislación Mercantil, como encargado de curso. Por las noches, durante algunos meses, iba a la
redacción de una revista de Economía como meritorio. Publicó dos o
tres artículos sobre temas ferroviarios. ¡Peregrino modo de darse a
conocer un futuro poeta, aunque ese poeta fuese empleado de una
compañía de ferrocarriles desde 1921! Por entonces escribía versos,
aunque sin publicarlos, por temor a que "unos ojos más sabios fulmi-
nasen la anonadadora sentencia" [7]. Ni aun sus más íntimas amistades
conocían la secreta y apasionante labor a que Aleixandre se dedicaba
en la inquieta soledad. Lecturas de poetas franceses de fin de siglo y
poetas clásicos españoles completaban el acervo de que su espíritu se
iba nutriendo. Oigamos al propio autor de *Sombra del Paraíso*: "Bécquer fue un poeta que amé en seguida, y ese gusto no ha sufrido
nunca eclipse. Él fue el revelador para mí del mundo romántico. San
Juan de la Cruz ha perdurado en mi amor desde el primer día.
Góngora me deslumbró. La pasión gongorina, común a mi generación,
no me fue del todo ajena en mi juventud..." [8].

Pero no estaba muy lejana la fecha en que la vida del joven empleado de ferrocarriles iba a hacer crisis. No fue un amor desgracia-
do, sino una enfermedad, lo que decidió el nuevo rumbo de su existencia. En abril de 1925, recién ingresado en una nueva empresa, la
falta de su salud dio un giro a su vida. Separación de toda actividad,
excepto de la literaria, en la soledad del campo, fuera de Madrid, durante dos largos años, que dedica a la redacción de los poemas de
su primer libro, *Ámbito*. Algunos de ellos, leídos por unos amigos,
fueron llevados a la *Revista de Occidente*, y allí aparecieron en agosto
de 1926 bajo un título muy de época: "Número". A partir de este
instante comienza su vida literaria exterior, colaborando en las revistas poéticas de aquel tiempo: *Litoral*, de Málaga; *Carmen*, de Gi-
jón; *Mediodía*, de Sevilla; *Verso y Prosa*, de Murcia...

Por tales fechas (1926-1928) traba amistad con los demás poetas
de su generación, de los que sólo con anterioridad conocía, como más
arriba quedó precisado, a Dámaso Alonso.

---

[7] Prólogo citado a la segunda edición de *La Destrucción o el Amor*.
[8] Carta citada.

Pero ya en 1927 tenemos a nuestro poeta instalado con sus padres en Madrid, calle de Velintonia, donde siempre viviría, salvo, accidentalmente, en la guerra. Esta calle se halla situada en un extremo de la ciudad, casi en pleno campo, frente a un maravilloso paisaje velazqueño. Al fondo, la sierra azul de Guadarrama, que en algunas horas parece leve, ingrave, casi flotadora. Encendidos crepúsculos en el dilatado horizonte. Cielo abierto. Durante los veranos, ya desde 1925, el poeta va a Miraflores de la Sierra, pueblo no muy lejano a la capital y situado a media altura de un monte, desde donde se divisa la ancha llanura, cantada luego en el poema "Adiós a los campos" de *Sombra del Paraíso*.

Entre los años 1928 y 1929, Aleixandre compone un segundo libro: *Pasión de la Tierra*. Anunciado por la CIAP para publicarse con su primitivo título *La evasión hacia el fondo*, esa editorial quebró y la obra permaneció inédita hasta 1935.

Los gustos estéticos de nuestro poeta habían cambiado. El interés por Góngora había palidecido, siendo sustituido por otros maestros más cercanos a su nueva sensibilidad. Bécquer, San Juan, permanecían; pero Lope, con su fresco latir humano; Quevedo, con su profunda conciencia del vivir; Unamuno, con su sobrecogedora interrogación sobre el destino de las criaturas, llamaban con nueva voz al corazón del joven poeta, que, ante todo y sobre todo, pedía ahora a la lírica emoción, comunicación [9]. Por otra parte, los maestros del irracionalismo literario europeo que dominaba aquel instante artístico, habían llegado a sus manos. "Joyce, Rimbaud, confluyeron casi simultáneamente en mis lecturas —nos confiesa Aleixandre—. Freud, en 1928, abrió, sajó honduras de la psique, con un borbotar de vida profunda más que nunca escuchable. Hace ya tiempo que sé que sin la impresión de Freud, *Pasión de la Tierra* no hubiera tomado la forma que tomó, aunque yo entonces no tuviera conciencia de ello" [10].

Son años de intensa producción. En 1930 empieza a escribir un tercer libro, *Espadas como Labios*, que se acaba al año siguiente. En 1932, cuando mejor parecía de salud, una nueva crisis pone en peligro su vida. Se sucede una operación grave: extracción de un ri-

---

[9] Vicente Aleixandre, "Poesía, comunicación", en *Correo Literario*, I, Madrid, 1 de junio de 1950.
[10] Carta citada.

ñón. En Miraflores de la Sierra pasa la convalecencia, durante la cual
se publica *Espadas como Labios*.

En traducciones francesas, lee entonces a los románticos alemanes, principalmente a Novalis y Tieck. El magnífico libro de Ricarda Huch sobre esa época [11] le causa gran impresión y le abre nuevos panoramas, sobre todo de clima vital, que, en cierto modo, habían de influir en la redacción de *La Destrucción o el Amor*. Las lecturas de la lírica shakespeariana, la de Keats, Shelley y Wordsworth, completan el nuevo panorama espiritual.

Vuelto a Madrid, 1933 es un año de gran actividad poética y humana. Recobrado de su enfermedad y con un gran apetito de vivir, absorbe la vida con avidez mientras escribe *La Destrucción o el Amor*, libro rápidamente terminado. En diciembre, inédito, obtiene el Primer Premio Nacional de Literatura. Su madre muere en marzo siguiente. En 1935 salen a luz dos libros aleixandrinos: *La Destrucción o el Amor*, en España; *Pasión de la Tierra*, en Méjico. Para estas fechas estaban ya escritos bastantes de los poemas de *Mundo a Solas*, obra que, comenzada en 1934, se anunció con el título de *Destino del Hombre*. Cerrado el libro un mes antes de la guerra española, hubo de quedar inédito hasta 1950.

Años terribles los de 1936 a 1939. Nuestra Patria queda anegada por el horror de la lucha civil. Aleixandre recae en su enfermedad y permanece dos años de obligado reposo en medio de aquel fragor de dolor y sangre. Terminada la guerra, muere su padre y se quedan los dos hermanos solos. La fama del poeta no ha hecho sino crecer. La juventud cada día se interesa más por su obra, interés que se acentúa a la publicación en 1944 de *Sombra del Paraíso*. Es ya memorable el influjo que la poesía de Aleixandre ha ejercido sobre una gran parte de los poetas de interés surgidos después de la guerra. Y no sólo en España, pues esa influencia se extiende también a algunos poetas hispanoamericanos [12]. Es el período de plenitud, y Aleixandre

---

[11] Ricarda Huch, *Les romantiques allemands*. Traduit par André Babelon, Grasset, 1933.

[12] Sobre el influjo de Aleixandre en la lírica española posterior, véase Eugenio de Nora, "Aleixandre, renovador", en *Corcel*, 5-6, Valencia, páginas 31-32. Para conocer la importancia del autor de *Sombra del Paraíso* en el desarrollo de la poesía hispanoamericana de postguerra, nos ha sido útil la con-

no permanece inactivo: de 1941 a 1945 escribe el núcleo esencial de *Nacimiento Último*, y en 1945 comienza otra de sus obras capitales, *Historia del Corazón*, no terminada hasta 1954, año en que se publica. A mediados del año 1949 el poeta es elegido miembro de número de la Real Academia Española. Su discurso de ingreso se edita bajo el título: *Vida del poeta: el Amor y la Poesía*. Su casa de Velintonia es obligada visita desde 1940 de todo poeta joven que viene a Madrid, a quien nuestro poeta acoge siempre con amistoso calor, generosidad e interés humano.

---

ferencia del profesor y escritor chileno Roque Esteban Scarpa, pronunciada en la Universidad de Madrid (conferencia reseñada en el diario *Arriba* del día siguiente, 8 de diciembre de 1947), así como la declaración del profesor argentino don Alfredo A. Roggiano, en el diario *La Noche*, de Santiago, 26 de julio de 1949; y, sobre todo, el discurso académico de Dámaso Alonso, en contestación al pronunciado por Vicente Aleixandre con motivo de su ingreso en la Real Academia Española, Madrid, 1950. (Consúltese también la bibliografía hispanoamericana que cito en las páginas finales de este libro.)

CAPÍTULO II

HACIA UN NUEVO CONCEPTO DE ESTILÍSTICA:
LA VISIÓN DEL MUNDO, EL ESTILO Y LA PERSONALIDAD

FONDO, FORMA
Y PERSONALIDAD

Al enfrentarnos con el estudio de una obra literaria, se adelanta hasta nosotros una cuestión previa: la del método más adecuado a utilizar. El seguido principalmente por algunos filólogos alemanes, aunque parte de un supuesto rebatido por ciertos autores, tal vez resulte defendible y utilizable en sus puntos centrales. Resumiéndolo en dos palabras: en la obra literaria propiamente tal, el continente y el contenido guardan tan ajustada correspondencia que la forma no es sino resultado del fondo, *o sea resultado de la personalidad del artista,* en alguna de sus dimensiones, potenciales al menos y a través acaso de una estilización más o menos pronunciada.

No sería imposible relacionar con esta corriente ideológica la idea de Herder afirmativa de que la literatura de un pueblo es expresión de su personalidad; modernamente, Gundolf, Hermann Nohl, Josef Körner, Leo Spitzer, etc., serán representantes destacados de la tendencia susodicha, condensada por este último en su opinión de que todo cambio en el hábito de nuestra vida mental arrastra una desviación lingüística del uso ordinario [1]. Y hasta nuestro Ortega incide en idéntica postura al sostener que "el estilo que crea cada época y, den-

---

[1] Spitzer, "Zur sprachlichen Interpretation von Wortkunstwerken", en *Neue Jahrbücher für Wissenschaft und Jugendbildung,* VI (1930), págs. 632-651.

tro de ella, cada artista (...) es un fruto único, predeterminado e in-
evitable, que depende del ser mismo de la época y del individuo en
ella inscrito" [2]. (Dada la extensión que alcanzan esos conceptos, no
nos sorprende que salpiquen hasta ciertas páginas de algún historiador
como Toynbee [3], que se hace eco incidentalmente de ellos en el instante en que ve la vena atormentada de la literatura rusa del siglo
XIX como desahogo y expresión de la angustia sufrida por ese pueblo
al tener necesariamente que vivir, a partir de Pedro el Grande, en
dos orbes espirituales distintos: el occidental y el suyo auténtico.)

Repito que la posición filológica que acabo de mencionar ha sufrido últimamente algunos reparos, basados, principalmente, en el
pensamiento de que *poesía* no es identificable con *vivencia* y, por
tanto, no es identificable con *personalidad*. En primer término, se ha
dicho, no toda la personalidad del poeta participa en el acto creador;
en segundo lugar, no todo lo que hay en un poema procede de la
personalidad de quien lo concibe [4]. El argumento primero no es subs-
tancial y se nos muestra como fácilmente desdeñable, pero el otro
es más sólido y exige que nos detengamos a examinarlo con alguna
morosidad. Creo compendiar lo más importante que sobre este segundo punto se ha escrito diciendo que el lenguaje de un poeta es
una combinación donde se unen a elementos personales otros que
ostentan en distinto grado un cierto carácter *social:* en la obra de
todo poeta hallamos, en efecto, al lado de giros o voces nuevos, inau-
ditos, expresiones de faz más conocida, propias de la generación en
que el poeta se inserta, o propias del período en que escribe (siglo XX,
romanticismo, barroco), o propias de la era (racionalismo, Edad Media), o aun de la raza desde la que se yergue [5]. Aparte de esto, se

2 Ortega, *Nuevas casas antiguas*, pág. 550 y sigs. del tomo II de sus *Obras Completas*, Revista de Occidente, Madrid, 1951.
3 Toynbee, *El mundo y el occidente*.
4 Véase Wolfgang Kayser: *Interpretación y análisis de la obra literaria* (versión española de M.ª D. Moutón y V. G. Yebra), Gredos, 1954, pág. 462.
5 F. W. Bateson (*English poetry and the english language*, Oxford, 1934, página VI) lleva a ultranza la idea del influjo de la época sobre la obra literaria, pero para este autor ello no se debe al poeta, sino al idioma que uti-
liza. Es el idioma quien refleja los cambios sociales e intelectuales y la poesía
sólo lo hace en cuanto que usa un lenguaje particular donde tales cambios han
dejado su huella.

observa que el poema no es necesariamente proclamador y exponen-
te de los sentimientos, sensaciones e ideas del poeta, pues éste puede
muy bien, por el contrario, reflejar en su poema un contenido anímico ajeno, imaginario o real (ese matiz es indiferente para nuestro
propósito), que el poeta se ha limitado a intuir y expresar; y otras
veces ciertos ingredientes de la obra artística serán fruto del influjo
de determinados modelos.

Aun el lenguaje del escritor entra en otra suerte de impersonali-
dad (concedamos provisionalmente algún valor a esa palabra) que
consiste en la impronta que el género literario utilizado le deja [6].
Y así, por ejemplo, el lenguaje del arte teatral difiere del lenguaje
lírico, y éste del lenguaje novelesco. Y si llevamos ahora con más
escrúpulo este análisis, nos damos cuenta de que cada uno de esos
géneros literarios se escinde, a su vez, en varias especies donde ocurre lo mismo: que cada una de ellas obedece a leyes distintas con
respecto a las otras (lo cual significa que todas discrepan en el uso
de diferentes convenciones o actitudes, de diferente lenguaje). En la
farsa se admiten tipos de situación que no serían tolerables en la tra-
gedia o en el drama; y en la poesía satírica pueden utilizarse expresiones que se verían como inconvenientes en el poema lírico; etc.
En conclusión: el poeta, al disponerse a escribir, adopta una actitud
convencional que está influyendo en la totalidad de su lenguaje, y,
por tanto, en este último hay numerosos elementos atribuibles más
al género literario que a la persona del poeta [7]. Y lo mismo podríamos
decir con respecto a la tradición literaria general, que está actuando
en todo momento sobre la psique del escritor [8].

---

    [6] Véase René Wellek y Austin Warren, Teoría literaria (traducción del
inglés de José M.ª Jimeno Capella), ed. Gredos, Madrid, 1953, pág. 394.
    [7] Véase mi Teoría de la expresión poética, 4.ª ed., Gredos, Madrid, 1966,
páginas 377 y sigs. El ensayista catalán Maurici Serrahima ha hablado de tal
hecho y lo ejemplifica con una graciosa anécdota (procedente de una novela
francesa) sumamente significativa. Para abreviar, la modificaré levemente. Un
muchacho envía a su abuelo una carta; éste, al recibirla, reprocha a su
nieto el lenguaje enfático en que la carta venía redactada. El nieto le replica
con estas palabras: "es que no te has dado cuenta de que la carta estaba
escrita en verso".
    [8] Wilhelm Dilthey, Das Erlebnis und die Dichtung, Leipzig, 1907; Frie-
drich Gundolf, Goethe, Berlín, 1916 (citados por R. Wellek y A. Warren,
op. cit.).

Todo coincide en indicarnos que la urdimbre literaria trenza dos clases de filamentos: unos personales, en que la intimidad del escritor afluye, y otros que en un inicial pronto (superficial, como veremos) llamaríamos impersonales, donde lo que en principio se hace patente es la existencia de una tradición, mediata o inmediata, pero no la intimidad última del que escribe.

Ahora bien, si esto es radicalmente cierto, podría, a primera vista, parecer que, en efecto, tal doctrina menoscaba la tesis antes citada de aquellos filólogos que consideran la obra artística en función de la personalidad de su autor. Sin embargo, sospecho que tales argumentos no corrompen, sino que, todo lo más, imponen fronteras a esa tesis. Pues por "personalidad de un autor" no es preciso entender sólo "intimidad" o "yo íntimo", sino también "yo social", esa región del ser individual por la que éste comparte creencias, usos, etcétera, con su prójimo. Nuestro "yo" no es todo él original, ni siquiera en su mayor parte; hay en nosotros una suma interminable de tópicos, y sólo a causa de ellos la vida se nos hace fácil y es posible el progreso [9].

Nuestra personalidad no queda, pues, agotada en el yo íntimo; abarca, insisto, el yo social, mucho más importante cuantitativamente que aquél; *y es a esa región de la personalidad a quien hay que achacar*, hablando en general, *lo que de colectivo o mostrenco exista en un poema*: los ingredientes étnicos tanto como el lenguaje generacional, de época, de era; e incluso el lenguaje que específicamente se atribuye al género literario dado. Pues los géneros literarios son, a mi juicio, expresión muy genérica de muy genéricos modos de ser el hombre. Cuando estos modos de ser acaban, el género literario se extingue. Y así, la épica tuvo una existencia ciertamente larga, pero, en definitiva, mortal. Y esa muerte (que puede ser temporal oscurecimiento) quizá se halle ligada al cese o la grave atenuación de ciertos ideales heroicos en la zona más representativa de nuestras sociedades históricas. Una contraprueba de ello nos la daría Italia, cuya falta de espíritu nacional, congruentemente acompañada de escaso impulso bélico, le

---

[9] Ortega y Gasset, *En torno a Galileo*, tomo V de sus *Obras Completas*, edición Revista de Occidente, Madrid, 1947, págs. 73 y sigs.

privó de una épica que no fuese escéptica, burlona [10]. Por otra parte, si algunos géneros se muestran hasta ahora como imperecederos (verbi gratia, la lírica), ello dependerá, probablemente, de que son emanación de actitudes humanas hasta ahora vivas (y no es posible excluir el hecho de que lo sean siempre).

De igual manera podría mostrarse que el hecho de las imitaciones (más o menos parciales) en poesía no es óbice tampoco a nuestra tesis. Pues cuando se opone a ella tal argumento se está desconociendo u olvidando, creo yo, el problema psicológico que esa especie de contagios entraña en las obras literarias genuinas (no me refiero a las inauténticas, claro está, donde la cuestión es distinta). A mi entender, ningún artista verdadero imita en cuanto tal a otro cuando la personalidad de ambos no tiene algún punto de contacto. Si no me engaño, esa semejanza es, precisamente, la explicación de los influjos, y, en consecuencia, el argumento aducido no prueba nada contra el pensamiento de que tras la obra de arte está, de modo próximo o remoto, y más o menos parcial, por supuesto, la personalidad de su autor, o el deje o temple de esa personalidad.

(Coincido aquí con T. S. Eliot, que en un ensayo sobre Dante de su libro *Selected Essays*, hablando de los influjos provenzales e italianos sobre la *Vita Nuova*, dice lo siguiente: "Al principio, Dante escribió aproximadamente como otros poetas, no porque hubiese leído sus obras, sino porque sus maneras de sentimiento y sus maneras de pensamiento eran, en gran medida, parecidas a las de aquéllos".)

Atenderé, por último, brevemente, a la otra objeción que más arriba quedó reseñada: el caso en que el poeta da forma a un contenido psíquico aparentemente ajeno; por ejemplo, cuando Lope, en un monólogo teatral de carácter lírico, expone los sentimientos o emociones de un personaje femenino ficticio.

Puede concederse con facilidad que esas emociones no sean *exactamente* las de Lope; pero difícil sería admitir que no tengan con Lope una cierta suerte de relación. Lo más acertado me parece pensar que significan una especie de traslación y nueva *formalización* de algo lopesco. No es posible desarrollar aquí este pensamiento con

---

[10] Américo Castro, *La realidad histórica de España,* ed. Porrúa, México, 1954, páginas 135 y 239.

la plenitud indispensable, pues se trata nada menos que de un vasto y complejo problema psicológico: el de la intuición del *otro*. Sólo diré esto: intuir al otro es *vivirlo*. Pero nadie puede vivir al prójimo *sino desde sí mismo*, desde experiencias o posibilidades propias. Ése es el sentido profundo que puede tener la conocida frase de Flaubert ("Madame Bovary soy yo") o la de Goethe (afirmativa de su obra poética como "trozos de una gran confesión"), que, tomadas en su significado literal o superficial, podrían parecer arbitrarias.

ESTILÍSTICA EXTERNA Y ESTILÍSTICA INTERNA

Si concebimos, pues, el concepto "personalidad" con criterio no angosto, podemos, en uso de algún derecho, dar por cierta la relación, más o menos directa, entre forma y fondo y entre este último y personalidad [11]. Estas amplias correspondencias así establecidas me parecen básicas en estudios de índole estilística, pues nos ayudan a entender, y no sólo a describir, el lenguaje de los distintos autores. Pienso, en efecto, que al lado de una estilística externa o descriptiva (que enumere las peculiaridades de un habla poética en lo relativo a su forma) debe existir una Estilística interna o explicativa (que conecte esas peculiaridades formales con otras paralelas de fondo, de visión del mundo o posición del poeta ante las cosas). Me adhiero, pues, al pensamiento de que la explicación de un estilo hay que buscarla, justamente, en la concepción que su autor se forja de la realidad. Esa concepción será la causa de las peculiaridades léxicas, sintácticas, retóricas en general, y en general de estructura formal, que el poeta nos brinda. He de añadir que toda cosmovisión es un *sistema*, esto es, un conjunto orgánico de partes que se hallan en situación de *radicadas* con respecto a una intuición original previa [12]. Y por

---

[11] Estoy de acuerdo con Robert Petsch cuando afirma que no deben confundirse las vivencias con la obra de arte, pero que existe una relación entre ambas cosas: ser el arte resultado de modificar profundamente, de elaborar las vivencias.

[12] Ya Pedro Salinas en su libro sobre Rubén Darío (*La poesía de Rubén Darío*, ed. Losada, Buenos Aires, 1948, págs. 47 y 55) asegura que en todo

ello, esa intuición primaria es quien, a su vez, nos explica la especial
temática del poeta, tanto como el resto de su visión del mundo.
Todo hombre es un filtro de la realidad. La pupila humana es
esencialmente interesada (Bergson); y a esa ley de limitaciones no se
hurta tampoco el poeta, por muy vastos que sean los panoramas que
sus ojos divisen: el poeta sólo podrá ver (y por tanto, cantar) los objetos o parcelas de realidad que le sirvan para expresar, con variaciones y extensiones diversas, aquella primitiva visión que hemos llamado "intuición primaria". Los temas utilizados por un poeta cabal
no son, pues, nunca caprichosos, como no lo son (repito) el vocabulario, los procedimientos poéticos, la sintaxis o el dinamismo de la
frase. Todos ellos son las consecuencias, hacia adentro (hacia la visión del mundo) y hacia afuera (hacia la forma) de la escondida fuente
interna. La estilística deberá detectar ese central manantío y luego
completar el dibujo que por dentro y por fuera han decidido sus
aguas. La enumeración de los temas y su relación con la intuición
primaria será así uno de los objetos de la Estilística, como otro será
(insisto) la descripción de la forma y su relación con el fondo, visión
del mundo o repertorio de temas en eslabonamiento orgánico.

Mas advirtamos que si en tal visión del mundo pueden a veces
preponderar los elementos conceptuales, en otras ocasiones no ocurre
así. En bastantes casos, la cosmovisión es mínimamente conceptual y
máximamente afectiva, e incluso máximamente sensorial. Por eso un
preciosista, pongo por caso, no debe ser definido como un escritor
que deprime el fondo en beneficio de la forma. Esta definición no
tiene sentido para quienes piensan que, prácticamente, fondo y forma
son conceptos inseparables, o, por lo menos, correspondientes. Preciosista será más bien quien expresa *un fondo de tipo sensorial,* que
sólo a través de un lenguaje determinado, al que hemos dado en llamar "preciosista", puede transparentarse. Por tanto, deben desechar-
se, por confusos y equívocos, adjetivos como "superficial" o "formalista", aplicados con tanta frecuencia, por pura rutina, a esta suerte

poeta es rastreable la existencia de un tema central del que parten todos los
demás como subtemas. También Ortega ha hablado ("Azorín.—Primores de lo
vulgar", en *Obras Completas,* tomo II, ed. Revista de Occidente, Madrid,
1950, págs. 158-190) de que una obra literaria parte siempre de una intuición
radical frente al mundo, y Bergson ha referido lo mismo al filósofo.

de escritores. Si llevamos un cierto rigor a nuestras palabras, no podemos decir que un preciosista sea más "formalista" que otro literato cualquiera, puesto que su obra, según acabamos de entender, tiene tanto *fondo* como las demás, sólo que de naturaleza distinta. El error que combato procede, sin duda, de aquel prejuicio intelectualista, tan arraigado en la vieja retórica, que consideraba el lenguaje únicamente como soporte de meros conceptos. Si las palabras sólo retuviesen conceptos, los escritores preciosistas (por definición, menesterosos de ellos) serían, en efecto, escritores aproximadamente sin contenido. Pero como las palabras, además de ideas, pueden poseer representaciones sensoriales y sentimientos, no es cierta la carencia o escasa importancia del llamado "fondo" para ninguna clase de estilo.

NUEVO CONCEPTO DE ESTILÍS-
TICA: VISIÓN DEL MUNDO
Y PERSONALIDAD DEL POETA

No termina, sin embargo, aquí la misión de la Estilística, tal como yo me atrevería a entenderla. Entre las objeciones que se han puesto a los métodos de esa ciencia en formación, figura una que, a mi parecer, debe ser atendida. Aludo al argumento que considera como error fundamental de la Estilística al uso su exclusivo, desplazador interés por la obra literaria, con relativo olvido o indiferencia por la persona de su autor. (Claro está que para ese olvido existen bastantes justificaciones psicológicas —y no sólo psicológicas—: ante todo, representar en esto la Estilística una natural reacción frente al defecto contrario, cometido abusivamente durante años y años por las historias de la literatura: su obsesión biográfica, etc., y su encubierto desdén por la pieza literaria misma.)

No obstante, hora es ya de corregir, en lo que se pueda, las demasías que, por supuesto, hay en ambas posiciones, y desde luego corregirlas en lo que atañe a la Estilística: el artista no debe ser olvidado al estudiar su estilo. Y no debe serlo porque, hablando con todo rigor, la figura del artista nos ayuda *de modo esencial* en la cabal comprensión de la obra por él realizada.

En efecto: al buscar las razones profundas de su estilo, nuestra respuesta fue aludir a la visión del mundo de su autor, y dentro de ella, a su intuición fundamental. Pero sucede que esta inquisición no ha agotado el problema. Siempre cabe en nosotros la insatisfacción, que concretaríamos en un nuevo interrogante de tanta urgencia quizá como el precedente: ¿qué es lo que en el poeta ha originado su posición ante la realidad? En la contestación adecuada a esta pregunta reside, según sospecho, la realidad verdadera, el objeto último de la Estilística, en uno de sus aspectos.

Todos los hombres tienen una interpretación del mundo, más o menos personal, más o menos profunda. El hombre vulgar, lo mismo que el sobresaliente, necesita poseer una concepción de las cosas, porque sin ella no es posible vivir. La diferencia entre la concepción de uno y la de otro será todo lo grande que se quiera. Esa visión del cosmos podrá ser muy original o podrá serlo muy poco; pero el hecho esencial permanece idéntico en ambos. Y estimo que ambos llegan a ella a través del mismo par de factores: el temperamento especial que cada uno tenga (capacidad intelectual y moral, capacidad sensorial y afectiva, cualidades psicológicas varias) y el especial *mundo* que le ha rodeado desde niño (incluyendo en esa palabra un significado plural: educación recibida, amistades, experiencias, lecturas, y, en suma, la vida individual que cada cual se ha ido haciendo a lo largo de los años). Por tanto, no es sólo la psicología, a mi juicio, la que influye en la cosmovisión de cada ser, ni es sólo su biografía quien detenta tal influjo, sino la conjunción de ambas realidades. La visión del mundo es la chispa que brota de ese contacto; o si se prefiere otra imagen, el precipitado que resulta de la mixtura de esas dos muy diversas substancias.

LA VISIÓN DEL MUNDO Y
LAS "RECURRENCIAS VITALES"

Naturalmente, tendrán máxima importancia en la formación de ese modo de ver la realidad aquellos hechos que llamaríamos "recurrentes", esto es, los que aparecen alternativamente, pero con continuidad, en la vida de cada hombre. Ocurre aquí, en sentido espiritual, lo que en sentido material sucede con tantas realidades. Para que la piedra de una escalera se desgaste no es suficiente con subir por ella una sola vez. Es preciso que sea hollada por el pie de muchos hombres a lo largo del tiempo. Los hechos vitales recurrentes son como esas insistentes plantas que van dejando, muy poco a poco, la señal de su paso sobre la piedra.

De todo ello se deduce con claridad que aquellos factores que sean motivo directo de lo que hemos llamado "recurrencias" podrán considerarse como causa más primaria de la provocada cosmovisión. Y así, la cojera de Byron, poniendo un ejemplo muy abultado, fue para él origen de situaciones recurrentes que influyeron en su posterior visión del mundo. Podríamos concretar algunas de esas situaciones diciendo que el poeta inglés experimentó desde pequeño la hostilidad del mundo frente a sí: la burla de aquella niña, pongo por caso, al comprobar su defecto (aquella niña a la que Byron amaba); o la de este muchacho o la de aquel otro, que se pensaban superiores a él porque podían andar con más soltura y gracia. Acostumbrado, pues, a percibir una realidad que le era ofensiva, no nos extraña que el poeta se dispusiese a la defensa, que se sintiese en pugna con un contorno humano que le era enemigo, y en definitiva, que se convirtiese en un rebelde. A ello contribuiría también a su modo la nueva estructuración vital de los románticos, quienes *sentían* como signo de superioridad el repudio de las normas sociales. Pero esto, si no me equivoco, entra sobre todo secundariamente en el hecho que analizo, aunque no deje de entrar también con sentido primario. En efecto, por un lado, como desde tal estructuración era posible y aun altamente probable la admiración por las posturas indómitas, ello permitió a Byron el desarrollo de su personalidad en la dirección señalada (como el árbol de la selva permite el desarrollo de la trepadora vainilla); pero, por otra parte, fueron, aunque sólo de manera muy parcial, causa de tal desarrollo. Y digo que parcialmente lo fueron, porque en esa rebeldía byroniana se sabe lo que hay de genérico, lo que de ella es común a todo un grupo de hombres: los hombres románticos. En el *yo social* de Byron, como en el yo social de sus compañeros de literatura, germinó la discordia entre el individuo y la sociedad por razones que nadie ignora, y esta colisión vino a incrementar, a vigorizar lo que con igual sentido, pero provocado por causas muy distintas, había fraguado del modo que vimos en el yo íntimo del poeta que consideramos. En un complejo como éste se hace difícil, sin embargo, aislar del todo los filamentos constitutivos y decidir dónde y de qué modo termina uno y el otro comienza, y hasta qué punto ambos se condicionan, influyen y modifican entre sí.

El ejemplo de Byron nos servirá igualmente para ilustrar algo que hemos anunciado antes. Porque esa realidad recurrente en la vida de nuestro poeta no bastaría por sí misma para provocar la visión rebelde del mundo que los poemas del romántico exhiben. La relación *causa-efecto*, propia de la física, queda sustituida en biología por la relación *estímulo-respuesta*. *Respuesta* no es igual a *efecto*, algo predeterminado y fatal, sino libre reacción que podía haber sido otra. Entra aquí, en consecuencia, por lo pronto, la psicología de cada cual, y también (no lo olvidemos) el libre albedrío. En el caso de Byron lo notamos con mucha nitidez. Al gesto agresivo de su circunstancia vital, Byron contestó con su gran gesto de insumiso, entre otras cosas, porque Byron era esencialmente un orgulloso, un típico hombre de su casta. Probablemente su orgullo le impidió reaccionar de otro modo; por ejemplo, con resignación y piedad. Nuestro propio dolor puede desesperarnos si no lo queremos aceptar; pero puede igualmente humanizarnos más, haciéndonos más piadosos con nuestro prójimo, y ello porque sólo acostumbramos a compadecer del todo cuando hemos tenido nosotros mismos experiencia del sufrimiento.

Acabamos de mostrar cómo un modo físico de ser (un defecto en nuestro ejemplo, pero lo mismo podríamos haber sostenido para una perfección) puede convertirse, parcialmente, en origen de situaciones recurrentes, y, por consiguiente, en origen de cosmovisiones. Sobra advertir que, dada una psicología distinta, una psicología que permitiese a su poseedor, pongo por caso, cierta indiferencia emotiva, ese defecto (o esa perfección) no influiría para nada (o muy poco) en la ulterior visión que del mundo tal persona se viniese a formar.

Hay que decir con urgencia otra cosa; nuestro análisis eligió el caso de un ingrediente físico como fuente de recurrencias no porque esta especie de factores fuesen los más importantes o los más frecuentes, sino por motivos de claridad expositiva. Otras veces se tratará de meras cualidades psicológicas unidas a determinados hechos vitales. Pensemos en un niño cuyo temperamento para su perfecto equi-

librio espiritual requiriese un ambiente de acogedora calidez. E ima-
ginemos que, por circunstancias especiales, sus padres le obligasen a
una vida diferente a la de otros niños, una vida, por ejemplo, más
retraída que la de ellos. En ciertas horas nuestro pequeño se reuniría
con sus amigos; pero en las más se hallaría alejado de la vida que
en común harían éstos. Los muchachos pueden ser crueles y en nuestro caso lo serían; embromarían a nuestro héroe con la rareza de su
vida, con su extraño modo de vivir lejos de todo lo hermoso y ape-
tecible. Nuestra infantil persona empezaría a sentirse en soledad, y
acabaría por experimentarse *al margen de la verdadera vida*. Y si
esta clase de situaciones, por lo que sea, se tornaba en recurrente, no
es difícil comprender la posibilidad de que en nuestro protagonista
surgiera un modo de ver las cosas en que éstas apareciesen como en
posesión de una existencia puramente fantasmal. Y es que, al sentirse en la raíz de su ser fuera de la corriente auténtica del vivir,
nada más natural para el personaje que hemos inventado que llegar a
pensarse a sí propio como fantasma sin realidad, y a generalizar después, llevando tal espectralización a su contorno, que pasaría a ser
considerado por él no racionalmente, pero sí vitalmente, como una
ilusión de sus sentidos.

De igual modo, una persona socialmente tímida puede llegar, por
reiteración de situaciones humanas semejantes entre sí, a padecer,
pongo por caso, una cierta tensión emotiva frente al hecho mismo
de la sociedad, que le lleve a su rechazamiento. (O, por el contrario,
a su exaltación positiva, si logra superar, en algún sentido, su reacción
primaria. O a cualquier otro tipo de resultado.)

Ejemplos iguales o parecidos a los enumerados existen en las historias de la literatura, y creo que deben ser examinados a fondo por
la nueva Estilística que me aventuro a propugnar, la cual pasará así
de un estadio externo o formal a un estadio que, sin olvidar la forma,
ostente con igual brío un cariz aunadamente psicológico y biográfico [13]. El paso de una Estilística descriptiva a una Estilística verdade-

---

[13] La Estilística debería asimismo estudiar cuál sea el *movimiento general
anímico* de un poeta, cosa que entiendo como algo independiente y previo a
lo que se ha llamado "mundo lírico". Aunque es frecuente, no es necesario
que un escritor cante siempre el mismo cosmos, pues al llegar a determinada
altura vital puede producirse un cambio en el repertorio de objetos esenciales

ramente explicativa es ciertamente difícil de realizar, aunque no sea imposible. Se oponen a él numerosas circunstancias; entre otras, el hecho de que para dar con tan hondas motivaciones es necesario conocer muy de veras la personalidad del escritor estudiado, y ello no siempre resultará hacedero. Si se trata de un no contemporáneo, porque muchas veces se desconocen las circunstancias reales entre las que se movió o se ignora el entramado completo de su temperamento. Y si se trata de un contemporáneo que no ha muerto, la dificultad no disminuye, entre otras razones, porque el sentido de una vida acaso no se revele hasta la consumación de ella.

COSMOVISIÓN PERSONAL Y
COSMOVISIÓN GENERACIO-
NAL, DE ÉPOCA, ETCÉTERA

Sucintamente, hemos relacionado la cosmovisión de Byron con la biografía de éste; y hemos apuntado, con más brevedad aún, las conexiones entre tal cosmovisión y la de su época. Se hace preciso ya, para evitar equívocos, desarrollar aún más esta última suerte de dependencias.

En efecto: aunque una visión del mundo personal tenga mucho que ver con la biografía del autor de que se trate, no cabe duda de

---

mirados por el poeta. No sucede igual con lo que metafóricamente llamo "movimiento anímico", pues éste, inmutable, perdura a través de la nueva interpretación del cosmos intentada por el poeta.

Así ha ocurrido, por lo menos, en la obra de Vicente Aleixandre, cuyo libro *Historia del Corazón* si manifiesta, como veremos en el capítulo VII, una mutación esencial en el modo de entender la vida, lo hace a través de un mismo "movimiento del alma", una misma especial tendencia, por ejemplo, a la contrastación entre lo grande y lo minúsculo. Si antes Aleixandre no daba más importancia a los astros que al vivir humilde del indefenso escarabajo, ahora no otorgará mayor relieve a la colectividad humana en su conjunto que a la mano cálida de la persona querida, estrechada con amor un momento. Este sistema polar sería para Vicente Aleixandre su movimiento anímico, y su perduración a través de todas las modificaciones del mundo aleixandrino se deberá, supongo, a la independencia que posee con respecto a la biografía del autor, siempre movediza y fluyente, y a hallarse, en cambio, conexionado con meras condiciones psíquicas, de cariz escasamente alterable.

que tiene que ver mucho más con la visión del mundo que la sociedad como tal está sustentando a la sazón. ¿En qué sentido? En éste: toda visión del mundo personal es una *variante* de la visión del mundo de la época, a la que complementa y enriquece en algunas zonas más o menos extensas. De otro modo: una cosmovisión de época es un sistema muy genérico de relaciones *posibles* entre características; admite, pues, muchas *posibilidades* diferentes entre sí. Cada autor *realiza*, lleva a realidad o acto, lo que en potencia yace en ese otro sistema u organismo más amplio y abarcador, y por tanto, más vago, en el que se inserta. De ahí que para estudiar a un autor se haga preciso estudiar el tiempo en el que éste vive, y aun estudiar la era en la que su biografía se instala. Nosotros al hablar de Aleixandre haremos frecuentes excursiones hacia el estudio de los procedimientos y módulos expresivos y la manera de entender radicalmente la realidad que tiene el siglo XX. No se puede comprender a Aleixandre ni a los otros escritores de su tiempo sin saber que a partir del romanticismo (y ello de manera creciente) el hombre occidental y aun el hombre (puesto que la cultura occidental es hoy planetaria) se enfrenta con el mundo desde un agudísimo individualismo, conllevador de un irracionalismo muy peculiar. Interesarnos en un escritor requiere, de modo previo, interesarnos en su época; ésta hace a aquél inteligible en un sustancial esquema genérico, a partir del cual su personalidad se expresa individualmente, bien viviendo individualmente ese esquema desde una afectividad o sensorialidad individuales, únicas, bien completando con originalidad conceptualmente ese mismo esquema, que es siempre algo así como un croquis o esbozo de gran indeterminación, que requiere ser concretado, precisado y relleno.

Deducimos de aquí, por último, que el lenguaje de un escritor ha de tener en común muchos elementos con el lenguaje de otros escritores de su momento histórico, en cuanto que todos ellos comulgan en un último extracto cosmovisionario; y que ha de tener también algunos elementos diferenciales, propios, en cuanto que ese extracto ha sido desarrollado o vivido individualmente por el escritor de que se trate. La biografía de la sociedad o historia colectiva nos dará razón del extracto cosmovisionario colectivo; la biografía personal o historia íntima nos dará razón de los elementos personales perceptibles en la cosmovisión de cada autor. Ambas biografías son, pues, indispensables al determinar el estilo de un escritor, si deseamos un conocimiento suficiente del mismo. Pero el método que seguiré en adelante no será fiel, más que parcialmente, al método que acabo de exponer, aunque en apretada concisión. Espero, sin embargo, que estas reflexiones no hayan sido inútiles. Pueden servir para que en otra ocasión alguien (o quizá yo mismo) se arriesgue a darnos una interpretación de obras literarias que podamos llamar satisfactoria.

VISIÓN ALEIXANDRINA DEL MUNDO

Capítulo III

LOS ELEMENTOS CENTRALES DE LA POESÍA
DEL SIGLO XX: INDIVIDUALISMO E IRRACIONALISMO

UNA ÉPOCA FAVO-
RABLE A LA POESÍA

Vicente Aleixandre es un poeta que desde el punto de vista puramente histórico ha tenido suerte. El hecho fortuito de haber nacido en 1898 le colocó como escritor en un momento trascendental
para la poesía española, de manera que no es posible entender del
todo lo que le ocurre a la lírica contemporánea de nuestra lengua sin
tener a la vista el conjunto de su obra. Ciertamente, sin un alto valor
objetivamente existente ninguna operación humana se constituye en
hito decisivo, pero no hay duda de que, dado ese valor, la inserción
en un instante determinado y no en otro otorga plenitud o se la
niega a ciertos hechos de los hombres. Vicente Aleixandre, repito, no
careció en ese sentido de los regalos que los hados conceden con cierta parsimonia a los seres de nuestra especie. No sólo apareció en una
época y en un país que favorecían el nacimiento de un gran poeta,
sino que sus dotes naturales de tal y la fecha de su manifestación
eran de la índole más a propósito para que su obra pudiera ser contemplada como muy significativa dentro de un momento literario de
suma importancia. Me explicaré.

Hay épocas (mediados del siglo XVIII, por ejemplo) que no permiten todo el despliegue de que es potencialmente portadora una

creación poética eminente; y otras hay que, por el contrario, son capaces, como la nuestra, de otorgar el máximo desarrollo a un poeta
máximo. En las primeras vivirán felices los líricos escasamente dota-
dos, porque los mediocres dones de éstos concuerdan a la perfección
con las estrechas exigencias de aquéllas. En los períodos poéticamente
plenarios, en cambio, los poetas deficientes ponen en evidencia su limitación. El mayor poeta del siglo XVIII, Meléndez, que disfrutó en
su tiempo de amplio renombre, hubiese hecho un papel bien triste
si hubiese nacido siglo y medio antes o siglo y medio después. Y viceversa, un talento como el de Quevedo o como los de Lorca o Aleixandre, se habrían medio asfixiado en el mundo dieciochesco. Probablemente hubiesen resultado en esa situación poetas, si no por completo insignificantes, sí bastante menos decisivos de lo que son hoy,
gracias a haber vivido un instante extraordinariamente apto a la índole
de su genio.

Cada tiempo histórico tiene, de modo aproximado, en consecuencia, los poetas que merece: su estructura permite o dificulta el acceso de la gran poesía. No creo aventurar un juicio excesivo al afirmar
que el siglo XX es quizá el que más facilidades ha otorgado hasta
hoy al desarrollo del genio poético: dos de sus características fundamentales, en efecto, el irracionalismo y el individualismo, concuerdan de manera idónea con la naturaleza misma del arte, que es, en
su fundamento último, irracional y personal, bien que después pueda
y deba el impulso estético encauzarse según moldes de razón y según
referencias de índole social. No es, pues, casual el rico venero de poesía de que da abundantes señales nuestro siglo.

Vicente Aleixandre fue, según esto, repito, sumamente afortuna-
do al nacer en 1898, pues tuvo así, no sólo la oportunidad de llevar
a plenitud todas sus facultades, sino la de ser, junto a otros dos poetas
de su generación hispánica, un hito final en el que llegan a un clímax
dos procesos, vinculados entre sí, que venían hinchando su lomo,
como una ola, desde el Romanticismo. Estos dos procesos son el irracionalismo y el individualismo. Y luego, en descenso notable ya esa
oceánica doble propagación, este poeta tiene aún tiempo para vivir
con idéntica intensidad el gran cambio que afectó a la lírica a partir,
digamos, de 1947. Páginas adelante hemos de ocuparnos brevemente
de este cambio en su relación con la poesía aleixandrina.

EL IRRACIONALISMO

Aunque en abreviatura, necesitamos analizar por separado, en conexión con Aleixandre, cada uno de los ingredientes fundamentales que constituyen lo que llamamos poesía del siglo XX. Nuestro primer encuentro será con el irracionalismo. El irracionalismo poético es sólo un aspecto del irracionalismo general de que se tiñe la cultura a partir del Romanticismo. Si se me da licencia para simplificar la cuestión, yo diría que el irracionalismo del siglo XIX lleva un signo inverso al irracionalismo del siglo XX. En el siglo XIX se refería más a la actitud del poeta frente al poema o arte de la composición que a la materia verbal que éste manejaba; al contrario de lo que ocurre en el siglo XX. En una fórmula apretada, que como todas las fórmulas apretadas requeriría para ser del todo diáfana abundantes comentarios que acaso fuesen impertinentes en la economía de estas páginas, yo diría esto: en el Romanticismo el poeta se enfrentaba irracionalmente (espontaneidad, improvisación, digresiones —*El Diablo Mundo*—, etc.) con la materia verbal heredada de la tradición que no era irracional en el grado y sentido en que lo fue después. En tanto que en nuestro tiempo es, expresándome en términos generales, racional la actitud del poeta en cuanto a la composición e irracionales los materiales expresivos. De manera creciente desde 1900, aproximadamente, o un poco antes, hasta 1936, más o menos, y con posterioridad a esta última fecha de manera francamente decreciente, las palabras pueden usarse en sentido lógico, pero se usan, con frecuencia característica, ilógicamente, esto es, según sus asociaciones irreflexivas.

De todo ello se desprende la paradoja en que han caído numerosos críticos de la poesía del novecientos: que a una lírica tan acentuadamente irracionalista como la propia de nuestro siglo se la haya calificado de "intelectual", sin tomar precaución alguna al utilizar ese vocablo. No se daban cuenta acaso tales críticos de que si era muchas veces intelectual la actitud del poeta frente al poema (organización de los materiales, sentido de la composición, eliminación de excrecencias, etc.), no lo era en modo alguno lo más profundo y sustancial, a saber: el tipo de significación asentado en las palabras mismas. En numerosos casos límites se utiliza el léxico únicamente en cuanto capaz de asociaciones irracionales, o en otros casos menos agudos se usa el vocabulario poético poniendo a la vista del lector los dos tipos de significación que las palabras pueden tener: la puramente conceptual, por un lado, y por otro, la extraconceptual en asociación irreflexiva. (Cierto que en ningún instante se deja de emplear también lo que llamaríamos "método tradicional".) En varios trabajos míos he intentado examinar este problema a través de la metáfora del presente siglo. Y allí remito la atención del lector a quien interese el problema.

Si deseamos ahora marcar los hitos del proceso irracionalizador, según sube éste en importancia a lo largo del primer tercio del siglo, dispondríamos un esquema de tres nombres, cada uno de los cuales representa un avance en el uso español de la significación irracional del léxico poético: Antonio Machado-Lorca-Aleixandre. Junto a cada uno de estos poetas podrían figurar otros con igual sentido, pero menos decisivamente jalonadores, creo yo, de un relativo punto extremo dentro de lo que llamaríamos "gráfico de la fiebre ilogicista": así, al lado de Machado podría estar Juan Ramón Jiménez; al lado de Lorca, Alberti, Altolaguirre, Guillén y Salinas; al lado de Aleixandre, Cernuda. Pero, en todo caso, resultaría que nuestro autor se halla en el ápice de la curva, en su punto más elevado, tras el que comienza el descenso, incluso en el interior de su propia obra.

EL INDIVIDUALISMO

Esta significación de "finisterre" que observamos en Aleixandre al considerarlo desde la perspectiva del irracionalismo, la advertiremos igualmente si lo miramos desde la otra perspectiva esencial: el individualismo. También el individualismo literario se nos aparece como una criatura que crece biológicamente a partir del Romanticismo [1], y

---

[1] Claro está que no intento proponer al Romanticismo como descubridor de la individualidad. El individualismo se inició bastante tiempo antes, ya en los siglos finales de la Edad Media, según el hombre al desarrollarse el comercio y la industria, actividades con las que se enriquece, va confiando más en

también en este caso nos es dado fijar sus estaciones fundamentales dentro del siglo XX, aunque aquí no nos sea posible dar un nombre de poeta para cada estirón en el desarrollo, sino dos por lo menos: en un primer lugar situaríamos juntos a Antonio Machado y a Juan Ramón Jiménez. En otro más avanzado, a Jorge Guillén y Vicente Aleixandre. Observamos entonces que también, en cuanto al individualismo, Aleixandre, ahora acompañado de Guillén, se viene a situar en el punto más empinado de la montaña, tras el que se impondrá el obligado descenso a la ladera. Y de nuevo vemos que esa trayectoria en declive la efectúa el propio Aleixandre (y también su compañero de letras) en la marcada evolución que su obra realiza durante la posguerra. Y si ahora tomamos en conjunto los dos aspectos considerados, irracionalismo e individualismo, que son, no lo olvidemos, los fundamentales de la poesía de nuestro siglo, se nos aparece acaso como justa la afirmación que realizábamos al comienzo de estas páginas: la poesía de Aleixandre actúa no sólo de clímax en un capital proceso, sino de gozne en el giro de la poesía cronológicamente más próxima a nosotros. Hacia 1947 (y aun antes) la poesía se abre como un abanico, y ese mismo cambio lo realiza en todos sus pormenores esenciales el autor que había representado el papel que hemos visto en el proceso anterior. Si salimos del ámbito español para incurrir en el general hispánico, asociaríamos al de Aleixandre el nombre de Neruda, que cumple un oficio parecido, no sólo en cuanto a significar un pleno irracionalista e individualista, sino también en cuanto a la variación en sentido contrario con que lo vemos actuar en los años últimos.

No sé si he adelantado excesivamente las cosas en esta sumaria exposición. Retornemos, en todo caso, al instante anterior, en que el

---

sí mismo y, por tanto, va abandonando su concepción teocéntrica. Nadie ignora que después el Renacimiento intensifica el proceso, que gana su primera cota importante con el barroco español del siglo XVII, donde el afán de sobresalir del vulgo se convierte en una moda, y hasta en una obsesión, que dura más de cien años. Las ideas dieciochescas sobre la unitiva razón establecen (aunque sólo aparentemente) una silenciosa tregua que queda interrumpida ruidosamente al llegar el Romanticismo. El Romanticismo intensifica con violencia el viejo movimiento individualista, y a todo lo largo del siglo XIX y, sobre todo, del XX, la ola sigue en rápida creciente, como indico en el texto. (Véase mi *Teoría de la expresión poética.*)

individualismo se hallaba todavía en su plenitud: al período entre 1925 y 1940. En esa década y media podemos ver con ojos claros el resultado más evidente del fenómeno que ahora nos ocupa. Pues parece indubitable que la consecuencia de más bulto que puede tener en la literatura el individualismo será la diferenciación de unos artistas con respecto a los otros. Cada autor pondrá todo su empeño en no parecerse a los demás. Y como la discrepancia radical en este sentido es siempre la discrepancia en la visión del mundo, no nos choca que cada uno de los poetas que escriben entre las mencionadas fechas tenga su cosmovisión propia, mínimamente semejante a las de sus compañeros. Ahora bien: si todos tienden a esto, no todos lo hacen con la misma intensidad: Guillén y Aleixandre serán, sin duda, los más extremosos. Hay que decirlo con valentía, pues el hecho es palmario: en toda la historia de la literatura española no hay un solo escritor de verso que pueda ofrecer un mundo tan cerradamente personal como el que vemos en *Cántico*, de Guillén, o en el conjunto de los libros aleixandrinos. Y es que en ningún instante el individualismo había sido tan agudo como el que afecta a esos dos autores.

Pero ese individualismo de visión tiene dos consecuencias inmediatas: la personalidad estilística o formal y la extensión y variedad del mundo mismo cantado. Lo primero es fácil de comprender, en cuanto recordamos la inseparabilidad del fondo y la forma; lo segundo también se nos ofrece como claro, aunque sólo tras una breve consideración.

Yo creo que todas las visiones del mundo desplazan, en principio, un espacio equivalente: el constituido por el genérico universo humano. Ahora bien: cuando mi visión coincide con la del prójimo en casi todos sus pormenores, al expresarla sólo tengo que aludir a las indentaciones disidentes, puesto que lo consabido se calla; si, por el contrario, soy extremosamente original, debo exponer a la vista de mis lectores todo el entramado de mi sistema al objeto de hacer cabalmente inteligible cada una de sus articulaciones. Las visiones del mundo de carácter más tópico no precisan sino la mención de ciertas leves ondulaciones con las que sobresalen de la común llanura convencional. Mientras aquellas otras de superior originalidad requieren, para cobrar pleno sentido, la alusión a la totalidad del organismo, que, de ser implícito, como en las anteriores, pasa a ser explícito y, por consiguiente, de mayor extensión.

Recogiendo las ideas precedentes, diremos que el individualismo extremoso a que llegó la poesía entre 1925 y 1940, sobre todo en la obra de Aleixandre, Guillén y Neruda, tiene estas congruentes consecuencias:

1.ª un estilo muy personal, oriundo de
2.ª una visión del mundo de suma originalidad y coherencia, que
3.ª lleva el obligado atributo de su largo alcance. Esto quiere decir que el poeta mira un entero mundo desde diferentes perspectivas, interpretándolo en un gran número de objetos.

No hay duda, pues: en los poetas de 1927 el individualismo de la obra artística había llegado a una elevación acantilada, allende la cual no había posibilidad de avance. Y sin embargo...

Sin embargo, paradójicamente, por esas fechas el supuesto que yace bajo todo individualismo casi ha desaparecido. No sólo no es pensado (los supuestos no suelen ser pensados), sino que no es vivido ya por nadie, al menos con apreciable intensidad. ¿Y cuál es ese supuesto que ya nadie vive, ese supuesto que, en la forma de vago sentimiento, se esconde bajo la actitud mencionada? Éste: que somos más cuanto más distintos y discordantes, cuanto menos sujetos a una amplia participación en principios y visiones con el común de las gentes. Juan Ramón Jiménez todavía vivía esa premisa ("a la minoría siempre"). Hacia 1930 nadie la vive ya. Jorge Guillén se nos mostrará como de acuerdo con el mundo y los hombres ("el mundo está bien hecho", "dependo de ti, mundo"). Y Aleixandre, como veremos después, hace de la solidaridad amorosa con el cosmos y el hombre centro de su actividad literaria. Y no sólo eso: en un artículo ("Entregas de poesía", Barcelona, junio 1944), recogido como prólogo a la segunda edición de *La Destrucción o el Amor*, se proclama poeta no de lo que "refinadamente diferencia, sino de lo que esencialmente une"; no poeta de minorías, sino poeta de mayorías, al menos en la voluntad artística; en una entrevista del año 1933 ya había afirmado que su deseo mayor hubiese sido comunicarse a todos, ser entendido hasta del hombre menos pasado por la cultura.

Se es individualista en el formato de la obra, pero ya no se comulga con la premisa que el individualismo lleva consigo. Y como ya

no se siente esa premisa, el aspecto más superficial del individualismo
anterior, el gusto por la extravagancia personal, la extravagancia del
dato biográfico mismo (paraguas rojo de Azorín, barbas de Valle-Inclán, energumenismo de Unamuno, etc.), ya no existe. Y es que aunque pueda sorprender y hasta escandalizar a alguien, el individualismo
de la conducta requiere vivir del todo, sentir plenamente esa premisa
que el individualismo supone, en tanto que el individualismo de la
obra artística no requiere lo mismo en el mismo grado. Insisto una
vez más: hagamos el esfuerzo de poner juntos estos dos hechos que
se dan hacia 1930: 1.º, evaporación de la premisa del individualismo
("somos más cuanto más insolidarios seamos del común de los hombres"), y 2.º, intensificación del individualismo poemático en Guillén,
Aleixandre y Neruda. ¿No es cierto que la contradicción es notable?
¿Cómo es posible que los supuestos tácitos de una obra discrepen tan
diametralmente del contenido expreso de la misma sin herir su profunda unidad? Porque no hay vacilación posible: esa discrepancia es
descaradamente patente en el caso de Vicente Aleixandre o de Jorge
Guillén. Yo me lo explicaría así: cada época impone al escritor con
rigor de ineludible vigencia un molde expresivo ampliamente genérico, en el que éste plasma su obra. Ese molde expresivo ha sido originado a lo largo del tiempo por unos supuestos que poco a poco
han podido ir evaporándose hasta la total sequía. Al llegar ese instante, el molde sigue actuando, aunque lo haga mecánicamente, ya sin
contenido apreciable (al parecer) en la época nueva, en forma de uso
aproximadamente insensato que nadie intenta justificar, porque la costumbre misma de su utilización parece suficiente garantía de su existencia. O en otras palabras: porque la necesidad de su utilización
misma se ha convertido en "creencia" —terminología de Ortega [2]—
y por serlo no se plantea el problema de su justificación, ya que de
plantearse dejaría de ser creencia. Pero por pasar a ser creencia, que
es un estrato de convicción más profundo que la mera idea, su eficacia en las vidas puede ser más intensa aún de lo que solía. Esto nos
explica el acrecentamiento del individualismo en ciertos respectos de

---

[2] Advierto que uso de propósito aquí este término orteguiano con cierta
libertad, pues Ortega en rigor no lo utilizaría en el presente caso, como de
sobra comprenderá el lector.

la poesía escrita entre 1925 y 1940, cuando justamente las premisas del individualismo estaban en trance de extinción y aún prácticamente extinguidas. (Prueba de esto último sería, por ejemplo, el nacimiento a la sazón del existencialismo heideggeriano y de ciertas ideas or· teguianas que parten de postulados adversos a tales premisas.)

Ahora bien: en la literatura esas fórmulas expresivas que se han vaciado de significación notable son vividas por el "yo social" del poeta con perfecta sinceridad e incluso (caso de Aleixandre o Guillén) desde postulados contrarios a los que condicionan la existencia de aquéllas. Y es que la contradicción no puede existir cuando el elemento contradictorio (el supuesto de la fórmula) se ha esfumado. No pretendo dar a entender con esto que la fórmula entonces sea vivida como ingrediente sin significado alguno, porque ello sería tanto como afirmar que el don de la animación es cualidad propia de un cadáver. No; lo que ocurre es, a mi juicio, algo diferente: que la fórmula, perdido su espíritu anterior, ha adquirido un espíritu nuevo, desde el que se la vive. Este significado nuevo sería simplemente que sólo a través de la expresión individualista podía transparentarse el hombre de su tiempo; que tal expresión constituía un "debe ser" de todo poema verdadero, un elemento constitutivo ineludible, según más arriba he insinuado (y esto, sentido como creencia, o sea confundido con la realidad misma, que no necesita justificación). Y así era, en verdad, mientras no surgiese *en el seno de la sociedad* literaria una postura nueva, claramente establecida, que sustituyese a la anterior, y con fuerza bastante para romper los moldes expresivos individualistas. Y no debemos olvidar que esta nueva postura no empezó a definirse hasta, por lo menos, 1940, ni a hacerse "vigente" antes de 1947. Para ser un gran poeta dieciocho años antes de esta última fecha era necesario profesar en cuanto a la expresión en el individualismo, y sueña quien juzgue que puede saltarse su propia sombra.

CAPÍTULO IV

LOS SERES ELEMENTALES

Tras lo dicho, podemos enfrentarnos directamente con la visión del mundo de Vicente Aleixandre. Empiezo por decir que este poeta se nos presenta como uno de los escritores hispánicos de mayor singularidad expresiva. No le superan en esto un Góngora o un Quevedo, entre los líricos del Siglo de Oro, ni tampoco un Rubén Darío, un Jorge Guillén o un Pablo Neruda, entre los contemporáneos. De aquí se desprende, si no nos negamos a aceptar lo dicho en un capítulo anterior, que ha de ser igualmente diferenciada y personal su visión del mundo, su reacción vital y poética frente a la naturaleza y el hombre. Y, en efecto, así ocurre. Aleixandre es uno de los artistas españoles que ha lanzado una mirada más vasta y coherente sobre el universo, entregándonos una concepción tan trabada de él que los lectores menos preparados suelen percibirla en seguida. En lo que sigue procuraré determinar en qué consiste esa concepción, para después poder establecer las relaciones que sean pertinentes entre ella y el consecuente estilo.

LA ELEMENTALIDAD DE LOS SE-
RES, PATRÓN QUE MIDE SU VALOR

Recordemos y abundemos en algo que ya dijimos en el capítulo segundo. Como la vida funciona siempre orgánicamente, la cualidad más sobresaliente de toda vivida interpretación de la realidad es su índole sistemática, esto es, la interdependencia de sus partes, la congruencia de unas con respecto a las otras y con el conjunto, o dicho de otro modo, el hecho de que cada ingrediente quede filiado mediata o inmediatamente en un núcleo radical, que es el mismo para todos ellos.

Si esto es así, no hará falta gran penetración para comprender la importancia capital que el crítico ha de conceder al hallazgo de este núcleo organizador. No es exagerado decir que la inteligencia verdadera de una obra de arte depende justamente del tino en señalarlo con precisión. Ciertamente, no siempre es tan fácil, entre otras cosas, porque cada grupo de poemas, cada libro o cada serie de libros puede hallarse en posesión, a su vez, de su propio foco central, que permanece, sin embargo, en posición de subordinado con respecto al que gobierna todo el sistema.

Así ocurre en la poesía de Aleixandre. Dos épocas nos es dado percibir en ella. A un lado hemos de colocar todos los libros hasta *Historia del Corazón*, que forman una masa compacta de gran homogeneidad y coherencia. Al otro, instalaríamos *Historia del Corazón* y el resto de los libros posteriores (*En un Vasto Dominio* y *Retratos con Nombre*). Al establecer esta raya en el curso de la poesía aleixandrina, no atiendo, claro es, a consideraciones externas, sino que me fijo exclusivamente en la "estructura" distinta que ambos conjuntos poseen. Llamo estructura a la ordenación de una obra alrededor de cierta idea o sentimiento madre que da origen, por dilatación o irradiación, a todo el ámbito lírico. Pues bien, la estructura de la serie de volúmenes que va desde *Ámbito* a *Nacimiento Último* es claramente disímil a la estructura de *Historia del Corazón* y libros subsiguientes, porque fluye desde un diferente manantial temático. En el vasto cuerpo primero, la idea rectora consiste en la concepción de lo elemental como *la única realidad afectiva del mundo*. En el cuerpo segundo (el iniciado en *Historia del Corazón*), la base de sustentación es otra: la consideración de la vida humana como historia, o más precisamente, como un difícil esfuerzo realizado en la dimensión temporal, tras una decisión de carácter ético.

Pero estos dos mandos a que obedece el par de sectores poéticos de Aleixandre se hallan, a su vez, radicados en una base común, que es el centro general de la poesía toda de nuestro autor. No se trata ya de una idea, sino de un sentimiento, una impresión metafísica, un impulso de carácter primario frente al cosmos: la solidaridad amorosa del poeta, del hombre, con todo lo creado; por lo pronto, con el mundo físico (época primera) y también (época segunda) con el mundo de la vida humana. *Solidaridad:* tal es, en efecto, la palabra que hemos de leer debajo de cualquier expresión aleixandrina; tal la fuerza primigenia que ha dado origen a toda la obra de nuestro autor[1]. Contemplada desde un punto de vista tan genérico, asume ésta así en su totalidad un sorprendente carácter ético, no sólo en su última manifestación (desde *Historia del Corazón*), donde el ingrediente moral es evidente, sino en el largo tramo inicial, en que tal cualidad se hallaba como enmascarada.

Pero vayamos al estilo del primer Aleixandre. Hemos dicho: en él la intuición central consiste en la consideración de lo elemental, de lo primario como la única realidad verdadera. Cuando las águilas, vistas como fuerza libre de la naturaleza, pasan serenamente por el espacio, "el mundo siente la verdad de la vida" ("Las águilas", de *La Destrucción o el Amor*). Y los hombres cercanos a la naturaleza, los "hijos de los campos", serán los "únicos habitantes del mundo", "la certeza única de unos ojos fugaces" ("Hijos de los campos", de *Sombra del Paraíso*). El autor de esas citas siente un especial arrobo ante la naturaleza y sus elementos (la piedra, la luz del sol, el viento, el fuego, el bosque, el campo, el río, la montaña) y se entusiasma con ella y con ellos más que con los hombres. *Pues para poder entusiasmarse con las criaturas humanas necesita Aleixandre verlas, justamente, como naturales.* Y hasta podríamos decir que en sus versos, la perspectiva tradicional en su totalidad se ha invertido y ahora en la escala de valores aparece en la cima lo que antes se hallaba en el peldaño más bajo de la escalinata. Será mejor lo más elemental, de forma que la piedra superará al vegetal, éste al animal y el animal al hombre; me refiero, insisto, al hombre alejado de la naturaleza, no al que se deja guiar por sus supremas instancias. Porque, en efecto, el hombre elementalizado, trozo del cosmos, es uno de los héroes fundamentales de esta lírica.

---

[1] Incluida la obra en prosa: de ahí la benevolencia solidaria con que Aleixandre mira en *Los Encuentros* las figuras tratadas.

Me parece evidente que la causa de tan alta valoración de lo primario hemos de buscarla en el irracionalismo de la época (y es ahí por donde el mundo aleixandrino se inserta en la cosmovisión más amplia y vaga de su siglo), sobre todo si caemos en la cuenta de que el hecho desborda la poesía de Aleixandre y signa de muchos modos el período: gusto y nuevo aprecio del arte primitivo o ingenuo, e incluso del arte negro y prehistórico; gitanismo e "ingenuismo" y a veces pasionalismo de la poesía de Federico García Lorca, y, más evidentemente, pasionalismo de su teatro; interés en la poesía popular, etc. (Antes vimos este mismo elementalismo como un supuesto de la poesía de Guillén.) Diríamos entonces que el irracionalismo general de la época contemporánea adopta en Aleixandre la forma de esta exaltación de lo puramente elemental y cósmico con todas sus consecuencias, así como se manifiesta también de otro modo en el tono pasional, por ejemplo, de *La Destrucción o el Amor.*

En consecuencia, las semejanzas que en este sentido podrían hallarse entre las elementales criaturas de Aleixandre y el "buen salvaje" rousseauniano son sólo externas y formales, lo cual se hace evidente al comprobar cuán lejos se halla Aleixandre de creer, como creía Rousseau, en la bondad innata del hombre. El hombre, difícilmente contagiable por la entrañable y salvadora naturaleza, es, por ello mismo, una mancha en la nitidez y tersura del orbe.

IMPRECACIÓN CONTRA LAS CIUDA-
DES Y LOS VESTIDOS HUMANOS

De aquí nace un *leit-motiv* aleixandrino, esparcido a lo largo de varios de sus libros: las violentas diatribas contra las ciudades, vistas míticamente, o mejor, simbólicamente, como "la maldad", y contra las humanas vestiduras, encubridoras torpes de la radical desnudez, simbolizadora también esta última de la aproximación a la naturaleza. Aquéllas son "monstruos de Nínive, megaterios sin sombra"[2]. Éstas, acabamiento, irredención, muerte. Aquéllas, espectros de los

---

[2] De *Mundo a Solas:* "Al amor".

efímeros deseos del hombre; éstas, máscaras estúpidas, tristes, mendaces.

He aquí algunas citas:

> Y diviso *los hierros de las torres que elevaron los hombres*
> *como espectros* de todos los deseos efímeros.
> Y miro las *vagas telas* que los hombres ofrecen,
> máscaras que no lloran *sobre las ciudades cansadas,*
> mientras siento lejana la música de los sueños
> en que escapan las flautas de la primavera apagándose.
>
> ("Primavera en la tierra", de
> *Sombra del Paraíso.*)

> *La muerte es el vestido.*
> Es la acumulación de los siglos que nunca se olvidan,
> es la memoria de los hombres sobre un cuerpo único,
> trapo palpable sobre el que un cuerpo solloza,
> mientras busca imposible un amor o el desnudo.
>
> ("El desnudo", de *La*
> *Destrucción o el Amor.*)

> La ciudad, sus espejos,
> su voz blanca, su fría
> crueldad sin sepulcro,
> desconoce esas alas...
>
> ("Los poetas", de *Sombra*
> *del Paraíso.*)

EL DESNUDO. LA NATURALEZA

A la sombra, Aleixandre contrapone la luz. El tema de la ciudad y de las vestiduras es el reverso de una medalla que posee un claro anverso: la naturaleza libre y el desnudo. El desnudo es amor, es primavera, puesto que, como acabo de decir, se hace símbolo de esa "elementalización" que tan grata es a Aleixandre:

...mientras busca imposible un amor o el desnudo.

("El desnudo", de *La Destrucción o el Amor.*)

No es el desnudo como brasa que agostara la hierba
o como brasa súbita que cenizas presagia,
sino que quieta, derramada, fresquísima,
eres tú primavera matinal que en un soplo llegase.

("A una muchacha desnuda", de *Sombra del Paraíso.*)

Y por ello, en esta poesía, el ser humano (mujer u hombre) está contemplado con tanta frecuencia en su desnudez, hecho insólito (salvo excepciones raras) en la tradición española (lo mismo en la literaria que en la pictórica):

¡Ah, mortales! No, nunca;
desnuda nunca vuestra.
Sobre la piel hoy ígnea
miradla exenta: es diosa.

("Diosa", de *Sombra del Paraíso.*)

Separar un vestido crujiente, resto inútil
de una ciudad. Poner desnudo
el manantial, el cuerpo luminoso, fluyente...

("La verdad", de *Sombra del Paraíso.*)

Tu desnudo mojado no teme a la luz...

("El desnudo", del mismo libro.)

Un muchacho desnudo, cubierto de vegetal alegría,
huía por las arenas...

("Primavera en la tierra", de *Sombra del Paraíso.*)

> Un amor, mediodía,
> vertical se desploma
> permanente en los hombros
> desnudos del amante.

    ("Los poetas", del mismo libro.)

> En otras noches, cuando el amor presidía mi dicha,
> un bulto claro de una muchacha apacible,
> desnudo sobre el césped era hermoso paisaje.

    ("Luna del Paraíso", del mismo libro.)

> Por un torso desnudo tibios hilillos ruedan.
> ¡Qué gran risa de lluvia sobre tu pecho ardiente!

    ("Plenitud del amor", de *Sombra del Paraíso.*)

> ¡Ah, no! ¿Qué pecho desnudo...
> ...emitía
> su cristalino arrullo...?

    ("Muerte en el Paraíso", de *Sombra del Paraíso.*)

De ahí también proceden las constantes alusiones cenestésicas a que nos tiene acostumbrados esta lírica: sangre, saliva, etc., son ingredientes normales en ella:

> Unas palabras blandas de amor, no mi saliva,
> no mi verde veneno de la selva, en tu oído
> vertería, desnuda imagen, diosa...

    ("Sierpe de amor", de *Sombra del Paraíso.*)

> Boca con boca dudo si la vida es el aire
> o es la sangre...

    (Del mismo poema.)

> y mi sangre ruidosa se despeñaba en gozos

    ("Nacimiento del amor", del mismo libro.)

Respirabas sin vientos...

("Arcángel de las tinieblas", del mismo libro.)

tu ojo lleno de sapiencia velaba
sobre mi ingenua sangre tendida en las laderas...

("Luna del Paraíso", del mismo libro.)

Un pecho alegre, un corazón sencillo como la pleamar remota
que hereda sangre, espuma de otras regiones vivas...

("Plenitud del amor", libro citado.)

qué luz herida por la sangre emitía...

("Muerte en el Paraíso", libro citado.)

o gloria soberana que sin saberlo escupo...

("Adiós a los campos", libro citado.)

Y es que la Naturaleza y lo natural se contemplan como fuente
de autenticidad. Los hombres que se alimentan de su vitalidad nutri-
cia estarán salvados. Los que se alejen de su honda llamada no tendrán genuino ser, no serán de veras reales. Mientras el autor de *Sombra
del Paraíso*, según sabemos ya, dice a los "hijos de los campos":

Yo os veo como la verdad más profunda,
modestos y únicos habitantes del mundo

("Hijos de los campos", de *Sombra del Paraíso*.)

el poeta llama "dormidos" y "muertos" a los otros, los alejados de
la espontaneidad amorosa y de la vivificadora elementalidad:

Ah, dormidos,
sordos sois a los cánticos...
....
muertamente callados, como lunas
de piedra, en tierra sordos permanecéis, sin tumba...

("Los dormidos", libro citado.)

En conexión inmediata con todo lo dicho se halla el hecho de que la amada, en la poesía de Aleixandre anterior a *Historia del Corazón* (en este libro, como luego diré, hay una crisis de tal visión del mundo), siempre esté vista en medio de la naturaleza, no en ámbitos cerrados, cámaras íntimas, ajenas, en cierto modo, a lo elemental o primario [3].

Pero el tema de la naturaleza, tan central en esta lírica, puede estar tratado de modo directo y, significativamente, son numerosos los poemas que así lo realizan, desde muy diferentes situaciones y tonos. Entre sólo tres libros del poeta (*La Destrucción o el Amor, Mundo a Solas* y *Sombra del Paraíso*) encuentro cerca de cuarenta composiciones dedicadas estrictamente o casi estrictamente al tema natural. A la luna se dedican nada menos que nueve poemas (y no entran en el cálculo varios incluidos en *Ámbito*): cinco en *La Destrucción o el Amor* ("La luna es una ausencia", "Corazón en suspenso", "Corazón negro", "Eterno secreto" y "Cuerpo de piedra"), tres en *Mundo a Solas* ("No existe el hombre", "Ya no es posible" y "Guitarra o luna") y uno en *Sombra del Paraíso* ("Luna del Paraíso"). El mar se canta también repetidamente. Encuentro ocho composiciones dedicadas a este asunto (excluyo también aquí las que se dan cita en el libro *Ámbito*), cuatro en *La Destrucción o el Amor* ("El mar ligero", "Sin luz", "Que así invade" y "Mar en la tierra") y otras cuatro en *Sombra del Paraíso* ("Destino trágico", "Mar del Paraíso", "El mar" y "La isla"). El sol no tiene tanta fortuna: sólo en tres ocasiones fue objeto exclusivo de la atención aleixandrina: "El sol victorioso", en *Mundo a Solas*, y "El sol" e "Hijo del sol", en *Sombra del Paraíso*. Y luego hallamos un grueso fajo de poemas que captan distintos aspectos de la naturaleza: el cielo ("Los cielos", de *Mundo a Solas*; "Al cielo", de *Sombra del Paraíso*); los campos ("Adiós a los campos", de *Sombra del Paraíso*); la luz ("La luz", de *La Destrucción o el Amor*); la hondura telúrica ("Mina", de *La Destrucción o el Amor*; "Bajo la tierra", de *Mundo a Solas*); la selva ("La selva y el mar", de *La Destrucción o el Amor*); la aurora ("La aurora insumisa", de *La Destrucción o el Amor*); el aire ("El aire", de *Sombra del Paraí-*

---

[3] Concha Zardoya, "La presencia femenina en *Sombra del Paraíso*", en *Revista de Indias*, 107, Bogotá, enero-febrero de 1949, págs. 147-174.

so); la tierra ("La tierra", de *Sombra del Paraíso)*; el río ("Río del Paraíso", de *Sombra del Paraíso)*; la noche ("Poderío de la noche", de *Sombra del Paraíso)*; el paisaje primaveral ("Primavera en la tierra", de *Sombra del Paraíso)*; la lluvia ("La lluvia", de *Sombra del Paraíso)*; el fuego ("El fuego", de *Sombra del Paraíso)*; el árbol ("El árbol", de *Mundo a Solas)...* Nótese en esta enumeración la tendencia, que Aleixandre comparte con todos los poetas de su tiempo, a presentar las realidades cantadas fuera del tiempo y del espacio, utopizadas más allá de toda "anécdota". (La proclividad a suprimir lo anecdótico, o sea, la concreción realista, es, en efecto, típicamente "contemporánea". Se percibe ya en A. Machado; se agudiza mucho en el segundo Juan Ramón, y llega a plenitud en toda la generación de 1927, sobre todo en Guillén. Esta nota desaparece junto a las otras "contemporáneas" en la posguerra, justamente al iniciarse una poesía opuesta a la contemporánea: una poesía realista en la que incurren tanto Guillén como Aleixandre, y así ambos en sus últimos libros utilizan la anécdota como ingrediente poemático fundamental.)

EL AMOR-PASIÓN Y LAS METÁFORAS
CÓSMICAS Y TELÚRICAS. SU ANTITEMA

Tal concepción del mundo, en que lo elemental se coloca como primer término de un sistema de valores, tiene otro resultado característico: la enorme abundancia con que aparecen en esta poesía imágenes telúricas y cósmicas para designar al hombre natural, esto es, al hombre que vive, apartado de todo artificio, como un excelso trozo de naturaleza. Tal hombre, por lo que luego diré, bien que lo sepamos entender desde luego, es sobre todo *el amante*, y más definidamente aún, el amante cuyo amor es pasión. Esto último no precisa de mayor comentario, puesto que el amor-pasión es justamente el más primario de los amores.

Por consiguiente, el amante y su amor apasionado será uno de los temas céntricos de nuestro autor hasta *Historia del Corazón*, donde, según acabo de decir y mostraré por extenso más adelante, se dibuja con perfil acusado otra intuición de la realidad humana. Pero hasta ese último libro, el amor cantado por Vicente Aleixandre es el de los ardientes cuerpos arrebatados en la inspiración amorosa, aunque, como hemos de ver no tardando, ese sentimiento adquiera una última trascendencia dentro del sistema total aleixandrino [4].

Para ensalzar las condiciones de sus héroes, Aleixandre, fiel a su radical actitud ante la vida, suele, como digo, designarlos con personalísimas imágenes cósmicas y telúricas, que dan consecuente carácter y originalidad a su expresión lírica. Puesto que lo valioso en el hombre es su elementalidad, nuestro poeta estará siempre dispuesto a destacar ésta, comparando a aquél con términos de la naturaleza, e incluso a identificarlo con ellos. A veces no es el amante el así contemplado, sino otros seres igualmente naturales: los campesinos, los poetas (ya veremos dentro de poco por qué) o cualesquiera criaturas que se comportan con arreglo a tal "moral". En una semblanza, en prosa, de Federico García Lorca que nuestro autor escribió, esta clase de símiles son constantes, hasta constituir el *leit-motiv* mismo del retrato:

> A Federico se le ha comparado con un niño, se le puede comparar con un ángel, *con un agua* (...), *con una roca;* en sus más tremendos momentos era impetuoso, clamoroso, mágico *como una selva.*

---

[4] Sin contar los numerosos poemas dedicados al amor en *Historia del Corazón,* que tienen sentido distinto, y no entrando tampoco en el cálculo los poemas amorosos de signo negativo, pues de ello nos ocuparemos después, encuentro cuarenta composiciones eróticas entre sólo cuatro libros del poeta, *La Destrucción o el Amor, Mundo a Solas, Sombra del Paraíso* y *Nacimiento Último.* Por si a alguien importa, doy a continuación una lista de los títulos.
De *La Destrucción o el Amor:* "No busques, no", "Unidad en ella", "Ven siempre, ven", "Juventud", "A ti viva", "A la muerta", "Canción a una muchacha muerta", "La ventana", "Triunfo del amor", "Hija de la mar", "Se querían", "Total amor", "Hay más", "El desnudo" y "Las nubes".
De *Mundo a Solas:* "Humano ardor", "Al amor", "Filo del amor".
De *Sombra del Paraíso:* "Sierpe de amor", "Nacimiento del amor", "Diosa", "El desnudo", "Las manos", "Los besos", "Casi me amabas", "Plenitud del amor", "Muerte en el Paraíso", "A una muchacha desnuda", "Desterrado de tu cuerpo", "Cuerpo de amor", "Cabellera negra" y "Último amor".
De *Nacimiento Último:* "Viento del este", "Los amantes enterrados", "Primera aparición", "Los besos" y "Cántico amante para después de mi muerte"

(...) Por la mañana se reía tan alegre, tan clara, tan mul-
tiplicadamente *como el agua del campo,* de la que parecía
siempre que venía de lavarse la cara. Durante el día *evocaba
campos frescos, laderas verdes, llanuras, rumor de olivos
grises sobre la tierra ocre.*

(...) Sólo algún viejo "cantaor" de flamenco, sólo alguna
vieja "bailaora", *hechos ya estatua de piedra,* podrían serle
comparados. *Sólo una montaña andaluza sin edad,* entrevista *en un fondo nocturno,* podría entonces hermanársele.

(*Obras Completas* de Federico García Lorca, ed. Aguilar, Madrid, 1954, Epílogo, pág. 1509.)

Nótese que si excepcionalmente la comparación busca términos
humanos ("sólo algún viejo 'cantaor' de flamenco, sólo alguna vieja
'bailaora', hechos ya estatua de piedra, podrían serle comparados")
esos humanos términos están, a su vez, significativamente elementa-
lizados a través de una nueva imagen del tipo descrito ("hechos ya
estatua de piedra").

No se crea que la semblanza de Federico García Lorca constituya
a este respecto caso singular, o siquiera caso especialmente característico dentro de la obra aleixandrina. Diríamos que toda ella es una
rica, desbordante ejemplificación de cuanto digo. Para mostrarlo me
basta con abrir por cualquier sitio *Sombra del Paraíso* (y lo mismo
cabría realizar con los otros volúmenes del poeta, exceptuando los que
escribe desde *Historia del Corazón):* La amada en un poema ("Plenitud del amor") aparece "ligera como el árbol"; su corazón será
"sencillo como la pleamar remota"; su cuello se compara con "un
agua"; sus muslos resultarán "de tierra"; su frente "de piedra". En
innumerables ocasiones, la imagen elegida para representar a la amada
será el río o el arroyo:

Un lecho de césped virgen recogido ha tu cuerpo,
cuyos bordes descansan como un río aplacado.

("A una muchacha desnuda".)

Hermoso cuerpo extenso ¿me he mirado sólo en tus ondas,
o ha sido sangre mía la que en tus ondas llevas?

("Desterrado de tu cuerpo".)

tu desnudez se ofrece como un río escapando

("Cuerpo de amor".)

Derribada, soberbia (...)
tú me contemplas, quieto río...

("Cuerpo sin amor".)

No faltan momentos en que es el propio poeta quien se ve a sí mismo bajo esa figura:

Después del amor, de la felicidad activa del amor, reposado,
tendido, imitando descuidadamente un arroyo,
yo reflejo las nubes...

("Plenitud del amor".)

Del mismo modo, un ser humano puede asemejarse a un bosque:

benévolo y potente tú como un bosque en la orilla

("Padre mío".)

o a una montaña:

Alto, padre, como una montaña que pudiera inclinarse

("Padre mío".)

o a un roble:

Musculares, vegetales, pesados como el roble...

("Hijos de los campos".)

En fin, múltiples instantes nos ofrecen, no ya imágenes telúricas, sino más aún, imágenes cósmicas y así constituyen muchedumbre los pasajes en que la amada o el amante sufren vicisitudes estelares o asoman bajo apariencia de astros, o, ya de enteros firmamentos:

Tan dorada te miré que los soles
apenas se atrevían a insistir, a encenderse
por ti, de ti, a darte siempre
su pasión luminosa, ronda tierna
de soles que giraban en torno a ti, astro dulce...

("Nacimiento del amor".)

¡Pero no importa! Gire el mundo y dame,
dame tu amor, y muera yo en la ciencia
fútil, mientras besándonos rodamos
por el espacio y una estrella se alza.

("Último amor".)

No te acerques, porque tu beso se prolonga como el choque
    imposible de las estrellas,
como el espacio que súbitamente se incendia (...)
(...)
Ven, ven, amor mío; ven, hermética frente, redondez casi
    rodante
que luces como una órbita que va a morir en mis brazos (...)
(...)
ven, que ruedas como liviana piedra,
confundida como una luna que me pide mis rayos.

("Ven siempre, ven", de *La Destrucción o el Amor.*)

(El cuerpo de la amada es) bóveda centelleante, noctur-
    namente hermosa...

("Plenitud del amor".)

Quedamos, pues, en que la musa aleixandrina, exaltadora de todo lo que es naturaleza, se complace no sólo en el directo cántico de ésta, sino en el cántico de un héroe humano que llamaríamos hegemónico: el amante apasionado, pura emanación cósmica y parecido, por tanto, al río, a la montaña, a la piedra. Pero diciendo esto no lo hemos dicho todo. Es evidente que donde existe un héroe puede y suele darse su contrafigura execrada, pues que la sombra es necesaria para dar más claridad a lo luciente. Y así nada nos parece más explicable que la presencia en esta poesía de un cierto número de piezas que se refieren a los seres desamorosos, que precisamente por esa su cualidad negativa incurren en las iras del poeta, en el mismo sentido y por parejas razones que incurren en ella la desnaturalizada ciudad, el falaz vestido o las joyas mendaces, reversos también de otros tantos positivos an-versos. Al antitema de que ahora tratamos se dedican composiciones sobre todo en *Mundo a Solas* y en *Sombra del Paraíso*. En el primero de cuyos libros se leen piezas como "Bulto sin amor", "Tormento del amor" y "El amor iracundo", y en el segundo hallamos como representativos "Los dormidos", "Cuerpo sin amor" y "Como serpiente". Y aun en *La Destrucción o el Amor* hay ejemplos, tal el poema titulado "La dicha".

En otras ocasiones, es el propio poeta quien, pese a su vocación de amante (y de ahí el patetismo de la cuestión), se encuentra, por azares humanos y de ciclo vital, sin amor. El tono no será ya (claro está) colérico, por no ser ese desamor hijo de la voluntad, pero sí de grave o desesperanzada pesadumbre. Poemas de la sequedad amorosa se han escrito bastantes, mas la originalidad de Aleixandre en este punto consiste en que tal tema se inserta, como vemos, en una total visión de la realidad, y adquiere, por tanto, significación diferenciada. *Nacimiento Último* es el libro que centralmente aborda tan desolada situación con poemas como "Eternamente", "Sin amor" y "La sima".

POÉTICA ALEIXANDRI-
NA: LOS POETAS

De lo dicho anteriormente se deduce todo un modo de concebir la poesía que va a oponerse diametralmente a la poética modernista, reacción visible también en otros líricos de la generación de 1927, pero que en Aleixandre adquiere inflexiones y particularidades que nos importa destacar. Nadie desconoce la posición esteticista del modernismo, que le llevó a poner de moda literaria princesas y marquesas, cisnes, Versalles más o menos dolientes, actitudes de decadente refinamiento, y toda una bisutería de superficial brillo:

> Y sin embargo la vida es bella
> por poseer
> *la perla*, la rosa, la estrella,
> y la mujer.

En este ejemplo de Rubén Darío (tan alto y hondo poeta, por otra parte), hasta la estrella, la rosa y la mujer, por el simple hecho de situarse como pariguales de la perla, adquieren un cierto carácter de decoración. Y decoración (no exenta de belleza en los mejores casos) son la mayoría de las descripciones típicamente modernistas. Coherentemente, diríamos que se hace a veces en esa escuela poesía de la poesía, poesía culturalista y de segundo grado que utiliza como procedimiento característico la "cita" expresa de otros poetas o escritores. Sin salirnos de Rubén Darío, encontramos frases como éstas:

> *Oh Copée* ¿no es verdad?

> Carne, celeste carne de la mujer. Arcilla
> *dijo Hugo*...

> *Dice Barbey* en versos que valen bien su prosa...

La posición de Aleixandre, por lo que llevamos dicho, resultará en tal sentido, la antagónica. No sólo en su verso toma aspecto peyorativo el decorativismo de las joyas:

> Las águilas serenas
> (...)
> no serán caja donde olvidar lo triste,
> donde tener guardado esmeraldas u ópalos.

El libro mismo, la misma poesía será sentida como incapaz de sustituir al libre espectáculo de la naturaleza viva, su honda veracidad, aunque se trate de una poesía (la propia) que pretende justamente evocar esa veracidad y ese espectáculo:

> Sí, poeta; *arroja este libro que pretende encerrar en*
> *sus páginas un destello de sol,*
> *y mira a la luz cara a cara,* apoyad la cabeza en la
> roca,
> mientras tus pies remotísimos sienten el beso postrero del
> poniente,
> y tus manos alzadas tocan dulce la luna
> y tu cabellera colgante deja estela en los astros.

> ("El poeta", de *Sombra del Paraíso*.)

Por todo ello, desde el fondo de su raíz humana, dice nuestro
autor:

> Ah, amigos, arrojad lejos, sin mirar, los artefactos tristes,
> tristes ropas, palabras, palos ciegos, metales,
> y desnudos de majestad y pureza frente al grito del mundo,
> lanzad el cuerpo al abismo de la mar, de la luz, de la dicha
>   inviolada,
> mientras el universo, ascua pura y final, se consume.

("Mensaje", de *Sombra del Paraíso*.)

Aparte de esto, será útil tomar en cuenta un texto de Aleixandre,
donde se definen algunos conceptos de su estética, hasta con transparencia de cuál sea para él la misión del poeta. Unos párrafos de su
prólogo a la segunda edición de *La Destrucción o el Amor* dicen
así: "El poeta está lleno de sabiduría, pero no puede envanecerse
porque quizá no es suya: una fuerza incognoscible, un espíritu habla
por su boca. Con los dos pies hincados en la tierra, una corriente pro-
digiosa se condensa, se agolpa bajo sus plantas para correr por su
cuerpo y alzarse por su lengua. Es entonces la tierra misma, la tierra
profunda, la que llamea por ese cuerpo arrebatado. Pero otras veces
el poeta ha crecido, ahora hacia lo alto, y con su frente incrustada
en un cielo habla con voz estelar, con cósmica resonancia, mientras
está sintiendo en su pecho el soplo mismo de los astros.

"La diminuta hormiga, la brizna de hierba dulce sobre la que su
mejilla otras veces descansa, no son distintas de él mismo. Y él puede
entenderlas y espiar su secreto sonido, que delicadamente es perceptible entre el rumor del trueno.

"No creo que el poeta sea definido primordialmente por su labor
de orfebre. La perfección de su obra es gradual aspiración de su fac-
tura, y nada valdrá su mensaje si ofrece una tosca o inadecuada superficie a los hombres. Pero la vaciedad no quedará salvada por el
tenaz empeño del abrillantador del metal triste.

"Unos poetas —otro problema es éste y no de expresión, sino
de punto de arranque— son poetas de "minorías". Son artistas (no
importa el tamaño) que se dirigen al hombre atendiendo, cuando se

caracterizan, a exquisitos temas estrictos, a refinadas parcialidades (¡qué delicados y profundos poemas hizo Mallarmé a los abanicos!); a decantadas esencias, del individuo expresivo de nuestra minuciosa civilización.

"Otros poetas (tampoco importa el tamaño) se dirigen a lo permanente del hombre. No a lo que refinadamente diferencia, sino a lo que esencialmente une. Y si le ven en medio de su coetánea civilización, sienten su puro desnudo irradiar inmutable bajo sus vestidos cansados. El amor, la tristeza, el odio o la muerte son invariables. Éstos son poetas radicales y hablan a lo primario, a lo elemental humano. No pueden sentirse poetas de "minorías". Entre ellos me cuento."

He hecho tan larga cita porque en ella se condensa, en lo que aquí importa, la tesis aleixandrina acerca de la poesía, y resalta como en bajorrelieve la relación entre tal tesis y la visión del mundo ofrecida en sus versos por nuestro autor. En primer lugar, aparece en el prólogo parcialmente transcrito la figura del poeta como en comunicación inmediata con la tierra. El poeta es así similar al amante o a los "hijos de los campos": un ser no manchado por el desnaturalizado vivir. Oye la urgente llamada cósmica o telúrica y traduce la mágica audición en palabras. La congruencia que hemos anotado entre esta poética y la masa general de los versos aleixandrinos se nos amplía cuando recordamos que algo semejante a la tarea del poeta hacen, dentro de su distinta esfera, los "hijos de los campos" en la composición de ese título, acogida al libro *Sombra del Paraíso*:

> Yo os veo como la verdad más profunda,
> modestos y únicos habitantes del mundo,
> última expresión de la noble corteza
> *por la que todavía la tierra puede hablar con palabras.*

En segundo lugar, si el poeta expresa lo elemental cósmico, telúrico y también humano (amor, odio, tristeza, muerte) no cantará, dice Aleixandre, lo que refinadamente separa, sino lo que esencialmente une. En consecuencia, el autor de *Sombra del Paraíso*, como hemos visto, se *sentirá* poeta de mayorías, pues a mayorías se dirige, aunque luego acaso, circunstancialmente, por el uso de una técnica quizá no del todo asequible para las masas, su envío mayoritario no alcance la vastedad de su destino original [5].

Comprendemos ahora con qué legítimo derecho los poetas, según de pasada indicábamos más arriba, son también *héroes* de esta poesía, y a los que Aleixandre dedica varias composiciones en sus libros. Recordamos en *Sombra del Paraíso* las piezas tituladas "El poeta" y "Los poetas"; y en *Nacimiento Último,* "Elegía" (en la muerte de Miguel Hernández) y "El poeta niño". Añadamos a esta lista, aparte de la semblanza de Federico García Lorca, mencionada ya en el presente capítulo, otro poema, inédito en libro: "El poeta viejo". La insistencia en el tema es significativa; indica hasta qué punto se enraiza con la visión central de nuestro autor.

LA FAUNA

Idéntica explicación tiene la copiosa fauna aleixandrina. La frecuencia con que los versos de nuestro poeta hacen alusión a animales es extraordinaria. De los cincuenta y cuatro poemas que forman *La Destrucción o el Amor,* treinta y ocho mencionan alguno de ellos, hasta formar una lista de treinta y un animales distintos, nombrados por el poeta. Pero no sólo eso. A las águilas, a la cobra, al pez espada y al escarabajo les será dedicada una composición entera, de las más importantes del libro [6].

_____

5 Sin embargo, el último Aleixandre parece haber alcanzado hasta cierto punto el gran público, si no interpretamos erróneamente el resultado de una encuesta realizada por un diario popular de Madrid, según la cual Vicente Aleixandre es el poeta que ha obtenido con gran diferencia una mayor votación en el escrutinio. Lo curioso del caso es que Aleixandre consiguió una ventaja de varios miles de votos sobre el poeta que le sigue en el gusto de las gentes, que resulta ser un escritor de los llamados populares.

6 He aquí, por si al lector pudiera interesarle, una lista de los animales que aparecen en *La Destrucción o el Amor,* indicando además el número de veces que cada uno se encuentra citado:

El tigre, cinco veces, lo mismo que el león; la mariposa, la paloma y la serpiente, cuatro; el águila y el caballo, tres; dos el perro, la cobra, el escarabajo, la hormiga y el caracol; y una vez la hiena, el elefante, la pantera, el pez espada, la gacela, el cervatillo, la tortuga, la gaviota, la golondrina, el

Sí. Los animales son casi tan puros como la piedra, como la luz. Los tigres llevan en sus pupilas "el fuego elástico de los bosques"; las indefensas gacelas son como las ramillas frescas de un arbusto joven; las águilas se asemejan al océano por su majestad y poderío. Son seres de plenitud, verdaderos dechados de perfección.

VISIÓN PESIMISTA
DE LA HUMANIDAD

Al lado de estas criaturas soberanas, el hombre, cuando no se siente natural, sólo puede sentir nostalgia. "Nunca podrá ser confundido con una selva", afirma Aleixandre con melancolía. "El hombre no existe", dirá con mayor pesadumbre aún, en un poema de este título perteneciente a *Mundo a Solas* (libro donde más centralmente se otorga desarrollo a tal actitud). Y si existe, es algo estéril "que contra un muro se seca" [7].

"Tirado en la playa, en el duro camino", el hombre ignora "el verde piadoso de los mares", "el canon eterno de su espuma" [8]. Frente a la Naturaleza inmutable, el hombre, sujeto de cambio y de dolor, se desconsuela. Sí, cuerpos cansados tan sólo, cuerpos que vienen desde un ignoto origen a un conocido término no deseado: a la limitación, a la vida [9]. El autor de *Sombra del Paraíso* ve al hombre como la repetición eterna de un mismo desengaño. Para transmitirnos ese concepto sobre el mundo, "Destino de la carne" utiliza un símil idóneo: los hombres son como grises olas siempre idénticas en-

---

lagarto, la víbora, el escorpión, el galápago, la coccinela, el ruiseñor, el gallo, la avispa, la rana, las lombrices y la araña.
Además se hace mención seis veces de la palabra "aves", veintiocho del vocablo "pájaros" y veinte de la palabra "peces". Y otro poema entero ("La Selva y el Mar") estará destinado a presentar de un modo totalitario ese mundo que luego, en sucesivos poemas, se irá desarrollando. Van apareciendo así ante los ojos del lector los tigres, los leones, la hiena, el cervatillo, el elefante, la cobra, etcétera.

[7] De *Mundo a Solas*: "Mundo inhumano".
[8] "Pájaros sin descenso", de *Mundo a Solas*.
[9] "Destino de la carne", de *Sombra del Paraíso*.

tre sí, que apagadamente ruedan desde un inhumano océano que las envía hacia las playas, donde nacen mortales. Por eso, en "El fuego", un grito sale del corazón del poeta: "¡Humano: nunca nazcas!". No cabe mayor pesimismo; pesimismo que se condensa en aquella enérgica frase de *Pasión de la Tierra:* "La serpiente se asoma por el ojo divino y encuentra que el mundo está bien hecho" [10]. Bien hecho, claro está, para la fuerza demoníaca (la serpiente).

---

[10] "El mundo está bien hecho".

CAPÍTULO V

UNIDAD DEL MUNDO

TODO ES UNO
Y LO MISMO

Sí: la razón humana, creadora también de los peores aspectos de la civilización, ha introducido en el mundo la artificiosidad y la "alienación" en que el hombre queda como "mentido". Frente a la libre y desnuda naturaleza, símbolo del espontáneo frescor o verdadera vida, se sitúa la inerte máquina, y la enajenadora, maquinal y en este sentido inhumana ciudad, símbolo de la vida mendaz, con realidad sólo aparente. Pues la vida auténtica es la primaria, la instintiva, y la otra es, por el contrario, puramente aparencial. Sólo el amor salva al humano de este proceso de irrealización, a que la "civilización" (entrecomillemos la palabra) la condena. He ahí la explicación de lo que antes dejé asentado: que en la poesía de Aleixandre el hombre sea, ante todo, el amante. Y es que el hombre, al amar, recobra su verdadero ser, se elementaliza, enajenándose del convencionalismo superfluo, de la inerte máscara que la sociedad le impone. Entonces puede parecerse al hermoso peñasco, a las olas del mar, a los peces del río. Porque todos estos elementos coinciden en el amor. Ama el pequeño escarabajo [1]; ama el terrible león [2]; la cobra [3], los peces [4], las águilas [5] o las mariposas [6], aman también. Pero la concepción de Aleixandre es más amplia aún, pues considera que los elementos puramente materiales no se libran tampoco del universal acto erótico [7]: la piedra más diminuta, lo mismo que el sol que alumbra nuestro planeta [8]; la ola del océano al igual que las algas, que el viento o

----

[1] En "El escarabajo", de *La Destrucción o el Amor,* se define a este animal como "minuto donde el amor afluye".

[2] Véase, por ejemplo, este verso de *La Destrucción o el Amor:*
   Quiero morir de día, cuando aman los leones...

[3] Una cita de "La selva y el mar", pieza integrante de *La Destrucción o el Amor:*
   La cobra, que se parece al amor más ardiente...

Y en "La cobra", del mismo libro, leemos:
   Oh cobra, ama, ama.
   Ama todo despacio, cuerpo a cuerpo
   entre muslos de frío o entre pechos
   del tamaño de hielos apretados...

[4] Un verso de "La muerte", poema perteneciente a *La Destrucción o el Amor:*
   Unas frías escamas de unos peces amándose...

[5] He aquí como lo dice Aleixandre:
   Águilas de metal sonorísimo,
   arpas furiosas con su voz casi humana,
   cantan la ira de amar los corazones,
   amarlos con las garras estrujando su muerte...
   ("Las águilas", de *La Destrucción o el Amor.)*

[6] Así lo expone el poeta:
   ...esa pareja de mariposas, que en algún
   punto va a amarse...
   (De *La Destrucción o el Amor.)*

[7]
   El amor, como lo que rueda,
   como el universo sereno...

[8] Dirá el autor:
   ...un sol...
   ...amor que visita a humanas criaturas...
   ("Mina", de *La Destrucción o el Amor.)*

que el fuego, son diferentes expresiones del amor. "Todo es uno y lo mismo", proclama nuestro poeta, coincidiendo así con los antiguos eléatas. Todo es uno y lo mismo porque, según hemos podido comprobar, todo resulta ser diversificación diferenciada del único amor que centra y da sentido al cosmos. El hombre no es en este sentido distinto de la tierra que le sostiene. Este concepto, extraordinariamente repetido en todos los libros de Aleixandre, quizá sea el expresado en términos más diáfanos por el poeta:

> El mundo todo es uno...
>
> ("Quiero saber", de *La Destrucción o el Amor.*)

> Erguido en esta cima, montañas repetidas, yo os
> contemplo *sangre de mi vivir que amasó vuestra piedra...*
> (...)
> *No soy distinto y os amo*
>
> ("Adiós a los campos", de *Sombra del Paraíso.*)

> Regresa tú, mortal, humilde, pura arcilla apagada
> a tu certera patria que tu pie sometía.
> He aquí la inmensa madre *que de ti no es distinta,*
> y barro tú en el barro totalmente perdura.
>
> ("Al hombre", de igual libro.)

> La diminuta hormiga, la brizna de hierba dulce (...) no son distintos de él mismo.
>
> (Prólogo a la 2.ª ed. de *La Destrucción o el Amor.*)

¿Y de dónde le viene al poeta este esencial panerotismo que acabamos de comprobar? Sin duda de aquel impulso de solidaridad con todo lo creado que no hace mucho hemos sentado como foco de su total cosmovisión. Solidaridad o amor que en esta primera época aleixandrina, dijimos, se halla referida al cosmos. Es el amor una fuerza que nos lleva a la generosa identificación con el objeto amado. Si ese objeto es el mundo tenderemos a vernos reflejados en él, y viceversa, a verle a él reflejado en nosotros. Nos convertiremos así en mundo, nos tornaremos en naturaleza, y, a su vez, la naturaleza se unificará en una pura llama de amor que va de nosotros a la realidad circundante y vuelve a nuestro corazón, haciendo del entero universo un único fluido erótico, una única sustancia, de la que participamos. (No es necesario agregar que, como puede verse, esta ecuación *yo = mundo* es resultado también, y más hacia el fondo, del agudo subjetivismo propio de toda la época contemporánea; o dicho con mayor precisión: tal subjetivismo se expresa de manera personal en Aleixandre de la forma que venimos de examinar: nueva inserción de la cosmovisión de nuestro poeta en la general de su tiempo.)

AMOR COMO DESTRUCCIÓN

¿Y qué es el amor para Aleixandre? Ante tal pregunta, hemos de distinguir dos etapas en la obra del poeta: una primera etapa, anterior a *Historia del Corazón*, y una etapa segunda, representada por ese libro y los que le han seguido después. En el capítulo VII observaremos que ese segundo momento aleixandrino canta, sobre todo, el amor largamente vivido, el amor que, sin dejar de ser físico, es primordialmente espiritual. Pero desde *Ámbito* hasta *Nacimiento Último*, el amor expresado por Aleixandre es, según hemos visto, el amor-pasión y, más concretamente aún, la acción misma erótica en su trascendencia metafísica, que consiste en relacionar al amante con lo absoluto telúrico.

Porque es el amor ante todo una acción que quebranta nuestros límites para unificarnos en el gran Todo. El amor universal, que se particulariza en cada una de las criaturas existentes, es así una potencia destructiva. Al ser única la sustancia de las cosas y diversas las apariencias, hay en el cosmos un desequilibrio que tiende al reposo a través del dinamismo erótico, aniquilador de esas discrepantes concreciones. El amor es entonces algo así como una explosiva fuerza moral que anula el desorden de la diferenciación. El enemigo del amor y de su potencial unidad cósmica serán los límites de cada ser, dolorosamente sentidos por el poeta ("estos límites que me oprimen": "No basta", de *Sombra del Paraíso*), que aspira a la libertad de lo ilimitado y unitario. Habla de las águilas:

Las plumas de metal,
las garras poderosas,
ese afán del amor o la muerte,
ese deseo de beber en los ojos con un pico de hierro,
de poder al fin besar lo exterior de la tierra,
vuela como el deseo,
como las nubes que a nada se oponen,
como el azul radiante, corazón ya de afuera,
en que la libertad se ha abierto para el mundo.

("Las águilas", de *La Destrucción o el Amor.*)

Estoy solo. Las ondas; playa, escúchame.
De frente los delfines o la espada.
La certeza de siempre, los no-límites.

("Siempre", de *Espadas como Labios.*)

Tal es el sentido de la "libertad" en toda esta primera época de nuestro autor. "Libertad" es allí rompimiento de fronteras y acceso a la confusión pánica. Y esa "libertad" adquiere su máximo símbolo en el amor, que es, en efecto, libertad en cuanto que es siempre, como dije, un acto de deslimitación, que absorbe nuestro yo y parece que por un instante lo reincorpora a la naturaleza indivisible. (Por eso cuando "acabó el amor", los cuerpos, la realidad entera, "constan" aferrados a sus estrictos y entristecedores límites). Y en ese trance, consonantemente, la vida natural —nubes, pájaros— desasiste, alejándose, al desamorado:

¿Por qué, por qué llorar? Acabó el amor.
Dime tendida tu secreto. Ya no amas.
....
Calla. Tendida constas como un río parado.
Azul, tranquilo, el cielo sobre tus ojos consta.
Consta el aire elevado, sus templados destellos.
La vida quieta consta tranquilamente exacta.
Yo reclinado en tierra de un verdor sin espuma,
transcurro, leve, apenas, como la hierba misma.
Nada llena los aires; las nubes con sus límites
derivan. Con sus límites los pájaros se alejan.

("Acabó el amor", de *Nacimiento Último.*)

En suma: el amor es para el primer Aleixandre, repito, destrucción [9], sobrecogedor aniquilamiento de cada uno de los amantes que quieren ser el otro, enigma de una consumación en que la pareja busca unificarse rompiendo sus fronteras. "Símbolo feroz y dulce de la muerte es el amor" [10], por medio del cual puede sentirse "la revelación, la luz cegadora, visita de lo absoluto" [11] que es la naturaleza unitaria, nuncio de la desaparición de la personalidad. Sólo después del acto erótico se recobra la forma, perdida antes por ese misterioso contacto de vida y muerte. Entonces parece como si cada uno de los que se han amado naciese del otro, espuma y Venus a un tiempo mismo.

Si amor es destrucción, amor, cólera y odio pueden confundirse en la mentalidad aleixandrina. Serán diversas manifestaciones del genérico acto erótico, fuerza desintegradora del principio de individuación. He aquí otra de las causas que explican la presencia de una fauna tan profusa en los libros de nuestro poeta, como dijimos en el capítulo anterior. Porque en el acto de matar que las fieras instintivamente realizan, Aleixandre ve la forma más simple y enérgica de la acción amorosa. En los blancos colmillos o en las garras de un tigre, de un león, reluce el amor, el odio, concentradamente agolpado:

> ...amor u odio (es)...
> lo que reluce en los blancos colmillos...
> ....

---

[9]   *Quiero* amor o la muerte

>   ("Unidad en ella", de
>   *La Destrucción o el Amor.*)

Esta "o" es identificativa; como esta otra:

>   *Ven, ven, muerte, amor, ven pronto,*
>   *te destruyo;*
>   *ven, que quiero* matar o amar o morir
>   o darte todo.
>   ("Ven siempre, ven", de
>   *La Destrucción o el Amor.*)

[10] Palabras de Vicente Aleixandre.
[11] Ídem.

> ...las raíces de los árboles temblorosas
> sienten las uñas profundas
> como un amor que así invade...
>
> ("La selva y el mar", de *La*
> *Destrucción o el Amor.*)

Y por eso la sierpe, enroscada en los cuerpos en un acto de aniquilamiento, "se parece al amor más ardiente" ("La selva y el mar", de *La Destrucción o el Amor.*)

Desde estas intenciones se nos hace perfectamente comprensible que nuestro poeta considere amoroso a todo instrumento que pueda proporcionar la muerte. Más: los cuchillos, las hachas, serán el amor en su forma más condensada y poderosa. En "Verbena", de *La Destrucción o el Amor,* leemos este verso: "mientras cuchillos aman corazones". Este concepto adelanta sus fronteras hasta *Sombra del Paraíso,* en uno de cuyos poemas ("Mar del Paraíso") se puede leer el siguiente fragmento:

> ...y... mis oídos confundían el contacto heridor del labio crudo
> del hacha en las encinas
> con un beso implacable, cierto de amor, en ramas...

Atisbos de este concepto esencial amor-muerte ha habido siempre. Recordemos los versos de Hita que José Luis Cano copia en su estudio [12]. El Arcipreste se dirige a Don Amor:

> Eres padre del fuego, pariente de la llama,
> más arde e más se quema cualquier que más te ama;
> Amor, quien más te sigue quémasle cuerpo e alma,
> destrúyesle del todo, como el fuego a la rama.

Acordémonos también de nuestras obras del XV, sobre todo de *La Celestina.* Mas también en el Renacimiento, como dice Pedro Salinas [13], "se insinuaba la idea de que los caminos del amor desembo-

---

[12] Revista *Corcel,* núms. 5-6, publicado sin fecha [1944]. "El amor en la poesía de Vicente Aleixandre", págs. 21-27.

[13] Pedro Salinas, *Literatura española. Siglo XX.* Capítulo titulado "Vicente Aleixandre entre la destrucción y el amor". Lucero. Ed. Séneca, México, 1941.

can impensadamente en su enemiga y que los protagonistas de esa pasión son consumidos por la misma fuerza que crearon". Ya más próximo a nosotros, el romanticismo junta en un solo haz las ideas de amor y de muerte, y un gran poeta italiano de esta escuela, Leopardi, proclamará hermanos a muerte y amor. Sin embargo, en todas estas citas y en muchas más que podríamos aducir, tal igualación *no es más que un tropo ensalzativo* de los sufrimientos o de los peligros del amor, lo que no sucede en el caso de Aleixandre, como hemos visto en las páginas anteriores, y esto le diferencia radicalmente de todos sus aparentes prenuncios a tal respecto.

MUERTE COMO VIDA:
MISTICISMO PANTEÍSTA

De todo ello se desprende el segmento postrero de la concepción aleixandrina del mundo que antecede a *Historia del Corazón*. Me refiero al sentido positivo con que está considerada la muerte desde *Ámbito* o *Pasión de la Tierra* a *Nacimiento Último*. Puesto que en estos libros la muerte es la verdadera deslimitación, de la que el amor era como una representación simbólica; puesto que es la definitiva entrega a la naturaleza amante, realidad última del universo, la muerte será vista como el supremo acto de libertad, de amor y de vida. Ingresar en la materia unitaria a través de la muerte será penetrar en una plenitud de vida superior. Es el "nacimiento último" a la verdadera existencia. Cuando leemos el poema titulado "El enterrado" nos da la impresión de escuchar la voz de un místico que nos habla de la unión con su Dios.

El muerto alienta. Terco
el cuerpo permanece. Hermosa vida,
sobrevivida vida que reúne
pájaros pertinaces, hojas claras
y luz, luz fija para el térreo labio.
¡Quién un beso pusiera en esa piedra,
piedra tranquila que espesor de siglos
es a una boca! ¡Besa, besa! ¡Absorbe!
Vida tremenda que la tierra arroja

por una piedra quieta hasta un aliento
que sorbe entero el terrenal quejido.
Hombre que, muerto o vivo, vida hallares
respirando la tierra. Solo, puro,
quebrantados tus límites, estallas,
resucitas. ¡Ya tierra, tierra hermosa!
Hombre: tierra perenne, gloria, vida [14].

Misticismo, pues; pero misticismo panteísta [15]. Espiritualización de
la materia; materia como perenne claridad, radioso numen, cántico
alegre que recibe al elegido, al muerto, destrozadas ya las individua-
lizadoras fronteras. Véase a este propósito el final del poema "Destino
trágico": un suicida (o unos suicidas: el texto no aclara suficientemente ni ello importa) se arroja al mar:

Yo os vi agitar los brazos. Un viento huracanado
movió vuestros vestidos iluminados por el poniente
trágico.
Vi vuestra cabellera alzarse traspasada de luces,
y desde lo alto de una roca instantánea
presencié vuestro cuerpo hendir los aires
y caer espumante en los senos del agua;
vi dos brazos largos surtir de la negra presencia
y vi vuestra blancura, oí el último grito,
cubierto rápidamente por los trinos alegres de los
ruiseñores del fondo.

(Del libro *Sombra del Paraíso*.)

---

14 Como la muerte es la verdadera vida, "el muerto es el vivo": "hombre
que *muerto o vivo vida* hallares *respirando* la tierra" (la "o" es ahí, como en
tantos otros pasajes aleixandrinos, identificativa, no disyuntiva: muerto o
vivo significa "muerto, o sea, vivo").
15 Véase Dámaso Alonso, "La poesía de Vicente Aleixandre", en *Ensayos
sobre poesía española*, Revista de Occidente Argentina, 1946, pág. 368.
Puede igualmente consultarse el artículo de Leopoldo Panero "La poesía de
Vicente Aleixandre. *Sombra del Paraíso*", en *Arriba*, Madrid, 5 de julio de
1944, y el ensayo de Eugenio de Nora, "Forma poética y cosmovisión en la obra
de Vicente Aleixandre", en *Cuadernos Hispanoamericanos*, Madrid, enero-febrero, 1949, págs. 115-121, y el libro de Pedro Salinas citado en la página 71.

Esos "trinos alegres" ¿qué son sino la representación simbólica de la alegría universal ante la muerte, es decir, ante la verdadera vida?

UN PANTEÍSMO HISPÁNICO:
PANTEÍSMO COMO INTEGRACIÓN

Al referirme a la poesía de Aleixandre, he acudido a una palabra ("panteísmo") grata a la mayor parte de la crítica que se ha ocupado de su poesía. Coincido aquí, por tanto, con casi todos los comentaristas del poeta. No puedo, sin embargo, dejar de añadir a lo antes insinuado algo que complete e individualice la abstracta significación de ese concepto. Pues, como es natural, el *panteísmo* aleixandrino es, ante todo, panteísmo *aleixandrino*, y esto quiere dar a entender que su actitud en este punto es distinta de la de otros poetas, artistas o pensadores extranjeros. Conviene, en efecto, decir en seguida que el panteísmo de nuestro autor es, por lo pronto, un panteísmo hispánico, en un sentido especial que haré ver a continuación. Recuerdo que Jorge Guillén, refiriéndose a su libro *Cántico*, decía humorísticamente: "Por supuesto, *Cántico* no es panteísta: yo soy un pobre hombre de Valladolid". No obstante lo cual, el panteísmo puede hacerse español si se trata, como le ocurre al de *Sombra del Paraíso* y *La Destrucción o el Amor*, de un panteísmo integralista. Entonces no sólo nos parece hacedero en un hombre nacido en Sevilla (o en Valladolid), sino que se nos antoja sólo esperable de esa variedad humana a la que llamamos hispánica.

Américo Castro nos ha hecho ver [16] cómo la estructura vital del cristiano español (y también, con diferencias de matiz, del árabe) consiste en un afán de integrar el yo con las cosas que le rodean. El hombre hispánico, por ejemplo, no separa su persona (dice Castro) del hecho físico que acontece fuera de él, y eso explica, entre otras cosas, cierta anomalía de nuestro lenguaje (y del lenguaje de Portugal [17])

---

[16] Américo Castro, *La realidad histórica de España*, ed. Porrúa, México D. F., 1954, págs. 227 y sigs.

[17] Américo Castro considera idéntica la estructura vital de los españoles e hispanoamericanos y la de los portugueses.

frente a todas las lenguas cultas de Occidente: el hecho de que en castellano (y en portugués) se conjuguen personalmente verbos como *amanecer, atardecer* o *anochecer*: "Por la noche salí en tren de Oviedo y amanecí ya en Madrid", o "atardecimos en Salamanca". El llamado "realismo español" no es más que un caso particular, en opinión del autor citado, de esa tendencia incorporativa que afecta a más vastas perspectivas de la cultura española: es visible, pongo ahora por caso, en la filosofía de Ortega ("yo soy yo y mi circunstancia") [18] o en algún aspecto de la religiosidad unamunesca (su afán de un paraíso en que perviviese no sólo su cuerpo, sino también su traje y todo lo que en este mundo le acompañaba).

Incluso dentro de esa vastísima tendencia hispánica veo, igualmente, el panteísmo aleixandrino, que para mí no es otra cosa que un resultado del anhelo, sentido reciamente por el poeta, de hacer ingresar amorosamente el contorno dentro de su mismo vivir; de devorar la realidad circundante e interiorizarla, apropiársela, convertirla en sangre de su propio ser. Es un caso más del personalismo español, hijo legítimo de aquel sistema de fuerzas que hicieron posible, en el siglo XVI, un Hernán Cortés, por ejemplo, para poner un caso muy alejado de la literatura.

He aquí algunas citas que muestran lo dicho: la incapacidad aleixandrina (españolamente aleixandrina) para separar el yo de sus alrededores objetivos:

> Erguido en esta cima, montañas repetidas, yo os contemplo, *sangre de mi vivir que amasó vuestra piedra.*
>
> ....
>
> *No soy distinto y os amo...*
>
> ....
>
> *la piedra por mí tranquila os habla,* mariposas sin duelo.
>
> ("Adiós a los campos", de *Sombra del Paraíso.*)

---

[18] Esto no significa que esta consideración de la circunstancia no pueda darse más que en un filósofo español. De hecho, como es notorio, ocurre lo contrario.

> Regresa tú, mortal, humilde, pura arcilla apagada
> a tu certera patria que tu pie sometía.
> He aquí la *inmensa madre que de ti no es distinta,*
> y barro tú en el barro totalmente perdura.

("Al hombre", del mismo libro.)

Antes he citado la forma "yo amanecí", etc., que, siguiendo a
Américo Castro, interpretábamos como síntoma del integralismo español. Es curioso observar que en Aleixandre se dan, con otro desarrollo (con un desarrollo no meramente plástico), numerosos ejemplos
de algo sustancialmente idéntico, lo que nos prueba, de modo a mi
entender irrefutable, lo que más arriba he sostenido: el carácter eminentemente hispánico de este panteísmo. Y así vemos, ya desde el
mismo libro *Ámbito,* un crecido conjunto de piezas en que el autor
percibe cómo un cuerpo humano (el suyo, el de la amada) amanece,
atardece o anochece:

> *La noche en mí. Yo la noche.*
> Mis ojos ardiendo. Tenue,
> *sobre mi lengua naciendo*
> *un sabor a alba creciente.*

("Posesión", de *Ámbito.)*

> *En mi alma nacía el día.* Brillando
> estaba de ti; tu alma en mí estaba.
> *Sentí dentro, en mi boca, el sabor a la aurora.*
> Mis ojos dieron su dorada verdad. Sentí a los pájaros
> en mi frente piar, ensordeciendo
> mi corazón. Miré por dentro
> los ramos, las cañadas luminosas, las alas variantes,
> y un vuelo de plumaje de color, de encendidos
> presentes me embriagó, *mientras todo mi ser a un mediodía,*
> *raudo, loco, creciente se incendiaba*
> y mi sangre ruidosa se despeñaba en gozos
> de amor, de luz, de plenitud, de espuma.

("Nacimiento del amor", de *Sombra del Paraíso.)*

Mirar *anochecer tu cuerpo desnudo*...

      ("El desnudo", del mismo libro.)

Ahora vuelto a tu claridad no es difícil
reconocer a los pájaros matinales que pían,
ni percibir en *las mejillas los impalpables velos de la Aurora.*

      ("Plenitud del amor", de *Sombra del Paraíso.*)

Sólo un sueño de vida sentí contra los *labios*
ya ponientes, un sueño de luz crepitante...
....
¡Oh dura noche fría! El cuerpo de mi amante,
tendido, parpadeaba, titilaba en mis brazos.
Avaramente contra mí ceñido todo,
sentí la gran bóveda oscura de su forma luciente,
y si besé *su muerte azul,* su esquivo amor,
sentí *su cabeza estrellada* sobre mi hombro aún fulgir,
y *darme su reciente encendida soledad de la noche.*

      ("Muerte en el Paraíso", del mismo libro.)

Si al poner mis labios tristísimos sobre tu piel incendiada,
siento en la mejilla el labio dulce del poniente apagándose...

      ("Cuerpo de amor", del mismo libro.)

Gime la luz. *De su boca*
surte, dolida, la aurora.

      ("Emilio Prados", de *Nacimiento Último.*)

    La recóndita conformación interior que llevó a los españoles a decir "yo amanezco" es en nuestra hipótesis la misma que impulsa a Vicente Aleixandre a escribir: "En mi alma nacía el día... Sentí dentro, en mi boca, el sabor a la aurora". Y si el autor de *Sombra del Paraíso* puede concebir un verso como éste:

      Mirar anochecer tu cuerpo desnudo,

como si el cuerpo irradiase luz y luego se fuese apagando, es porque su forma íntima de estar en el mundo no difiere de la de aquellos compatriotas suyos que hicieron posible expresarse en castellano con un "anocheciste ayer en Galicia".

Para terminar, agregaré que el integralismo de Aleixandre no se limita a dar estructura a su panteísmo, sino que ocupa en su poesía zonas más extensas. Y así, nuestro autor es integralista también cuando, como tan a menudo ocurre en sus versos, alía la máxima grandeza a la mínima pequeñez en los fuertes contrastes que tan peculiares son en *La Destrucción o el Amor,* en *Sombra del Paraíso* y en *Historia del Corazón.* Como en el capítulo VI doy desarrollo adecuado a este pensamiento, no es necesario ahora sino esbozarlo. Pero sí quiero adelantar el carácter sintético de la mirada aleixandrina, que no suele olvidar, junto al astro, la diminuta presencia de una hierbecilla, o, si contempla una muchedumbre humana, el delicado, imperceptible poro de la mano querida. El ojo del poeta sabe integrar en el vasto lienzo de su lírica, hecha, en general, de inmensidades, los diminutos, tiernos pormenores de las criaturas más pequeñas, porque españolamente no ignora que lo humilde y aparentemente insignificante "también brilla en el día", también existe y exige representación:

> Soy la música que bajo tantos cabellos
> *hace el mundo* en su vuelo misterioso...
> ....
> *Soy el destino que convoca a todos los que aman,*
> *mar único al que vendrán todos los radios amantes...*
> ....
> Soy el caballo que enciende su crin contra el pelado viento,
> soy el león torturado por su propia melena,
> la gacela que teme al río indiferente,
> el avasallador tigre que despuebla la selva,
> el diminuto escarabajo *que también brilla en el día.*

En este ejemplo, el amor cósmico, que ha como momentáneamente encarnado en el poeta, habla en primera persona. Primero se alude a elementos totales: la música del mundo, el destino de todos los amadores, visto como un océano absoluto. Mas al lado de esas macroscópicas realidades están también, *con idéntica significación,* las criaturas particulares y menudas: el caballo, la gacela y, más característicamente, el escarabajo.

Por todo ello, el propio poeta pudo acertadamente definir su propia poesía con los siguientes versos:

> Oye este libro que a tus manos envío
> con ademán de selva,
> pero donde de repente una gota fresquísima de rocío
> brilla sobre una rosa...
>
> ("El poeta", de *Sombra del Paraíso*.)

Es éste un caso más de integralismo hispánico, una variante original de la españolísima ley de la polaridad, tan perceptible en nuestro Siglo de Oro, y siempre firme a lo largo de toda nuestra historia literaria, según Dámaso Alonso ha demostrado. Cierto que esa polaridad de que hablo no versa en otros autores hispánicos sobre lo grande y lo menudo, como en Aleixandre, sino entre lo aristocrático y lo plebeyo, o lo feo y lo estéticamente supremo, o lo elevadamente moral y lo burdamente chocarrero, o el mundo de lo ideal y el mundo de la realidad más cruda y hasta nauseabunda. Mas ¿quién puede negar que, en el fondo, se trata de otra manifestación de esa perenne ley ibérica, modulación nueva, en nuevo compás, de la vieja, familiar cadencia?

CAPÍTULO VI

LA VISIÓN DEL PARAÍSO

Los dos capítulos anteriores nos han mostrado de un modo esquemático la línea general de la visión aleixandrina del mundo anterior a *Historia del Corazón*. Es la que podemos perseguir a través de todos los libros de la primera fase lírica de nuestro poeta, sólo insinuada en *Ámbito*, ya mucho más nítida en *Pasión de la Tierra* y en *Espadas como Labios*, y completamente clara a partir de *La Destrucción o el Amor*. Pero en *Sombra del Paraíso* se nos presenta (al lado de ese más amplio pensamiento sobre la vida y la Naturaleza, y envuelto por él) la proyección de un mito: la existencia en el pasado remoto de una edad dorada, un mágico edén, donde el poeta vivió, y que ahora, al hacer poesía, "recuerda sin saberlo" [1]. Concepto platónico que da origen igualmente a algún que otro poema suelto, entre los que se cuentan "La rosa" y "El poeta niño".

ORIGEN DE LA "VISIÓN" PARADISÍACA

Hemos hablado de un mito. Si quisiéramos ser exactos, hubiésemos dicho "una visión", dando a este término el significado científico que le asignaremos más adelante, en el capítulo X, a donde remito la

---

[1] Carta de fecha 11 de septiembre de 1940, dirigida a Dámaso Alonso y publicada en la revista *Corcel*, núms. 5-6 (s. r.).

curiosidad del lector [2]. Porque *Sombra del Paraíso* es eso: una sin-
fónica "visión", emanada y justificada por un humano deseo: el ansia de pureza, de *elementalidad,* de autenticidad, que Aleixandre
siente de un modo profundo en la radicalidad de su ser. Es evidente,
pues, que el tema del Paraíso resulta ser una consecuencia más de la
concepción central aleixandrina, que mira lo elemental como el supremo modo de existencia. La torpe malicia de los hombres, su distanciación de la Naturaleza, la instantaneidad de la alegría y la constancia del dolor, hacen que los ojos del poeta se vuelvan hacia un país
donde la inmortalidad de los cuerpos, puros y elementales, y la pe-
rennidad de la dicha imperasen sobre la yerta artificiosidad y sobre
el muerto desconsuelo. El origen vital de *Sombra del Paraíso* no es
alegre. Si nos detenemos en su análisis, si profundizamos en la límpida luz de su mundo poético, encontraremos una amarga filosofía
sobre el destino humano: el hombre ha nacido para ser un puro
elemento de la naturaleza unitaria.

> ...carne fugaz que acaso
> nació para ser chispa de luz, para abrasarse de amor
> *y ser la nada sin memoria, la hermosa redondez de la luz.*

("Destino de la carne")

Pero tal destino no se cumplió: "por todas partes veo cuerpos
desnudos, fieles al cansancio del mundo", escribe el poeta. En vez del
hombre logrado y pleno, lo que se hace por todas partes visible es
la pesadumbre del hombre mentido, irrealizado.

VISIÓN Y REALIDAD

De este modo, *Sombra del Paraíso* cantará desde una doble ver-
tiente: desde el cansancio humano, desde el humano abatimiento

---

[2] Adelanto aquí que llamo "visión" a aquella figuración imaginativa que
no incluye o supone comparación entre dos términos: se trata de una mera
atribución de cualidades o de funciones irreales a un objeto. Por ejemplo, hablar de un hombre que toca la luna con su mano o de una isla que navega.

(realidad vital), y desde la alegre contemplación del paraíso (visión) [3]. La postura primera será como el contraste de la visión, la fuerza que lo justifica: la angustia. Es lo que da patetismo y hondura al tema paradisíaco, ensueño del hombre entristecido. ¡Cómo luce entonces ese ensueño!: pasan por regiones inmortales elementales seres, inmaculadas muchedumbres sin fatiga, libres, que con un signo leve de sus manos nos señalan la imperecedera armonía. Nosotros miramos desde la torpeza, desde la iniquidad de nuestro presente, la hermosura del paraíso, y nuestros ojos, acostumbrados al dolor, contemplan el risueño gozo, la luz sin término, la majestad de los seres que lo constituyen.

Este contraste entre realidad angustiosa y ensueño de belleza y dicha se efectuará de muy diversos modos. Unas veces el tema paradisíaco se canta aisladamente (en "Ciudad del Paraíso", por ejemplo), y su contraste hemos de verlo en aquellas otras composiciones que también aisladamente expresan el heridor presente: "Destino de la Carne", como pieza característica (o, saliéndonos de *Sombra del Paraíso*, el libro *Mundo a Solas* en su conjunto). Pero este enfoque es excepcional. El más frecuente es el cántico aunado de ambas actitudes, ilusión y desengaño, al que responde la mayor parte de los poemas del libro: o bien se canta en un primer plano el paraíso comparándolo después con la sucia contemporaneidad del poeta (y esto es lo que más abunda: "Primavera en la tierra", "Mar del Paraíso", "Padre mío", etc.), o bien se expresa primero la vida triste y amarga de hoy, mirando luego el paraíso como imposibilidad: tal es la fórmula que manifiestan "Poderío de la noche", "Noche cerrada" y otras piezas.

Pero todavía existe, quizá, un nuevo planteamiento de la visión paradisíaca que consistiría en cantar no directamente el paraíso, sino su trasunto en el mundo presente: la Naturaleza o los seres elementales. Así, "Adiós a los campos" e "Hijos de los campos", para tomar un ejemplo de cada clase.

---

[3] Véase el cap. X.

ATRIBUCIÓN DE CUALI-
DADES VISIONARIAS A
LA NATURALEZA ACTUAL

Para expresar la belleza de ese paraíso, Aleixandre se servirá del procedimiento que en el capítulo X llamaremos "visionario", y que en este caso particular consistirá en asignar a los seres del mundo real cualidades irreales que les dan categoría egregia. Los hombres serán "eternamente fúlgidos". Las islas irán a la deriva, libres, por los mares. La ciudad del paraíso volará en un cielo con sus "alas abiertas". Los ríos tendrán un color casi azul, casi verde, casi rosa, casi amarillo. El fuego no abrasará : las aves volarán entre sus rojas, inocentes llamas. Los cuerpos humanos poseerán, a veces, tamaño cósmico. Y un día sin noche, perenne luz que no termina, brillará sobre las cabezas de las criaturas que lo pueblan.

EL PARAÍSO, PROYECCIÓN DE
LA INFANCIA DEL HOMBRE
Y LA AURORA DEL DÍA

El poeta se dispone, pues, a cantar el paraíso, mágico país que se dora en la claridad del día primero. El mundo tiene aún la limpidez original. Acaba de nacer. "Verde rubor, hoy boga por el espacio aún nuevo." Los seres que lo habitan son inocentes, puros, elementales como la tierra misma. Aman "serenamente sobre la hierba noble". Un candor tiembla en el espacio virgen. Todo está traspasado por un "quietísimo éxtasis". Un casi cielo sopla sobre el universo. Es la felicidad de la tierra sin malicia.

¿Cómo obtiene Aleixandre esta inefable visión? Haciendo trascender la infancia del hombre hacia la infancia del universo; la aurora del día, hacia la aurora del mundo [4]. Lo primero es visible en poemas como "Mar del Paraíso", "Ciudad del Paraíso" (recuerdos ambos de su niñez malagueña), "Primavera en la tierra", "Poderío de

---

[4] Véase Dámaso Alonso, *Ensayos sobre poesía española*, pág. 382.

la noche", etc. Lo segundo está muy claro, por ejemplo, en "Criaturas en la aurora".

Sí: la luz paradisíaca debió de tener el mismo candor del alba que diariamente se nos ofrece como un regalo, como un dulce donativo. Los seres de aquella iluminada región serían puros como son hoy los niños, que juegan en las playas con sólo luz en sus almas, con sólo verdad en sus corazones sin tristeza.

EL ESPÍRITU CÓSMICO

Era el gozo de la primera luz. No había pesadumbre, no había dolor, no había mentira en aquellos labios, en aquellas miradas. Una bienaventuranza oreaba los cuerpos, las aguas, los espacios. ¿Qué sucedía? Era la presencia en el mundo del espíritu cósmico, emanación del universo natural. Espíritu brotado de la pura materia, del inmanente deseo de espiritualización que asiste a la creación entera. Ya eximido de la materia que le diera origen, el espíritu cósmico bogaba por los espacios como la gloria suprema, como la suprema sabiduría, cargado de "pensamiento estelar", para decirlo con palabras del propio poeta:

> Una nube con peso, nube cargada acaso de *pensamiento estelar,*
> se detenía sobre las aguas, pasajera en la tierra,
> *quizá envío celeste de universos lejanos,*
> que un momento detiene su paso por el éter...

("No basta".)

En otro lugar el poeta se dirige al cielo de este modo:

> ... ... *mis ojos,*
> *ebrios de tu* estelar pensamiento *te amen*
> *mientras así peinado suavemente por el soplo de los astros,*
> *mis oídos escuchan al único amor que no muere.*

("Al cielo".)

Y así (antropomorfizado casi siempre, pero siendo sólo visibles aquellas partes de su cuerpo que pueden simbolizar el poder o la inteligencia), el espíritu cósmico actuaba sobre la Naturaleza. El mar estaba "continuamente aplacado por una mano dichosa" que era también la que sostenía "intermedia en los aires" a la ciudad del Paraíso. El río era "rocío milagroso que una mano reúne". En el sueño, "una mano" repartía "una promesa lúcida". Pero, del mismo modo, "unos dulces brazos" parecían "presidir a los aires" edénicos, mientras las criaturas sentían su "hechicera presencia", que embriagaba el espacio.

ESPIRITUALIZACIÓN DE LA MATERIA

De este modo se ha acentuado la línea de espiritualización de la materia, ya existente en obras anteriores. Pero tan aguda espiritualización es visible en otras características del mundo paradisíaco. El azul que lo cubre se halla "inspirado". En "los aires dichosos" existe "un rapto de deseo". El mar será "palabra entera que un universo grita". Las nubes "enardecidas" reflejan "el mensaje de un sol de junio que abrasado convoca" a los hombres. Los pájaros se sienten "ebrios de amor, de luz". Es el éxtasis de la Naturaleza toda.

EL HOMBRE DEL PARAÍSO

Porque también el humano se halla traspasado por ráfagas de plenitud. Lo hemos dicho ya. Pero Aleixandre no puede cantar al hombre paradisíaco sin ver en él cualidades muy distintas de las que enturbian al hombre actual. Los seres del Paraíso eran una manifestación más de la Naturaleza. La ciudad que los cobijaba era pura e inocente y despedía un dulce brillo. La alegría que los colmaba era la misma de los vegetales:

...un muchacho desnudo, cubierto de vegetal alegría...

("Primavera en la tierra".)

La frente de la mujer sería como puede ser la piedra; su cuello, "como un agua"; su figura, en fin, tan esbelta como un árbol. Por ello, a veces, el autor de *Sombra del Paraíso* puede contemplar a aquellas criaturas de privilegio envueltas en la misma casi divinizadora llama que ardía suave y sin destrucción en el completo universo evocado. Del mismo modo que el mar era un latido del "corazón de un dios sin muerte", el hombre edénico será "luminoso, juvenil, perennal", y la mujer quedará vista como "casi divina".

Veamos aquí el ensueño del insatisfecho, del que tiene conciencia de cuán torpe, cuán mezquina, cuán apagada y enajenada es el alma de sus semejantes.

EL PARAÍSO
SIN HOMBRES

Y, en efecto, la realidad en otras ocasiones aparece directamente, sin transfiguración, y ocupa el centro de la atención poética:

> Hoy que la nieve también existe bajo vuestra presencia,
> miro los cielos de plomo pesaroso,
> y diviso los hierros de las torres que elevaron los hombres
> como espectros de todos los deseos efímeros.
>
> Y miro las vagas telas que los hombres ofrecen,
> máscaras que no lloran sobre las ciudades cansadas,
> mientras siento lejana la música de los sueños,
> en que escapan las flautas de la primavera apagándose.

("Primavera en la tierra".)

El poeta habla a un río:

> Mira a los hombres perseguidos, no por tus aves,
> no por el cántico de que el humano olvidóse por siempre.

("El río".)

o a unos hombres mentidos en su ser:

> Pero no; muertamente callados, como lunas
> de piedra, en tierra, sordos permanecéis, sin tumba.

("Los dormidos".)

En suma: Aleixandre ni por un momento olvida en su libro los límites y las imperfecciones del hombre y del instante actuales. Al contrario, *Sombra del Paraíso* es el resultado de ese conocimiento, que es lo que otorga, según dijimos, contraste y significación a la visión paradisíaca. El hombre es una imperfección de la naturaleza, un pecado en la limpidez original de ella. De este modo, se canta en algunos poemas un Paraíso más perfecto: un reino sin hombres. La tierra va entonces "sola, pura de sí: nadie la habita". "Sólo la gracia muda, primigenia, del mundo" allí reina. Sólo la luz virginal y dorada. Y la voz del poeta se carga de tristeza y de sabiduría para decir:

¡Humano: nunca nazcas!

No. Aleixandre no ha rectificado aún su posición de radical pesimismo.

Capítulo VII

EL NUEVO TEMA DE *HISTORIA DEL CORAZÓN*

CONTINUIDAD DE UNA OBRA

Se ha dicho con frecuencia que cada artista genuino entra en el mundo con una sola intuición de las cosas, y sólo con una. Su obra sucesiva consistirá así en ir perfilando, y a la vez enriqueciendo, esa simple célula originaria de que tal obra partió, y a la que, en suma, es ésta, en su totalidad, reducible.

Si se nos exigiera mayor rigor en la exposición de nuestro pensamiento, acaso fuese conveniente oponer algunos reparos, y no sólo de matiz, a esta noción —tan extendida— de la simplicidad esencial de la producción artística; por lo pronto, habría que corregir su excesivo aire generalizador, porque en el poeta, como en el hombre, cabe la "conversión", por medio de la cual queda de algún modo atrás el "hombre viejo", y un "hombre nuevo", con un nuevo estremecimiento ante las cosas, aparece de pronto. Sin embargo, tomada en un sentido más amplio, la idea primeramente enunciada, pese a su indudable tosquedad, nos sirve bastante bien para procurarnos un primer contacto crítico con la obra de arte normal. El paulatino crecimiento de una poesía se nos torna de ese modo en espectáculo: vemos cómo cada libro poético de un autor genuino va completando y *modificando* a los anteriores; cómo siendo distinto de ellos, y hasta en la medida en que lo es, les resulta fiel en un último examen (quiero decir fiel, como mínimo, *al movimiento espiritual* que los engendró). Y esto a través de una nueva expresión, e incluso (lo que es más revelador) a través de una nueva intuición de la vida humana. Las reflexiones que acabo de bosquejar vinieron a mí con la lectura del libro de Aleixandre *Historia del Corazón,* sin duda uno de los cuatro más poderosos e importantes suyos. He de reconocer que el primer choque con tal obra me llevó a pensar exactamente lo contrario de lo que más arriba he esbozado. Mis ideas sobre la continuidad en la progresiva obra literaria de un escritor auténtico corrieron el riesgo de extinguirse, o al menos de vacilar peligrosamente, porque el nuevo libro aleixandrino parecía responder a una posición casi antagónica a la que hasta ahora el poeta había venido sosteniendo. Sólo más tarde pude darme cuenta de mi error. Pese a su extraordinaria novedad en múltiples aspectos, *Historia del Corazón* no significa una visión de las cosas inconciliable con la expresada en anteriores versos fraternales, sino que, por el contrario, resulta, como veremos, de una fidelidad más sorprendente y significativa cuanto menos aparenta serlo. Si nos ayudamos con una metáfora, tal vez podamos comprender mejor el sentido de este libro dentro de la obra de Aleixandre. En anteriores volúmenes (desde *Ámbito,* o si se prefiere desde *Pasión de la Tierra* hasta *Nacimiento Último*) nuestro poeta había venido tomando vistas cada vez más audaces y diáfanas de un mismo inmenso salón, desde sitios (eso sí) siempre renovados. Y ahora, en el libro que comento, la fotografía ha captado una pieza diferente, una habitación distinta de la habitual; distinta, pero perteneciente, no se olvide, al mismo edificio.

UNA SEGUNDA ÉPOCA

Lo que llevo escrito ha intentado insinuar en el lector la idea de que *Historia del Corazón,* según se apunta en capítulos anteriores, posee una serie de características que hacen de esta obra algo inconfundible dentro de la producción aleixandrina. Instaura en ella una nueva etapa, un nuevo camino: lo que se ha llamado una "segunda época". Por eso, en un sentido profundo, *Historia del Corazón* se diferencia más, por ejemplo, de *Sombra del Paraíso* que este libro pueda distinguirse del resto de la producción aleixandrina, con ser *Sombra del Paraíso* un libro tan pasmosamente singular. Y es que, contemplado con perspectiva, *Sombra del Paraíso* es incluible dentro de un ciclo donde se hallan todos los otros versos de Aleixandre; *Historia del Corazón* no lo es. Inicia un ciclo nuevo, una nueva etapa.

EL NUEVO TEMA DE
"HISTORIA DEL CORAZÓN"

¿En qué sentido hablamos aquí de "ciclo nuevo", de nueva época? Como responder a esta pregunta con amplitud requeriría más espacio del que me he propuesto, procuraré expresarme con las menos palabras posibles.

Desde *Ámbito* a *Nacimiento Último*, la lírica de Aleixandre pudo recibir en definición aproximada el calificativo de *cósmica*, y ello porque se trataba, ante todo, de una poesía cuyo tema primordial y central era, como en otro capítulo he dicho ya, la elementalidad de las cosas, esto es, el mundo, los mundos, y los seres todos en cuanto elementales. Lo que no poseía esa preciosa cualidad era rechazado del orbe aleixandrino; no existía afectivamente en él, o, mejor dicho, sólo existía con una irritante existencia negativa (la ciudad, el vestido, la máquina, los desamorados). El poeta montaba en cólera y lanzaba una serie de improperios cada vez que oteaba en el horizonte de su visión un objeto con la insolente pretensión de vivir a distancia de la naturaleza. Por eso, en el repertorio de *tonos* aleixandrino se encontraba un registro muy peculiar: el imprecatorio.

En una poesía de esa índole, el hombre (que con el uso de su razón se ha alejado de la naturaleza tanto cuanto ha podido) sólo admitía, en principio, ser cantado negativamente; y para cantarlo positivamente, para cantarlo con entusiasmo, Aleixandre precisaba cerrar un momento los ojos y verlo como prójimo de la roca o del río. Por eso, los únicos seres humanos que nuestro poeta encontraba vecinos a la perfección eran los que vivían a un ritmo natural: los campesinos, por ejemplo, o los amantes. En otros términos y en suma: Aleixandre no cantaba al hombre como algo radicalmente distinto de la naturaleza; por el contrario, para cantarlo precisaba previamente confundirlo con ella, indiferenciarlo; podemos, pues, decir, en un sentido sin duda especial, y siempre que se nos permita realizar una generalización un tanto burda e inexacta, que no cantaba directamente al hombre, sino al cosmos, pues el hombre sólo lo cantaba *en cuanto era también cosmos*. No andaban, pues, descarriados quienes calificaban de cósmica esta poesía.

El panorama cambia por completo en *Historia del Corazón*. Si antes el tema de Aleixandre era, como digo, el cosmos, y no (o sólo accidentalmente) el humano vivir, ahora el tema será el humano vivir y no el cosmos, salvo *per accidens*. Nótese que no digo "el hombre", sino "el vivir del hombre". Por lo pronto, el vivir del propio poeta (por eso el libro es una "historia del corazón"); pero también, y quizá sobre todo, el vivir de la indefensa criatura humana, el vivir de la inmensa criatura a la que llamamos humanidad. He escrito "el vivir humano", y debiera haber escrito "el transitorio vivir humano", si ello no implicase una garrafal redundancia. El nuevo libro de nuestro autor está, en efecto, cargado de la sensación del tiempo. Canta el vivir del hombre a conciencia de su caducidad; o expresado con más justeza: precisamente desde esa conciencia es de donde el canto surge.

EL SUBTEMA DE LAS EDADES

Debemos esperar, pues, lo que inmediatamente se nos otorga en el libro: por todas partes pueden leerse composiciones que se refieren a las edades del hombre. Encontramos poemas que cantan al hombre y la mujer otoñales; y poemas de su juventud y plenitud. Y acaso más característicamente todavía, damos con un grupo, relativamente numeroso en piezas y muy compacto, que se refiere a la infancia, y con otro, no menos abundante, que alude a la senectud. Es natural que sea así, pues esas últimas son las edades-límite entre las que la vida del hombre se mueve y las que de manera más acusada pueden procurarnos la impresión del "fugit irreparabile tempus". En ellas fija Aleixandre su atención con mayor intensidad, justamente por su calidad de fronteras "entre dos infinitas oscuridades", para decirlo con frase de nuestro autor.

Pero lo verdaderamente peculiar del volumen que consideramos no es exactamente el uso de esa temática, que, más o menos, aunque de distinto modo (sin ese carácter sistemáticamente cíclico), ha sido utilizada en todas las literaturas y en todos los tiempos; lo original es otra cosa, muy visible en los poemas infantiles. En ellos nuestro poeta se refiere a sí mismo en la niñez, y nos cuenta lo que él entonces veía con sus puros ojos sin malicia: nos habla del mundo, tal como fue contemplado desde la inocencia pueril. Pero de tal manera (y ello es lo más característico) que, al realizar esto, Aleixandre, probablemente sin pretenderlo, introduce de refilón en su lírica un ingrediente que ordinariamente permanece fuera del alcance de la poesía: la matización psicológica del personaje imaginado. En efecto, en estos poemas de niñez hay rápidos esbozos del modo de ser del niño, estudios psicológicos en miniatura que, por supuesto, constituyen uno de sus encantos más fehacientes y representan algo así como la *novelistización* (pásese el monstruoso vocablo) de la técnica poética. Porque es evidente que el empleo de la capacidad psicológica es algo insólito en el poeta, como he dicho, y, en cambio, absolutamente propio del novelista.

PARÉNTESIS SOBRE EL REALISMO
Y LA IDEA DE LAS GENERACIONES

En esta altura de nuestro capítulo conviene que nos detengamos un momento, aunque el hilo de la exposición corra el riesgo de enmarañarse.

Acabamos de descubrir en algún poema de Aleixandre el uso de una técnica en cierto modo novelística. Tal fenómeno tiene en el libro más importancia de la que en un primer pronto estaríamos dispuestos a concederle, pues se manifiesta en él de muy diversas maneras, y no sólo en la apuntada. Ante todo, hay que señalar a este respecto la fuerte tendencia que se dibuja en ciertas páginas del volumen al estilo narrativo [1]. El ejemplo más extremoso de ello lo tenemos en el poema titulado "Tierra del mar"; pero el hecho, repito, se encuentra, más pálido, en bastantes rincones del tomo. De otro lado, salta a la vista el empleo, ciertamente moderado y discreto, que

---

[1] En el capítulo siguiente sobre *En un Vasto Dominio* intento ahondar en la explicación de ese estilo narrativo.

nuestro poeta hace de expresiones familiares; y las referencias, espaciadas también, pero muy notables, a momentos de la vida diaria. Congruentemente, la música del versículo se muestra como mucho más cercana al ritmo de la conversación (a veces demasiado, a mi juicio) y en este aspecto resulta más flexible que en *Sombra del Paraíso*. Todo ello en globo, junto a otras particularidades más esenciales aún, que páginas adelante comentaremos, me mueve a decir, en un sentido cuyo alcance quizá luego entendamos mejor, que *Historia del Corazón* es una obra *realista* [2].

Ahora bien: el realismo es la característica más importante que cabe señalar en la lírica española posterior a la guerra, lo mismo en la escrita por los maestros que en la escrita por la generación más joven. Efectivamente, en tal encrucijada vienen a coincidir, más o menos, todos los poetas de cuenta: lo mismo un Pablo Neruda (donde la tendencia se da tan acentuadamente), un Dámaso Alonso, un Aleixandre, un Alberti, un Cernuda, que cualquiera de los poetas surgidos alrededor de 1936 y siguientes: Rosales, Panero, Otero, Hierro, etc.; el realismo es, insisto, un fenómeno general que adquiere, por supuesto, intensidad diversa y distintas proporciones y modulaciones según el temperamento y la inclinación de cada poeta, pero que a pocos deja en absoluto de afectar.

Esto es muy significativo, y es preciso señalarlo, porque pudiera deshacer algún posible error en la interpretación más corriente de la teoría de las generaciones. Ya señaló Menéndez Pidal que la poética de un instante determinado no suele oponerse a la que en aquella sazón ostenta la generación precedente (si ésta no estuviese muerta de hecho o con escasa vitalidad, añadiríamos nosotros), sino que del contacto entre todas las que conviven se forma o suele formarse —dice él— una posición estética común, en la que aproximadamente todos participan [3].

---

[2] En la edición anterior de esta obra aventuré esa denominación de realismo con alguna timidez, porque ese vocablo no se había usado por entonces para referirse a la poesía de la posguerra. La popularización de tal designación vino después.

[3] "El lenguaje del siglo XVI", ensayo contenido en el libro *La lengua de Cristóbal Colón*, Colección Austral de Espasa-Calpe, Madrid, 1942, págs. 55-56.

Presumo que esta idea, confirmada por los hechos actuales a mi ver, es susceptible acaso de mayor afinamiento si le agregamos otra, tal vez más radical y precisa, que desde aquí me aventuraría a insinuar: y es que esa estética nueva no parece proceder necesariamente de la generación más joven sólo (o del choque entre la joven y la vieja, como opina Pidal). Más bien diríamos que se llega a ella *simultáneamente y con semejante intensidad,* no siempre, pero, por lo menos en algunos casos, *desde las distintas generaciones que en tal fecha se den.* Quiero decir que cada una de ellas descubre en principio por su cuenta la nueva sensibilidad, aunque luego esa sensibilidad recién advenida se fortifique y adquiera carácter y grosor con el contacto entre ambos grupos humanos [4]. No de otro modo dos olillas de poca monta producen con su choque una ola de mayor entidad.

Si esta hipótesis no anda completamente desviada, habría que plantear la historia de la literatura no totalmente a base de la idea de las generaciones (al menos, tal como esa idea suele entenderse). En ocasiones, habría que fundarse principalmente en la cronología: en los períodos breves (diez, quince, veinte años) en que un cierto ideal estético es sustentado *con parecida espontaneidad por varias generaciones a un mismo tiempo.* (Se comprende que desde este punto de vista adquiera otro relieve y significación la importancia de la cronología en el estudio de las obras literarias. Pero esto es harina de otro costal.)

La poética realista vigente aún hoy (aunque ya en crisis), ¿muestra lo que acabamos de enunciar? Los siguientes hechos nos deciden a responder afirmativamente. Por un lado, queda patente lo que más arriba aduje: la coincidencia en el realismo de las dos generaciones que hoy se hallan en actividad; por otro, no resulta de menos peso constatar que la primacía cronológica en el uso de la nueva poética no es fácil concederla sin más a la generación reciente, en cuanto nos hacemos un par de sencillas consideraciones: primero, que en las *Invocaciones a las Gracias del Mundo,* publicadas en 1936 por Luis Cernuda, se encuentran ya bastantes de los signos más determinantes de la posición

---

[4] Estimo que la causa de tal fenómeno se halla, quizá, en que todas las generaciones convivientes pasan por el mismo momento histórico, y es éste quien, parcialmente, origina la estética imperante al chocar frente al elemento humano de que se trata.

lírica en cuestión (léase sobre todo el poema titulado "La gloria del poeta"); y segundo, que la manifestación de ésta en toda su energía y extremosidad no se dio inicialmente en ningún libro de un poeta joven, sino en *Hijos de la Ira*, de Dámaso Alonso.

En una palabra: la generación del veintisiete, al filo de la guerra española y poco después, había comenzado a abandonar sus convicciones estéticas de años anteriores para ingresar poco a poco en una nueva actitud que hoy llamo realista. Y, a su vez, hacia esas mismas fechas, la nueva generación, *con independencia de la precedente*, se instalaba también en la mencionada posición literaria.

Una vez que hemos procurado deslindar el arduo problema anterior, debemos volver la mirada a otro cuya solución no presenta, en principio, menos obstáculos. Me refiero al que nos plantea el concepto mismo de realismo, que antes hemos aventurado para definir el último estilo de Aleixandre y, en general, la nueva sensibilidad lírica española de la postguerra [5]. ¿Qué queremos significar cuando decimos que un libro o una época o una literatura nacional son realistas?

El contenido de un poema consiste en un entramado de elementos sensoriales, conceptuales y afectivos en diversa proporción [6]. Por tanto, lo distintivo de un poema frente a otro, lo que diferencia un poema realista de otro no realista, culterano, por ejemplo, o romántico, no puede ser otra cosa que esa disímil proporcionalidad y no una mera discrepancia formal, puesto que, según sienten teóricos del lenguaje contemporáneos, no hay una *forma* que prácticamente pueda presentarse con independencia de un *fondo*. Diríamos para entendernos que las diferencias que median entre dos obras literarias son así reducibles, en última apelación, a diferencias de contenido, si bien, para su expresión cabal, necesitan éstas reflejarse con fidelidad en el continente.

Con objeto de excluir la vaguedad de nuestra definición de realismo, atendamos sólo, en consecuencia, al complejo sensóreo-afectivo-conceptual, que, según acabamos de entender, existe primordialmente

---

[5] En efecto, esa designación que luego se ha generalizado, se enunciaba, por vez primera en este ensayo, sobre *Historia del Corazón*, publicado en la revista *Ínsula*.

[6] Véase Dámaso Alonso, *Poesía española. Ensayo de métodos y límites estilísticos*, ed. Gredos, 5.ª ed., Madrid, 1966.

en todo poema, y prescindamos de consideraciones de naturaleza más problemática, como son las formales. Toda la clave del asunto se reduce, por consiguiente, a responder a un sencillo interrogante que formularíamos así: ¿cómo se manifiesta el complejo antedicho en un poema realista?

Lo primero que se nos ocurre pensar es que en un poema de esa clase la sensorialidad de la expresión (color, etc.: lo que se ha llamado impropia o vagamente "belleza") carece de importancia, y, en cambio, lo conceptual la tiene enorme. Pero ocurre que en poesía lo conceptual no puede presentarse solo. Su existencia lírica ha de tener siempre un cierto cariz parasitario: o vive a expensas de lo sensorial o a expensas de lo afectivo. Como resulta que en la escuela citada, según sabemos ya, los ingredientes sensoriales se atenúan al máximo, se desprende que serán los afectivos los encargados de vivificar la masa de conceptos.

Podemos ya, por tanto, condensar en una frase breve la definición en cuya busca andábamos. Y así diremos que *poesía realista no es cosa aparte de poesía afectivo-conceptual.*

Dentro de esa especie de lírica ha de incluirse, pues, no sólo lo que hasta ahora se llamaba así (los poemas que trataban, con parquedad en la fantasía y en general a través de frases sencillas, los hechos y las cosas de la vida diaria), sino también todo lo que sea primordialmente poesía de pensamiento. O sea la poesía que ha recibido (con intención peyorativa o sin ella) el mote (inadecuado a todas luces) de "filosófica" o "metafísica". De este modo, el horizonte se ensancha insospechadamente, aclarándose de paso ciertos rincones de nuestra historia literaria que habían permanecido escasos de luz. Empezamos, ante todo, a vislumbrar que el realismo es una constante histórica, con distintas modulaciones en los diversos tiempos. Pues se dio no sólo en el siglo pasado, con Campoamor y Bartrina, sino también en el siglo XVIII (poesía filosófica de Jovellanos, de Meléndez Valdés, etc.) y en el XVII (poemas morales de Quevedo, pongo por caso). En nuestra época se ha producido hasta ahora en dos ocasiones, que yo sepa: en la actualidad y hacia el año doce y siguientes, con la poesía de Unamuno, *Campos de Castilla* de Antonio Machado, bastantes poemas de su hermano Manuel, y el prosaísmo postmodernista de Quesada y la escuela canaria.

Sé muy bien todo lo que esta opinión mía se aparta de lo usual, y adivino que el hecho de incluir la poesía de pensamiento (como la de Unamuno) en el realismo ha de sorprender a muchos. Sin embargo, esa sorpresa acaso descienda de grado cuando recordemos que a Campoamor (ejemplo casi puro de poeta realista) se le tuvo igualmente como un caso de poeta filosófico (aunque tal filosofismo pueda hacer sonreír, visto desde nuestros días), y que la novela realista de la pasada centuria tuvo siempre una extraña propensión a sustentarse sobre la recia base de una tesis. ¿Podrá maravillarnos que en la postguerra, nueva etapa realista, haya surgido en muchos la apetencia por una poesía social o por una poesía "comprometida"? [7]. La poesía realista es, por una de sus lindes, poesía de pensamiento, mantenedora de una posición intelectual o moral y, en consecuencia, dispuesta siempre al "compromiso", de modo semejante como, en su esfera, la desinteresada ciencia puede convertirse en ciencia de aplicación.

POESÍA DE PENSAMIENTO

Tras la definición que de realismo acabamos de sentar, entiendo que no resultará ya muy costoso admitir el realismo de la lírica de hoy, como tampoco el hecho, antes propuesto, de que en esa actitud coincidan las dos generaciones que en estos años últimos tienen la palabra: la del veintisiete y la que se dibuja con grueso trazo desde los comienzos de la postguerra española. Pues a los nombres citados de la generación más vieja y más joven habría que añadir otros que antes no mencioné para no confundir al lector, insuficientemente preparado aún. Por vía de ejemplo apuntaré ahora el de Jorge Guillén. La poesía de Guillén, ya en el tercer *Cántico*, pero más acentuadamente en el cuarto y en los poemas de *Clamor*, viene a encajarse con toda exactitud, a mi ver, en el tipo "afectivo-conceptual" que caracteriza al realismo, y hasta, en ciertos ratos, propende a hacerse, en alguna dosis, "relato".

---

[7] Hoy, 1967, la tendencia social, etc., parece haber caducado ya para los poetas realmente vivos del momento presente.

El caso es que *Historia del Corazón* es una de las obras actuales donde la poesía se determina a ser más decisivamente palabra conllevadora de pensamiento afectivo. Dos extensas partes del volumen (tituladas "La mirada extendida" y "Los términos") están precisamente constituidas por poemas de tal índole. Agreguemos algo esencial: ese par de zonas son las que proporcionan al libro su cabal significación y por las que éste adquiere una característica vastedad y grandeza.

PUPILA TOTALIZADORA

Esas cualidades (grandeza, vastedad) son igualmente reconocibles en las anteriores obras de Aleixandre, sobre todo en *La Destrucción o el Amor* y en *Sombra del Paraíso*. La universalidad es la nota quizá más sobresaliente de la mirada aleixandrina. La pupila de nuestro autor, ávida de inmensidades, suele proyectar en un horizonte sin término el objeto particular que un momento ha detenido su atención, porque el poeta comprende en seguida el cariz de *parte* de un todo que ese objeto incluye, y cómo es a esa totalidad a la que su presencia nos refiere. Aleixandre es así un poeta totalizador. Mas no lo es *de la misma forma en todos sus libros*. La universalidad en *Historia del Corazón* de ningún modo corre pareja, por ejemplo, a la de *Sombra del Paraíso*. Aquí viene bien glosar la famosa metáfora bergsoniana del torbellino para comprender lo que un poeta, y no sólo un filósofo, pueda ser. Decía Bergson que un pensador es, ante todo, un cierto modo de movimiento, un torbellino peculiar, que lo mismo se hubiese desencadenado en una época distinta, sólo que entonces el polvo levantado en el aire hubiese sido otro. Del poeta se diría igual, y aun se podría sostener la comparación para entender los diferentes estadios en la obra de un mismo artista. El torbellino de Aleixandre permanece idéntico a través de todas sus obras. Lo variable en ellas son únicamente los materiales que en tal torbellino giran sucesivamente. Ahí reside justamente la profunda solidaridad entre *Historia del Corazón* y los volúmenes que le han precedido, y también su esencial discrepancia con respecto a ellos. Intentaré hacer claramente visible, a continuación, una y otra cosa.

PUPILA TOTALIZADORA AN-
TE EL VIVIR HUMANO

Quedamos, pues, en que lo radicalmente propio de Aleixandre es su modo totalizador de contemplar la realidad. En esto coincide, repito, *Historia del Corazón* con la producción aleixandrina precedente. Pero ¿cuál es la diferencia que separa ambos instantes líricos? Si el modo de mirar es el mismo, lo distinto radicará en la índole del objeto mirado. Ahí está, según pienso, el meollo de la cuestión. Antes (en *Sombra del Paraíso* y en *La Destrucción o el Amor*), el tema (ya lo sabemos) era la elementalidad de las cosas, las cosas y los seres vistos como mera naturaleza. Ahora bien: la totalización correspondiente al cántico de un objeto elemental (digamos la piedra como objeto más puro) será el cántico de los mundos todos, del cosmos en su conjunto. No es preciso repetir que ése es el tema de múltiples poemas aleixandrinos (o fragmentos de poemas) anteriores a *Historia del Corazón*. Paralelamente, si el tema de esta última obra es, dijimos, el vivir humano, ante todo, el vivir actual del propio poeta, la universalización de tal temática se hallará en la contemplación del íntegro transcurrir de una vida, no vista en una sola edad, como es normal en poesía (el poeta suele hablar desde sus mismos años), sino mirada sucesivamente, de modo abarcador, en las diferentes etapas que la constituyen (infancia, juventud, madurez y vejez). No es cuestionable el hecho de que *Historia del Corazón* contenga constantes visiones de esa clase y que esta amplitud le caracterice. Pero aun observaremos en tal obra otro modo de universalización, más propiamente tal, cuando en ciertos poemas lo que se canta no es el vivir de un hombre (el poeta, su amada), sino el vivir de todos los hombres, el vivir de la humanidad entera. Sirvan de ejemplo las piezas tituladas "En la plaza", "El poeta canta por todos" o "Vagabundo continuo", como más representativas.

Pero el paralelismo que andamos buscando entre el período anterior y el actual no se detiene aquí. En la etapa primera, Aleixandre
nos hablaba de la *unidad material* del mundo. Un tigre, una rosa o
un río son sólo —decía— apariencias disímiles de lo substancialmente
idéntico. Correspondientemente, ahora, en su otra ladera humana,
Historia del Corazón nos hablará de la fraterna *unidad espiritual* que
forman todos los hombres. La humanidad es una criatura única:

> Y luego de hombre, cuando ve sudores y penas, y tráfago,
>   y muchedumbre.
> Y con generoso corazón se siente arrastrado
> *y es una sola oleada con la multitud,* con la de los que van
>   como él.
> *Porque todos ellos son uno, uno solo: él, como él es todos.*
> *Una sola criatura viviente, padecida, de la que cada uno,*
>   *sin saberlo, es totalmente solidario.*
>   ("La oscuridad".)

La muchedumbre se halla en la plaza (nótese que cito versos **de**
tres poemas diferentes):

> Y era un serpear que se movía
> *como un único ser...*
>   ("En la plaza".)

> Todos están pasando. Hay niños, mujeres. Hombres serios.
>   Luto cierto. Miradas.
> *Y una masa sola, un único ser,* reconcentradamente desfila.
> Son miles de corazones que hacen *un único corazón que*
>   *te lleva.*
>   ("El poeta canta por todos".)

> No es la selva la que se queja. Son sólo sombras, son hombres.
> *Es una vasta criatura sólo,* olvidada, desnuda.
> *Es un inmenso niño de oscuridad* que yo he visto, y temblado.
>   ("Vagabundo continuo".**)**

Más aún: del mismo modo que en *La Destrucción o el Amor,* todas las cosas tienen un ansia de *fundirse con la materia* (de la que no son, en verdad, distintas), ahora, cada hombre (y el poeta como uno más) experimentará un deseo *de comunión espiritual* con sus hermanos; un anhelo de unirse, mezclarse, confundirse multitudina-riamente con ellos:

> No es bueno
> quedarse en la orilla
> como el malecón o como el molusco que quiere calcáreamente
>   imitar a la roca.
> *Sino que es puro y sereno arrasarse en la dicha de fluir y perderse,*
> *encontrándose en el movimiento con que el gran corazón*
>   *de los hombres palpita extendido.*
> ....
> Baja, baja despacio y búscate entre los otros.
> *Oh, desnúdate y fúndete, y reconócete.*
> ....
> *Oh pequeño corazón diminuto, corazón que quiere latir*
> *para ser él también el unánime corazón que le alcanza.*

                                    ("En la plaza".)

Por último, en *Sombra del Paraíso* y *La Destrucción o el Amor,* sólo cuando los seres lograban la casi mística fusión con el cosmos advenían a plenitud y realidad, pues la única realidad auténtica era esa telúrica indiscriminación. No deja de ser sorprendente que hasta en punto tan sutil *Historia del Corazón* nos ofrezca una significativa réplica. En la pieza titulada "El poeta canta por todos" se nos cuenta cómo, al sumirse en la multitud, el poeta expresa los sentimientos generales, y cómo entonces el cielo, al devolver el eco del humano coro, resulta "completamente existente".

> Suena la voz que los lleva. Se acuesta como un camino.
> Todas las plantas están pisándola.

> Están pisándola hermosamente, están grabándola con su carne.
> Y ella se despliega y ofrece; y toda la masa gravemente desfila.
> Como una montaña sube. Es la senda de los que marchan.

> Y asciende hasta el pico claro. Y el sol se abre sobre las frentes.
> Y en la cumbre, con su grandeza, están todos ya cantando.
> Y es tu voz la que los expresa. Tu voz colectiva y alzada.
> Y un cielo de poderío, *completamente existente,*
> hace ahora con majestad el eco entero del hombre.

Mas es sobre todo el hombre quien adquiere su auténtica realidad, su *reconocible* realidad, al ingresar en el ámbito colectivo. Esa es, a mi entender, la explicación de un vocablo ("reconocimiento") que salpica caracterizadamente muchas páginas de *Historia del Corazón*. Sólo se *es* en cuanto se *es solidario* de los otros, y, por tanto, sólo se *reconoce* uno cuando se siente unido a la gente, cuando se va, como uno más, entre la muchedumbre humana:

> allí cada uno puede mirarse, y puede alegrarse, y puede *reconocerse.*

> Allí están todos y tú los estás mirando pasar.
> Ah, sí, allí, ¡cómo quisieras mezclarte y *reconocerte!*
>
> ("En la plaza".)

Esa colectividad puede estar otras veces representada, como resumida, en dos únicas personas: el amante y la amada. La amada será símbolo, pues, de la "compañía", humano apoyo frente al desamparo, frente a la desazón y el dolor, frente al esfuerzo de vivir. Y así, también en ese tú solidario que es la amada nos *reconocemos:*

> Y te miro. Y déjame que te *reconozca.*
> A ti, mi compañía, mi sola seguridad, mi reposo instantáneo, mi *reconocimiento* expreso donde yo me siento y me soy.
>
> ("Entre dos oscuridades, un relámpago".)

> (El amor es como una explosión) que arranca en el rompimiento que es conocerse (...)
> hasta colmarse en el fin (...)
> y allí darle la luz completa, la que se despliega y traslada como una gran onda, como una gran luz en que los dos nos *reconociéramos.*
>
> ("La explosión".)

El significado del "reconocimiento" en *Historia del Corazón* no queda, sin embargo, agotado con este análisis. Sólo he procurado hasta aquí extraer su valor esencial, aquel que probablemente resulta ser su *motivo* dentro del libro. Pero es evidente que en ciertos casos posee un sentido diferente, un sentido, por ejemplo, de resignación, o si se quiere de estoicismo. En un poema se describe a la amada mirándose al espejo. Han pasado los años sobre ella, ha envejecido. Pero el poeta la mira siempre "joven y dulce". Y ahora, de pronto:

> ...a tu espalda te he mirado.
> Qué larga mirada has echado sobre el espejo donde te haces.
> Allí no estabas. Y una sola mujer fatigada, cansada como por
>   una larga vigilia que durase toda la vida,
> se ha mirado al espejo y allí se ha *reconocido*.

("Ante el espejo".)

Reconocerse aquí es aceptarse tal como se es, con esa suma de vida, esa acumulación de realidad, propagada expresión del vivir largamente "existido".

SUBTEMA DEL AMOR

Pero si sólo se vive en tanto que se convive, y esa convivencia puede ser no sólo multitudinaria, sino amorosa, se comprende que uno de los subtemas fundamentales de *Historia del Corazón* sea el amor duraderamente experimentado, el amor en cuanto mutuo apoyo y reconfortamiento. Por eso, de los 48 poemas del libro, 26 cantan el asunto erótico, ya con visión abarcadora e integradora de todo el vivir humano, ya con más limitación y estricta consideración. Quiero destacar el hecho de que también aquí hallamos proximidad y lejanía con respecto al ciclo *Pasión de la Tierra-Nacimiento Último*. Esa proximidad consiste en ser en ambas épocas el amoroso uno de los centros temáticos. Pero como la raíz de ese absorbente tema aparece en ambos como disímil, disímil se hará, en uno y otro caso, la contextura y el color de la planta que de esa raíz brota. En la primera época de Aleixandre (*Pasión de la Tierra-Nacimiento Último*) se trataba de cantar

lo elemental, y amor significaría, por consiguiente, según hemos ya
indicado, apasionamiento, frenesí. En *Historia del Corazón,* en cambio, el poeta intenta expresar el vivir humano en cuanto temporal
convivencia, y el amor se manifiesta entonces sobre todo como compañía, como existencia entrañadamente conjunta a lo largo de los
años.

PUPILA ANALÍTICA

No hemos terminado aún el examen de estas semejanzas y corre-
lativas desemejanzas entre las dos etapas poéticas que comparamos.
Una pregunta nos resta hacer: ¿Es siempre, y sin excepción, sintética, abarcadora, la contemplación aleixandrina de las cosas, o al menos, tiende a serlo en todo instante? Parciales y, en definitiva, incom-
prensivos seríamos si lo pensáramos así. Porque en la obra de este
poeta, como hemos adelantado en otro capítulo, al lado de esa visión
general de lo mayúsculo, se da, casi constatemente, en significativo
contraste, la visión particular, pormenorizada, de lo mínimo.

Y sucede que el hecho antes comprobado para la mirada panorámica, macroscópica, de Aleixandre, se reproduce ahora también con
respecto a la mirada analítica, microscópica, de éste. Y así, otra vez
se nos pone de manifiesto que la novedad en *Historia del Corazón*
es únicamente el tema, pero no el modo de mirarlo, que perdura
prácticamente inalterable.

En la etapa anterior (en *La Destrucción o el Amor,* en *Sombra
del Paraíso*) podía Vicente Aleixandre cantar, junto al "imposible choque de las estrellas", la presencia del diminuto escarabajo "que también brilla en el día", y no se le escapaba tampoco, por ejemplo, en
medio del estruendo de la tempestad el leve transcurrir de una casi
invisible mariposa:

> Oigo un rumor de foscas tempestades remotas.
> Y penetro y distingo el vuelo tenue, en truenos,
> de unas alas de polvo transparente que brillan.

> ("Adiós a los campos".)

El vuelo de la mariposa es "tenue"; pero el poeta siente tan intensamente su presencia, es tan sensible a ella que puede percibirla en medio del ruido de la tormenta, del trueno. Aleixandre, pues, en esos libros, aunque tienda a vastas visiones de la realidad total, no pierde tampoco de vista lo parcial y diminuto.

En *Historia del Corazón* el fenómeno se reitera, pero ahora referido también al nuevo objeto: al vivir humano; al vivir, pongo por caso más concreto, de la amada, o su cuerpo, o las reacciones vitales o psicológicas del propio poeta. En algunas piezas, entre las que sobresalen las tituladas "Mano entregada" [8] y "La frontera", cobra tal evidencia el hecho en cuestión, que parece como si el autor hubiese acercado una lupa al cuerpo de la persona querida y observase a su través con pausado deleite cada mínimo pormenor de su piel, invisible al ojo normal.

En otras ocasiones, como acabo de anticipar, son las propias reacciones psicológicas las sorprendidas en su minuciosidad. La imagen de la lupa no nos vendría bien aquí; en cambio, la técnica cinematográfica nos brinda otra inmejorable de entre su repertorio de procedimientos. Aludo a la "cámara lenta". Aleixandre capta, en ciertos instantes, a "cámara lenta" su movimiento psíquico, alargándolo en otro infinitamente más despacioso que el normal. De este modo, nuestra mirada puede percibir en todos sus pormenores la calmosa onda anímica que, en la realidad, hubiese sido mucho más presurosa y difícil de contemplar. Un poema nos servirá de ilustración. Su asunto es éste: el poeta se dispone a pronunciar el nombre amado; decide callarse, sin embargo. He aquí un suceso bien simple y de duración casi instantánea que Aleixandre resuelve en 28 largos versículos, descomponiéndolo y recreándose casi encarnizadamente en su detenidísimo análisis:

Mía eres. Pero otro
es aparentemente tu dueño. Por eso,
cuando digo tu nombre
algo oculto se agita en mi alma.
Tu nombre suave, apenas pasado delicadamente por mi labio.

---

[8] Léase en la pág. 318 del presente libro.

Pasa, se detiene, en el borde un instante se queda
y luego vuela ligero, ¿quién lo creyera? : hecho puro sonido.
Me duele tu nombre como tu misma dolorosa carne en mis labios.
No sé si él emerge de mi pecho. Allí estaba
dormido, celeste, acaso luminoso. Recorría mi sangre
su sabido dominio, pero llegaba un instante
en que pasaba por la secreta yema donde tú residías,
secreto nombre, nunca sabido, por nadie aprendido,
doradamente quieto, cubierto sólo, sin ruido, por mi leve sangre.
Ella luego te traía a mis labios. Mi sangre pasaba
con su luz todavía por mi boca. Y yo entonces estaba hablando con alguien,
y arribaba el momento en que tu nombre con mi sangre pasaba por mi labio.
Un instante mi labio por virtud de su sangre sabía
a ti, y se ponía dorado, luminoso : brillaba de tu sabor sin que nadie lo viera.
Oh, cuán dulce era callar entonces, un momento. Tu nombre,
¿decirlo? ¿Dejarlo que brillara, secreto, revelado a los otros?
Oh, callarlo, más secretamente que nunca, tenerlo en la boca, sentirlo
continuo, dulce, lento, sensible sobre la lengua, y luego cerrando los ojos,
dejarlo pasar al pecho
de nuevo, en su paz querida, en la visita callada
que se alberga, se aposenta y delicadamente se efunde.

Hoy tu nombre está aquí. No decirlo, no decirlo jamás, como un beso
que nadie daría, como nadie daría los labios a otro amor sino al suyo.

Nos acordamos de Proust y su técnica narrativa, aunque, por otro lado, nada tenga que ver el emotivo, lírico enfoque aleixandrino, con las explicaciones novelescas del gran escritor francés, tan eminentemente intelectuales.

Lo que he querido destacar en las páginas anteriores es esto : *Historia del Corazón* parece, por muchos motivos, algo radicalmente nuevo dentro de la obra del autor, y hasta por ciertos aspectos, en pugna con ella. Al principio hemos adelantado que esta impresión era superficial, y ahora acaso se haya hecho notorio el porqué de tal afirmación. Creo que, en efecto, las páginas que llevo escritas han podido mostrar la esencial fidelidad de ese libro a los fraternos anteriores. Y entiendo que, de paso, quizás hayamos comprendido algo no despojado de interés sobre qué cosa sea una de las misiones esenciales de la crítica. No hemos andado lejos de averiguar que desde el punto de vista crítico es acaso más importante aún descubrir cuál sea el movimiento interior de un poeta, que descubrir cuál sea su tema central, su fundamental intuición del mundo, pese a la enorme importancia de tal asunto. Porque mientras aquél persiste íntegro a través de todos los avatares psicológicos, esta última puede ser desalojada total o parcialmente de una obra literaria si, pasados los años, nuevas experiencias vitales de las que llamaríamos en un sentido especial "catastróficas" (o, simplemente, el mero transcurrir anímico), han operado decisivamente sobre el alma del poeta. Y así, hasta cierto punto, el tema de lo elemental se ha desvanecido en *Historia del Corazón* para dejar paso al tema del humano vivir, en tanto que el movimiento aleixandrino hacia la contrastación entre lo universal y grandioso, y lo particular y minúsculo, no ha cambiado. El torbellino no ha dejado de girar; la arena que gira es, a no dudarlo, nueva [9].

ESTOICISMO Y PIEDAD

Cierto: Vicente Aleixandre ha renovado casi de raíz su temática. Mi aserto de que esa renovación consiste en la aparición dentro de su obra del tema de la vida, posee un aire excesivamente vago, y no sobrará que entremos en algunas importantes especificaciones. La primera sería decir que la contemplación del vivir realizada por nuestro autor está hecha, por lo general, desde una cumbre de personal existencia (prescindiendo acaso de los poemas infantiles antes mencionados, mas aun éstos son resultado de los *recuerdos* de un hombre ya mayor). Se nos habla desde una edad más que madura. Pero además (y esto es imprescindible para comprender el libro) el poeta tiene plena conciencia de ello. Insiste éste una y otra vez en la idea de que la tarde de su vivir está próxima a caer en el horizonte (léase,

---

[9] En las págs. 26 y ss. veíamos cómo la visión del mundo que un poeta se forja depende, si no ando equivocado, del choque entre un temperamento y una realidad vital. En cambio, lo que hemos llamado "movimiento interior" de un poeta no deriva, creo, de ese radical contacto, sino que, más simplemente, emerge como una pura condición psicológica.

por ejemplo, "La explosión"). Ahora bien: este conocimiento no envuelve desesperación, no envuelve rencor, sino, por el contrario, amorosa *piedad* hacia el prójimo y *estoicismo* para el propio destino. Creo
que estas dos notas (estoicismo o, quizá más propiamente, *resignación* y piedad) son esenciales en el volumen, y contribuyen decididamente a aportarle ese caliente vaho de humana, comprensiva benignidad que todo lector nota desde sus primeras páginas.

La mirada piadosa que Vicente Aleixandre arroja ahora sobre su
prójimo, le lleva, en algunas piezas, a utilizar un símbolo que, si familiar en su poesía, tiene en *Historia del Corazón* un sentido completamente nuevo: el símbolo de la selva. En *La Destrucción o el
Amor* este símbolo aparecía alguna vez y tan desalojadoramente que,
cuando asomaba, era casi el personaje principal del poema. Pero allí
la selva asumía algo así como la representación máxima de la elementalidad querida, gloriosamente, hermosamente libre, y en todos
los aspectos estaba considerada en una jerarquía superior a la del
hombre, el cual sólo se manifestaba al fondo, casi en mero contraste
a la perfección natural de aquélla. En *Historia del Corazón* los papeles quedan trocados porque el protagonista es ahora el hombre, y la
selva, en alguna composición en que se nombra, sólo existe en cuanto
pasaje peligroso que aquél necesita atravesar; o sea en cuanto símbolo de las *dificultades* del humano vivir. Reiteradamente vamos observando las conexiones de *Historia del Corazón* con anteriores libros
aleixandrinos, al mismo tiempo que las fundamentales desemejanzas
con que de ellos se aleja.

A su vez, lo que hemos llamado "estoicismo" del reciente volumen constituye en el poeta una actitud nueva, pero una actitud tampoco incongruente con la mantenida, por ejemplo, en *La Destrucción
o el Amor,* o en *Nacimiento Último.* Estas dos obras, por su mayor
atención hacia lo natural y cósmico que hacia el vivir mismo del hombre, sólo consideraban la muerte en su aspecto amoroso de fusión con
la radiante unidad del mundo, y, en consecuencia, la cantaban con
gozo, no con melancolía. Morir era allí nacer a la verdadera existencia. Constituía un glorioso nacimiento (un "nacimiento último") a la
vida integradora y unitaria de la naturaleza indistinta, la única genuina. En *Historia del Corazón,* Aleixandre, piadosamente atento ya
a la persona misma del hombre, y, sobre todo, a esa persona en

cuanto ella es "historia", no exultará de dicha, ciertamente, al mentar el fúnebre suceso; mas hará algo equivalente dentro de su nueva órbita: aceptarlo con valiente y serena resignación, del mismo modo que acepta la dificultad y el *esfuerzo* que toda existencia (la suya también) implica.

LA VIDA COMO ESFUERZO:
DURACIÓN E INSTANTANEIDAD

Porque es preciso mencionar que *Historia del Corazón* ve la vida como un *esfuerzo*, como un difícil laborar continuo, como un fatigarse sin tregua en la realización de sí mismo, idea en la que incide también una cierta zona del pensamiento filosófico actual y que asimismo ha tenido expresión fuera de la poesía, tal la novela de Hemingway traducida al castellano con el título de *El viejo y el mar*. Un poema como "Difícil" podría testimoniar cuanto digo.

De ahí el símbolo de la selva que acabo de citar y otros muchos parecidos que conducen a idéntico fin. Y así, el vivir está mirado como la ardua subida a una montaña (en "Ascensión del vivir", y menos acusadamente en "Ten esperanza"), o como la travesía de un desierto interminable (en "Entre dos oscuridades, un relámpago"), o como un navegar, un remar, un esforzarse en un mar bravío (en "Difícil"), o como un cansado pasaje a través de "caminos, estepas, trochas, llanazos" (en "Vagabundo continuo"), o simplemente como una larguísima jornada, como un largo camino fatigoso (en "El otro dolor"). Símbolos todos coincidentes en la representación de lo temporal por medio de ciertas imágenes espaciales que nos dan idea de cómo la existencia, al consistir en un "hacerse" contra resistencias constantes, resulta siempre problemática, trabajosa y en este sentido larga, muy larga, inacabable. Ahora bien: en *Historia del Corazón*, tal intuición de la realidad contiene dentro de su mismo seno otra como digerida, pese a que, a primera vista, parezcan ambas incompatibles: el hecho patético de la brevedad de la existencia humana. Brevedad y larga duración de la vida son cosas, en efecto, contradictorias. No obstante, esa contradicción se deshace en el momento que las pensamos (y tal ocurre en Aleixandre) desde dos diferentes perspectivas. Pues si la vida, divisada desde la fatiga del vivir trabajoso, es una larguísima duración, oteada desde la mortalidad humana se nos aparece como terriblemente fugaz, como casi instantánea:

> el instante del darse cuenta entre dos infinitas oscuridades.

Pero como ese par de concepciones son únicamente dos vistas, tomadas desde dos distintos lugares, de *un mismo* territorio, la expresión poética que las apresara tenía que ser también *única*. Era preciso, pues, hallar una expresión-jano que aludiese *simultáneamente* a las dos perspectivas, tarea con la que Aleixandre supo enfrentarse y salir victorioso. Porque el poeta, sorprendentemente, dio cauce a las dos opuestas ideas con la necesaria unicidad expresiva al utilizar imágenes en muy variadas situaciones, que por su carácter complejo le otorgaron el difícil triunfo. Unas veces, el existir (en este caso, el existir amoroso) queda visto como "una explosión que durase toda la vida" ("La explosión"); otras (dentro de ese mismo poema), como "una gran tarde" que fuese "la existencia toda"; o, con mayor precisión aún quizá, como un solo día en que hubiera el hombre recorrido un larguísimo paisaje que es la carrera completa del vivir ("Ascensión del vivir"); o como una única noche ("Entre dos oscuridades, un relámpago") en que la pareja humana atravesase todo un interminable desierto (el vivir también) bajo una sola luna instantánea, "súbita", que dura lo que la vida; etc.

Estas audaces, reveladoras comparaciones, pueden, según vemos, reducir a unidad simultánea los aparentes contrarios a que he aludido. Esa "explosión", por ejemplo, condensa, por un lado, el concepto de la fugacidad, mientras el hecho complementario de que tal explosión se prologue destaca la duración; y algo semejante acaece en los otros ejemplos: si, por una parte, la vida es un solo día, una tarde, una noche solas (instantaneidad), en ese día, esa tarde, esa noche, el hombre ha transitado un inacabable sendero penosísimo (duración) lleno de pavores, incertidumbres, sosiegos, gozos y penas. Pocas veces como aquí la imaginación metafórica de nuestro poeta ha alcanzado un tan recio poder de síntesis y de concentración.

ELEMENTO MORAL

Y ahora conviene recordar lo que decíamos en un apartado anterior. Frente a esa fugacidad humana y frente a esa accidentada, dura, interminable "ascensión del vivir", no se produce la desesperación, sino la aceptación humilde dentro del complejo conocimiento:

...Es la noche larga,
acéptala. Acéptala blandamente. Es la hora del sueño.
Estás tendido en la oscuridad y sientes la suave mano quietísima,
la grande y sedosa mano que cierra tus cansados ojos vividos,
y tú aceptas la oscuridad y compasivamente te rindes.

("La oscuridad".)

Esa viril resignación frente al esfuerzo vital, primero, frente a la muerte, después, se acusa como ejemplarmente ética. Yo creo cada día con mayor firmeza que el acto poético es *siempre* moral en un especial sentido que he intentado precisar en mi *Teoría de la expresión poética*. Adelantando toscamente conceptos que sólo allí alcanzan, si acaso, su cabal desarrollo y su eficaz expresión, diré que la poesía no existe mientras el lector no *asiente* al contenido anímico propuesto para comunicación por el poeta. Pero como el lector no puede nunca dar su consenso, pongo por caso, a una injusticia *que se presente como tal,* a una masa psíquica donde esa injusticia se ofrezca, se colige que, en tal caso, la poesía, por obturación en la comunicación lírica, no brotará. Claro es que el lector no precisa coincidir en las opiniones éticas con el poema que tiene delante. Para "asentir" basta con que éste cumpla dos condiciones: 1.°, que sus ideas, aunque acaso inmorales desde el punto de vista de quien lee, las sintamos morales desde el punto de vista o sistema ético del autor, y 2.°, es necesario también que al sostener como morales esas ideas que a mí me parecen inmorales, el autor se las haya arreglado para que no le juzguemos como humanamente deficiente. En suma: para "asentir" estéticamente a lo que es inmoral desde mi perspectiva ética, necesito percibir el pensamiento del autor inserto, como elemento positivo, en una moral posible. De estas verdades, si lo son, concluyo que, entendiendo por moralidad ese algo muy específico que acabo de esbozar, la ejemplaridad ética de un libro, cuando verdadera y de raíz, no se nos manifiesta jamás como un *añadido* más o menos superfluo de la belleza, sino como un ingrediente *esencial* de ella. El carácter eminentemente moral de *Historia del Corazón* es, pues, un valor *estético* de sus versos. Y por eso he querido aquí resaltarlo.

ESPERANZA Y RELIGIOSIDAD

La actitud estoicamente resistente (tan española, por cierto) que, como vemos, confiere un tono específico al último Aleixandre es en sí misma esperanzadora, en cuanto obstáculo a la desesperación. Pero la esperanza flota de otro modo en el libro: como resultado de la fraternidad humana. Arriba quedó consignado el hecho de que la amada sea aquí la *compañera* y de que, en más vastas proporciones, como *compañeros* de terrible aventura están vistos, en su conjunto multitudinario, los hombres. Apoyándose unos en otros, brota, como un caliente vaho de humanidad, la esperanza. Y aún cabe un tercer modo de esperanza, éste más vago, apenas entresoñado: el de una posible luz divina. La religiosidad personal amparadora se había esbozado ya en algunos poemas de *Sombra del Paraíso*, sobre todo en los titulados "Al cielo", "Destino de la carne" y "No basta", como luego diré, Esos tres poemas (y por otras razones que no son del caso, un cuarto, "Hijos de los campos") representan en *Sombra del Paraíso* el tránsito a *Historia del Corazón*. Todavía en ellos, ciertamente, el Dios que se dibuja es una emanación, una espiritualización del universo:

Hundido en ti, besado del azul poderoso y materno,
mis labios sumidos en la celeste luz apurada
sientan tu roce meridiano, y mis ojos
ebrios de tu *estelar pensamiento* te amen,
mientras así peinado suavemente por el soplo de los astros,
mis oídos escuchan al único amor que no muere.

("Al cielo".)

Una nube con peso, *nube cargada acaso de pensamiento estelar,*
se detenía sobre las aguas, pasajera en la tierra,

quizá envío celeste de universos lejanos
que un momento detiene su paso por el éter.
Yo vi dibujarse una frente,
frente divina: hendida de una arruga luminosa,
atravesó un instante preñada de un pensamiento sombrío.
Vi por ella cruzar un relámpago morado, vi unos ojos
cargados de infinita pesadumbre brillar,
y vi a la nube alejarse, densa, oscura, cerrada,
silenciosa, hacia el meditabundo ocaso sin barreras.

("No basta".)

Mas esa espiritualización estaba ya en tales poemas tan acentuada, la divinidad aparecía tan despojada, tan enajenada de la materia
original, que sólo por ciertos pasajes muy explícitos (entre ellos, las
partes subrayadas de los que acabo de reproducir) podíamos seguir
hablando sin exageración de "espíritu cósmico" y no de Dios a secas.
En *Historia del Corazón* el proceso ha continuado, y ya el numen
divino, aunque todavía apetecido desde la oscuridad, adquiere bulto
completamente personal. El poeta se manifiesta en *Historia del Corazón* como hombre que desde la tiniebla ansía la luz. Pero la fuerza
divina "jamás se explica", no es "respondiente", y sus hambrientos,
los hombres, "famélicamente de nuevo" echan "a andar". Por eso la
vida queda contemplada como un relámpago "entre dos oscuridades",
dos abismos de los que nada sabemos; y por eso en otro poema se
dice del humano:

Nunca has sabido, ni has podido saber.

Sin embargo, en otros poemas se insinúa la fe. En "Ten esperanza" asomará, entrevista, la forma blanca de una figura angélica re-
confortadora, acompañadora también (y por acompañadora, fuente de
"reconocimiento"):

Yérguete y mira la raya azul del increíble crepúsculo,
la raya de la esperanza en el límite de la tierra.
Y con grandes pasos seguros enderézate, y allí apoyado, confiado, solo,
échate rápidamente a andar.
Cógete a ese brazo blanco. A ese que apenas conoces, pero que reconoces.

El bulto ultraterreno da confianza, pero es el hombre mismo quien tiene que *obrar*, quien tiene que "hacerse" su vida: por eso sigue estando *solo*, aunque apoyado, aunque confiado.

El libro termina con una composición titulada "Mirada final (Muerte y reconocimiento)", quizá la más explícita de todas en la formulación positiva de la inmensa cuestión. El hombre ha muerto ya. Ha rodado toda la vida "como un instante", y, por último, derribado, definitivamente derribado (muerto) abre sus ojos, y ve

en el fin el cielo piadosamente brillar.

Así termina *Historia del Corazón*: con esas esperanzadoras, religiosas palabras.

Se constituye en paradoja comprobar que *Historia del Corazón*, cuyo tema es, insisto, la vida en su tránsito, acabe por hacérsenos un libro en último término consolador y esperanzador, mientras el luminoso *Sombra del Paraíso* se manifestaba, en su cántico edénico, como una obra sustancialmente pesimista, y hasta deprimente en ciertos casos. Diríamos que por *Historia del Corazón* han pasado unos ojos húmedos en una gruesa lágrima interior, reprimida, a cuyo través se percibiese, sin embargo, un diminuto arco iris de paz.

Añado a lo dicho que, según entiendo, *Historia del Corazón* se adelanta nítidamente como una de las cuatro obras capitales de su autor, junto a *La Destrucción o el Amor*, *Sombra del Paraíso* y *En un Vasto Dominio*, obra ésta de la que en seguida me ocuparé.

Pero antes debo decir, para terminar este capítulo, que los últimos poemas de *Sombra del Paraíso*, que como he indicado ya adelantan la concepción de *Historia del Corazón*, son ya poesía "poscontemporánea", ese tipo de poesía, aproximadamente realista, que según dijimos caracteriza la posguerra española, y en el cual el período artístico propiamente contemporáneo [10] queda superado. La poesía contemporánea tendía a la supresión de la anécdota, esto es, a la supresión de la concreción realista, y aspiraba a presentar situaciones universales, donde cupiesen numerosas concreciones posibles. Y así, en *Sombra del Paraíso*, por ejemplo, jamás se habla del río Duero o

---

[10] Ese período se cierra para España con la guerra civil. Su origen remoto fuera de España se hallaría, digamos, en Baudelaire.

del río Guadalquivir, sino del "río"; ni de la Sierra del Guadarrama, sino de "montaña"; ni de los campos castellanos, sino de los "campos". Ahora bien: como sabemos, hay un poema en la última parte de *Sombra del Paraíso* que se titula "Padre mío", e indiscutiblemente ese "padre" no es un padre abstracto, el esencial padre cualquiera al que cantaría la poesía contemporánea, sino un padre claramente anecdótico y poscontemporáneo: el padre del poeta. Y congruentemente el tono del poema es entrañable, directamente humano e inmediatamente vivido, tal como luego iba a ser el tono de la poesía realista de la posguerra española. Por otra parte, encontramos en *Sombra del Paraíso* otra composición (y, por cierto, una de las mejores que han salido nunca de su pluma, y sin duda una de las más emocionantes y perfectas del siglo XX en cualquier lengua) que también ha de ser considerada como incursa en el espíritu realista de que hemos hecho mención: "Destino de la carne". Lo que este poema tiene de anticipador de la tónica de *Historia del Corazón* es el tema mismo (el vivir humano y su destino de muerte) y también, correlativamente, el sentimiento de cansada gravedad con que ese tema se expresa. Y aún más: el hecho de que la consideración del vivir y el morir del hombre quede universalizado (pupila totalizadora) de forma que lo que se nos canta sea el vivir y el morir de toda la humanidad, que en este caso no es ya la humanidad entera de hoy, sino, más comprensivamente aún, la humanidad entera de todas las épocas.

De otro modo, vemos algo equivalente en "Al cielo" y "No basta", pues esos poemas expresan un sentimiento religioso (usando esa palabra en su amplio sentido) que observamos también, según hemos indicado páginas atrás, en *Historia del Corazón*, con las de hecho insignificantes diferencias que sabemos. Anotemos ahora que precisamente la religiosidad es una de las posibles salidas que la poesía realista de la posguerra encontró a la angustia existencial en que quedó sumido el hombre a la sazón. En "No basta" la ausencia de Dios deja un horrible hueco en el mundo del autor, que el poeta experimenta dolorosamente. Esa angustia de la intrascendencia del mundo y del hombre es otro de los grandes temas que hubieron de abordar ciertos caracterizados poetas poscontemporáneos.

Y ahora anotemos la fecha de composición de esas piezas avanzadoras de la última actitud de Aleixandre: "No basta" está escrito

el 29 de noviembre de 1940; "Destino de la carne", el 5 de junio
de 1942; "Al cielo", el 16 de febrero de 1943; "Padre mío", el 21
de febrero del mismo año (véase cronología). La cronología de tales
composiciones habla por sí sola, pues nos lleva otra vez a la conclusión a que antes habíamos llegado: a la nueva estética inaugurada
en la posguerra ("realismo del hombre y la gente") se entró con independencia de la edad, más o menos al mismo tiempo, desde todas
las generaciones vivas. De hecho Aleixandre en estos poemas se adelanta prácticamente a la inmensa mayoría de los poetas más jóvenes,
que sólo a partir de 1942, aproximadamente, empiezan a surgir en
España.

CAPÍTULO VIII

MATERIA COMO HISTORIA

En un Vasto Dominio [1] es el más extenso de todos los libros de
Vicente Aleixandre y sin duda uno de los más importantes, vuelvo
a decir (luego veremos todo el alcance de esta afirmación), si no el
más importante de todos. Para emitir un juicio tan rotundo y de entrada, no sería condición suficiente, aunque sí necesaria, el reconocimiento, en el volumen que nos ocupa, de lo que llamaríamos "calidad
de altura". Necesitaríamos además, y sobre ello, entender la nueva
obra como un *dato* que viene a ensanchar nuestro conocimiento del
autor; o de otro modo: como un dato que modifica, por enriquecimiento, el sistema formado por los libros anteriores. Hay una señal
infalible para reconocer un libro como capital dentro de la producción de un poeta de primera fila: su capacidad para persuadirnos de
algún grado de incomprensión en nuestra antigua composición de
lugar con respecto a este último. Los poemas postreros dan nuevos
significados a los anteriores; y tanto más decisivo será el libro reciente
cuanto más trastornador del previo sistema. Por ello, un poeta para
crecer no necesita forzosamente mejorar la calidad de sus composiciones (que tal vez fuese ya elevada), sino ensanchar su visión del
mundo. La visión, al ensancharse, altera la antigua red de relaciones
entre los diversos poemas, y cada uno de ellos se enriquece y mejora.

---

[1] Ed. Revista de Occidente, Madrid, 1962.

Sólo cuando ocurre semejante fenómeno de cambio, esto es, cuando podamos decir sin paradoja que el presente modifica el pasado, concluimos que la cantidad cuenta como calidad.

La lectura de *En un Vasto Dominio* es decisiva, en este sentido, para el cabal entendimiento de las dos series poéticas aleixandrinas anteriores: la que con palabra algo inexacta denominaríamos "cósmica" o "natural" (abarcadora de todos los libros de Aleixandre, excepto uno) y la que denominaríamos "humana" o "histórica", que comprendía hasta ahora un solo volumen, bien que extenso: *Historia del Corazón*. A esta segunda etapa viene a sumarse con su gruesa presencia el libro que comentamos. Pero viene a sumarse no como una mera adición, sino, revolucionariamente, retroactivando, insuflando significado a lo ya escrito. No es difícil comprobarlo si se me permite repetir algo que ya sabemos.

Partía Aleixandre en la etapa primera de su obra de un impulso de solidaridad amorosa con respecto al universo material, que le llevaba a exaltar lo que en el hombre había de común con todo lo creado. Descubría así, a la par que un naturalismo universal, una universal unicidad. Todo era uno y lo mismo: amor, naturaleza. Cuando *Historia del Corazón* varió la perspectiva, y de la solidaridad con el cosmos pasó Aleixandre, sin contradicción, a fijarse concretamente en lo humano como tal, descubrió, para su poesía, la temporalidad del hombre y de su mundo. No era, sin embargo, una conversión del poeta a lo humano de lo que se trataba, sino de un nuevo enfoque que atendía, en consideración, diríamos, desplazadoramente específica, a un objeto, el hombre, antes entrevisto, al modo panorámico, en medio del universo como una criatura entre muchas. Desde esa primera, más amplia y genérica visión, el hombre era naturaleza, pariente cercano de la piedra y el astro, el águila o el tigre; desde la otra, más próxima y pormenorizada, se apreciaba el carácter marcadamente singular de lo humano: su espiritualidad y su conciencia; conciencia de sí y de su destino. Las dos etapas de Aleixandre no sólo no se contradecían, sino que se complementaban al responder al mismo impulso originario: un sentimiento de solidaridad. Solidaridad hacia el cosmos, que traía consigo la noción de unicidad material, y solidaridad hacia el hombre, que implicaba, congruentemente, el concepto de unicidad social. El universo era antes materialmente único; la sociedad ahora era igualmente unitaria, una sola criatura, "un solo cuerpo padecido del que cada uno, sin saberlo, es totalmente solidario".

Era necesario insistir en todo esto a riesgo de aburrir al lector porque *En un Vasto Dominio* viene a ensanchar, enriquecer y perfilar esos conceptos; a ensamblar, más bien, la duplicidad de enfoques que Aleixandre nos ha entregado en sus dos esenciales fases. El nuevo libro tiene en cuenta la índole histórica del hombre en mayor grado aún que *Historia del Corazón* y también su unicidad social, pero sin desatender por ello, al revés de lo que en *Historia del Corazón* ocurría, el carácter de unicidad material que el autor nos había hecho observar en el universo, desde *Ámbito* a *Nacimiento Último*. La obra se ofrece, pues, como una síntesis de los dos previos sistemas de Aleixandre; nos hace ver esos dos sistemas como meras partes de otro más amplio y comprensivo, de forma que es ahora cuando de veras entendemos aquel par de orbes poéticos de una manera última y cabal al entenderlos en su interconexión. *En un Vasto Dominio* opera, pues, en nosotros, sus lectores, como repentina iluminación retrospectiva (y ello es, sin duda, uno de sus valores), pero tal cosa no hubiera sido posible, si el libro, por añadidura, no agregara a la concepción del mundo de Vicente Aleixandre nuevas aportaciones que lo complementasen y otorgasen integridad. Lo que nos gusta del libro en muy primer término es, justamente, lo que llamaríamos su originalidad dentro de la obra de Aleixandre. Y esa originalidad se nos hace más meritoria porque, como acabamos de decir, no implica contradicción o negación de los tomos anteriores del poeta, a los que, por el contrario, aumenta y ratifica.

Son, así, dos los valores que el lector concede inicialmente al libro: el de la confirmación de lo ya leído y el de la originalidad de lo que tiene ante los ojos. El primero nos remite a un pasado de pronto acrecido y mayor; y el segundo nos ata a un presente que irrumpe, ante todo, como sorpresa. Pues el poeta no repite lo ya dicho en volúmenes antecedentes: simplemente cuenta con ello, obligándonos a nosotros, a través de meras alusiones, a hacer lo mismo. Cuando dice:

Si tú mueves esa mano, la ciudad lo registra un instante
 y vibra en las aguas,
y si tú nombras y miras, todos saben que miras,

etcétera, nosotros ponemos detrás de tales palabras el magno contexto de *Historia del Corazón,* donde el poeta ha hablado de la unidad que colectivamente forman los hombres, la comunión que implican. Tal será el supuesto ideológico, tácito aquí, pero expreso en aquel otro libro, desde el que se hacen por completo inteligibles los dos versículos copiados. Pues si los hombres forman un solo organismo múltiple, cada gesto repercutirá en el innumerable prójimo que nos rodea, donde ese gesto quedará inserto y registrado.

LA MATERIA COMO PROYECTO

Las alusiones son otras veces al mundo que se expresa desde *Ámbito* a *Nacimiento Último.* Pero siempre se tratará de simples zonas de despegue para saltar desde ellas hacia desarrollos inéditos. Pues la consideración de *En un Vasto Dominio* sobre el mundo cósmico se realiza *desde la perspectiva histórica descubierta, para Aleixandre,* en *Historia del Corazón.* Ahí yace el secreto de su hiriente novedad congruente. *Historia del Corazón,* en efecto, al enfrentarse con la vida humana, la había concebido dinámicamente, como un esforzado "hacerse". La idea de la vida como proyecto que yace en la base de las filosofías más significativas de la hora presente encarna con naturalidad en la poética de *Historia del Corazón.* Vivir es trabajo, autorrealización. Nuestro ser de hombres no es algo estático y dado; no es un regalo, sino una proposición; no una cosa, sino una tarea. Pero ahora, *En un Vasto Dominio* amplía este concepto y cubre con él también, repito, la realidad material en la que el universo originariamente consiste. La inicial materia unitaria entró en un proceso de diversificación espiritualizadora que le condujo al hombre. El hombre fue un *proyecto* de la materia progresiva, el resultado de su milenario tesón, esfuerzo y aventura. Los 17 poemas del capítulo del libro "Primera incorporación" están dedicados a narrar esta pasmosa hazaña de la materia sucesiva, en trance de encarnación humana. Vicente Aleixandre examina, diríamos que con un grueso cristal de aumento, cada uno de los elementos corpóreos: el vientre, el brazo, la sangre, la pierna, el sexo, la cabeza, el pelo, el ojo, la oreja, el interior del brazo, la mano... Esta técnica de ampliación del objeto, visto como a través de un microscopio, afín a Proust, aunque al mismo tiempo muy distinta de la usada por el novelista francés, era, por su novedad, uno de los grandes logros de *Historia del Corazón*. Pero en *Historia del Corazón* su empleo era parco; se limitaba a tres poemas tan sólo ("Mano entregada", "El nombre", "La frontera"). Ahora, el enmarque dilatador se generaliza en toda la parte inicial de *En un Vasto Dominio*. Pero la originalidad del enfoque, con ser elevada, lo es menos que el tratamiento temático propiamente dicho. Pues lo que se describe en los poemas no es tanto cada una de las partes del cuerpo como su proceso histórico: la lucha de la materia para hacerse oreja, brazo, pelo de hombre. La novedad y hondura de la visión poética aleixandrina en este caso las podemos medir por su distancia de la percepción ordinaria. Donde nosotros vemos una realidad estática, dibujada, precisa, que está ahí con carácter al parecer absoluto (una pierna, unos ojos, un vientre), Aleixandre contempla, ante todo, un movimiento, un dinámico ocurrir, un suceso. La cabeza, la cabellera, el brazo son tanto extensiones como acontecimientos. De ahí el continuo uso de verbos de movimiento para expresar el ser de esas realidades corporales que se nos aparecen, súbitamente, como acciones. El tronco "crece" y "surte" con esfuerzo; el vientre "sube en savia clara" "y se hace pecho", "y aún más envía" "y es son, rumor de voz" y "sube más y es luz: sus ojos puros"; la carne "como una ola pura — cubrió la arena o hueso de ese brazo, — hasta llegar caliente, viva, a la mano extendida — y allí doblar como una onda que muere — salpicando, ya rota, entre los dedos. — El brazo así completo nació y puso — su peso mineral sobre la tierra", etc. Las citas podrían prolongarse hasta casi la copia exhaustiva del capítulo I del volumen, pues en él apenas hay poema que no vea a su objeto temático, una parte del cuerpo, como actividad. Mas nótese que esa actividad que el poeta atribuye a los miembros y elementos del cuerpo no consiste sustancialmente en la función que les sea propia (piernas, correr; ojos, mirar, etc.), sino en un dinamismo autocreador, por medio del cual se hacen a sí propios. Por eso dije antes que la idea de la vida humana como programa a cumplir, común a *Historia del Corazón* y al pensamiento filosófico ambiente, se trasplanta en este libro a la materia misma, que también esforzadamente se autoproyecta. La materia es como el hombre, voluntad, esfuerzo, y por tanto, en cierto sentido, hasta responsabilidad. "Primero fue desde el tronco la *aventura* — el

proyecto, — la insinuación lentísima y robusta: el hombro duro" ("El
brazo"). "Rugosa, apresurada, revuelta, *no indecisa* — la oreja se ha
formado por siglos de *paciencia,* — por milenios de enorme *voluntad
esperando".* ("La oreja, la palabra".) Al definir al hombre como fluencia
autocreadora, la metafísica de nuestro tiempo se ha tornado en ética
y la poesía actual que sigue idéntico derrotero, se tiñe de moralismo.
Vicente Aleixandre da un paso más y convierte hasta cierto punto
en moral la evolución misma de la materia, con lo cual lleva a culminación su vieja tendencia a espiritualizar lo puramente cósmico. En
Sombra del Paraíso ese proceso era ya visible, aunque allí predomina-
ba la visión contraria (mas no contradictoria) del hombre como naturaleza.

TODO ES UNO Y LO MISMO

Poniendo ahora juntas estas dos concepciones sucesivas y congruentes (hombre como naturaleza y naturaleza como espíritu) entenderemos
perfectamente otra de las ideas radicales del libro: la unicidad de la
total creación en su conjunto materia-espíritu. Pues si desde un cierto
ángulo ve Aleixandre lo que de naturaleza tiene el hombre y desde
otro lo que de espiritual tiene la materia evolucionante, se cae de su
peso que hay en esas dos realidades los mismos factores constitutivos,
aunque en diferente proporción: materia y espíritu. Todo será así
uno y lo mismo en formalizaciones diversificadas a través de los tiempos. El segundo poema del libro "Materia humana" y el último "Materia única" versan sobre tan sustantiva cuestión. El nombrar y el
mirar, faenas eminentemente espirituales, son "la onda pura de una
materia" y una materia será la ciudad (la sociedad): "una materia
única en la que todos son, por la que todo es y en la que todos están", "onda de la materia pura en la que inmerso te hallas, que por
ti existe también y que desde lejísimos te ha alcanzado...", "Todo es
tu cuerpo inmenso."
    Cada ser consistirá en un acorde, una pulsación de esa única ma-
teria propagante, una encarnación momentánea de la sustancia fluyente. Por eso en ti late "el guerrero, el emperador y el soldado, el monje
y el anacoreta; la cortesana pálida que acaba de ponerse su colorete
en la triste mejilla, ah, cuán gastada. Allá en la infinitud de los siglos".

TODO ES PRESENTE: "LA PAREJA"

En este sentido, "todo es presente" (ya veremos cómo Aleixandre, complejamente, opone, sin contradicción, a esta idea, dentro de *En un Vasto Dominio,* su aparente contraria: la plasmación historicista del hombre). Todo es presente en cuanto es idéntica la materia que se formaliza. Se nos aclara de este modo la significación de ese extraordinario poema que se titula "La pareja", única pieza del libro que habla del amor. Digamos un poco al margen que el casi abandono, notable en este libro, del motivo erótico, tan consustancial al anterior Aleixandre, es consecuencia de la atención que el poeta presta a sectores inéditos de su mundo. Siempre fue norma aleixandrina tratar las distintas zonas de su orbe poético en libros aparte que luego quedan como subsumidos en los volúmenes siguientes a través de meras referencias corroborantes. Así ocurrió, por ejemplo, con el tema de la unidad material del universo, que tocado por Vicente Aleixandre en *La Destrucción o el Amor,* no volvió a aparecer sino bajo la especie de ligeras menciones, en *Sombra del Paraíso* y *Nacimiento Último,* hasta que *En un Vasto Dominio* retorna a él para darle dimensiones más amplias y profundas, según hemos notado. El tema del amor, tratado desde diversos puntos de vista en varios tomos anteriores, no necesitaba de nuevos enfoques extensos. El poeta lo toma aquí en una única ocasión para ampliar su contextura interna al introducirlo en el nuevo ámbito descubierto. Lo que el poema narra es lo siguiente: dos amantes están junto a una ventana. Ríen, en su amor, inmóviles, mientras a su alrededor todo cambia, se transforma, fenece. El universo no es más que una lágrima en la mejilla divina y la totalidad de los tiempos es el instante de la evaporación de esa lágrima. Pero, ocurrida ya tal extinción,

> la pareja en la sombra ríe y ríe. El alféizar.
> Cristalino se escucha su reír sin suceso.
> Sobre un fondo purísimo de silencio absoluto
> la pareja en la noche
> aquí está o aquí estaba, o estará, o aquí estuvo.

En el poema hay, pues, graves consideraciones sobre la fugacidad de la vida y del universo; pero no es eso lo que me interesa destacar de momento, sino el significado simbólico de esa pareja inmutable a través de los siglos, que se nos aparece como la viva ilustración de aquel continuo presente a que alude el segundo poema del volumen. Si en mí, amante, está el soldado, el monje y la cortesana, con más razón se hallarán aquellos seres que coinciden conmigo en mi actividad fundamental: el amor. La pareja de la ventana es, pues, la condensación de las sucesivas parejas habidas y por haber, legión de amantes que el poeta resume en singular concreción, a la que sitúa como fuera del tiempo para indicar su perdurabilidad. Por eso los amantes se hallan "inmóviles" y su dicha es un reir "sin suceso". Añadamos entre paréntesis que el poeta aprovecha su visión intemporal de esas criaturas (colocadas, incluso, más allá de un universo fenecido), para expresar, por insinuación, lo que llamaríamos "triunfo del amor". Vicente Aleixandre de nuevo recoge aquí, e inesperadamente, una de las ideas que tuvo más desarrollo en sus libros de la serie cósmica: el amor como sustancia universal. Sólo que entonces el amor actuaba en un presente plano, mientras ahora actúa en un presente profundo, esto es, en un presente que contiene todas las dimensiones de la temporalidad. De la universalidad en el espacio, inherente al amor aleixandrino desde *Ámbito* a *Nacimiento Último*, se pasa a la universalidad en el tiempo, propia de la visión histórica de *En un Vasto Dominio*.

PASADO COMO PRESENTE
Y PRESENTE COMO PASADO

Y si antes la solidaridad amorosa se refería o a la materia sincrónica o a la sincrónica sociedad, ahora, dentro de un concepto diferente de universalismo, se extenderá también, congruentemente, al pasado. Puesto que todo es, de algún modo, presente, Aleixandre establecerá vínculos solidarios con las figuras históricas de los "Retratos anónimos", que desde sus respectivas representaciones pictóricas nos suplican ser salvas, o sea, ser contempladas y actualizadas, ser afectivamente atraídas a nuestra activa, hodierna expectación. La idea de un pasado por alguna manera aún presente, de un pasado que de pronto está ahí y con el que podemos establecer directo trato, no es exclusiva de los "retratos anónimos", sino que también da origen a los dos capítulos que se titulan "Incorporación temporal". Tal vez una ciudad antiquísima y ya desaparecida (Numancia) fantasmalmente "se yergue", "sólida", con nuevo contenido ético. O una estatua romana, sacada del fondo marino, tras veinte siglos de reposo bajo las aguas, surge otra vez a luz y a existencia en distinta estructura de tiempo. O menos sorprendentemente en la apariencia, pero con idéntica significación, una casa o un castillo varias veces centenarios pueden ser visitados por el poeta. Nótese que en todos estos casos no se trata de hablar de "otras épocas" en cuanto tales, sino al revés, de verlas como una realidad que aunque fue, es, de cierta forma, aún. De ahí que en estos poemas históricos el autor se preocupe, ante todo, de *situar en la realidad de hogaño* las figuras o las situaciones antañonas. Para evocar a Lope de Vega (en otro de los mejores poemas del libro), que aunque se mueve y actúa en el Madrid del siglo XVII *lo hace también en nuestro ahora*, Aleixandre nos relata su visita a la casa del dramaturgo, aún existente y *en la que todavía puede contemplarlo*. La técnica se repite, con variantes, en cuantas ocasiones se ofrecen y tiene siempre el mismo sentido: hacerse cargo de un pretérito que, instalado junto a nosotros, en cierto modo no pasa.

Pero la tácita premisa del presente continuo permite invertir la situación, y en vez de un ayer que se hace hoy, mostrarnos un hoy en el que está un ayer. El poema titulado "Cabeza dormida" cuenta de unos mozos en espera de ser contratados para trabajar. Agrupados, diseminados se hallan en la plaza del pueblo. De entre ellos, una cabeza de plata mate se destaca: "sí, un día, velazqueña, en un lienzo: 'Los borrachos', 'Vallecas', 'Coria', 'Breda'... Dormida — en la plaza del pueblo".

EL PRIMER FRACASO EN
LA EVOLUCIÓN DE LA MATERIA
Y EL ARTE COMO RESPETO

La materia, por transformación sucesiva, llegó a hacerse espíritu, vocablo: hombre. (La oreja, la palabra.) Pero he aquí que tropieza, en su asunción perfectiva, con tres órdenes de obstáculos que le impiden su cabal desenvolvimiento: la estructura injusta de la sociedad, el convencionalismo desvirtuador y los errores de la naturaleza misma que en su derroche creador se complace a veces en engendrar tristes caricaturas de hombres, los anormales y deficientes, humanos en la escala más baja y empobrecida y a los que el poeta mira con infinita piedad, precisamente porque, en este caso, la injusticia se hace más incomprensible e insensata. La voz de Vicente Aleixandre se empaña de ternura y tristeza al contemplar a estas desvalidas criaturas residuales, estos materiales de deshecho, forjados como al margen de un proceso de genial ascensión. Léase el poema titulado "El tonto", o esa conmovedora reflexión sobre el Niño de Vallecas con que se remata la serie de los "Retratos anónimos". En ambos casos, la voz del poeta tiene lágrimas retenidas, más ardientes y nobles por más sofocadas y viriles. Y hay una enorme comprensión de lo humano que abarca hasta sus manifestaciones menos logradas o torpemente obtenidas.

Aquí son esas indefensas criaturas átonas, pero en el primer poema del libro ("Para quién escribo") son también otra clase de deficientes, los criminales, poco menos responsables que éstos y poco menos dignos de piadosa consideración. Se impone una palabra para designar el arte de este Aleixandre último (el de *Historia del Corazón*, el de *Los Encuentros* y el de *En un Vasto Dominio*): respeto. Un gran respeto (muy dentro de nuestra tradición española) por todo lo que está ahí con su realidad generosamente ofrecida, casi sacra, pues que tiene existencia. Y ante todo, un gran respeto por el ser humano, acaso caído, tal vez escaso en su humanidad física o moral, pero siempre necesitado *de que nuestro amor lo redima,* al menos afectivamente, salvándole de algún modo en nuestra fraterna memoria.

Cuando habla del hombre, no importa cuál sea su calificación, la voz de Aleixandre entra como en un íntimo y grave recogimiento. En "Para quién escribo" se oye incluso un tono de rezo, y ese poema utiliza, secularizándolos, recuerdos expresivos de la "extremaunción", para infundirnos, a sus lectores, ese mismo respeto que el poeta siente por los desdichados. Aleixandre es de esa clase de artistas a quienes la presencia humana como tal edifica. Y ésta es una de las razones por las cuales esta poesía, pese a su tendencia a captar inmensidades y a describir minuciosamente la realidad, se nos aparece, en última instancia, como lo más opuesto al estilo descriptivo: como entrañable.

El respeto, sustancia última de *En un Vasto Dominio,* conduce al realismo. Un realismo como el de Velázquez (no en vano los recuerdos de Velázquez se repiten hasta tres veces en el libro), que ahonda y enriquece la realidad sin deformarla. La realidad queda respetada en su ser, pero de tal modo, que tanto como indemne se nos aparece como trascendida y penetrada. La realidad se engrandece, pero no hacia afuera, sino hacia sus guardadas interioridades. Bajo los límites exteriores intocados, se abre, como un espacio recóndito, un abismo en continua expansión donde pueden recogerse significaciones insólitas y donde vuela serenamente el espíritu.

NARRACIÓN Y DESCRIPCIÓN
COMO TÉCNICA DE PROFUNDIDAD

La técnica realista, según he dicho ya varias veces, hizo su aparición dentro de la poética de Aleixandre con *Historia del Corazón.* *En un Vasto Dominio* la acentúa de dos maneras: ahondándola en sentido trascendente y haciéndole sufrir un proceso de objetivización. Resulta significativo que en todo el libro el poeta no se mencione ni una sola vez a sí mismo: traza retratos de personas, describe situaciones humanas, escenas, acciones; el hombre, su cuerpo, su lugar en la sociedad, su habitación en el espacio, su condición metafísica en el tiempo. La propia persona del poeta ha desaparecido, se ha disuelto en lo que narra, y sólo en este sentido podemos decir que éste se ha convertido en mero espectador, aunque extraordinario, del mundo. Su pupila ve más y mejor que la nuestra, pero no es, en esencia, distinta; no se sitúa en un plano más alto o más guarecido o más solemne para mirar un mundo diferente del habitual. Es un hombre a la intemperie que mira como cualquiera, aunque salga de su contemplación más enriquecido que nosotros por el espectáculo múltiple de la realidad cotidiana.

No canta: narra o describe (el libro se divide significativamente en "capítulos"), aunque el relato, a fuer de emotivo, pueda convertirse en canción y la descripción siempre nos eleve sobre lo meramente sensible. Lo narrativo emocional y lo descriptivo ahondador son los dos modos que el poeta tiene para enfrentarse con el hombre. Cuando tratamos con el mundo físico, se ha dicho, bueno es el uso de la razón abstracta; cuando tratamos con el hombre y con el mundo humano, el uso de la razón abstracta resulta inadecuado; se precisa otra clase de razón: la razón histórica o narrativa (Ortega). Trasladando esta idea al campo de la poesía, diremos que el conocimiento poético del hombre y de lo que al hombre rodea lleva consigo, como idónea técnica posible, el estilo narrativo. El historicista que, como veremos, hay en Aleixandre no puede abstraer al hombre de su medio físico, temporal y social, pues sabe que sólo la circunstancia envolvente es capaz de explicar a los seres humanos. Para conocer poéticamente, para explicar, habrá que contar, describir, hacernos ver cómo vive, cuándo y dónde, esa criatura concreta que tenemos ante los ojos. Es, pues, un supuesto filosófico, una idea de la vida, lo que implícitamente lleva a Aleixandre y a cuantos hoy coinciden con él en esta técnica, a la utilización del relato y la "anécdota" (repudiada, como sabemos, en la etapa "cósmica" anterior —y en general en esa poesía que hemos llamado "contemporánea"—) como instrumento de captación poética de las realidades humanas. No es un recreo en lo superficial y aparente lo que le guía, sino al contrario, un afán de ir a los últimos fondos, a las razones que están detrás de lo puramente visible y exterior. Narración como táctica de profundidad: tal es lo que de inmediato se percibe en el libro.

OTROS DOS MODOS DE FRA-
CASO EN LA EVOLUCIÓN DE
LA MATERIA. LA IRONÍA

El estilo narrativo que en todo el volumen campea, le sirve, en primer término, a Aleixandre para presentar otro modo de fracaso en el proceso evolutivo de la materia. Pues la progresiva espiritualización puede ser entorpecida no sólo por un error de la naturaleza, sino también por culpa de los demás hombres. La sociedad erradica injustamente a algunos seres, semejantes nuestros, o los mantiene como al margen de lo verdaderamente humano. El pastor, el campesino, el muchacho de la era son, entre otras, figuras de este tipo, que al poeta conmueven en su humanidad ultrajada. Como ocurre en el caso de los tontos y los criminales, en ellos el curso de humanización, que debería ser creciente, se ha, en cierto modo, paralizado, y no por culpa suya. El mismo pueblo en que tales criaturas poco más que alientan se halla quizá al nivel de los cubículos animales. Aleixandre no nos da lecciones de moral; nos presenta los hechos tan sólo, pero esta estrategia del silencio es tan eficaz cuanto sobria. Las palabras se preñan y aprietan del sentido que el lector añade por su cuenta a lo dicho: una manera de condensación de pensamiento que más de un poeta de hoy debería imitar.

Y luego, el fracaso tercero: los convencionalismos de un estrato social, va sin sentido verdadero. Toda convención es, por principio, una parálisis de la vida, pues ésta consiste, esencialmente, en fluencia, en cambio. Pero si una clase de hombres no sigue un proceso de crecimiento y transformación hacia arriba, tendrá una existencia meramente convencional, como superfetación excrecente. Contra el convencionalismo propiamente dicho y contra ese otro género de muertas imitaciones de la vida, la voz de Aleixandre se alza condenatoria, aunque esta vez el tono sea satírico y burlesco, pues no otra cosa merecen quienes han falsificado su propia autenticidad vital. El hombre que por propia voluntad ha dimitido de su condición se trueca en un ridículo muñeco. Así es como nace en el libro, en correspondencia a su visión del mundo, una serie de poemas (todo el capítulo III "Ciudad viva, ciudad muerta") donde el poeta echa mano de los registros irónicos y a veces hasta cómicos que había manejado ya con maestría, aunque con otro lenguaje y técnica, en algunas piezas de su lejano libro *Espadas como Labios*.

HISTORICIDAD

Materia evolutiva hacia el hombre; posible detención del proceso espiritualizador, bien por azares de la naturaleza o por estructuraciones erróneas de la sociedad. Tocamos de nuevo aquí con otro problema que el libro plantea y al que ya nos hemos referido: la historicidad. En el hombre hay sólo una cierta naturaleza: la muy genérica y todavía no humana que comparte con todas las criaturas del universo (la materia fluyente de *En un Vasto Dominio* y aquel género del impulso erótico cantado en *La Destrucción o el Amor*) y la que comparte en exclusiva con los demás hombres: la conciencia de sí mismo, con todo lo que eso implica, y el amor, modificado, humanizado por el espíritu. Todo lo demás es en el hombre no naturaleza, sino historia. Coincide Aleixandre aquí, aunque bajo la forma de supuesto, con el actual historicismo moderado. Tras la tajante historicidad de quienes creen que en el hombre no hay naturaleza ninguna, se dibujan con precisión posiciones menos extremosas, que en síntesis rezarían así: en el hombre hay, sí, un fondo natural que consiste en *la necesidad* de crecimiento y desarrollo de sus capacidades afectivas, sensoriales e intelectuales. La sociedad puede sofocar ese impulso de crecimiento, pero cuando tal cosa ocurre, la criatura humana padece; prueba de que en este caso se ha contrariado una sustancia permanente. Si no existiese en ningún sentido "naturaleza humana", no tendríamos tampoco derecho alguno para hablar del hombre (menos aún para establecer jerarquías en las sucesivas transformaciones de esa criatura) y la noción de humanidad se atomizaría en sus distintas expresiones históricas, que quedarían incomunicadas entre sí, estancas.

El amor, en su significado general de identificación con el otro, es, pues, "naturaleza" en los seres humanos. Y tal es lo que da base al poema "La pareja" antes comentado, con su eternización de los amantes. Pero el hombre es principalmente histórico: se halla formalizado por la sociedad, que le otorga lo que llamaríamos una segunda naturaleza, confundida casi siempre por los pensadores y escritores no historicistas, con la otra, la primaria o innata, mucho más remota y genérica.

Ciertamente Aleixandre no expone todas estas ideas en su concatenación lógica, que es cosa de filósofos, sino en sus resultados intuitivos. Pero ello no significa que tales ideas no estén en su libro. Lo están, sin duda, aunque bajo el modo de supuestos, como he dicho antes, que ni siquiera es preciso que sean conscientes en el poeta a la hora de la creación. Quien debe extraer de su situación soterraña los sistemas lógicos latentes y situarlos a flor de conciencia, expresos y exteriores, es el crítico, al objeto de interpretar el alcance general de la obra, y sobre todo el sentido de determinadas técnicas que tal obra pueda utilizar. Sin hacerse cargo, por ejemplo, del pensamiento historicista, subyacente en el libro que comentamos, no hubiésemos entendido su estilo narrativo, ni estaríamos tampoco en condiciones de percibir en toda su nitidez el significado que posee la estructuración de los ya citados "Retratos anónimos", último capítulo de *En un Vasto Dominio*. En ese capítulo hay once poemas, distribuidos en cinco parejas, más uno último, impar. Cada pareja consta de una pieza dedicada a la descripción de una figura supuestamente contemplada en un óleo antiguo, seguida de otra composición en la que esa misma figura se ha trocado en un ser real, y por añadidura, contemporáneo nuestro. Pero ¿es de veras el mismo?, se pregunta el propio poeta. Es idéntica la personalidad física: el color de los ojos o del pelo, la forma de la frente o del talle, en un caso, eso sí, con algún ligero cambio, provocado por la distinta edad en que se le ha sorprendido. Mas, y esto es lo significativo, es por completo discrepante la personalidad moral del personaje segundo: quien fue antaño guerrero, es hoy poeta; quien, niño, paseó por salones reales y fue acaso infante de España, aparece, como niño también, pero trabajador en el campo; quien en el cuadro asomaba como una vieja celestina y hasta bruja, se torna en bondadosa lavandera, envejecida noblemente en su honrado y pobre menester; un licenciado hidalgo se convierte en un ingeniero... La diferente sazón temporal, con su distinto horizonte de posibilidades en otra estructura social hace que cambie la realidad humana de la criatura en cuestión, su índole personal más íntima, su —utilicemos el vocablo— *naturaleza* más entrañable. No basta nacer: hay que hacerse. Y uno se hace dentro de un mundo dado, en continua fluencia y en buena medida (siempre hay un margen, por supuesto, para la libertad individual), depende de lo que sea ese mundo, que está ahí sin previa consulta, construido por otros hombres, nuestros antecesores, antes de que nosotros naciésemos o fuésemos capaces de actuar. El lector no necesita, sobra decirlo, entrar en tan hundido y encubierto entramado ideológico para poder gozar de los poemas. Como el propio poeta, percibe los significados a través de la intuición; pero esos significados implican aquella secreta red de conceptos, sin los cuales hubiese sido imposible el sentido armonioso y cabal.

PENSAMIENTO INFORMANTE Y EXPRESIÓN

En una palabra : nos hallamos ante un libro de poesía y hemos de leerlo y entenderlo como tal. Y si en estas páginas me he detenido a examinar su pensamiento con tanto pormenor es porque ese pensamiento informa su estructura, hace que la forma sea como es. Para explicarnos la forma hemos precisado recurrir al fondo, puesto que en una obra de arte (digan lo que quieran algunos formalistas) ambos términos, que, por supuesto, no se confunden, carecen de autonomía, son interdependientes, inseparables. Y no sólo eso : en poesía sólo una forma bella, o sea, precisa, otorga ser al significado. En cuanto a Aleixandre, nunca, ni siquiera en *Sombra del Paraíso*, había logrado tan justa belleza de expresión como en este volumen, donde la variedad y exactitud formal se corresponden a la variedad y riqueza del pensamiento emotivo (parece como si el poeta hubiese aquí echado mano de todos sus talentos y recursos). Al referirnos a este libro, tenemos, en efecto, que aludir a la justeza de su palabra y hasta a su concisión. Aleixandre se ha planteado en este volumen de modo característico, el problema de la concentración del significado, que ha sabido represar en una forma de gran severidad que lo ciñe y condensa. Nuestro idioma, de por sí algo redundante y con tendencia a la amplitud retórica, se aviene mal a semejante faena de reducción si no es previamente manipulado a tal fin. Aleixandre recurre a varios procedimientos para contraer la elocución a un sitio mínimo : uso enclítico de los pronombres, sobre todo al final del verso, con lo cual éste ahorra una sílaba; uso de frases cortas, que dan rapidez y brevedad al pensamiento; utilización, con idéntica mira, de versos de siete sílabas en todo el capítulo I, pues el minúsculo espacio que este metro impone obliga a comprimir; tendencia a elidir el verbo y aun el artículo cuando ello no es por completo imposible; enunciación desnudamente nominal; carácter a veces exclamativo de la frase. Como ejemplo de casi todo ello, valga la siguiente estrofa (habla del brazo) :

El mundo ahora ofrecido, masa ciega,
inerme : allí un destino.

Con él el brazo cúmplese.
El mundo, hijo del brazo;
consecuente verdad. Tú, padre: el hombre.

Y, en fin, retorno a una fórmula típica del Aleixandre de *Espadas como Labios* y de *La Destrucción o el Amor*: la "o" identificativa. Esta clase de "o", muy escasa en nuestra lengua, aunque implícita en ella (recuérdese si no frases como "Nueva España o Méjico", "lenguas romances o neolatinas"), es elevada por Vicente Aleixandre a instrumento normal de expresión. En el nuevo volumen la *o* identificativa reaparece, no sólo por tratarse de un medio muy apto de abreviación formal, sino porque la idea de unidad que le diera origen en aquellos libros cobra nuevo impulso, dentro de un compás más amplio, según vimos, en éste. Advertimos aquí la ausencia de manierismo que caracteriza a Aleixandre, pese a la fuerte personalidad de su estilo. Aleixandre es generoso de sus inventos técnicos. Los utiliza mientras los necesita y los abandona en cuanto la necesidad desaparece. Su expresión evoluciona a la par que su mundo, pues hace presa en él de un modo siempre idóneo. Y si en el nuevo tomo la expresión se ha ensanchado y enriquecido es porque, previamente, el mundo en él cantado ha sufrido un idéntico proceso de dilatación. Este ensanchamiento espiritual y formal, propio de *En un Vasto Dominio*, junto a la intensidad de su emoción y a la altura moral en que se mueve, lo convierten en un gran libro de poesía. Me atrevería incluso a decir que estamos ante la obra más importante del poeta: una de las máximas creaciones de la poesía de nuestro siglo.

CAPÍTULO IX

COSMOVISIÓN SIMBÓLICA Y COSMOVISIÓN "REALISTA"

LA ORIGINALIDAD DE LA
COSMOVISIÓN ALEIXANDRINA

Creo que los capítulos que acabamos de dedicar a la cosmovisión aleixandrina habrán puesto de relieve y en acusada manifestación lo que habíamos empezado por sentar: la gran originalidad del mundo poético de nuestro autor con respecto a los demás miembros de su grupo y con respecto a sí mismo. Atendamos a estas dos afirmaciones, la segunda de las cuales, sobre todo, pide aclaración y comento. Aleixandre, con toda evidencia, coincide sólo mínimamente en su interpretación de la realidad con sus coetáneos líricos, de otro lado, tan distintos, a su vez, entre sí. Con Guillén y Salinas apenas si se roza en vagas aspiraciones estéticas, en un modo general de concebir la poesía, no la vida; en cuanto a esto último, que es lo que aquí, en principio, nos importa, si hay algún leve contacto es muy remoto e invisible. Por lo demás, casi hablaríamos de orbes contrapuestos, y en ciertas zonas hasta término a término: por ejemplo, para Guillén, los límites son un bien; para Aleixandre, un mal; éste niega la sociedad como tal; el otro, la afirma; Guillén es optimista y pesimista Aleixandre. No es que Guillén se niegue a reconocer el dolor humano y el destino trágico del hombre; pero es evidente que no carga el acento sobre esos términos negativos, sino, al revés, se apoya y toma impulso hacia arriba desde el instinto vital mismo, que significa siempre y en todo hombre una jubilosa afirmación de valores que sin duda existen también: este presente en que vivo y que, en cuanto que vivo, me es espontánea y primaria felicidad. He ahí el escondido punto de semejanza con Aleixandre, semejanza que sólo a través de un análisis se hace perceptible. Pero realizado este análisis, curiosamente vemos surgir tal punto de semejanza precisamente en el lugar exacto de su mayor disparidad con él: en su optimismo. Pues la felicidad del hombre, que tanto y tan valientemente canta Guillén en oposición a Aleixandre, no reside ni nace de otro sitio sino de la irracional y *elemental* ansia de vivir y de vivir más que aqueja a toda criatura viva y más aún al hombre. Guillén, tan intelectual según dicen, tan contenido y reflexivo sin duda, resulta que, en último término, parte de la misma zona en donde Aleixandre y otros miembros de su generación hallan foco más explícito para sus respectivas cosmovisiones: y así, toma, igual que ellos, la elementalidad como punto inicial de su mundo. Quien parecía discrepar queda asimilado a sus compañeros. Ahora bien: prescindiendo de la exaltación de lo elemental, todo lo demás resulta diferenciador. Los sistemas que se forman en cada poeta del grupo a partir de ese centro de responsabilización o motor cosmovisionario son distintos en cada caso, y, como dije antes, hasta parcialmente polares en bastantes ocasiones. Si Guillén dice:

Feliz el río que pasando queda,

Pablo Neruda (que aunque no es español, podríamos asimilarlo a nuestra generación del 27) ante idéntica realidad viene a decir, y no por azar, lo opuesto:

el río que durando se destruye

en congruencia con una interpretación de la realidad que como la de Aleixandre, pero de otro modo muy distinto a su vez, viene a ser de alguna manera y por algún lugar, algo así como su reverso. Mientras Guillén hace hincapié en lo que el río tiene de permanente y atenúa lo que tiene de pasadero, Neruda, como hemos visto, hace lo contrario.

Esta dispersión cosmovisionaria, fruto del acendrado individualismo contemporáneo en su más exaltada expresión, no había existido
con anterioridad a la generación del 98. No hay, por ejemplo, visiones
románticas del mundo, sino visión romántica, pues aunque unos románticos sean distintos a otros, todos vienen a coincidir en un mismo
esquema genérico de interpretación de la realidad. En la nueva época,
todas las coincidencias con el prójimo literario procuran esquivarse,
incluso las tradicionalmente resistentes, según acabamos de hacer notar. Y, como he insinuado al principio, no sólo eso: el escritor aplica
su afán de originalidad y separación también con respecto a sí mismo. Aleixandre se diferencia de Aleixandre a cada libro, y más violentamente aún, a cada serie de libros. Podemos distinguir como muy
dispares el estilo de *Ámbito,* el de *Espadas como Labios,* el de *La Destrucción o el Amor,* el de *Sombra del Paraíso,* el de *Nacimiento Último,* el de *Historia del Corazón,* el de *En un Vasto Dominio;* pero
también y con mayor motivo, según hemos subrayado, habríamos de
separar más aún el estilo de la primera época (estilo "cósmico") del
estilo de la segunda (estilo "histórico"). Hauser advierte este mismo
fenómeno en Picasso, y lo achaca a una ausencia de individualismo.
Según entiendo, Hauser se equivoca. No es defecto de individualismo, en mi criterio, lo que empuja a Picasso hacia la mudanza estilística, sino al revés: exceso [1]. Por ser excesivo el individualismo, lo es
el impulso de sorpresa y novedad. No se quiere entonces insistir re-
petidoramente ni siquiera en las líneas fundamentales de la propia
manera de escribir o pintar. La renovación del estilo aspira así a una
radicalidad que anteriormente no parecía necesaria. De ahí la brillantez de los artistas contemporáneos, cuando como Picasso, como Aleixandre, logran plenamente sus arduos propósitos. Arduos porque la
mucha originalidad exige, según hemos sentado en otro capítulo, la
vastedad del mundo cantado, y no es fácil ni está al alcance de cualquiera trazar sin desfallecimiento un universo de grandes proporciones, como el que nos es dado observar en los autores citados, o en
Neruda y Guillén, por ejemplo. Y aparte de esto, que es obvio, al
artista muy original en el sentido que decimos se le pueda presentar

---

[1] Hauser achaca la pluralidad de estilos a un intento de despojarse de la
personalidad fija, y por ello cree que se trata de falta de individualismo.

un grave inconveniente, que echaría por tierra toda su labor: la in-
comunicabilidad, puesto que nadie es capaz de entender aquello que
no tenga algo que ver con él mismo. La novedad, si fuese absoluta,
se presentaría, por lo pronto, como ininteligibilidad. No es éste el
caso de Aleixandre, y debemos, creo, preguntarnos por qué.

COSMOVISIÓN SIMBÓLI-CA Y "ASENTIMIENTO"

Es evidente que la gran originalidad del mundo aleixandrino hace
que todos o casi todos los elementos que lo constituyen en su primera
época (que es cuando el fenómeno de que voy a ocuparme se da)
estén bastante alejados de la experiencia humana ordinaria. Así, el trato de favor que se concede a la elementalidad, estimada en esta poesía
muy por encima de lo que normalmente recibe nuestro mayor aprecio; la idea de la unidad del mundo, y más aún, la de que sea el
amor, dentro de esa unidad, la sustancia de todos los seres, incluso de
los inanimados; la concepción de que el amor se manifiesta como
destrucción, no en el sentido vulgar de que nos haga sufrir, sino en
otro más esencial y profundo; y, sobre todo, esa diversa y más audaz
concepción con que Aleixandre cierra, dentro de la primera parte de
su obra, el amplísimo arco de su interpretación de la realidad: la
muerte como vida y amor, como el amor definitivo y absoluto,
pese a ser la muerte para él disolución del individuo en la materia
universal.

¿Cómo es posible que estas ideas, tan opuestas a nuestro modo común de entender el mundo, puedan ser por nosotros plenamente "asen-
tidas" (para usar el término técnico de mi *Teoría de la expresión
poética*)? Por supuesto (y vuelvo a una idea que ya expuse al hablar
de las relaciones entre arte y moral) el lector, para otorgar eso que
acabo de llamar "asentimiento pleno", no necesita creer lo que el
poeta cree: basta con que eso que el poeta cree le parezca *posible*
en un hombre cabal. De otro modo: el pensamiento en poesía no
tiene por qué coincidir con la verdad objetiva, pero, en cambio, resulta
requisito indispensable, insisto, que tal pensamiento, al ser mantenido
como subjetivamente válido, no nos obligue a desconsiderar como

hombre completo a quien lo sustenta. Aunque yo crea, por ejemplo, que Dios existe, nada me impide (salvo acaso su calidad) gustar, incluso al máximo, de un poema agnóstico, ya que hay en el mundo motivos suficientes para que alguien dude, y también para que alguien, sin dar pruebas de deficiencia humana, pueda negar la existencia de Dios.

Ahora bien: decir, como dice Aleixandre, que la muerte, esa que llamamos "muerte para siempre", es "gloria, vida" ("El enterrado"), o decir, y no por pesimismo, que destruir es amar ("amarlos con las garras estrujando su muerte"; "mientras cuchillos aman corazones"), etc., ¿no es ir más allá de ese holgado margen de que el poeta, en cuanto a la "veracidad" de sus palabras, dispone? ¿Hay algo en el mundo, como sin duda lo hay en el caso de agnosticismo antes citado, que permita, en efecto, a un autor regularmente lúcido creer "realmente" en tales conceptos y en los otros que antes hemos rápidamente enumerado?

He aquí uno de los grandes problemas de la poesía y en especial de algunos momentos de la poesía contemporánea, que es donde significativamente y con más frecuencia ha de plantearse, al ser mayor la originalidad que el público y el propio autor exigen de las creaciones artísticas.

La solución de estas cuestiones es, sin embargo, si no me engaño, muy sencilla. Si partimos de que un poema emociona y sin embargo sus ideas no pueden ser del todo "creídas" por ninguna persona normal, evidentemente ello solo puede ser porque tales ideas, pese tal vez a su apariencia contraria, *no se ofrecen*, en realidad, *para ser creídas*, sino sólo *como medios* para transmitirnos, ocultamente y por vía irreflexiva, otras perfectamente sustentables. Dicho de modo diferente y más preciso: esas ideas se manifiestan, en rigor, como *símbolos*, otorgando a esta palabra el sentido técnico que alcanzaremos acaso a definir más adelante en este mismo libro. Y, como les ocurre a los símbolos (véanse las págs. 174 y ss.), lo que se nos quiere decir a su través sólo aparece emotivamente en nosotros, aunque esa emoción lleve dentro de su atmosférica masa emotiva un núcleo duro de tipo conceptual, o dicho mejor, la equivalencia funcional de uno o varios conceptos, que el análisis (innecesario, claro es, desde el punto de vista estético) puede extraer hasta la conciencia lúcida.

Nótese que aunque esos conceptos o equivalencias de conceptos no sean percibidos por nosotros en el momento de la lectura, *están* en nuestra psique, al implicarse en las emociones. La emoción que sentimos *supone* la existencia de esos conceptos, y *sin ellos no exis-tiría.*

Y ocurre que el asentimiento o el disentimiento lector se refiere no a las ideas símbolo, sino, a través de las emociones implicitadoras, a esos conceptos de que hablo, a los que podemos ya denominar "ideas simbolizadas". De ahí que aunque el pensamiento poético alei-xandrino de la primera época nos cueste trabajo sentirlo como verda-deramente "creíble" en todos sus puntos en la vida real de alguien, nuestro asentimiento fluya con naturalidad y sin embarazo alguno.

EL SISTEMA DE RELACIONES
COSMOVISIONARIO Y EL SIS-
TEMA DE RELACIONES DE
LAS "IDEAS" SIMBOLIZADAS

Se nos plantea aquí otro importante problema. Puesto que el sis-tema aleixandrino de la primera época se ofrece como una vasta red de relaciones entre elementos simbólicos, diríase, a primera vista al menos, que habría de darse tras ella, otra red paralela de elementos "reales" (llamémoslos de este modo) que entre sí se encadenarían, uno a uno, como perfectos homólogos de los primeros. Y sin embargo no es así. Lo que en último término "signifique" en Aleixandre la preferencia por lo elemental, lo que signifiquen la unidad del mundo, el amor sustancial, la ecuación amor = muerte y muerte = amor, et-cétera, no son ingredientes relacionados entre sí del mismo modo que lo están las coberturas simbólicas respectivas que acabo de nombrar. Y ello precisamente porque una visión del mundo no es un conjunto alegórico sino un conjunto simbólico.

Me veo precisado a hacer en este instante un breve alto en nues-tra exposición para recordar al lector la diferencia, estudiada por Dá-maso Alonso, entre el desarrollo de un símbolo y el desarrollo de una alegoría, bien que sólo más adelante (véanse las págs. 163 y ss.), cuando nos toque hablar de la imagen visionaria, de que Dámaso Alonso no se ocupa, obtendrá el lector más amplia noticia de ello.

Una alegoría es una imagen que despliega en su plano real una serie de elementos a_1 a_2 a_3 con los que traduce servilmente y término a término otros tantos elementos b_1 b_2 b_3 del plano evocado. El símbolo, por el contrario, si sufre ese mismo proceso de crecimiento y arborescencia en la esfera evocada B (o sea, b_1 b_2 b_3)[2] no intenta traducir en la esfera real A, uno por uno, esos elementos b_1 b_2 b_3 con que B se ha enriquecido. No hay, pues, aquí en A un conjunto a_1 a_2 a_3 que responda al conjunto b_1 b_2 b_3 del plano imaginario B. Los elementos b_1 b_2 b_3 que forman ese plano se justifican sólo en él y no en la realidad A de la que nunca emanan.

Pues bien: el sistema aleixandrino de la primera época se comporta, en este sentido, como un vasto símbolo B que se desarrollase en otros símbolos menores b_1 b_2 b_3, que son los sucesivos elementos de que se compone tal sistema (amor a lo elemental, unidad del mundo, amor = destrucción, destrucción = amor, etc.). Estos elementos se relacionan entre sí por conexiones lógicas que no tienen otra justificación, según dejé dicho, que la visible en el plano simbólico B. Las sucesivas "significaciones" a_1 a_2 a_3 de los respectivos elementos cosmovisionarios b_1 b_2 b_3 no reproducen, vuelvo a decir, en la realidad A la misma red de relaciones con que se unen en la evocación o cosmovisión B esos términos b_1 b_2 b_3 de que hablamos. Más clara y concretamente: la sucesiva filiación que nosotros hemos llegado a determinar, dentro de la cosmovisión aleixandrina de la primera época, entre, por ejemplo, la primacía de lo elemental (b_1), la unidad panerótica del mundo (b_2), el amor como destrucción (b_3), la destrucción como amor (b_4), etc., no halla paralelo en otras relaciones idénticas

---

2 Dámaso Alonso cree que el símbolo se define por su desarrollo, pero, en realidad, no es ésta su característica, sino sólo una de sus posibilidades. Lo que verdaderamente da carácter al símbolo es algo que Dámaso Alonso no ha estudiado: la extraña ausencia de plano real con que aparece en la conciencia lúcida del lector, o sea su índole puramente emotiva, tal como dejé dicho hace poco con respecto a la cosmovisión primera de Aleixandre. El plano real, que no se manifiesta lúcidamente, dijimos, puede, sin embargo, ser hallado a través de un análisis extraestético (en las págs. 174 y ss. desarrollaremos nuevamente estas ideas).

de sus respectivos significados a_1 a_2 a_3. Quiero decir que a_1 (significado, por ejemplo, de b_1, la primacía de lo elemental) no se relaciona con a_2 (significado, digamos, de b_2, la unidad panerótica del mundo), con a_3 (significado de b_3, amor como destrucción) o con a_4 (significado de b_4, la destrucción como amor) en el mismo sentido y modo en que se relacionan entre sí sus "símbolos" respectivos b_1 b_2 b_3 y b_4.

Tal falta de correlación entre lo que sucede en B y lo que sucede en A no es una extravagancia de los poetas contemporáneos, sino que, al contrario, se nos aparece como resultado de una mayor espontaneidad en el proceso creador, fruto, a su vez, de un individualismo más intenso. Prueba de ello sería el paralelo que de pronto, y no sin sorpresa por nuestra parte, nos es dado establecer en este punto con respecto a lo que pasa en el sueño. La elaboración onírica, según señala Freud, se realiza, precisamente, introduciendo entre "ideas latentes" y "contenido manifiesto" un "desorden" muy semejante al que hemos visto en la poesía aleixandrina. Merece la pena copiar un párrafo de *La interpretación de los sueños:*

> Los elementos que se nos revelan como componentes esenciales del contenido manifiesto están muy lejos de desempeñar igual papel en las ideas latentes. E inversamente, aquello que se nos muestra sin lugar a dudas como el contenido esencial de dichas ideas, puede muy bien no aparecer representado en el sueño. Hállase éste como diferentemente *centrado,* ordenándose su contenido en derredor de elementos distintos de los que en las ideas latentes aparecen como centro. Así, en el sueño de la monografía botánica, el centro del contenido manifiesto es, sin disputa, el elemento "botánica", mientras que en las ideas latentes se trata de los conflictos y las complicaciones resultantes de la asistencia médica entre colegas, y luego, del reproche de dejarme arrastrar demasiado por mis aficiones, hasta el punto de realizar excesivos sacrificios para satisfacerlas, careciendo el elemento botánico de todo puesto en ese nódulo de las ideas latentes.
>
> (*Obras Completas,* VII, *La interpretación de los sueños,* II, Biblioteca Nueva, Madrid, 1934, pág. 7, traducción de Luis López Ballesteros y de Torres.)

Tras la lectura de estas líneas del creador del psicoanálisis, será muy difícil reprochar a Aleixandre, o a los poetas que como él ostentan cosmovisiones simbólicas, arbitrariedad alguna en su manera de expresarse. La "naturalidad" (si es que tal término tiene sentido preciso dentro del campo artístico) con que puede darse este modo de creación es, al parecer, tanta, por lo menos, como su contrario, que, justamente, es el que nos sorprende en la segunda etapa aleixandrina y en toda la poesía española de los últimos veinticinco años.

Según creo no hemos perdido, pues, el tiempo demorándonos tanto en el estudio del rasgo estilístico en cuestión, ya que ahora nos va a servir para caracterizar rápidamente, por mero contraste, no sólo al segundo Aleixandre, sino, repito, a toda la nueva poesía.

Aunque no podamos decir que el tipo simbólico de cosmovisión sea muy frecuente en la época contemporánea, no hay duda de que, en cambio, la caracteriza, puesto que con toda evidencia tiene tanto significado en ella como el mucho que a todas luces posee el uso del símbolo en sentido estricto y su modo específico de desarrollo.

Pues bien las cosmovisiones no simbólicas sino "realistas" son propias del nuevo período. Y como el segundo Aleixandre es uno de los representantes de ese nuevo período, su respectiva cosmovisión será realista también. En efecto: nada de lo que hemos dicho de la visión del mundo inicial de nuestro poeta vale para la última. Ésta, al contrario de la otra, se nos hace directamente "creíble" en todos sus términos. Por tanto, también en este importante aspecto, coherentemente, la poética actual manifiesta aquel mismo "realismo" que antes analizábamos en ella, desde una perspectiva muy diferente. Lo he insinuado ya en el capítulo anterior cuando, refiriéndome a *En un Vasto Dominio*, he dicho: "Su pupila" (la del segundo Aleixandre) "ve más y mejor que la nuestra, pero no es, en esencia, distinta: no se sitúa en un plano más alto, o más guarecido o más solemne para mirar un mundo diferente del habitual. Es un hombre a la intemperie que mira como cualquiera, aunque salga de su contemplación más enriquecido que nosotros por el espectáculo múltiple de la realidad cotidiana".

En consecuencia, las dos cosmovisiones aleixandrinas (la cósmica y la histórica) son, insisto, de distinta índole: la primera es simbólica y la segunda no lo es. Esa diferencia entre ambos mundos no impide que ambos puedan integrarse en la concepción más amplia y abarcadora de *En un Vasto Dominio*, donde, en efecto, la visión naturalista del primer Aleixandre y la historicista de *Historia del Corazón* se funden armónicamente en lo que llamaríamos un "naturalismo historicista". Pues ocurre que al contactar de ese modo que digo, el realismo cosmovisionario del segundo orbe contagia al primero, que se hace también así inmediatamente "creíble". Y no sólo "creíble": ciertos elementos de la inicial visión del mundo que *En un Vasto Dominio* recoge, como, por ejemplo, la unidad material del universo, al ser contemplados ahora por una pupila historicista, precipitan un resultado que viene a coincidir con la verdad objetiva, o al menos con lo que desde la ciencia actual o desde el pensamiento de la mayoría de los científicos representativos de hoy, y en especial, de algunos de entre ellos, puede llamarse así. El parecido, digamos, entre lo que Aleixandre viene a decirnos acerca de la evolución de la materia unitaria, como resultado de un "proyecto", encarnado en esa materia, que se dirige a la aparición del ser humano, y lo que dice Teilhard de Chardin es hasta pasmoso. Por su realismo cosmovisionario, precisamente, *En un Vasto Dominio* es, pues, un libro plenamente inserto en la época segunda, pese a que abarque, como hemos dicho, los dos fundamentales momentos aleixandrinos: el de *Historia del Corazón* y el anterior, que, según sabemos, va desde *Ámbito* a *Nacimiento Último*.

LA IMAGEN

CONSIDERACIONES GENERALES SOBRE LA IMAGEN: LA IMAGEN VISIONARIA, LA VISIÓN Y EL SÍMBOLO

TRES NUEVOS TIPOS DE IMAGEN

A veces gusto de imaginar la sorpresa que un Góngora tendría si, resucitado de pronto, leyese los versos de nuestros contemporáneos. Probablemente le resultarían incomprensibles, porque en toda la poesía contemporánea, desde Bécquer hasta nuestros días, se han utilizado, cada vez con mayor frecuencia, una suerte de imágenes cuya estructura difiere *esencialmente* del tipo usado con anterioridad. O sea: la poesía contemporánea no parece sólo una ruptura, en cuanto a las figuraciones imaginativas, con una escuela anterior (pongamos el romanticismo). Es mucho más. Es una ruptura, si se me permite hablar un poco en grueso, con toda una era, en la que va incluido también el renacimiento, el barroco y el neoclasicismo. Y si quisiéramos generalizar más todavía, diríamos que va asimismo en la cuenta toda la poesía anterior. Así de decisiva es la revolución imaginativa contemporánea.

Es natural que esa novedad de que hablo, esa original manera de tratar las imágenes, no se produzca con igual intensidad a todo lo largo de la nueva época. Esa novedad se larva ya, atenuadamente, en el romanticismo; es mucho más visible en los poetas prebecquerianos y, sobre todo, en Bécquer; se acentúa en Antonio Machado y Juan Ramón Jiménez, y estalla violentamente en la generación de poetas que van apareciendo en el veintitantos, y más aún, dentro del mismo período, en los que han sido llamados, tal vez con poca propiedad, suprarrealistas, para atenuarse en la lírica posterior al año 1947, lo mismo en la de los maestros que en la de los poetas en esa fecha jóvenes. Seguramente ninguno como Vicente Aleixandre, entre los españoles, ha llevado a un límite de frecuencia tan grande con anterioridad a *Historia del Corazón* (donde el procedimiento se combina, y es sustituido en parte por la simple comparación), el aún reciente recurso imaginativo. Pero no tardaremos en detenernos con más espacio sobre todo esto.

Si se me preguntara ahora en qué consiste la novedad a que me he venido refiriendo, diría que en la aparición, de un modo sistemático y abundante, dentro de la poesía novecentista, de tres tipos imaginativos nunca utilizados antes, o utilizados muy escasa y esporádicamente y siempre en calidad de "excepciones que confirman la regla". Estos tres tipos son: el *símbolo*, la *imagen visionaria* (continuada o no) y la *visión*. La nomenclatura con que los acabo de designar he tenido que crearla yo mismo, excepto la palabra "símbolo", que existía ya, aunque el concepto no estaba definido sino borrosa y muy parcialmente. Puede inducir a error, quizá, el nombre de "visión", pero no pude hallar otro que fuese más justo. Doy al nombre de "visión" un significado específicamente científico, que nada tiene que ver con el habitual. Hechas estas salvedades, pasaré a definir cada uno de los tres conceptos.

LA IMAGEN VISIONARIA Y LA IMAGEN TRADICIONAL

Comencemos nuestra penetración por el análisis de las imágenes visionarias. Su peculiaridad sólo destaca suficientemente sobre el fondo metafórico de la tradición; en consecuencia, se hace necesario que esbocemos aquí ese fondo.

En otro lugar [1] he intentado extraer la divergencia más notable que existe entre una imagen tradicional y una imagen visionaria. La imagen tradicional exhibe una estructura racionalista que difiere radicalmente de la estructura irracionalista que manifiestan las imá-

---

[1] *Teoría de la expresión poética*, 4.ª ed., Gredos, Madrid, 1966.

genes peculiares de nuestro siglo. Pronto veremos por qué apellido
de "racionalista" al grupo tradicional, mientras califico de "irracionalista" al específicamente contemporáneo. Me urge, por razones de
diafanidad en la exposición, atender antes a otra contrapuesta característica de aquel grupo con respecto a éste.

Las imágenes de nuestros abuelos podían ser de tres tipos principales. En el primer grupo, el más numeroso, con gran diferencia,
colocaríamos a aquellas imágenes que se engendran en la semejanza
física que media entre el plano real y el correspondiente evocado.
Si el cabello rubio puede estar visto como oro en el siglo XVI (y en
las épocas que continúan su tradición imaginativa), será a causa de
que ambos elementos coincidan en lo dorado de su color. "Cristal"
será el nombre poético de agua, porque tal parece la tranquila superficie de un lago o de un río lento. El plano real y el evocado se asi-
milan fundándose en notas que son comunes a sus respectivas formas.
Cuando el poeta osaba acercar comparativamente dos términos disímiles (un pájaro y un arco iris, por ejemplo), no tenía más remedio
que establecer distingos sin número para que las lógicas mentes contemporáneas (incluyendo la del propio poeta) no se escandalizasen.
El atrevimiento inicial quedaba inmediatamente paliado por una serie
de calificativos y de negaciones:

> ...(El) pájaro de Arabia, cuyo vuelo
> arco alado es del cielo
> no corvo, mas tendido...
>
> (Versos 463-465 de la *Soledad Primera* de Góngora.)

El Fénix será un arco iris[2], pero un arco iris alado y tendido, un
arco iris no corvo. La imagen reducía así el alejamiento de sus fronteras para armonizarse con la superficie por ella encubierta, y de este
modo la semejanza aparencial entre la realidad y la evocación no
quedaba ya destrozada.

A este primer grupo son también reducibles imágenes que, si bien
equiparan objetos desemejantes en su figura concreta, están basadas,

---

[2] Según la mayor parte de los comentaristas de *Las Soledades,* "vuelo"
equivale a "alas", significado que el Diccionario de la Academia Española
acepta también.

sin embargo, en algo en definitiva físico, que puede ser, por ejemplo, su función, o su finalidad, o su comportamiento. Lope dice de Lucinda que es:

> nieve en blancura y fuego en el efecto

y al confundir a Lucinda con el fuego, el poeta se fundamenta no en el parecido inmediato que exista entre esa mujer y ese elemento natural, sino en la función, el *efecto* que de ambos resulta: el hecho de abrasar. Cuando Góngora llama a las aves "cítaras de pluma" está haciendo lo mismo: la confusión por él establecida entre aves y cítaras sólo tiene en cuenta la realidad *física* de que ambas son emitidoras de sonidos musicales, no la forma de los dos términos comparados, que es muy distinta en cada caso.

En fin, cuando Jorge Manrique asegura que:

> nuestras vidas son los ríos
> que van a dar en la mar
> que es el morir

el símil se apoya en el comportamiento físico de vidas y ríos, pues ambos son fugaces y terminan en la aniquilación, sin que haya ni pueda haber parecido formal entre ellos.

En un segundo grupo alojaríamos aquellas imágenes tradicionales que se justifican en la semejanza moral o espiritual de dos seres: la mujer, para Lope

> es un ángel y a veces una harpía.

Es un ángel porque tiene, a ratos, su misma bondad; una harpía porque, en ocasiones, es tan perversa como ésta.

Y finalmente habríamos de insertar en un grupo tercero las imágenes tradicionales que emanan de la identidad en el valor con que dos miembros, el real y el evocado, se presentan. Así, cuando el dueño de un comercio dice que su dependiente es "una perla", está significando que ese subalterno *vale tanto* como el precioso objeto aludido.

Frente a estos tres tipos y sus posibles variantes se yergue la imagen "visionaria" con un carácter, en principio, fundamentalmente diverso. Adviértase que las tres posibilidades de la imagen tradicional coinciden en un punto: la semejanza entre sus dos planos se basa siempre en una condición *objetiva* (física, moral o axiológica) que es previa al sujeto que las contempla y de tan abultado relieve que en cuanto éste se pone frente a aquélla no tiene más remedio que aceptarla. Pues hasta el caso aparentemente más dudoso, el caso en que el fundamento de la imagen es un valor, no hace excepción a esta regla. Ortega nos ha hablado de cómo los valores no son algo subjetivo, sino algo objetivo y además algo perfectamente determinable, si no carecemos del órgano de estimación necesario. Los valores son cualidades objetivas de los seres, bien que cualidades irreales (como la igualdad o la desigualdad) [3].

Si de aquí pasamos al examen de las imágenes visionarias, el panorama se torna resueltamente distinto. Pues el poeta contemporáneo llamará iguales a los términos A y B *en principio* no porque objetivamente se parezcan, en su figura material, en su configuración moral o en su valor (ya veremos las limitaciones y rebajas que a la rotundidad de esta primera afirmación es preciso imponer), sino porque despierten en nosotros, sus contempladores, un sentimiento parejo. Y así, un poeta de hoy podría referirse a un pajarillo pequeñuelo, en reposo y de color grisáceo, al escribir:

un pajarillo es como un arco iris

si el arco iris y el pajarillo le produjeran un efecto similar de ternura.

Sin embargo, la imagen visionaria, si quiere elevarse hasta el rango lírico, debe ser *universal*, esto es, debe resultar valedera para todos los hombres, o amplios grupos de ellos. Quiere esto señalar que todos los hombres o tales sectores han de poder sentir la legitimidad de la ecuación propuesta por el poeta. Por tanto, la igualdad "pajarillo = arco iris", si es poética, no estará acotada dentro de un sentimiento puramente particular, válido únicamente para la persona del autor, sino que ese sentimiento de ternura debe ser compartible y aceptable por otros seres humanos.

3 Ortega y Gasset, José, *Introducción a una estimativa,* en *Obras Completas,* tomo VI, ed. Revista de Occidente, Madrid, 1947, págs. 317 a 337 y especialmente págs. 327 a 331.

(Permítaseme un inciso. Lo dicho en el párrafo anterior no significa, por supuesto, que siempre, y ni siquiera con frecuencia, la palabra "arco iris" o la realidad "arco iris" nos produzcan ternura. Cualquier ser —y el arco iris no es ciertamente una excepción— tiene, en potencia, un grupo finito de posibilidades asociativas, y cada mirada humana que en él se interese estéticamente pone en actividad una de esas asociaciones posibles, *acaso la que menos frecuentemente se suscita en la contemplación normal.* El contexto del poema es, en este sentido, el filtro de que el poeta se vale para eliminar las otras asociaciones poéticamente inválidas en ese concreto instante. En nuestro caso, el diminutivo "pajarillo", puesto en conexión con el vocablo "arco iris", es el encargado de privar a este último término de las diferentes suscitaciones afectivas que sean en tal momento inadecuadas, para dejar superviviente tan sólo la idónea : se suprime, por ejemplo, el sentimiento que la grandeza o la amplia belleza exenta del objeto aludido pudiera provocar en nosotros. La representación estética —trátese de la contemplación de una belleza natural o de la contemplación de una belleza artística— es paradójicamente, en uno de sus aspectos, un acto de empobrecimiento de la excesiva riqueza asociativa, tal vez incluso con elementos contradictorios entre sí, que *duerme* en las criaturas reales, y, por consiguiente, en el lenguaje que las simboliza.)

Retomemos el tema. Decíamos que el sentimiento suscitado en común por los dos elementos de la imagen había de ser universal. Pero ese carácter universal de la imagen visionaria proclama que, contra lo que pensamos inicialmente, alguna semejanza objetiva tiene que mediar entre los dos seres relacionados (pajarillo, arco iris) para que en el sentimiento originado por ellos pueda coincidir (teóricamente) la totalidad de los hombres sensibles. Examinemos qué es lo que nos produce ternura en el pajarillo y luego hagamos idéntica indagación con respecto al arco iris.

En el caso del pajarillo, es precisamente su pequeñez en cuanto síntoma de *inocente* indefensión lo que nos conmueve ; en el caso del arco iris, se trata de algo en cierto modo parejo: lo que aquí nos mueve afectivamente es la pureza de sus colores, que parecen como lavados, como limpios, como *inocentes.* Notemos que al describir lo sentido en cada caso hemos necesitado acudir a la misma calificación esencial: al adjetivo "inocente". Esto nos indica que ambos seres (el pajarillo y el arco iris) se asemejan en poseer una cualidad, en efecto, objetiva, a la que metafóricamente llamamos "inocencia". El hecho de que este último vocablo ("inocencia") sea, como digo, metafórico, no resta valor al aserto; pues metafórica o no la designación, no cabe duda de que la cualidad existe y que en esa cualidad el pajarillo y el arco iris se parecen.

¿Nos hallamos, en consecuencia, frente a un caso equivalente al de la imagen tradicional? De ningún modo, y ello por dos razones:

1.ª En la imagen contemporánea, la semejanza objetiva entre los dos planos es perceptible *tras el esfuerzo de un sutil análisis;* pero —obsérvese— sólo es visible tras ese esfuerzo, no antes, no en la lectura espontánea del instante poético en cuestión. Para la sensibilidad del lector, es, pues, *como si tal semejanza no existiera,* y por eso comencé por negarla. Nuestra emoción es independiente y *previa* al reconocimiento intelectual del parecido objetivo, que sólo alcanzamos a vislumbrar después, si ello nos complace, con la ulterior reflexión, la cual se hace superflua desde el punto de vista estrictamente estético.

En la metáfora tradicional ocurre justamente al revés: en ella el reconocimiento intelectual de la semejanza objetiva es *anterior* y condición necesaria de toda posible emoción poética, pues precisamente ésta depende de aquél. Si no sabemos que el cabello rubio se parece en su color al oro no podemos emocionarnos cuando el poeta identifica metafóricamente ambos objetos [4].

2.ª Pero además, la imagen visionaria sólo exige de sus dos planos, el real y el evocado, ese *mínimo* parecido objetivo que hace posible una *gran* semejanza emocional entre ellos; o de otro modo: el parecido objetivo sólo existe en cuanto suscitador de una descarga emocional; por ello, no se percibe sino bajo forma de implicación, que sólo el análisis revela, en esa descarga.

Al poeta contemporáneo no le importará nada, en consecuencia, atenuar, al máximo incluso, el parecido objetivo perceptible desde luego por la razón, si esa disminución lleva consigo, precisamente, un

---

4 En la imagen tradicional, el análisis ejercido por la razón, rigurosamente anterior al efecto emotivo, por ejercerse sobre materia evidente no se manifiesta como tal, no nos damos cuenta de él.

aumento en la semejanza emocional. Quizá el mejor ejemplo de ello lo tengamos en este verso de Vicente Aleixandre, dirigido a una muchacha desnuda:

> Tu desnudez se ofrece como un río escapando.

El cuerpo desnudo de una muchacha tendida en una pradera puede objetivamente asemejarse a un río. Si a un poeta del siglo XVII, con suficiente arrojo, se le hubiese ocurrido imagen tan valiente, sin duda habría intentado disminuir la osadía de la comparación con negaciones o calificativos que intensificasen de algún modo el parecido objetivo (a la manera del ejemplo, antes citado, del gongorino "pájaro de Arabia"). Quizá el resultado hubiera sido entonces, más o menos, el siguiente:

> Tu desnudez se ofrece como un río
> que no escapase...,

o bien:

> Tu desnudez se ofrece como un río
> breve, parado y con volumen sólido.

Pero Aleixandre, subrayemos, no hace esto, sino lo contrario: aleja aún más la semejanza física entre el río y la muchacha, al escribir con un atrevimiento sólo posible en nuestro siglo:

> Tu desnudez se ofrece como un río *escapando*.

La muchacha inmóvil no se identifica con un río "quieto", sino, al revés, con un río "escapando". Lo que la imagen hubiese tenido de tradicional tiende así a desvanecerse, incrementándose, en cambio, su silueta visionaria. Porque el parecido que Aleixandre percibe entre ese desnudo y el río reside en la impresión que ambos seres le producen: una impresión de frescura, de algo que metafóricamente llamaríamos musicalidad (y cuyo *implícito* soporte objetivo sería, indudablemente, la *naturalidad* de las dos criaturas). Por supuesto, esa impresión de natural frescor, de silvestre oreo, la produce con más intensidad un río libre, un río "escapando", que no un río de estancadas aguas o de congelado volumen. Ello hace que el poeta se desinterese del parecido físico inmediatamente reconoscible por la razón, para aumentar, en cambio, la semejanza emocional entre las dos esferas de la imagen, y por consiguiente, eso sí, la otra semejanza objetiva entre ellas, que, por más remota, no llega a hacerse consciente en la lectura y sólo se halla *implícita,* repito, en la emoción : *verbi gratia:* la elementalidad —a₁— de los dos objetos comparados, el desnudo y el río que escapa.

Es afirmar lo mismo con otras palabras hablar, como hicimos más arriba, del carácter racionalista de la imagen tradicional y del irracionalista de la imagen visionaria. Pues, como acabamos de comprobar, la primera exige una intervención raciocinadora que no exige la segunda. Es más, cuando leemos

un pajarillo es como un arco iris

no sólo nos emocionamos sin averiguar por adelantado que el pajarillo y el arco iris se asemejan en su "inocencia", sino que nuestra emoción no precisa siquiera saber *racionalmente,* sino sólo *sentir* que ese par de seres nos parecen iguales porque los dos nos producen ternura. Aun en este caso, la emoción precede al análisis, el cual, igualmente, es lujo innecesario del que podemos prescindir. Una comparación nos pondrá en claro sobre la legitimidad de este nuevo modo de imagen. Pasamos por una habitación que huele a heno, y puede ocurrir que este olor, *sin que sepamos por qué,* nos ponga alegres. Un análisis del hecho nos mostraría acaso, por ejemplo, que en otro tiempo hemos percibido los efluvios del heno en momentos de gozo. El olor y el estado de ánimo placentero formaron en nuestra alma una representación sintética, indivisible, y ahora, al advenir uno de los elementos del conjunto unitario, adviene el otro. Pero esta explicación que doy es ajena por completo a nuestro gozo actual ante el olor del heno, que no la necesita para existir. Nos alegramos sin saber por qué, del mismo modo que al leer :

un pajarillo es como un arco iris

experimentamos la descarga estética sin conocer la causa de que la equiparación entre el pajarillo y el arco iris sea posible. La imagen visionaria es irracionalista, pero no caprichosa. La ausencia de arbitrariedad es en ella tan absoluta como en la imagen de otros tiempos.

Tomemos aún otro ejemplo aleixandrino y examinémoslo en su contextura visionaria. Un instante de "La dicha", poema de *La Destrucción o el Amor,* reza de este modo:

> Tu mentira, catarata de números,
> catarata de manos de mujer con sortijas,
> catarata de dijes donde pelos se guardan...

La amada desamorosa, en cuanto que ella no ama, no comulga con la realidad auténtica del mundo, que es, para Aleixandre, como sabemos, de naturaleza erótica; carecerá, por tanto, de elementalidad, pues los seres elementales, en su concepción, son, por esencia, amorosos. De ahí que esa mujer sea comparada con términos acusadamente artificiosos, tales como "cataratas de dijes donde pelos se guardan", "cataratas de manos de mujer con sortijas". Pero este análisis que acabo de realizar es un análisis *a posteriori,* que precisa el conocimiento de otras composiciones aleixandrinas, y, por supuesto, no necesita realizarlo, no lo realiza, el puro lector de poesía, al enfrentarse únicamente con el pasaje transcrito. Lo que sí percibe ese lector es que la comparación establecida tiende a deprimir a la mujer evocada, o sea advierte su carácter peyorativo. Y si luego se pregunta por qué la imagen le resulta de este modo expresiva, podrá, mediante un sencillo reconocimiento interior, concluir que porque ambos miembros, el plano real y el imaginado (la mujer que miente su ser y los dijes, etc.), coinciden en producirle *una misma impresión* de rechazamiento, de repulsión. Desde esa impresión suya, en efecto, se alza la posibilidad de la imagen. Mas si lleva el análisis a un estrato más hondo (como hicimos nosotros en el caso del pajarillo), llegará a saber que esa impresión de rechazamiento se engendra en el hecho de carecer de frescura natural lo mismo unos dijes guardadores de pelo que una mujer que rehuye la veracidad del sentimiento erótico.

En suma: la semejanza objetiva entre "mujer-mentira" y "catarata de manos de mujer con sortijas", "catarata de dijes donde pelos se guardan" consiste en la ausencia de naturalidad con que ambas realidades se ofrecen. Pero esta semejanza objetiva sólo se nos ha hecho visible a través de un trabajo intelectual, como ya esperábamos. Al leer esos versos aleixandrinos, lo primario fue el fenómeno de nuestra emoción, y sólo posteriormente a ella hemos alcanzado el dispensable conocimiento a que acabo de aludir: que la impresión de repulsión sea la base de la imagen y que la artificiosidad de los términos relacionados haya originado tal impresión.

El carácter irracional de la imagen visionaria y su subjetivismo que en seguida haré ver (y lo mismo diríamos de la visión y del símbolo, que responden a sus mismas características esenciales) nos indican que su aparición en la literatura no podía producirse hasta que hubiera entrado en grave crisis el racionalismo estricto de los siglos anteriores, y hasta que el subjetivismo, cada vez mayor, a partir de Descartes (y no sólo en la filosofía, por supuesto, sino en todas las manifestaciones culturales, ya que quien se ha hecho progresivamente subjetivista es el hombre como tal) hubiese alcanzado un determinado punto culminante [5]. Detengámonos un momento en esto último. ¿En qué sentido la imagen visionaria es fruto del subjetivismo? Veamos: el subjetivismo o idealismo extremado hace que el mundo no importe sino como productor de reacciones psíquicas. Esto es, el mundo como tal desaparece y es sustituido por sus efectos en mí. Como consecuencia, si soy poeta puedo construir una metáfora en que el mundo no cuente, y sí mi emoción ante él. ¿Qué valor tendrá, pues, en tal caso, que A y B (el plano real y el evocado) se parezcan o no? A y B son lo repudiado: el mundo. Sobre el parecido o no parecido de A y B que declaro ininteresante, primarán mis interesantísimas afecciones. Si A y B me producen sentimientos parejos, puedo emparejar a A y B en una ecuación imaginativa, ya que resultan similares en lo que a un campeón del idealismo como yo soy le merece más crédito. La imagen visionaria es, pues, el resultado, no sólo del irracionalismo contemporáneo, sino directamente del subjetivismo. Esto quiere decir que esa imagen es dos veces resultado del

---

[5] Imágenes visionarias, símbolos y visiones los ha habido antes del período contemporáneo, aunque muy esporádicamente. Sin embargo, en este caso las excepciones vienen verdaderamente a confirmar la regla establecida y no a rebatirla. El símbolo y la imagen visionaria son visibles en San Juan de la Cruz, cuya obra, por su carácter místico, es un intento de bucear en lo más oscuro y escondido del alma. La visión, la imagen visionaria, y también el símbolo, se dieron en la lírica y en la fraseología popular, animadas desde siempre por un espíritu alógico. Se produce, como vemos, el fenómeno visionario siempre que un estadio cultural, una escuela, una clase de poesía o un poeta determinado, por uno u otro motivo, se colorea de irracionalismo.

subjetivismo: inmediata y mediatamente, puesto que el irracionalismo, que también la produce, es, a su vez, consecuencia del idealismo subjetivista, como en otro libro intentaré mostrar.

Y lo mismo que en cuanto al irracionalismo la cultura contemporánea no rompe sólo con un breve período anterior sino con toda una era que comienza acusadamente en Descartes y se dibuja más débilmente desde antes del Renacimiento, la nueva imagen (la nueva lírica, diríamos más ampliamente) no rompe sólo con una escuela precedente, sino con todo un vasto período literario que se extiende, aproximadamente, desde el siglo XVI hasta el siglo XIX: en el romanticismo empieza ya a resquebrajarse. De ahí se deduce la trascendental importancia de la poesía contemporánea para la historia de la poesía, y también, como consecuencia, la eminencia de su valor estricto. Pues no es lo mismo seguir (aunque sea con originalidad) caminos tradicionales que tener que trazar los caminos mismos. En igualdad de condiciones, la cantidad de empuje creador que el poeta contemporáneo ha precisado poner en actividad es necesariamente mayor, y ello influye correlativamente en nuestro aprecio estético, una vez llegada la hora del juicio crítico.

IMÁGENES VISIONARIAS EN
EL LENGUAJE COLOQUIAL

En un conocido ensayo, Ortega se propuso investigar la imagen poética contemporánea. De su análisis extrajo la consideración de un proceso, cuyo inicio supone en Mallarmé, según el cual, el parecido objetivo entre los dos planos metafóricos va haciéndose cada vez más tenue y remoto, hasta un punto en que el "control" del lector, dice, se aniquila, y éste deja de percibir la semejanza. Si ello fuese verdad, o mejor, toda la verdad, los poetas contemporáneos hubiesen incurrido en error gravísimo, en arbitrariedad y aberración. Pero como sabemos, las cosas son otras, aunque la observación de Ortega se base, muy parcialmente, en un hecho cierto. Lo que Ortega no vio es que el creciente distanciamiento y disimilitud entre los objetos comparados iba siendo sustituido por otro género de equivalencias, perfectamente legítimas y experimentables: las del efecto producido en el lector por los términos equiparados. La imagen visionaria, lejos de ser fruto de un capricho incontrolable, resulta una genial innovación. De ningún modo es menos humana ni natural (permítaseme el uso de tan dudosa expresión) que la utilizada tradicionalmente. La prueba de esa "naturalidad" y "humanidad" (si fuese necesario probar algo en sí mismo evidente) la hallamos en el hecho de que ese mismo tipo metafórico es utilizado por el hombre precisamente cuando el hombre se manifiesta con más espontaneidad: en el lenguaje coloquial y en el sueño, e incluso, a veces, en el lapsus linguae. Véamoslo.

Todos hemos escuchado en boca de españoles, siempre tocados de terribilidad sexual, esta frase alucinante: "Fulana está como un tren". A un soldado le oí la siguiente pregunta retórica, dicha como "piropo", al paso de una esbelta muchacha: "¿dónde vas, camión?". En ambos casos se trata de imágenes visionarias en estado puro. Una guapa chica, en principio y de modo directamente apreciable, no se parece nada a un "tren" o un "camión", como un "pajarillo" no se parecía nada, en ese mismo sentido, a un "arco iris". Pero a ciertos compatriotas nuestros, por lo visto, el tránsito de la gracia femenina les produce un *efecto* que por su maximalismo se asemeja al que un tren o un camión les suscita. Obsérvese que también aquí, como en los casos antes citados de poetas contemporáneos, la ecuación metafórica se basa en la emotividad y no en la similitud objetiva, pues ésta sólo sirve de medio, imperceptible, además, por lejana y mínima, para el logro de aquélla. Lo que un "camión" o un "tren" tengan de común con una linda muchacha es, en efecto, tan remoto y minúsculo que incluso se resistiría a un análisis que no sea escrupuloso y bien encauzado. Intentémoslo. De esa mujer ¿qué es lo que produce la fuerte impresión susomentada? ¿Y qué de ese tren o camión? Evidentemente, en la primera interrogante se trata de la *gran* belleza; en la segunda, de la *gran* aparatosidad y concomitancias sonoras (ruido, etc.). El punto de coincidencia aparece, pues, en el adjetivo de cantidad y consiste en *grandeza*. Pero como la grandeza en ambos casos se refiere a cosas tan discrepantes entre sí, el elemento comunitario, tapado por la discrepancia misma de los objetos en relación, se echa de ver menos aún que en los otros ejemplos visionarios, antes aducidos. Diríamos que es más visionario todavía, más valiente y "avanzado" que ellos, y tanto como el que más lo sea. Cuando Vicente Aleixandre escribe:

Águilas como abismos,
como montes altísimos,

crea dos imágenes muy semejantes a las coloquiales de que hicimos
mención. También aquí la relación "águilas-abismos", "águilas-montes
altísimos" se fundamenta sólo emotivamente, porque el parentesco
objetivo no comparece en la intuición lectora de modo inmediato, sino
sólo por implicación, que únicamente un análisis extraestético reve-
laría. Partamos de la percepción intuitiva. Tal como la palabra "águila" se nos da en el contexto, suscita en mí una impresión de fuerza
y energía que se parece a la que me suscita el vocablo "abismos", o
la expresión "montes altísimos". *Detrás* de esa impresión, que es lo
único que cuenta en la creación y en la lectura, se halla el parecido
objetivo, como un soporte no inteligible de la emoción. Quiero decir
que ese soporte, aunque invisible, permite el montaje emocional, y
sin él éste no se daría. ¿En qué se asemejan objetivamente un águila
y un abismo, o un águila y un monte altísimo? El águila tiene vigor
grande, y el abismo o el monte altísimo, por su magnitud, tienen
asimismo grandeza. Se trata, pues, exactamente de lo mismo que veíamos en el caso coloquial anterior. Lo curioso es que el soldado que
llama "camión" a una muchacha que le gusta, o la persona que dice
de Carmen "que está como un tren", puestos frente a los dos versos
aleixandrinos que hemos comentado, probablemente los declararían
incomprensibles. Así de sorprendentes somos los hombres.

UNA IMAGEN APOYADA SOBRE UNA
REALIDAD A INTENSIFICA CUALIDADES
DE UNA REALIDAD DIFERENTE A'

En otros momentos la peculiaridad de las imágenes visionarias y
concretamente de las aleixandrinas se agudiza al separarse de las tradicionales en otro importante pormenor (pero, repito, esto último sólo
en ocasión más bien rara): fijémonos en que, normalmente, las imágenes —incluyendo no sólo las clásicas, sino también la mayoría de
las rastreables en el autor de *Espadas como Labios*— sirven para destacar una determinada cualidad *del plano real respectivo.* Si Góngora
denomina "oro" al cabello de una muchacha, concede al color de *éste*

importancia singular. De igual modo si Aleixandre llama "catarata de números" a una mujer, está aludiendo por implicación emotiva, como sabemos, al desamor que en esa mujer ha sentido. Sin embargo, no siempre en nuestro poeta ocurre esto. Hay ocasiones en que Aleixandre trastorna radicalmente el sistema heredado, aun en este aspecto tan restringido, y la finalidad de algunas de sus imágenes no es ya ésa, sino otra : el deseo de resaltar vivamente cierta cualidad poseída *por un objeto distinto del verdadero plano real.* Pongamos un ejemplo muy claro.

El poeta quiere expresar la poderosa fuerza de las águilas :

> Las alas poderosas
> rompen el viento en mil pedazos,
> mármol o espacio impenetrable...

> ("Las águilas", de *La Destrucción*
> *o el Amor.*)

Vicente Aleixandre asigna aquí al viento una imagen aparentemente disparatada : "mármol". El espacio queda entonces visto como "impenetrable", calificativo que sería extravagante si no tuviese una misión muy importante que cumplir : hacer que la fuerza de las águilas se destaque con violentísima intensidad. Si el espacio es marmóreo, impenetrable, y, sin embargo, el furor aquilino puede romperlo en mil pedazos, es que esas aves poseen poderes casi míticos. Es evidente, pues, que el autor de *La Destrucción o el Amor* ha aplicado al viento la imagen "mármol" no para realzar ninguna propiedad del viento (plano real A), sino para intensificar determinada condición de una realidad diferente A' : la fuerza de las águilas.

DESARROLLO ALEGÓRICO DE UNA IMAGEN TRADICIONAL Y DESARROLLO NO ALEGÓRICO DE LAS IMÁGENES VISIONARIAS. IMÁGENES VISIONARIAS CONTINUADAS

Veamos ahora lo que pasa cuando una imagen visionaria se desarrolla, haciéndose así "continuada" (a veces a lo largo de todo un poema) y la diferencia entre este desenvolvimiento y el analítico de una imagen tradicional.

La imagen tradicional, como es sabido [6], se desarrolla alegóricamente. Quiero decir que si el plano imaginario B se descompone en sus elementos b_1 b_2 b_3... b_n, su correlativo plano real A debe igualmente descomponerse en otros tantos elementos a_1 a_2 a_3... a_n, en correspondencia matemática y miembro a miembro, de forma que a_1 se relacionase con b_1; a_2 con b_2, a_3 con b_3; a_n con b_n. Tradicionalmente se reservaba el nombre de alegoría a una imagen como la descrita cuando ocupaba la totalidad de un poema. Pero este carácter exhaustivo no es esencial, a mi juicio, y nosotros podemos prescindir, por tanto, de tal exigencia, y llamar alegoría a una imagen, aunque no cubra la totalidad de un poema, si en su desarrollo mantiene la correspondencia término a término entre el conjunto evocado y el real. Y así será en nuestra nomenclatura alegórico el siguiente pasaje de Góngora:

> Sobre trastes de guijas
> cuerdas mueve de plata
> Pisuerga hecho cítara doliente,
> y en robustas clavijas
> de álamos los ata
> hasta Simancas que le da su puente,

puesto que cada ingrediente de la realidad A (río Pisuerga) queda traducido a otro de la evocación B, cítara: guijas (a_1) = trastes (b_1); corriente del río (a_2) = cuerdas de plata del instrumento (b_2); álamos (a_3) = clavijas (b_3); puente de Simancas del río (a_4) = puente de la cítara (b_4).

Frente a este tipo tradicional de desarrollo imaginativo o alegoría se viene a situar el desarrollo no alegórico de la imagen característicamente contemporánea. La novedad consiste en que ahora el plano real A no reacciona frente a la proliferación b_1 b_2 b_3... b_n del plano imaginario B emitiendo, a su vez, términos a_1 a_2 a_3... a_n correlativos

---

6 Véase Dámaso Alonso, *La poesía de San Juan de la Cruz*, Consejo Superior de Investigaciones Científicas, Instituto Antonio de Nebrija, Madrid, 1942, págs. 215-217.

a aquéllos; antes, estos elementos b_1 b_2 b_3... b_n se justifican exclusivamente como emanación de B. Quiero decir que cuando el lector encuentra en la esfera de evocación B esos términos b_1 b_2 b_3... b_n, no debe buscar en la realidad A el soporte realista a_1 a_2 a_3... a_n que les dé curso legal. Los legaliza B, o si queremos mayor rigor, los legaliza la emoción Z en que A y B coinciden, y por la que, a su vez, esos miembros A y B han podido ofrecerse en ecuación:

En efecto, los ingredientes b_1 b_2 b_3... b_n sirven para reforzar la impresión Z en que suponemos coincidentes a A y B. Advierto que este tipo de desarrollo visionario puede afectar también, durante el período contemporáneo, a las imágenes tradicionales en que a veces recaen nuestros poetas del siglo XX. De este modo, esas imágenes, al visualizarse en su desarrollo, abandonan de hecho su "tradicionalidad" adquiriendo la plasticidad que caracteriza a la nueva imaginería.

No encuentro desarrollos visionarios de la imagen ni en Rubén Darío ni en Machado. Sólo a partir de la obra de Juan Ramón Jiménez son hallables. En Aleixandre su uso halla ejemplar perfección. Véase:

Miré tus ojos sombríos bajo el cielo apagado.
Tu frente mate con palidez de *escama*.
Tu boca, donde un borde morado me estremece.
Tu corazón, inmóvil como una piedra oscura.

Te estreché la cintura, fría culebra gruesa que en mis dedos resbala.
Contra mi pecho cálido sentí tu paso lento.
Viscosamente fuiste sólo un instante mía,
y pasaste, pasaste, inexorable y *larga*.

Te vi después, tus dos ojos brillando
tercamente, tendida sobre el arroyo puro,
beber el cielo inerme, tranquilo, que ofrecía
para tu *lengua bífida* su virginal destello.

> Aun recuerdo ese brillo de tu testa sombría,
> negra magia que oculta bajo su crespo acero
> la luz nefasta y fría de tus pupilas hondas,
> donde un hielo en abismos sin luz subyuga a nadie.
>
> A nadie. Sola, aguardas un rostro, otra pupila,
> azul, verde, en colores felices que rielen
> claramente amorosos bajo la luz del día,
> o que revelen dulces la boca para un beso.
>
> Pero no. En ese monte pelado, en esa cumbre
> pelada, están los *árboles pelados que tú ciñes.*
> ¿Silba tu boca cruda, o silba el viento roto?
> ¿Ese rayo es la ira de la maldad, o es sólo
> el cielo que desposa su fuego con la cima?
>
> ¿Esa sombra es tu cuerpo que en la tormenta escapa,
> herido de la cólera nocturna, en el relámpago,
> o es el grito pelado de la montaña, libre,
> libre sin ti y ya monda, que fulminada exulta?

Aleixandre, a lo largo de todo el poema, ve como "serpiente" (B) a una mujer (A). Tal imagen sería tradicional si hallase origen en el hecho de que la mujer en cuestión fuese "mala" y se asemejase así objetivamente a la "serpiente", que es igualmente perversa. Pero no es ése, a todas luces, el sentido de la composición aleixandrina. Aleixandre denomina "serpiente" (B) a la protagonista de su poema (A) no porque ambos seres se parezcan *objetivamente* en la maldad, sino porque ambos le inspiran un *sentimiento* Z de repudio. El parecido objetivo entre A y B (a_1 a_2 a_3) no asoma, pues, en la conciencia del lector, sino sólo, si acaso, accidentalmente, en la conciencia de quien se ocupa en la labor estraestética de escrutar sus impresiones tras la lectura; la mujer de que se trata no ama, y, por tanto, desde la concepción aleixandrina del mundo no tiene realidad verdadera: su realidad, al ser meramente aparencial, resulta negativa (a_1) y en consecuencia execrable, como lo es la serpiente, a causa de la negatividad de otro orden (a_1) que constituye su ser, cuando mirado por el hombre. Pero, repito, esta remota semejanza objetiva ("negatividad") no cuenta en el momento de leer el poema, pues que no se percibe. Lo que se percibe, y únicamente con la sensibilidad, es el parecido emocional: la imagen es, por tanto, visionaria, como empecé por sentar.

Pero lo que me importa destacar en el presente análisis no es eso, ya que como he dicho hace poco, nada impediría que una imagen tradicional recibiese en nuestro siglo un desarrollo visionario. Lo que nos interesa es, pues, esto último: hacer ver cómo, en efecto, la imagen "serpiente" se desarrolla visionariamente, al descomponerse en unos elementos b_1 b_2 b_3... b_n (escamas, b_1, viscosidad, b_2, grosor, b_3, largura, b_4, lengua bífida, b_5, árboles pelados que la serpiente ciñe, b_6, etc. [7]), que miembro a miembro no tienen traducción distinta en el plano real, sino que se justifican exclusivamente en el plano evocado "serpiente", o mejor dicho aún, en la emoción Z de repulsión que esa "mujer" y esa "serpiente" inspiran al poeta: y así, la viscosidad, la lengua bífida, etc., del animal refuerzan, evidentemente, la repulsión. De otro modo: cuando el poeta dice que la serpiente (B) es larga (b_4) no significa que la mujer A sea alta; cuando expresa que la serpiente es gruesa (b_3) no pretende dar a entender que la mujer sea gorda; cuando asegura que tal animal posee lengua bífida (b_5) no insinúa que su correlato femenino sea suelto de palabra y que la ejercite en calumniar al prójimo, etc. Con esas notas que a la serpiente se atribuyen no se dice, en suma, nada de la mujer, sino exclusivamente de la serpiente, y su finalidad estética no es otra que producir en el lector un más agudo sentimiento de repugnancia (Z) con respecto a la protagonista del poema.

LA VISIÓN

Hasta aquí no hemos hecho otra cosa que encarar la imagen tradicionalmente usada con una de las especies que privan en la lírica "contemporánea". No pensemos, sin embargo, que el repertorio metafórico actual se agota en la imagen visionaria. Queda afirmado más arriba que en los versos contemporáneos son discernibles otras dos operaciones imaginativas tan importantes estadísticamente como aquélla: el símbolo y la visión.

---

[7] Asigno esos términos algebraicos a los sucesivos elementos de la imagen algo arbitrariamente, pues no son sólo 6 los términos b del plano evocado.

La fisonomía de este último fenómeno, analizado por mí en otra parte, es enteramente peculiar, hasta el punto de parecernos la visión un hecho difícilmente clasificable como metáfora. Si llamamos metáfora únicamente a la superposición o yuxtaposición de dos *seres* dispares que el poeta confunde en uno sólo, la visión, evidentemente, no es una metáfora. En la visión no encontramos ya un plano real sobre el que otro, evocado, se cierne. No podemos realizar una *traducción,* como en cierto sentido resultaba hacedero en la imagen tradicional y en la que hemos llamado visionaria. Del mismo modo que cuando Góngora decía "oro" nosotros interpretábamos "cabello rubio", un poeta contemporáneo podía aludir a un arco iris para hablarnos de un pajarillo. En ambos casos, bajo la diversa clase de imagen, existe una esfera de realidad. Tal esfera no existe en las visiones, donde veo la simple *atribución de cualidades o de funciones irreales a un objeto.* A partir de Bécquer, en cuyas rimas comienza a manifestarse [8], la visión se instaura en la poesía española, y su abundancia se vuelve característica en el segundo Juan Ramón Jiménez y más aún desde los alrededores de 1925, sobre todo en la escuela de aproximación "suprarealista". Cuando el autor de *Sombra del Paraíso* se dirige a un ser humano diciéndole:

Sí, poeta; arroja de tus manos este libro que pretende encerrar en
sus páginas un destello de sol,
y mira la luz cara a cara, apoyada la cabeza en la roca,
mientras tus pies remotísimos sienten el beso postrero del poniente,
y tus manos alzadas tocan dulce la luna
y tu cabellera colgante deja estela en los astros [9],

nos ha introducido una típica figuración de ese orden. Es una visión porque el poeta concede a un objeto real (cuerpo humano) cualidades que no puede poseer (tamaño cósmico), sin que esa fantasía (persona de dimensiones más que gigantescas), a distancia de lo que ocurre en los otros tipos de imagen, encubra ninguna esfera de realidad. Es ella misma una realidad tocada de algunas propiedades irreales. No es máscara bajo la cual se esconde un rostro de perfil diferente, sino que

---

[8] La visión fue usada antes en la poesía popular. Véase mi libro ya citado, pág. 144.
[9] "El poeta", de *Sombra del Paraíso.*

se trata del mismo rostro real, bien que deformado en alguno de sus elementos. Tal es muchas veces la causa de que a un lector no avezado pueda resultarle ininteligible la poesía "contemporánea". Busca una traducción para las visiones, un objeto real, distinto, al que referirlas. Es éste un simple error de enfoque, provocado por la costumbre de leer la poesía de escuelas anteriores.

Pero si debajo de una visión no hay un objeto real, habrá, sin duda, *algo* real que la justifique, pues el hombre sólo está interesado en la realidad, y nunca en lo irreal puro, que le es, por absurdo, inexpresivo. Lo irreal sólo cuando sirve de medio para expresar indirectamente lo real se halla en condiciones de adquirir aptitudes poéticas. Ha estado, sin embargo, de moda entre críticos y teóricos de la poesía contemporánea creer que la irrealidad en sí misma puede ser estéticamente interesante. Pero como ello no es verdad, lo que llamamos visiones han de querer decir algo, y algo posible en el mundo humano auténtico. Ahora bien: ese algo que quieren decir lo quieren decir de un modo tan especial que ello ha dado pie a los equívocos irrealistas a que acabo de referirme. En efecto: en las visiones, la cualidad o función irreal b que atribuimos al objeto real A es, en principio y exclusivamente, un aparato de afecciones, pues tiene como única misión la de producir en mí una impresión Z, único dato que mi intuición lectora contiene. Pero si b, el elemento irreal, puede emocionarme de ese modo Z se debe a que el objeto real A posee *de veras* ciertas cualidades a_1 a_2 a_3... que suscitan en mí la misma emoción Z que me suscita b. En suma: el poeta ha atribuido a A la cualidad o función irreal b porque desde el punto de vista subjetivo, o sea, desde la emoción recibida Z, tanto da mentar b como mentar el complejo calificativo o funcional a_1 a_2 a_3..., de que verdaderamente el objeto A es portador [10]. Digamos, aunque sea de paso y entre parén-

---

[10] El caso que acabo de presentar en el texto anterior es, y de modo abrumador, el más frecuente. Pero no siempre las visiones tienen esa finalidad. En alguna ocasión Aleixandre colorea con una cualidad irreal a un objeto A para dar relieve, no a éste, sino a un objeto distinto A'. Véase como ilustración clara de lo dicho la visión que se extiende a través de todo el poema titulado "Las manos", que tomo de *Sombra del Paraíso*:

Mira tu mano que despacio se mueve
transparente, tangible, atravesada por la luz,

tesis, que las visiones, como las imágenes visionarias, sólo se han hecho, pues, posibles en un instante cultural de signo marcadamente subjetivista, en que lo de menos sea el mundo objetivo (*A* con cualidades que no son *b*) y lo de más la impresión que ese mundo produzca en mí (*Z*). Mas volvamos a nuestra cuestión.

Si *b*, la cualidad irreal, es atribuida a *A* en cuanto que *A* tiene de veras el conglomerado de propiedades a_1 a_2 a_3..., no hay duda de que *b* *representa* a ese conglomerado, o sea, que lo *expresa* implí-

---

hermosa, viva, casi humana en la noche.
Con reflejo de luna, con dolor de mejilla, con vaguedad de sueño,
mírala así crecer mientras alzas el brazo,
búsqueda inútil de una noche perdida,
ala de luz que cruzando en silencio
toca carnal esa bóveda oscura.
No fosforece tu pesar, no ha atrapado
ese caliente palpitar de otro vuelo.
Mano volante, perseguida: pareja.
Dulces, oscuras, apagadas, cruzáis.

Sois las amantes vocaciones, los signos
que en la tiniebla sin sonido se apelan.
Cielo extinguido de luceros que, tibio,
campo a los vuelos silenciosos te brindas.
Manos de amantes que murieron, recientes,
manos con vida que volantes se buscan
y cuando chocan y se estrechan, encienden
sobre los hombres una luna instantánea.

Es evidente que a la realidad *A* ("manos de un muerto") se le conceden funciones irreales (volar cruzando el espacio en busca de su pareja amante). Si quisiéramos explicarnos la fuente de tan extraña fantasía, tendríamos que consultar previamente nuestra sensibilidad. ¿Qué es lo que hemos sentido al leer la pieza transcrita? El poeta ha manifestado en ella el poder inherente a lo erótico, puesto que ese poder actúa aun cuando la vida de quien lo padece se haya extinguido. Por tanto, la facultad irreal (volar) asignada al objeto *A* (mano) no pone de relieve las propiedades de éste, sino las de una realidad distinta *A'* (la fuerza del amor).

Éste es el caso simétrico al que vimos en el ejemplo de las águilas comentado en la pág. 161. Allí la imagen "mármol" encubría a "viento", no para intensificar ninguna cualidad de "viento" (como hubiese sido lo normal), sino para dar realce, paralelamente a lo que aquí ocurre, a cierta cualidad de un objeto diferente *A'*.

citamente a través de sus resultados afectivos Z. El análisis de Z, pues, nos lo descubrirá, de un modo característicamente borroso e indeterminado, como luego diré. Pero fijémonos bien en esto: la congregación a_1 a_2 a_3 no aparece en Z de modo evidente; al revés, está tapada por la propia emoción Z, oculta en su interior; en otros términos: está *implicada* en Z, metida en su cerrada *plica*, invisible por tanto. De ahí que sea necesario el análisis si, llevados por una curiosidad extrapoética, deseásemos conocer la justificación en la realidad A del término irreal b. El elemento irreal b expresa, pues, algo real: a_1 a_2 a_3... Pero, como adelantábamos, tal expresión se produce de un modo muy particular, que ha inducido a graves errores interpretativos. En efecto: el ingrediente real a_1 a_2 a_3..., justificativo del irreal b, no es inmediatamente perceptible en nuestra intuición Z. Desde el punto de vista de ésta, que es lo único de que el lector tiene noticia clara, *no existe*, puesto que no se le *ve*. Nos explicamos que, equivocándose, tantos críticos negasen su existencia. Pero si en nuestra intuición no aparece la serie a_1 a_2 a_3... ¿qué función *estética* cumple tal serie? Una función esencial: permitir que b nos mueva a la intuición o emoción Z, pues sin la apoyatura real a_1 a_2 a_3..., b sería experimentado como absurdo. Usando la terminología de mi *Teoría de la expresión poética*, diré que a_1 a_2 a_3... permite el *asentimiento* a b.

No sé si el lector habrá podido seguir con facilidad las anteriores reflexiones, tal vez demasiado abstrusas. Descendamos a ejemplos concretos. Cuando leemos el pasaje aleixandrino arriba transcrito:

> Sí, poeta; arroja de tus manos este libro que pretende encerrar en
>   sus páginas un destello de sol,
> y mira la luz cara a cara, apoyada la cabeza en la roca,
> mientras tus pies remotísimos sienten el beso postrero del poniente,
> y tus manos alzadas tocan dulce la luna
> y tu cabellera colgante deja estela en los astros.

recibimos una impresión Z de grandeza, originada en la cualidad irreal b, desmesura física, que se atribuye al objeto real A, un cierto hombre, puesto en comunicación con lo natural. De esa intuición o impresión Z de grandeza no pasaremos, en tanto que seamos sólo lectores. Para avanzar hacia un más allá especulativo y ya no estético, debemos dejar de ser lectores propiamente tales y convertirnos en otra cosa: en críticos. Esto es, debemos separarnos de nuestra intuición, extrañarnos de ella y examinarla, desde fuera, como algo ajeno a nosotros. Entonces es cuando ha sonado la hora de contemplar al tamaño cósmico (b) de un cuerpo humano como expresivo de algo (a, ...) realmente poseído por ese cuerpo (A). Entonces y sólo entonces nos damos cuenta de que la desmesura física (b) representa la grandeza espiritual (a) de quien "apoyada la cabeza en la roca" comulga así con la naturaleza. En este ejemplo, la cualidad atribuida, b (tamaño cósmico), se conexiona, al menos en nuestra formulación, con una sola cualidad real a (fuerza de un espíritu). Pero generalmente no ocurre así, y por eso en el esquema anterior hablé de un conglomerado a_1 a_2 a_3... y no de un solo término a. Aduzcamos un ejemplo claro de ello, tomado también de la obra aleixandrina. En el Paraíso:

> los hombres por un sueño vivieron, no vivieron,
> eternamente fúlgidos como un soplo divino.

A un cuerpo humano A el poeta le concede aquí una cualidad irreal b, la fulguración. "Hombres fúlgidos" es así una visión, que me impresiona de un modo Z: Ante esos cuerpos experimento, digamos, admiración. Ahora bien: como lector, esto es, intuitivamente, no puedo saber más. Ignoro por qué el poeta dice de esos cuerpos que fulgen. No me ocurre aquí lo que me ocurría en la imagen tradicional, cuando ante el plano evocado B, oro, yo sabía muy bien (y necesitaba saberlo para emocionarme) que con esa irrealidad se pretendía dar a entender lo rubio de un color. Aquí, por el contrario, *no sé*, de buenas a primeras, lo que la expresión irreal "fúlgidos" signifique y tenga dentro de sí; no veo, sin más ni más, las cualidades a_1 a_2 a_3... de que esos cuerpos son indudablemente portadores. Si quiero penetrar hasta esa base real oscurecida y taponada debo, como dijimos ya, abandonar el acto estético y analizar nuestra intuición. Hagámoslo. ¿Qué cualidades reales de esos cuerpos me producirían ese mismo efecto Z de admiración que advierto en mí al imaginar unos cuerpos fúlgidos? Y es ahora, tras esta pregunta y el consiguiente análisis, cuando nos damos cuenta de que el brillo perenne está condensadoramente reflejando varias cualidades *meliorativas* de esos cuerpos, cualidades que *groseramente* inferiríamos como una dulce felicidad (a_1), una prístina, inagotable inocencia (a_2), una gloriosa juventud (a_3) y belleza (a_4), etc. La emoción que despierta en nosotros ese fulgor corpóreo se aproxima, en efecto, a la que tales condiciones en su conjunto acarrean.

Pero añadamos algo esencial, sólo apuntado, y muy de pasada, más arriba. En las visiones, el complejo real a_1 a_2 a_3... que implícitamente se mienta con la cualidad o función irreal *b* no sólo no aparece inmediatamente en la intuición, tal como queda dicho, sino que tras el análisis extraestético tampoco asoma con claridad, sino con una confusión, borrosidad e indeterminación que son absolutamente características. Repásense los casos anteriores para comprobarlo. O este otro, de una pieza que se titula "El poeta":

Para ti que conoces cómo la piedra canta.

¿Qué significa Aleixandre en este verso al decir visionariamente que *A*, "la piedra", "canta", *b?* Como en los otros ejemplos, no lo sabemos de inmediato, y sólo podremos alcanzarlo a través del análisis de la emoción *Z* que experimentamos. *Como esa emoción tiene signo positivo,* las cualidades reales a_1 a_2 a_3... de la piedra que así se sugieren *serán positivas también.* En rigor, apenas podemos añadir nada más a este resultado, pues todo lo que digamos por encima de ello amenaza con ser una "exageración", todo lo leve y hasta necesaria que se quiera, de lo que, en efecto, se implica en nuestra intuición lectora. Pero decididos a traicionar así lo que en verdad nos es dado, especificaríamos algo más, pues conociendo la obra completa de Aleixandre, esa traición deja de serlo, en cierto modo. Y así concluiremos que el cántico de la piedra expresa difuminada, "inconfesablemente", su naturalidad o elementalidad (a_1), sentida como algo altamente valioso.

Resumiendo todo lo anterior: las visiones se caracterizan por tres notas fundamentales: 1.ª La cualidad irreal *b* aparentemente no pretende sino impresionarnos de un modo *Z,* de manera que, a primera vista, se trata de una pura irrealidad que, no sabemos cómo ni por qué, resulta emocionante, esto es, poética. De esta primera propiedad de las visiones viene, como he insinuado, el error de creer que ciertas expresiones de la poesía contemporánea sólo tienen sentido poético, no reducible a lenguaje discursivo. 2.ª Pero un análisis de nuestra emoción, y a posteriori, por tanto, de ella, descubre siempre un lazo entre lo irreal b y ciertos ingredientes reales a_1 a_2 a_3... de A. 3.ª Mas esos ingredientes no aparecen nítidamente en el análisis, sino con una difuminación o imprecisión que justamente caracterizan a las visiones. Quiero decir que donde no se da esa niebla y percepción brumosa no hay visión, aunque formalmente parezca ésta existir. Por ejemplo, si yo digo "mano nívea" atribuyo a "mano" una cualidad irreal, ser "nívea". Pero eso no es visión, sino metáfora tradicional, porque el significado real del término "nívea", adjetivo irreal cuando aplicado a "mano", 1.º comparece en la impresión lectora misma, sin análisis, y ello tan esencialmente que tal comparecimiento es condición sine qua non del goce estético. (Y así no nos emocionamos si no sabemos sin ninguna vacilación que "nívea" alude claramente a la extremada blancura de esa mano.) Y 2.º no hay, pues, vaguedad en lo que "nívea" quiera decir de "mano", al contrario de lo que pasa en las auténticas visiones.

Ahora bien: hay un caso en que las visiones pierden ese peculiar desdibujamiento de su significado "realista": cuando se lexicalizan, esto es, cuando entran en el lenguaje ordinario, convertidas en dichos. Pues hay que advertir que aunque las visiones son propias de la poesía culta contemporánea, como fruto de su irracionalismo y subjetivismo, se han dado, en otra proporción, siempre que un ámbito semejante no racional las ha podido cobijar y alentar. Así, en la poesía popular [11], que siempre ha tenido una dimensión irracionalista; o en el lenguaje coloquial, por el mismo motivo. Pongamos un ejemplo diáfano de esto último, y comprobemos cómo, al lexicalizarse, las visiones pierden su carácter de tales, justamente al perder la indeterminación significativa. Todos hemos oído hablar de que cierta mujer va vestida con "colores chillones". Los colores no chillan. "Colores chillones" es así una visión, concretamente, una sinestesia. (Aprovecho la oportunidad para aclarar que todas las sinestesias son casos particulares de visiones, pero sólo eso. Quiero decir que las visiones son un fenómeno de mucha mayor amplitud. La crítica conocía la particularización "sines-

---

[11] Véase en la pág. 183 de este libro una canción popular montada sobre una visión.

tesia" del fenómeno, pero no el fenómeno mismo: ni en cuanto a su vastedad, ni, lo que importa más, en cuanto a su estructura.) Sigamos. ¿Qué quiere decir "colores chillones?" La respuesta *no se hace esperar* y es, además, *contundente:* "colores chillones" significa "colores vivos", o mejor, sobre todo en su origen, "colores vivos e inarmónicos". La lexicalización, evidentemente, ha privado a esta visión de sus tres características esenciales, más arriba anotadas, pues en la conversación no usamos en principio las palabras para provocar vagas emociones, sino para decir algo concreto. Pero justamente lo palmario que se hace aquí el significado "realista" de ese irreal "chillido" muestra con bulto mayor la verdad antes enunciada sobre el trasfondo de significación últimamente real que toda visión tiene. Porque la primera vez y sólo la primera vez que alguien dijo "colores chillones" se expresó "visionariamente" (como pasa también en la frase: Juana está "como un tren"). Y en tal circunstancia, quien oyó esa creación idiomática podría haber hecho el siguiente análisis, idéntico en su formato a los nuestros anteriores: "El chillido *(b)* produce en mí una impresión desagradable *(Z)*, que es la misma que ciertas cualidades de tales colores me causan. Yo no sabría decir sin análisis cuáles son esas cualidades; pero realizado éste las encuentro, aunque de un modo vago: se trata de cualidades con una negatividad del mismo tipo que el poseído por el chillido. Digamos, *algo así como* viveza *(a₁)* y falta de armonía *(a₂)*".

Nada de esto necesita *esforzadamente* decirse quien hoy escucha tal frase, porque al ser usada ésta como un tópico, y por tanto, con intenciones "representativas" (Bühler), conceptuales, ha necesitado concretar y sacar a un primer plano ese sentido último que al comienzo sólo existía, no sólo *implicado,* sino además de forma sumamente inconcreta, una vez extraído de su *plica* o *explicado.* Todo esto quiere decir que "colores chillones" fue una visión y ha dejado de serlo, como "reanudar" fue y ya no es, de hecho, metáfora. Y de nuevo nos sale al paso la paradoja: personas sin costumbre lectora de poesía contemporánea, que entienden perfectamente y emplean el giro "colores chillones", pueden extrañar y declarar acaso hermético el verso de Jorge Guillén:

carmines cantan: nubes,

que posee, no obstante, en principio idéntica configuración y "extrañeza". La "canción" (*b*) de esos "carmines" (*A*) despierta en mí un agrado entusiasta (*Z*), a cuyo través puedo entrar analíticamente del modo que sabemos, hasta hallar las cualidades reales de tales colores, a las que el poeta *irracionalmente* alude: belleza (a_1), armonía (a_2), viveza (a_3), etc.

Después de separar con todo cuidado los conceptos de imagen visionaria y de visión, he aquí que hemos llegado a un punto en que ambos fenómenos coinciden: si la imagen visionaria nace de la semejanza en el sentimiento que dos objetos ocasionan, la visión tendrá ese mismo origen. De ahí su parentesco. No hay, pues, una diferencia esencial; la diferencia es sólo de configuración. Mientras en la imagen visionaria (y en la tradicional) un *ser* fantástico desplaza a otro de la realidad (el arco iris al pajarillo, el oro al cabello), en la visión cierta *cualidad* fantástica usurpa el puesto de otra u otras realmente poseídas por el objeto: la altitud física ocupa el lugar de la altitud espiritual, y la luz, el lugar de la belleza juvenil, de la inocencia, de la felicidad, etc., de unos seres.

Esta semejanza fundamental entre la visión y la imagen visionaria se nos hará más evidente aún si pensamos que con frecuencia las visiones pueden transformarse en imágenes visionarias con sólo variar su contextura. En lugar de "hombres fúlgidos", el poeta podía haber dicho "hombres como luces". Imagen tal sería visionaria porque los cuerpos humanos no se parecen en nada material ni espiritual ni de valor a las luces, y sí en algo emotivo: esos cuerpos sugieren en nosotros un sentimiento análogo al que las luces nos despiertan.

EL SÍMBOLO

SÍMBOLOS SIMPLES Y SÍMBOLOS CONTINUADOS

Dentro de la consideración de la imagen contemporánea, únicamente nos resta alcanzar lo que un símbolo sea. Para ello, busquemos un nuevo planteamiento y definición al concepto de símbolo expuesto por Baruzi [12], primero, y después, siguiendo una senda diversa, por Dámaso Alonso [13]. Estos autores sólo contemplaban en el símbolo el porte continuativo que *a veces* puede éste adoptar, y en consecuencia, todo el problema se reducía para ellos a hallar el punto de divergencia entre el desarrollo alegórico y el simbólico. Nuestro enfoque será radicalmente distinto. El símbolo puede, sin duda, ocupar la totalidad del poema o una parte considerable de él (varios versos, varias estrofas); *pero puede también* (y es lo más frecuente) *privarse de tal extensión.* Para nosotros no es, pues, ese hecho (la continuidad) la característica esencial de las figuraciones simbólicas, sino otro más entrañablemente ligado a la naturaleza del símbolo que no consideraron los autores antes aludidos: que en el símbolo el plano real no aparece en la intuición, que es de suyo puramente emotiva, sino en el análisis extraestético de la intuición. Ante un símbolo B nos conmovemos, sin más, de un modo Z, y sólo si indagamos Z (cosa sobrante desde la perspectiva puramente poética o lectora) hallaremos el conglomerado significativo a_1 a_2 a_3 (al que en el símbolo podemos llamar plano real "A"), que antes no se manifestaba en nuestra conciencia por estar implicado y cubierto por la emoción Z de que hablamos. Por eso precisamente he puesto la letra A entre comillas. En suma: la emoción Z que el símbolo B nos causa es envolvente e implicitadora del plano real "A", esto es, del complejo a_1 a_2 a_3. Este complejo, una vez *des-cubierto* en el acto crítico de sajar el núcleo emotivo Z, no lo percibimos tampoco de un modo claro, sino esencialmente confuso. De esta lucubración puramente teórica y como fantasmal descendamos a lo concreto. En un pasaje aleixandrino que ya nos es familiar se nos habla de un ser humano que sediento de confusión con lo absoluto de la materia se arroja al mar desde una roca:

> Yo os vi agitar los brazos. Un viento huracanado
> movió vuestros vestidos iluminados por el poniente trágico.
> Vi vuestra cabellera alzarse traspasada de luces,

---

[12] Jean Baruzi, *Saint Jean de la Croix et le problème de l'expérience mystique*, 1.ª ed., París, 1924; 2.ª ed., 1931, pág. 223.

[13] Dámaso Alonso, *La poesía de San Juan de la Cruz*, Consejo Superior de Investigaciones Científicas, Instituto Antonio de Nebrija, Madrid, 1942, páginas 215-217.

y desde lo alto de una roca instantánea
presencié vuestro cuerpo hendir los aires
y caer espumante en los senos del agua:
vi dos brazos largos surtir de la negra presencia
y vi vuestra blancura, oí el último grito
cubierto rápidamente por los trinos alegres de los ruiseñores del fondo.

("Destino trágico", de *Sombra del Paraíso*.)

Esos alegres "ruiseñores del mar" son evidentemente simbólicos. Pero, según decimos, el lector no puede saber de manera inmediata e intuitiva lo que un símbolo, en este caso los "ruiseñores" marinos (*B*), simboliza o representa. Lo que sí percibe de ese modo es únicamente la emoción *Z* provocada. Aquí se trata, por ejemplo, de un sentimiento como de gloriosa alegría (*Z*). Cuando nuestro ánimo es el de meros lectores no nos paramos a pensar en el sentido (*a₁ a₂ a₃*), desarrollable lógicamente, que tal sentimiento interioriza, cubre y solapa. Pero claro es que ese sentido existe, aunque borroso y subyacente a la emoción, y puede ser alcanzado por punción analítica. Realizada ésta, y precisando lo que es por naturaleza impreciso diríamos que se trata de la triunfal plenitud (*a₁*) de la naturaleza unitaria al recibir en su seno absoluto una criatura que viene a perderse en su total existir; y también, la *gloria* (*a₂*) de esa misma criatura en trance de universal comunión con la materia a la que se incorpora victoriosamente. He ahí, pues, el plano real "*A*" del símbolo de los ruiseñores (esto es, los elementos *a₁ a₂*), teniendo en cuenta que ni aun tras el análisis un plano real simbólico puede delimitarse con la claridad que aquí pedagógicamente le otorgamos. Pues todo símbolo es siempre un foco de indeterminaciones y entrevistas penumbras, cosa en la que el símbolo viene a coincidir con la imagen visionaria y con la visión, que en ello manifiestan pertenecer al mismo linaje de aquél.

En efecto: a través de la descripción que acabo de realizar, los lectores habrán observado el parentesco próximo de las tres especificaciones metafóricas contemporáneas. Las tres se nos ofrecen como meras variantes de un fenómeno único al que daremos el nombre global de fenómeno visionario, por el aspecto plástico que adquiere la imagen cuando desconocemos, o sólo conocemos afectivamente, su última significación. Pues en tal caso, la imagen, que aparentemente no está ya al servicio de un sentido, cobra, aparentemente también, independencia, y nos obliga a mirarla a ella misma, en vez de que a su través miremos ese sentido de que sería portadora. Con más brevedad: en el fenómeno visionario, la materia metafórica ya no es transparente, sino opaca, y por eso se la ve, por eso se visualiza (es visionaria), con característica energía.

Se nos juntan así ya todas las notas que en común posee el trío imaginativo de referencia: opacidad o plasticidad, función intuitivamente sólo emotiva (Z) y borrosidad de los ingredientes razonables $(a_1 a_2 a_3...)$, cuando éstos son extraídos, a través de un análisis extraestético de la masa emocional Z que los oculta y supone. Y ahora veamos las diferencias entre los tres órdenes metafóricos. Lo primero que advertimos es que tales diferencias se ofrecen como puramente instrumentales, en cuanto que son diferencias de medios y no de fines. En la imagen visionaria hay un plano real A y un plano imaginario B, enunciados por el poeta y presentes con nitidez en la intuición ("un pajarillo —A— es como un arco iris" —B—; "águilas —A— como abismos" —B—); en la visión no hay un plano u objeto imaginario B que suplanta a un plano u objeto real A, sino que, como sabemos, se trata de una cualidad irreal b (por ejemplo, "cantar") que se atribuye graciosamente a A (por ejemplo, "la piedra"); en el símbolo, A no aparece en la intuición, sino, repito, en el análisis de la intuición. Más breve: en la visión no hay B; en el símbolo no hay propiamente A; y en la imagen visionaria hay las dos cosas, A y B.

Pero lo importante no es la disimilitud entre las tres variaciones que es sólo formal, sino su coincidencia, que es sustantiva. Para destacar con vigor la sustancial comunidad podríamos decir que en los tres casos hay "simbolización" (así, entre comillas, pero en el sentido técnico y riguroso que atribuimos aquí a esta palabra), ya que en los tres se da: 1.º, un elemento irreal $(B$, en la imagen visionaria y en el símbolo propiamente dicho —al que representaremos sin comillas—; b, en la visión), que, 2.º, suscita un sentimiento Z, dentro del cual, 3.º, implicado e invisible, existe un conglomerado real $a_1 a_2 a_3$, que es lo propiamente "simbolizado", y cuyo carácter, 4.º, consiste en la difusión y bruma con que se ofrece. Y así, en la imagen visionaria, el plano B "simboliza" ciertas cualidades $a_1 a_2 a_3$ del plano A con las que B objetivamente coincide, bien que de modo remoto e imperceptible; en la visión, es la cualidad irreal b la que "simboliza" las cualidades a_1 a_2 a_3 de A; y en el estricto símbolo, B simboliza (esta vez sin comillas) ese mismo conjunto, al que en este caso hemos llamado "A" (entrecomillado, para indicar su implicitación).

Veamos ya en concreto lo "simbólico" y lo "simbolizado" en las frases "un pajarillo es como un arco iris" (imagen visionaria); "la piedra canta" (visión); y "los trinos alegres de los ruiseñores del fondo" (símbolo, sin comillas). En la primera, la expresión "arco iris" (B) "simboliza" la "inocencia" (a_1), la "indefensión" (a_2) y la "gracia" (a_3) del pajarillo (A). En la segunda, la expresión "canta" (b) "simboliza" la valiosa elementalidad (a_1) de la piedra (A). En la tercera, los "ruiseñores" y sus "alegres" "trinos" (B) simbolizan el triunfo y plenitud de la naturaleza unitaria (a_1) y la gloria (a_2) de quien se arroja el mar desde una roca. En este último caso, sabemos que a_1 a_2 a_3 constituyen, en su conjunto, el plano real "A". Afirmemos con fuerza todo esto, pero teniendo muy presente, insisto, que en el fenómeno visionario lo esencial, por ser lo intuitivo e inmediatamente operante, es el elemento emocional Z, aunque, repito, éste deba la posibilidad de su existencia estética a la preñez simbólica que *imperceptiblemente* conlleva.

Retornemos ya al símbolo en su sentido más estrecho. Para ilustrarlo elegí antes, adrede, un ejemplar sin desarrollo, por dos importantes motivos: en primer lugar, por razones estadísticas: los símbolos no continuados son, con mucho, los más frecuentes; y en segundo término, para hacer ver, con claridad y de entrada, que los símbolos no se caracterizan por su continuidad, y por tanto, no tienen por qué ser definidos por la índole de ésta. Pero, naturalmente, el símbolo continuado se produce también. Copio un soneto de Unamuno:

Este buitre voraz de ceño torvo
que me devora las entrañas fiero
y es mi único constante compañero
labra mis penas con su pico corvo.

El día en que le toque el postrer sorbo
apurar de mi negra sangre, quiero
que me dejéis con él, solo y señero,
un instante, sin nadie como estorbo.

Pues quiero, triunfo haciendo mi agonía,
mientras él mi último despojo traga,
sorprender en sus ojos la sombría

mirada al ver la suerte que le amaga,
sin esta presa en que satisfacía
el hambre atroz que nunca se le apaga.

Aquí el buitre *(B)* nos da una impresión de repulsión *(Z)*, y con esa vaguedad que distingue a los símbolos, y tras un análisis, lo reconocemos como representante de alguna obsesión angustiosa del protagonista poemático. Así, sin más precisiones. En efecto: ¿Se trata de una angustia metafísica o de una angustia menos trascendental? ¿Es acaso agonía religiosa, temor al no ser, o, simplemente quizá, dolor provocado por la pérdida de un ser querido o (¿por qué no?) por un afán material insatisfecho? A la vista del soneto, *y sin otros datos* (como los que nos proporciona el resto de la obra unamunesca, que es un grito y aspiración patética a la vida eterna, de la que, sin embargo, duda) no lo podríamos deducir nunca. Y no por torpeza, sino porque el plano real "A" específico del símbolo, en cuanto éste se desconecte y aísle de otras composiciones del mismo autor, es siempre imposible de determinar. Como antes dijimos, sólo de un modo brumoso se nos entrega. Es como si lo mirásemos a través de una lente con un ligero desenfoque.

LOS SÍMBOLOS BISÉMICOS ENCADENADOS Y LOS SÍMBOLOS BISÉMICOS NO ENCADENADOS

Hasta ahora he hablado de una sola suerte de símbolos, los símbolos que llamaremos monosémicos, divisibles a su vez en dos clases diferentes: símbolos monosémicos simples y símbolos monosémicos continuados. Los llamo monosémicos por poseer tan sólo un sentido, el sentido simbólico, y no admitir al lado de esa interpretación simbólica otra adjunta de tipo realista. Esto último es justamente lo que sucede en los símbolos que vamos a denominar bisémicos. Los símbolos bisémicos hay que interpretarlos por modo recto y al mismo tiempo por modo oblicuo. De otro modo: hay que interpretarlos de manera realista tanto como de manera simbólica. El poeta desea que lo que cuenta se entienda tal y como lo cuenta y que además se entienda en cuanto sugerencia irracionalista de otra cosa que no se dice, ni aun nos la decimos los lectores a nosotros mismos, pues sólo la percibimos emotivamente (Z). Se nos expresa B para que entendamos B y para que simultáneamente nos emocionemos de modo Z, con la peculiaridad de que Z no es emoción que corresponda al concepto incluido en B sino a la asociación irracional que B conlleva. De ahí que si con intención científica y no artística analizamos esta emoción Z hallaremos implicado en su interior un complejo de ingredientes a_1 a_2 a_3 que en el instante de la lectura no se nos hacían presentes en cuanto tales, sino sólo en cuanto invisiblemente involucrados en la emoción Z de que hemos hablado. De todo ello habremos de concluir que, en nuestro supuesto, B significa directamente B, pero indirectamente, a través de la emoción Z, significa implícitamente ese conjunto a_1 a_2 a_3... que la emoción Z lleva en su interior. García Lorca nos habla de unos guardias civiles:

> Los caballos negros son.
> Las herraduras son negras.
> Sobre las capas relucen
> manchas de tinta y de cera.
> Tienen, por eso no lloran,
> de plomo las calaveras.
> Jorobados y nocturnos,
> por donde animan ordenan
> silencios de goma oscura
> y miedos de fina arena.

En esta composición el poeta va creando progresivamente una atmósfera sombría a través del encadenamiento de una serie de símbolos bisémicos: caballos negros, herraduras negras, hombres jorobados y nocturnos, etc. Cada una de esas expresiones tiene sentido racional: caballos negros, herraduras negras significan lo que literalmente dicen: hombres jorobados y nocturnos significa "hombres que cabalgan en la noche inclinados sobre sus caballos". Pero al lado de ese significado que habría de ser denominado "realista", existe, pero no visible, sino implicado en la emoción, otra significación diferente. En efecto, cada una de esas expresiones en su contexto produce en nosotros un sentimiento negativo y de repulsión con respecto a los protagonistas del poema. Y si queremos entrar analíticamente en nuestra emoción Z hallaremos que se nos ha dicho: esos personajes tienen un alma turbia, siniestra, etc. He ahí los elementos a_1 a_2 a_3 del símbolo bisémico, que sólo nos es dable encontrar por indagación extraestética. Fijémonos también que, como arriba quedó dicho, la emoción Z de repulsión y los elementos a_1 a_2 a_3 que acabo de mencionar se relacionan no con el concepto inserto en B, sino con las asociaciones irracionales que B suscita. Por ejemplo: "jorobados" en el sentido de "inclinados sobre el caballo" produce una sensación de repulsión que no se relaciona con el concepto "inclinados sobre el caballo", etc., sino con la asociación irracional "jorobado en el sentido de jorobado, o sea, en el sentido de 'monstruo'", tal como indiqué en el Apéndice II de mi *Teoría de la expresión poética.*

Los símbolos bisémicos del pasaje transcrito los denominaré encadenados, en cuanto que todos ellos vienen a poseer la misma interpretación simbólica. Lo contrario ocurre en los símbolos bisémicos no encadenados, pues en éstos la interpretación de cada símbolo difiere de la de sus compañeros simbólicos, si los tiene (ya que puede no tenerlos). Así en este soneto de Antonio Machado:

¡Cómo en el alto llano tu figura
se me aparece!... Mi palabra evoca
el prado verde y la árida llanura,
la zarza en flor, la cenicienta roca.

Y al recuerdo obediente, negra encina
brota en el cerro, baja el chopo al río;
el pastor va subiendo a la colina;
brilla un balcón de la ciudad: el mío,

el nuestro. ¿Ves? Hacia Aragón, lejana,
la sierra de Moncayo blanca y rosa.
Mira el incendio de esa nube grana

y aquella estrella en el azul, esposa.
Tras el Duero la loma de Santana
se amorata en la tarde silenciosa.

(Los sueños dialogados, I.)

"La sierra de Moncayo blanca y rosa" simboliza, además de lo que literalmente dice (bisemia), la ilusión amorosa con que los protagonistas del poema pasean por los campos de Soria, mientras "el incendio de esa nube grana" nos sugiere irracionalmente, "inconfesablemente" y de ese mismo modo bisémico, el incendio hermoso de sus amantes vidas, y más contrastadamente aún, el amoratamiento de la "loma de Santana en la tarde silenciosa", aparte de expresarnos algo que entendemos literalmente, nos expresa una emoción grave y melancólica que podemos brutalmente traducir como "una fúnebre amenaza para esas dos vidas que hoy tan esperanzadamente caminan". Pero todo ello, repito, queda borrosamente expresado a través de las sucesivas emociones Z (Z_1 Z_2 Z_3) y no halla representación en nuestra conciencia de un modo directo y lógico.

CAPÍTULO XI

INICIACIÓN Y DESARROLLO DEL FENÓMENO VISIONARIO

APARICIÓN DE LAS "VISIONES"

Necesitamos hacer aquí un paréntesis, antes de volver al estudio de la imagen aleixandrina, pues nos conviene examinar, aunque sólo sea someramente, el nacimiento y el sucesivo desarrollo de los procedimientos visionarios. Así podremos encuadrar mejor a nuestro poeta en su tiempo, como sujeto de una tradición.

Echando una ojeada general sobre la poesía, observamos un primer dato: los tres términos de que se compone el genérico fenómeno visionario no aparecen en la literatura española de un modo simultáneo: la "visión" (y también el símbolo) madruga bastante más que la imagen visionaria. Se da, de tarde en tarde, en la poesía tradicional de la Edad Media (no en vano el pueblo es irracionalista, aunque lo sea en otro sentido muy distinto a como lo es el poeta contemporáneo: éste lo es como posrracionalista; aquél, como prerracionalista):

> Luna que reluces
> toda la noche alumbres.
> ¡Ay! Luna que reluces
> blanca y plateada,
> toda la noche alumbres
> a mi linda enamorada.
> *Amada que reluces,*
> *toda la noche alumbres.*
>
> (Del *Romancero General*, 1600.)

He aquí una sorprendente visión, muy parecida a las abundantes de la poesía contemporánea: atribución de luz a algo que en la realidad carece de ella, para expresar *irracionalmente* el conjunto de las cualidades mejores de la amada. Pero éste y otros datos que podríamos hallar son únicamente fugaces y esporádicos antecedentes aislados. Con carácter de modernidad y sólo en modo pálido y aproximativo, no tendremos la visión hasta Gustavo Adolfo Bécquer y los poetas prebecquerianos. El romanticismo inicial les había preparado el terreno, desrealizando el mundo en una búsqueda de la pureza y de la perfección que sólo en el ensueño encontraba. Por un lado, los milagros y la superstición, con su cohorte de fantasmas, con su aparato sobrenatural, hacen su aparición sistemática en las letras (*Leyendas* de Zorrilla, etc.); por el otro, se sabe que los cuentos de hadas que se extendieron por Europa, y que hoy los niños de todo el mundo leen apasionadamente, son producto de los más antiguos románticos: los alemanes. He aquí, pues, los primeros síntomas de una evolución que sólo alcanzaría su primer desarrollo pleno en Bécquer. Antes de él no podemos rastrear todavía fenómenos imaginativos como los que hemos analizado en el capítulo anterior. Pero sí podemos hablar de que en el hervor del romanticismo se están elaborando las condiciones para que luego puedan aparecer las revolucionarias novedades que nos hemos esforzado en describir.

Y, en efecto, la desmaterialización del mundo, ya iniciada, llega a su apogeo en el autor de las *Rimas* y, como consecuencia, principia el reinado de la "visión" en la poesía española. Desmaterializar el mundo significa colorearlo con propiedades que no posee, que son irreales, y por lo tanto, de algún modo "visionarias" (al menos poniendo la palabra entre comillas). Así, las mujeres que el poeta sevillano canta suelen ser nebulosas o fantásticas:

> Yo soy un sueño, un imposible,
> vano fantasma de niebla y luz;
> *soy incorpórea, soy intangible;*
> no puedo amarte. —¡Oh, ven, ven tú!
>
> (*Rima X.*)

Este ejemplo requiere comentario. A primera vista, no parece que nos hallemos ante una visión, sino ante una imagen visionaria continuada (sueño, fantasma) que califica a su plano real respectivo (mujer) con dos de sus condiciones: incorporeidad e intangibilidad. Sin embargo, después de una previa labor analítica, comprenderíamos nuestro error. Bécquer no pudo llamar "fantasma" y "sueño" a una muchacha *sin antes haber contemplado a esa muchacha tocada de cualidades irreales,* sin haberla percibido como un ser flotador, vaporoso. Examinemos los motivos de ello. Si volvemos nuestra mirada hacia las imágenes tradicionales, nos daremos cuenta de que cuando Góngora llama "oro" al cabello de una muchacha está destacando una cualidad *real* de ese cabello: el color rubio. Al contrario, con las imágenes "fantasma" y "sueño", Bécquer realza una cualidad *irreal* del plano subyacente "mujer": su incorporeidad. En consecuencia, el poeta contempló en primer lugar a una mujer que poseía propiedades irreales (ser incorpórea, ser intangible) y quiso dar relieve a tales propiedades atribuyendo algunas imágenes al plano de realidad: mujer como fantasma, mujer como sueño. Sin embargo, no está de más que hayamos entrecomillado el carácter visionario de ese texto becqueriano, ya que la cualidad irreal no se atribuye a un ser real como ocurre en las verdaderas visiones, sino a una mera ensoñación, a un ser irreal.

Lo mismo sucede en los siguientes versos:

> Tú, sombra aérea, que cuantas veces
> voy a tocarte, te desvaneces...
>
> *(Rima XI.)*

Aquí, "sombra" es imagen que saca a luz la evanescencia (atributo irreal) de otra mujer, igualmente soñada.

Copiemos ahora la rima XVI, donde el poeta se ve, ahora a sí mismo, inmaterial, invisible (y en este caso la "visión" casi lo es sin las comillas).

> Si al mecer las azules campanillas
> de tu balcón,
> crees que suspirando pasa el viento
> murmurador,

sabe que oculto entre las verdes hojas
suspiro yo.
Si al resonar confuso a tus espaldas
vago rumor,
crees que por tu nombre te ha llamado
lejana voz,
sabe que, entre las sombras que te cercan,
te llamo yo.
Si se turba medroso en la alta noche
tu corazón
al sentir en tus labios un aliento
abrasador,
sabe que, aunque invisible, al lado tuyo
respiro yo.

Las fuentes de esta rima son numerosas. Como señaló J. F. Gómez de las Cortinas, se relaciona con un par de poemas del chileno G. Blest Gana ("Si al despertar" y "No tengas miedo"); y, como indicaron Díez-Canedo y Dámaso Alonso, también se halla próxima a un poema de E. F. Sanz ("Tú desde lejos me miras"). Por su parte, José Pedro Díaz añade a los anteriores contactos, que él menciona en su libro sobre el poeta [1], los de Heine ("Intermezzo"), Goethe ("Cerca del amado") y Dacarrete ("¿Por qué?"). Lo que ahora nos importa observar es que algunos de esos antecedentes son visionarios en el mismo sentido en que lo es la rima becqueriana, aunque, en general, más tímidamente. Sin embargo, el poema de Eulogio Florentino Sanz, antes mencionado, no cede gran cosa al de Gustavo Adolfo en ese aspecto. Lo reproduzco parcialmente:

Si entre despierta y dormida,
lánguida en tu dormitorio,
percibieres tu nombre en las auras,
¡soy yo, que te nombro!
Si de amor dulces quimeras
llamas de tu almohada en torno,

[1] José Pedro Díaz, G. A. Bécquer, vida y poesía, ed. Galatea, Montevideo, 1953; págs. 139, 154 y 265, 2.ª y 3.ª ed.

y responde a tu voz un suspiro,
¡soy yo que respondo!
Si en sueños tu frente orea
tibio de un cabello el soplo,
que ni turba siquiera tu sueño,
¡soy yo, que te toco!

No es menos visionario uno de los poemas de Blest Gana que (pese a ser bastante flojo y palabrero) parece haber influido en la rima. Algunas estrofas pueden mostrarlo claramente:

Si al despertar de tu tranquilo sueño
escuchas vaga y dulce melodía,
es mi espíritu amante, caro dueño,
que te dice: alma mía,
yo velaba por ti.
... ...
Si entre las alas del callado viento
sientes tal vez un misterioso asombro,
un claro, dulce y quejumbroso acento,
soy yo, yo que te nombro
con placer y dolor.
Si en torno de tu frente blanca y pura
la brisa inquieta en su revuelto giro
una queja tristísima murmura,
soy yo, yo que suspiro,
llamándote, mi amor.
Si en medio del festín hiere tu oído
una nota de triste melodía,
evocando un recuerdo adormecido,
soy yo, yo, prenda mía,
que gimo en mi pesar.
... ...

El ámbito de la lírica posterior ha sido abierto así acusadamente por Bécquer (y con menos brío por algunos de sus precursores), aunque únicamente se encuentren "visiones" en sus versos y no imágenes visionarias. Pues pese a que pudieran, a primera vista, considerarse incluidas en esa última especie las imágenes antes citadas —"sombra aérea", "vano fantasma de niebla y luz"—, un último análisis nos

haría ver que se trata de figuraciones de función no propia, sino an-
cilar (servir de apoyo a una "visión"), y, por tanto, carece de sentido
para ellas la clasificación propuesta (imágenes tradicionales, imágenes
visionarias), que está basada en el parecido emocional u objetivo *entre
dos seres reales*. Una mujer evanescente no es un ser real, y, conse-
cuentemente, la imagen que sirva para destacar esa evanescencia
("sombra aérea") no puede ser clasificada en ninguno de los dos ca-
silleros.

De todo lo dicho se desprende la importancia no sólo poética, sino
también histórica, del autor de las *Rimas*. Es un hito que marca el
comienzo de la poesía contemporánea española, aunque sólo en alguno
de sus aspectos formales, pues Bécquer era, si hablamos rigurosamente, romántico aún, como nadie ignora. Machado no utilizará visiones
que no sean meras sinestesias (la sinestesia es un caso particular de
visión). Pero a partir de Juan Ramón Jiménez las visiones se harán
cada vez más frecuentes, fuera ya del estrecho marco becqueriano,
pues no se limitan, como en las *Rimas,* a la desmaterialización del
cuerpo humano, sino que se ofrecen con generosa libertad y variedad.

APARICIÓN DE LA SINESTESIA

Comentario aparte merece ese tipo especial de visión denominado
sinestesia que acabamos de traer a cita, pues es la única especie de "visiones" conocida por la crítica, aunque, por supuesto, no en cuanto
a su sentido y finalidad, que en el capítulo anterior expusimos. Como
es sabido, la sinestesia consiste en el cruce de dos sensaciones diferentes: así, hay sinestesia cuando se otorga sonido al color, color al sonido, o cuando de modo semejante el tacto o el olfato se hacen in-
tervenir en sensaciones que no les son propias. El simbolismo y el
parnasianismo, con sus precursores de nuestra vecina nación (Baudelaire, Rimbaud, Verlaine, Samain y otros) la habían utilizado mucho [2].
Rubén Darío, tan escasamente visionario, la usa, sin embargo, en alguna ocasión, y lo mismo, pero menos, Machado (si descontamos las

_____

[2] Sobre la sinestesia y su historia trata Amado Alonso en *Poesía y estilo
de Pablo Neruda*, Buenos Aires, 1940. Consúltese también W. Fleischer, *Sy-
nästesie und Metapher in verbines Dichtungen*, 1911.

sinestesias vulgares [3] hallo 12 ejemplares en su obra). He aquí un fragmento rubeniano:

> Los claros clarines de pronto levantan sus sones,
> su canto sonoro,
> su *cálido coro,*
> que envuelve en un *trueno de oro*
> la augusta soberbia de los pabellones.

> (De *Cantos de Vida y Esperanza:*
> "Marcha Triunfal".)

Pero es sólo desde Juan Ramón Jiménez cuando se emplea ya de
un modo abundante y sistemático. En expresiones como "se oye la
luz", "azul sonoro", "poniente que brama", este poeta da sonido visionario a algo que sólo tiene coloración. O puede también utilizar
el procedimiento inverso: atribuir olor o color a fenómenos puramente auditivos: una flauta suena "con música y con aroma"; el la-
mento de un verderol es "malva", etc. Los poetas de la generación
siguiente utilizarán la sinestesia con frecuencia, y concretamente, con
frecuencia la usará Aleixandre.

APARICIÓN DEL SÍMBOLO

Bécquer fue, dijimos, el primer poeta "contemporáneo" que se
sirvió de las visiones; será igualmente uno de los primeros que, próximo a nosotros, utilice el símbolo. La rima XI, que ya nos sirvió
para ejemplificar el uso de la visión en Bécquer, nos servirá ahora
también para penetrar en el uso becqueriano del símbolo:

> —Yo soy ardiente, yo soy morena,
> yo soy el símbolo de la pasión;
> de ansia de goces mi alma está llena.
> ¿A mí me buscas? —No es a ti, no.

---

[3] Llamo vulgares a las sinestesias en que intervienen los sentidos inferio-
res, el tacto y el gusto: "áspera fragancia" (A. Machado), "dulce música", etc.,
pues tales sinestesias son hallables con carácter "vulgar" antes de la época contemporánea.

—Mi frente es pálida; mis trenzas, de oro;
puedo brindarte dichas sin fin;
yo de ternura guardo un tesoro.
¿A mí me llamas? —No, no es a ti.

—Yo soy un sueño, un imposible,
vano fantasma de niebla y luz;
soy incorpórea, soy intangible;
no puedo amarte. —¡Oh, ven, ven tú!

No tengo más remedio que realizar un breve análisis de este poema para hacer reconocible el símbolo en él contenido. Observemos que
en sus tres cuartetos existen sendas zonas especialmente sensibilizadas.
La emoción poética descarga sobre todo en la segunda parte de cada
correspondiente cuarto verso, esto es, en las respuestas que el poeta
da a las palabras de las sucesivas mujeres. Las expresiones "no es a
ti, no"; "no, no es a ti", y, con mayor fuerza, "oh, ven, ven tú",
pese a su sencilla apariencia, se muestran como portadoras de un
máximo de intensidad lírica. Completando este aserto, podríamos
añadir que, en cambio, los versos primero, segundo, tercero, quinto,
sexto y séptimo, considerados aisladamente, serían sumamente vulgares. Mas esa consideración aislada casi nunca tiene sentido en poesía,
donde el valor de los signos, en la inmensa mayoría de los casos, sólo
existe en el interior de un contexto[4]. Y así, los seis decasílabos que
acabo de señalar como en sí mismos insignificantes, son significativos
dentro de la rima porque cumplen a la perfección el único papel que
el poeta les ha asignado: hacer posible la emotividad de aquellos
otros pasajes que antes he mencionado como relevantemente expresivos. Cuando en la primera estrofa leemos "no es a ti, no", notamos
sin esfuerzo que esa frase se torna poética sólo si la relacionamos con
los versos, aparentemente neutros, primero, segundo y tercero. Y un
fenómeno semejante es visible dentro de la estrofa segunda. En efecto, lo que nos emociona en esos dos finales estróficos es que el poeta
rechace sin vacilación a tal par de mujeres, la rubia y la morena, *que*

---

[4] Por eso siempre me pareció absurdo el criterio de cierta persona que
pretendía desvalorizar la obra de un poeta afirmando que de entre sus poemas
no era posible extraer ningún verso que, suelto, nos impresionase por su
belleza.

han sido descritas como suma de todas las perfecciones apetecibles.
El procedimiento usado aquí por Bécquer es el que en otro sitio[5]
denominé "ruptura del sistema de lo psicológicamente esperado". Es
importante subrayar que esas dos "rupturas" no tienen tampoco una
finalidad completa en sí mismas: su utilidad sólo se descubre en conexión con la estrofa tercera, según un rápido análisis de esta última
nos revelará. Se trata de la estrofa visionaria a que en otro párrafo
he aludido. Una mujer incorpórea se aparece al poeta; se define a
sí propia como "vano fantasma de niebla y luz", "como intangible",
y se declara incapaz de amor. Y entonces el protagonista de la composición, rompiendo de nuevo el sistema de lo psicológicamente esperado, exclama: "Oh, ven, ven tú". En esta exclamación reside,
como en agolpada síntesis, la emoción total del poema. La intensidad
se agranda y condensa porque las dos rupturas anteriores han como
reforzado, superlativizado, la que ahora estamos investigando, pues
el hecho de anhelar el logro de una mujer imposible ("no puedo
amarte", etc.) es más grave tras el rechazo, expresado por el poeta,
de las dos grandes bellezas anteriores, tan dispuestas a amarle.

En virtud de ese complejo mecanismo, la estrofa última aparece
ante nuestra sensibilidad *simbolizando* cuanto es limitación en el ser
humano. Más concretamente: la mujer incorpórea de que Bécquer
habla trasciende su significación particular y se nos manifiesta como
símbolo de todo lo imposible que el hombre apetece, mientras la persona que en el poema dice: "oh, ven, ven tú", representa a todos
los seres incapaces de lograr lo que su corazón desea más ardiente-
mente: símbolos, pues, bisémicos.

Sin embargo, el símbolo bisémico había sido utilizado en la poesía
culta antes de Bécquer, aunque no mucho antes. Entre los famosos
Romances Históricos del Duque de Rivas hay dos especialmente
interesantes para nosotros. Es uno de ellos el titulado "Una noche
de Madrid en 1578", y versa sobre el asesinato que Antonio Pérez
ejecuta (aunque el "impulso" no fuese suyo sino "soberano") en la
persona de Escobedo. La historia que se narra es ésta: la princesa de
Éboli, aunque pura de hecho y de intención, recibe en su casa, a
espaldas de su esposo y en horas diferentes, a tres hombres: Felipe II

---

[5] En mi *Teoría de la expresión poética*, pág. 274.

es uno de ellos; los otros dos son Antonio Pérez, secretario del rey, y Juan de Escobedo. Desde Palacio, Felipe II tiene un día ocasión de ver, a través de un ventanal que se halla abierto en casa de la princesa, cómo Escobedo habla con la de Éboli. Celoso, ordena a Antonio Pérez, bajo pretexto de razón de Estado, que dé muerte al recién descubierto rival amoroso. El secretario recibe sin repugnancia el mandato de su señor, y se dirige presto a cumplimentarlo. Mientras Pérez lo hace, Felipe está, inquieto, en un salón de la princesa. He aquí cómo nos lo cuenta el Duque de Rivas:

El rey, lento, se pasea
por la estancia, dando poca
atención a lo que escucha,
que otras ideas le acosan.

Y aunque gran sosiego finge,
es su inquietud bien notoria,
y que habla consigo mismo
en su semblante se nota.
La princesa lo conoce,
y trasuda y se acongoja
pidiéndole a Dios de veras
que la visita sea corta.

Al balcón el rey se acerca
y lo abre inquieto, se asoma
y se retira, y escucha:
y sin cerrarlo lo entorna.
Entra la brisa en la sala,
agita las luces todas,
y a su ondulación parece
que todo se mueve y borra,

y que el aposento tiembla
y que en fantásticas formas
los muebles y colgaduras
ya se alargan, ya se acortan.

Véase cómo la inquietud del Rey y, al mismo tiempo, la escena dramática que está ocurriendo en la calle quedan representados simbólicamente (símbolo bisémico) por esa brisa "que agita las luces to-

das" y a cuya ondulación parece "que todo se mueve y borra, — y
que el aposento tiembla — y que en fantásticas formas — los muebles
y colgaduras — ya se alargan, ya se acortan".

Se me dirá que estos versos no son simbólicos, ya que se trata
simplemente de la romántica correspondencia entre ambiente y personaje a que el invasor subjetivismo de la época llevaba. Y, en efecto,
en cierto modo así es, pues el pasaje transcrito (al que podemos llamar B) opera en nosotros de un modo distinto a como lo haría un
símbolo verdadero. En un símbolo verdadero la representación B,
sacada de su contexto, lleva siempre en potencia, junto a otras posibilidades, la significación irracional que de hecho tiene en su contexto actual: esa emoción Z implicitadora de un conglomerado conceptual a_1 a_2 a_3. Pero en el caso de Rivas no ocurre lo mismo: los
versos copiados, por sí mismos, o sea, aislados del resto del romance,
no podrían aludir, ni aun potencialmente, al concretísimo asesinato de
Escobedo, o la concretísima inquietud del rey. Esa alusión pende exclusivamente de la lectura que previamente hemos hecho nosotros del
resto del romance en cuestión. Debemos concluir, pues, que no nos
hallamos en presencia de un auténtico símbolo bisémico: el procedimiento de Rivas en este caso, intencionalmente por parte del autor y
de hecho estructuralmente, no se aparta de aquella técnica romántica
a que acabamos de referirnos. Pero en cuanto al efecto estético del
copiado trozo de Rivas, la cosa cambia: la proximidad al símbolo es,
en ese sentido, grande. Y así, pese a que el pasaje no sea propiamente
simbólico, nos suena como si lo fuese, y no olvidemos que en arte
eso es lo que de veras importa. Ello demuestra que el origen del símbolo tiene, al menos, una raíz, en aquella técnica de correspondencias
entre mundo y yo que el romántico, si no inventa, sistematiza. Una
vez que el yo invade la circunstancia (subjetivismo) la circunstancia
podrá ser acorde con el yo. Pero de aquí se concluirá, como conclu-
yeron los poetas contemporáneos, que ya que la naturaleza se solida-
riza y viste con el mismo traje del yo, puede muy bien aludir a él,
esto es, representarlo, o sea, simbolizarlo (en el sentido técnico que
hemos atribuido a la expresión).

Pero pasemos ya a comentar el otro romance de Rivas que más
arriba hemos mencionado. Se titula "Don Álvaro de Luna", y versa,
como puede suponerse, sobre la muerte de ese famoso magnate. La

fatal sentencia ha recaído sobre él, y en su celda quien fuera poderoso privado de don Juan II sólo espera ya la muerte. Mientras tanto, el rey, a quien la reina y los grandes han arrancado la condena de don Álvaro, está lleno de dolor y de remordimientos; busca, incluso, el modo de desdecirse y salvar a su amigo:

> Entró al estruendo la reina
> en la cámara, cual una
> aparición, como maga
> que viene a doblar astuta
>
> los encantos y conjuros
> con que alto preso asegura,
> y con que la empresa afirma,
> de que pende su fortuna.
>
> Calló el rey, quedó de mármol
> al verla; ella le pregunta:
> "¿Qué es esto?", y oyendo: "Nada"
> retiróse muy adusta.
>
> Largo rato el rey estuvo
> cual ligado por la oculta
> fuerza del prestigio. Luego
> torna a más reñida pugna
>
> de afectos; la amistad vence,
> llama con voz resoluta
> a Solís, su maestresala,
> dícele: "Al momento busca
>
> a Diego Estúñiga, y dile...".
> En su garganta se anuda
> la voz, porque entra la reina
> otra vez..., calla y trasuda.
>
> La reina a Solís llevóse,
> y el rey abrió con presura
> el balcón, cual si quisiese
> gozar del aura nocturna;
>
> y el trono, cetro y corona
> maldiciendo en voces mudas,
> ojos de lágrimas llenos
> clavó en la menguante luna.

¿Qué duda cabe que esa "menguante luna" es aquí un símbolo bisémico, en un sentido ya muy próximo al técnico que hemos concedido a esa palabra? En efecto: ese verso no sólo habla de la luna, sino que sobre todo alude vagamente, emocionalmente al triste destino de don Álvaro. Y si no nos atrevemos a poner este ejemplo decididamente bajo la plena etiqueta simbólica es simplemente por el escrúpulo que nos da el hecho de que el autor para trazar ese símbolo ha creído necesario apoyarse en un juego de palabras: Álvaro de Luna — menguante luna. El poeta no se atreve aún a la directa simbolización irracional, y se apoya en la racional coincidencia entre el nombre del protagonista y el mencionado satélite terráqueo. La menguante luna del cielo representa así de un modo que no es puramente inconsciente en su raíz otra Luna menguante, la de don Álvaro de Luna, un poco como en el siglo XVII Quevedo realiza una sinestesia atrevidísima y "contemporánea", poniendo pie en una semejante base racional: la palabra canícula ("perrito"):

> la canícula, ladrando
> llamas.

Que el verano ladre llamas es valiente "visión" que un poeta del siglo XX envidiaría; pero que un verano-perrito (canícula) lo haga no representa audacia tan extrema, ya que entonces las dos sensaciones que se cruzan (sinestesia) son cualidades reales del objeto al que se hallan referidas: llama, en cuanto verano; ladrido, en cuanto perro. Ahora bien: el lector experimenta la expresión quevedesca como verdadera sinestesia, del mismo modo que experimenta como verdadero símbolo bisémico al citado verso del duque de Rivas.

La utilización del símbolo de un modo abundante y sistemático y en toda la amplitud de sus posibilidades no es rastreable hasta la poesía de Antonio Machado. Además del antecedente de Rivas y Bécquer, tenía Antonio Machado un modelo en nuestra historia literaria: el de San Juan de la Cruz, cuyos poemas de la "Noche oscura" y de la "Llama de amor viva" eran dos originales y profundas intuiciones simbólicas [6]. (Añadamos, no obstante, que Machado se inspiró proba-

---

[6] Dámaso Alonso, *La poesía de San Juan de la Cruz*, Madrid, 1942, y mi *Teoría de la expresión poética*, Gredos, 1966, capítulo "San Juan de la Cruz, poeta contemporáneo".

blemente, no en San Juan y menos en Rivas o Bécquer, sino en ejemplos, más recientes, de la lírica francesa simbolista). Y, aparte de todo ello, la poesía popular había en alguna ocasión utilizado tan peculiar procedimiento, como vemos en esta canción:

> Miraba la mar
> la malcasada,
> que miraba la mar
> cómo es ancha y larga.
> Descuidos ajenos
> y propios gemidos
> tienen sus sentidos
> de pesares llenos.
> Con ojos serenos
> la malcasada,
> que miraba la mar
> cómo es ancha y larga.
> Muy ancho es el mar
> que miran sus ojos,
> aunque a sus enojos
> bien puede igualar.
> Mas por se alegrar
> la malcasada,
> que miraba la mar
> cómo es ancha y larga.

En ella, esa mar "ancha y larga" es símbolo (bisémico) de amargura. No deben confundirnos los versos "mas *por se alegrar* — la malcasada — que miraba la mar — cómo es ancha y larga", pues precisamente su emotividad está causada por nuestro conocimiento de que la malcasada no puede alegrarse mirando un mar que simboliza justamente lo inconmensurable del dolor (como se desprende del pasaje inmediatamente precedente: "aunque a sus enojos — bien puede igualar"): procedimiento que en un libro mío[7] llamé "superposición situacional".

---

[7] *Teoría de la expresión poética*, ed. Gredos, Madrid, 1966, páginas 172 y siguientes.

He aquí ahora un ejemplo de Antonio Machado, que tomo de *Soledades, Galerías y otros poemas*, libro publicado en 1907:

> Y era el demonio de mi sueño el ángel
> más hermoso. Brillaban
> como aceros los ojos victoriosos,
> y las sangrientas llamas
> de su antorcha alumbraron
> la honda cripta del alma.
> —¿Vendrás conmigo? —No, jamás; las tumbas
> y los muertos me espantan.
> Pero la férrea mano
> mi diestra atenazaba.
> —Vendrás conmigo... Y avancé en mi sueño.
> cegado por la roja luminaria.
> Y en la cripta sentí sonar cadenas
> y rebullir de fieras enjauladas.
>
> *(Obras Completas, XLIII.)*

Este ángel, este demonio de victoriosos ojos acerados es símbolo, monosémico en este caso, de los apetitos oscuros e inconfesables del alma; al contrario de lo que sucede en otra pieza, donde la figura que asoma es símbolo de los buenos deseos, de las zonas blancas o puras del espíritu:

> Desde el umbral de un sueño me llamaron...
> Era la buena voz, la voz querida.
> —Dime: ¿Vendrás conmigo a ver el alma?...
> Llegó a mi corazón una caricia.
> —Contigo siempre... Y avancé en mi sueño,
> por una larga, escueta galería,
> sintiendo el roce de la veste pura
> y el palpitar suave de la mano amiga.
>
> *(Obras Completas, LXIV.)*

Quizá resulte más interesante todavía ver cómo el símbolo bisémico sirve en manos del gran poeta para cargar de emotividad la simple descripción de un paisaje:

Las ascuas de un crepúsculo morado
detrás del negro cipresal humean...
En la glorieta en sombra está la fuente
con su alado y desnudo Amor de piedra
que sueña mudo. En la marmórea taza
reposa el agua muerta.

(*Obras Completas*, XXXII.)

Todo el poema, y más su verso último, parece un redoble funeral; nos hiere con extraña gravedad y melancolía. Ello se debe sin
duda a que debajo de los conceptos aparentes (descripción de un paisaje) está escondido, aunque sólo es perceptible por análisis extraestético de la emoción, haciéndolo trascender, un plano real distinto,
teñido de humanas resonancias (bisemia): la ilusión muerta, la alegría
muerta: el muerto existir [8].

No olvido que todo paisaje —según se ha afirmado más de una
vez— es un estado de alma. De este modo, todo paisaje habría de
ser, en sentido lato, un símbolo más o menos difuso. Pero no podemos estirar tanto los conceptos: correríamos el riesgo de que el significado de ellos se fuese proporcionalmente anulando. Lo que sucede
es que algunos paisajes tienen más condensado que otros su carácter
simbólico, y en algunos momentos (como en el "agua muerta" de
Machado) el lector puede ver perfectamente formada debajo una diferente realidad difusa que ilumina desde dentro las palabras.

Unamuno y Juan Ramón Jiménez usaron también del símbolo (Juan
Ramón Jiménez ya profusamente) y en la generación que sigue a
estos poetas lo encontraremos representado con gran frecuencia.

APARICIÓN DE LA IMA-
GEN VISIONARIA SIM-
PLE Y DESARROLLADA

Importante es igualmente el nacimiento de la imagen que hemos
llamado visionaria. En mi libro *Teoría de la expresión poética* he
dedicado un capítulo a San Juan de la Cruz, haciendo ver que este

---

[8] Un análisis más detenido de esta especie de símbolo puede verse en
mi *Teoría de la expresión poética*, pág. 140 y sigs.

poeta precisamente por su irracionalismo místico se adelantó a todos
en el uso de tan revolucionario tipo imaginativo. Circunscribiéndonos
a la época contemporánea, vemos a Juan Ramón Jiménez inaugurando
la utilización de tales imágenes, lo mismo que el desarrollo metafórico
no alegórico, al que hemos denominado "visionario" también. De este
último orden escojo una muestra de la segunda época (que comienza
en *Estío* y no en el *Diario de un poeta recién casado* como suele decirse), aunque los casos no son infrecuentes en la época primera: el "sol"
queda visto como "perro de luz" (que lame la blancura de un lecho)
desde el principio al final de la composición:

> Sólo tú me acompañas, sol amigo.
> Como un perro de luz, lames mi lecho blanco;
> y yo pierdo mi mano por tu pelo de oro,
> caída de cansancio.
> ¡Qué de cosas que fueron
> se van... más lejos todavía! Callo
> y sonrío, igual que un niño,
> dejándome lamer de ti, *sol manso.*
> De pronto, sol, *te yergues,*
> *fiel guardián* de mi fracaso,
> y en una algarabía ardiente y loca
> *ladras* a los fantasmas vanos
> que, mudas sombras, me amenazan
> desde el desierto del ocaso.

("Convalecencia" de *Estío,* 1915)

En este poema, la imagen *sol = perro de luz* no es visionaria en
sí misma, pero sí lo es en su desarrollo. En efecto: el parecido entre
las dos esferas es de tipo físico y racionalista, no emocional o irracionalista. El poeta llama "perro de luz" a los cálidos rayos del sol porque le acarician, le "lamen", como un perro de templada lengua lo
haría. Pero el desarrollo de esta imagen sí es de naturaleza visionaria,
pues los términos del plano evocado, "perro" (erguirse, ladrar, etc.)
se justifican por la imagen, no por el plano de realidad, "rayos de sol" [9].

_____

[9] Apurando el análisis, notaríamos algo que es frecuente en el desarrollo
visionario de las imágenes, pero a lo que parezca a primera vista que borrosa-

Quiero subrayar aquí la frecuencia con que las imágenes contemporáneas poseen este mismo aspecto dual (tradicional, por un lado; visionario, por el otro) que hemos analizado en Juan Ramón Jiménez. Cuando Lorca escribe:

> El sol dentro de la tarde
> como el hueso de una fruta.
> La panocha guarda intacta
> su risa amarilla y dura.

está primero comparando la tarde con una fruta, y para esta articulación metafórica se basa en que la fruta lleva dentro un hueso, como la tarde tiene dentro el sol. Hasta aquí, la comparación es puramente alegórica, y su novedad sólo deriva de los materiales usados, no de la estructura misma de la imagen. Pero cuando a continuación se nos dice que:

> la panocha guarda intacta
> su risa amarilla y dura,

se establece un nuevo estrato metafórico en que lo visionario se ofrece en idénticas condiciones de modernidad que en el caso de Juan Ramón Jiménez. Por un lado, la nueva imagen *sol = panocha* ostenta una motivación meramente física (el color dorado, común al sol y a la panocha), no emocional. Mas la dureza que el poeta atribuye a los granos de la panocha sólo está legitimada si miramos hacia la imagen ("granos"), pero no si atendemos a la realidad aludida (color del sol). Los granos de la panocha son duros; no lo es ni puede serlo la coloración solar.

----

mente, difusamente, hay también una justificación de esos términos en el plano de realidad. Precisamente esa borrosidad, que sólo el análisis revela, es característica de la imagen visionaria. El "perro de luz" ladra "a los fantasmas vanos" porque la alegría del sol ahuyenta las tristezas. El hecho de que ese "perro" se "yerga" está, es cierto, más ligado a la imagen que al plano real, pero tengamos en cuenta que sirve para hacer posible el hecho de ladrar que se enuncia a continuación, y que, como hemos visto, tiene conexiones evidentes con la esfera real.

MADUREZ DE LOS PROCE-
DIMIENTOS VISIONARIOS

Es en la generación que sigue cronológicamente a Antonio Machado y J. R. Jiménez, integrada por Federico García Lorca, Rafael
Alberti, Jorge Guillén, Pedro Salinas, Gerardo Diego, Dámaso Alonso
y Juan José Domenchina [10], como primera promoción, y por Vicente
Aleixandre, Luis Cernuda, Emilio Prados y Manuel Altolaguirre, como promoción segunda, cuando los procedimientos visionarios alcanzan madurez, aunque no en todos ellos esta madurez esté representada con idéntica intensidad. De todos modos no hay duda de que es
en la obra de Vicente Aleixandre donde los procedimientos irracionales (imagen visionaria, visión y símbolo) hallan su total plenitud.
No pudiendo pararme en la consideración detenida de todos los poetas
citados, me limitaré a mostrar un ejemplo de imagen con desarrollo
visionario (no alegórico) en Altolaguirre y algunos guillenianos de
visión, para demorarme algo más en García Lorca, por las especiales
características que este último nos pueda ofrecer.

He aquí el caso de Manuel Altolaguirre:

> Un lago en una isla,
> eso es tu amor por mí,
> y mi amor te rodea
> como un inmenso mar
> de silencios azules;
> pero tienes también
> tus grandezas ocultas;
> soy un niño de sal
> sobre tu falda;
> *me sostienen tus prados*
> *submarinos;*
> eres frondosa cumbre,
> eminencia visible
> de tu tierra profunda.
> *Me enriquecen los ríos,*

---

[10] Juan J. Domenchina no formó en estos grupos, pero cronológicamente
es a ellos asimilable.

> y tu amor, ese lago
> corazón de la isla,
> es la fuente de todas
> las líquidas comarcas.
> Te haces querer. Te quiero.
> Mira mis blancas olas.

El poeta ve a la mujer querida como una isla; su amor será un lago en medio de esa tierra; el poeta estará contemplado entonces como un mar. Lo que nos interesa es ver que los distintos términos del plano evocado no guardan una correspondencia miembro a miembro con otros paralelos del plano real, sino que se vinculan a la imagen misma [11]. Si el poeta es un mar, estará *sostenido* por los prados submarinos de la isla, por su prolongación bajo las aguas; y ese mar se *enriquecerá* con los ríos y sobre todo con el lago interior que la isla forma. Repito que todos estos miembros de la imagen no proceden de otros claramente representados en el plano de realidad, sino que su origen se halla en la propia figuración imaginativa, como antes he adelantado.

Si leemos ahora una pieza de *Cántico* titulada "Caballos en el aire", observaremos que Guillén describe a tales animales como si los viese cinematográficamente a cámara lenta, "lentísimos partiendo y ya en el aire" (visión):

> con lentitud y precaución de tacto
> las patas se despliegan
> avanzando a través
> de una tarde sin luna.

En otro lugar ("El ruiseñor") se habla de "un día — parado en su mediodía". O se dice que la nieve "canta" ("La nieve"); o que la cima y el cielo "desfilan" ("Meseta"). En todos estos casos hay atribuciones de cualidades irreales a los objetos: lentitud irreal de los caballos; detención del tiempo en el ejemplo de "El ruiseñor"; sonido, en el de "La nieve"; movilidad, en el poema "Meseta".

---

[11] Repito para este caso lo que en nota a la pág. 158 he afirmado para un caso semejante en Juan Ramón Jiménez.

LA VISIÓN POPULAR: FE-
DERICO GARCÍA LORCA

La indagación que vamos a realizar en la obra lorquiana no será
mucho menos somera, pero antes de entrar en esa labor necesito hacer unas consideraciones previas, de carácter más general, que nos
ayudarán en nuestro trabajo.

El creciente irracionalismo de la poesía y de la cultura contemporáneas hacen que ahora los poetas puedan gustar de un modo nuevo
la poesía lírica popular, que manando desde las honduras de la Edad
Media no se interrumpe hasta nuestros días. (En este sentido es sin-
tomática la postura al respecto de Bécquer y los poetas prebecquerianos [12], los cuales en algún sentido concreto anticipan la poética posterior.) Lo que llamaríamos "poética popular" se ha adelantado en
muchos siglos a la culta: fue siempre, y sigue siendo hoy, frecuente
desdeñadora de la lógica y ello en más de un sentido [13]. La poesía
popular acepta, por ejemplo, gustosa y complacida las onomatopeyas
sin otra significación que la puramente rítmica. Esta tendencia puede
ser vista hoy, ahora mismo, sin más que detenerse a escuchar las frases que se pronuncian en algunos juegos infantiles o las canciones del
pueblo. Muchos de nosotros hemos jugado en nuestra niñez a "justicias y ladrones". A todos los muchachos les encanta ser "ladrones"
y detestan ser "justicias". Para resolver este terrible conflicto sin necesidad de una conflagración, se recurre a un sencillo expediente: se
echa a suertes el codiciado puesto de "ladrón", y para ello se utiliza
en general la fórmula siguiente:

> Una, dole,
> tele, catole,
> quile, quilete,
> estaba la reina

---

[12]　Véase José Pedro Díaz, *op. cit.*

[13]　Sobre el carácter alógico que puede poseer la lírica primitiva o popular,
véase, entre otros, Otto Jespersen, "Humanidad, nación, individuo", en *Revista de Occidente*, Buenos Aires (Argentina), 1947; págs. 235-242.

en su gabinete,
vino Gil,
apagó el candil,
candilín, candilón,
cuenta las veinte, que las veinte son.

El pueblo ama el disparate salado y chispeante, aunque carezca
de sentido, y por eso las situaciones que en su lírica presenta suelen
ser imprevistas o ya imposibles y verdaderamente visionarias:

Debajo de la hoja
de la lechuga,
tengo a mi amante malo
con calentura.
Debajo de la hoja
de la verbena,
tengo a mi amante malo,
¡Jesús, qué pena!
Debajo de la hoja
del perejil,
tengo a mi amante malo
y no puedo ir.

Pues bien: sobre esta vieja tradición, unas veces sólo irracionalista
y otras de índole visionaria, que venía lentísimamente fluyendo a través de las centurias, envasada en una ignorada vena de riquísima
fantasía, de coloreados despropósitos, y alejada del espíritu de la
poesía culta, más exigente en punto a coherencia lógica, se levanta la
figura genialmente sintética de Federico García Lorca. Hasta él, habían sido otros y no los irracionalistas y visionarios los elementos de
la poesía popular que atrajeron la solícita atención de los eruditos y
poetas, demasiado preocupados con el contenido relativamente lúcido
de las composiciones literarias para poder admitir, y menos aún admi-
rar, tales elementos.

Recoge Lorca, por ejemplo, de los labios del pueblo esas irracionales onomatopeyas a las que antes aludimos, y que no le parecen
insignificantes por carecer de significación lógica inmediatamente perceptible. Simples valores fonéticos bastan para que el poeta granadino

CAPÍTULO XII

CONSECUENCIAS LITERARIAS DEL TIPO DE CREACIÓN
SUPRARREALISTA

En el capítulo X hemos estudiado de un modo general la estructura de las imágenes contemporáneas, hallando unas cuantas peculiaridades que, aunque más visibles seguramente en los versos de Aleixandre (o de Neruda), caracterizan también, en distinta proporción, los de otros poetas de nuestra centuria. En el capítulo XI hemos hecho un paréntesis para mostrar esto último: vimos cómo de modo tímido el fenómeno visionario despierta en el Duque de Rivas y en Bécquer; después, cómo se desarrolla en Rubén Darío y Machado; y cómo luego alcanza madurez mayor en Juan Ramón Jiménez para rematar su pleno desenvolvimiento en la generación de Aleixandre, y, sobre todo, en Aleixandre mismo. Hora es de dar por cerrado ese meandro y de encararnos de nuevo, y ya específicamente, con la obra aleixandrina.

A partir de su segundo libro, *Pasión de la Tierra*, da inicio Aleixandre, como otros poetas contemporáneos suyos, a un nuevo tipo de escritura con la que pretende expresar zonas del espíritu que podemos afirmar estaban, en cierto modo, vírgenes de revelación poética. Este zahondar irracionalista tiene muy variadas consecuencias literarias. Nos importa señalar, por lo pronto, una de ellas: la enorme intensificación de los elementos visionarios. Intentaremos comprobar también en el presente capítulo cómo las frases hechas y los mitos pueden servir de pauta, aunque pocas veces, a visiones o representaciones poéticas, sin que el poeta, y en consecuencia el lector, tengan, en principio, conciencia de ello.

INTENSIFICACIÓN DEL
FENÓMENO VISIONARIO

Al examinar esta poesía salta un primer hecho a la vista: si prescindimos de *Historia del Corazón* y libros posteriores, donde de nuevo
abundan, las imágenes que hemos llamado "tradicionales" han desaparecido casi por completo. Ni en *Pasión de la Tierra*, ni en *Espadas
como Labios*, son rastreables. Sería difícil hallarlas en *La Destrucción
o el Amor* y en *Mundo a Solas*. Y sólo asomarán en *Sombra del Paraíso* y mucho más en los libros que a éste siguen, como he dicho.

Pero el significado de esta estadística puede ser agigantado aún.
Aleixandre, contra lo que parecerían indicar los datos anteriores, es
poeta de gran fantasía, irradiadora de constantes disparos imaginativos. Sólo que éstos son de condición visionaria. Si tomamos un libro
que muestra ya cierto rebajamiento en el número de imágenes con
respecto a los anteriores, si nos enfrentamos con *Sombra del Paraíso*,
obtendremos resultados muy claros: de los cincuenta y dos poemas
de que consta, once están constituidos, cada uno de ellos, por una
sola imagen desarrollada visionariamente que se extiende desde el
principio hasta el final de la respectiva composición; veintidós, por
una sola visión principal, de la que pueden depender otras subsidia-
rias, y las diecinueve piezas restantes se hallan totalmente rafagueadas
por múltiples descargas independientes que van acribillando cada una
de sus estrofas y hasta cada uno de sus versos.

¿Cuál es la causa de tan extraño fenómeno? ¿Por qué esta intensificación de lo visionario? No parece difícil responder a tal pregunta. Sin duda, se debe a la especial técnica con que los versos de
nuestro poeta han sido escritos. Cuanto más se adentre un poeta en
las zonas abisales de su espíritu, serán más intensamente visionarias
sus manifestaciones poéticas, *porque la expresión normal del inconsciente es generalmente de esa índole*. La afirmación que acabo de
apuntar no es caprichosa: está basada precisamente en el análisis de
un acto de ese origen inconsciente: en el análisis de los sueños. En
efecto: las representaciones oníricas utilizan no sólo los símbolos, sino
también las visiones y las imágenes visionarias (como es sabido, Freud

sólo usó la expresión "símbolos" para referirse a los elementos del "contenido manifiesto" del sueño; mas desde nuestra terminología es preciso separar esos tres tipos como diferentes). Antes de seguir adelante conviene que comprobemos este punto.

a) *Las visiones en el sueño.* — Es indudable que los sueños adoptan muchas veces el aspecto de verdaderas visiones. Uno que cierto amigo mío me aseguró haber tenido puede quizá arrojar alguna luz sobre lo que acabamos de exponer. Este muchacho trabó conocimiento hace ya algunos años con determinado personaje X, por quien sentía, desde tiempo atrás, profunda admiración. Durante la noche de aquel día soñó que X era un mítico ser gigantesco, cuya cabeza, soberanamente, rozaba el firmamento estrellado: atribución, pues, de cualidades irreales (tamaño cósmico) a un cuerpo humano. No creo que nadie pueda encontrar diferencia alguna entre la configuración de esta fantasía y las que nos presentan algunos poemas de *Sombra del Paraíso:*

> Sí, poeta: arroja este libro que pretende encerrar en sus
> páginas un destello del sol,
> y mira a la luz cara a cara, apoyada la cabeza en la roca,
> mientras tus pies remotísimos sienten el beso postrero del
> poniente
> y tus manos alzadas tocan dulce la luna,
> y tu cabellera colgante deja estela en los astros.
>
> ("El poeta".)

b) *Los símbolos en el sueño.* — El concepto que Freud tenía del símbolo no coincide con el que yo he expuesto en el capítulo X del presente libro. El psicólogo vienés daba este nombre a algo mucho más genérico. De todos modos, el símbolo, tal como lo hemos definido, existe en los procesos oníricos. Cuando el plano real que late bajo el contenido manifiesto [1] es de índole espiritual [2], el sueño lo repre-

---

[1] Recordemos que Freud llama "ideas latentes" a los impulsos provocadores de los sueños, y "contenido manifiesto" a la representación plástica de ellos.

[2] En las págs. 174 y ss. definíamos el símbolo como una figuración cuyo plano real, *una vez descubierto por análisis,* resulta vago, indeterminado. Ello nos indica que no puede ser de tipo material (pues entonces sería perfectamente definido), sino espiritual.

senta "por medio... de imágenes visuales", nos dice el creador del psicoanálisis [3]. Freud pone en su obra varios ejemplos de este tipo de símbolos: "el equipaje con el que viajamos es la 'carga de los pecados que nos abruman' " [4]; "el no alcanzar un coche que parte sin nosotros es (...) representación del *sentimiento* [5] que el sujeto experimenta ante la diferencia de su edad con la de una persona deseada" [6], etc.

c) *Las imágenes visionarias en el sueño.* — Al hablar de las imágenes visionarias en la lírica, separábamos las simples de las que se continuaban visionariamente. Tenemos que prescindir aquí de esa distinción, porque en los sueños no tiene sentido hablar de la continuidad o no continuidad de una imagen. Por tanto, para concluir que una figuración onírica es de carácter "visionario", hemos de fijarnos en si posee aquella otra característica que diferenciaba, de un modo general, las imágenes típicamente contemporáneas de las tradicionales. Las primeras, decíamos, no exigen parecidos inmediatamente objetivos entre los dos objetos comparados, el real y el evocado (al contrario de lo que sucede con las segundas). Basta con que las emociones que ambos nos provoquen sean semejantes. Pues bien: las imágenes de los sueños son también, muchas veces, del tipo que es frecuente en Aleixandre. Supongamos que alguien sueña con una encina que le aterroriza. El análisis de tal sueño puede revelar que esas encinas están representando oscuramente a la persona de X, la cual habría amenazado de muerte, con anterioridad, al soñador. (Esta imagen onírica pudo producirse porque, por ejemplo, el durmiente hubiese presenciado, en otra ocasión, un crimen en un encinar.) Es evidente que el sueño, en este caso, no está echando mano de parecidos de orden objetivo entre las dos esferas, la de realidad A (la persona de X) y la de fantasía B (encinas), sino que, como la poesía contemporánea, halla la ecuación de un par de términos A y B si ambos le producen emociones de tipo parejo (terror). Por eso, la interpretación de las

---

[3] Véase S. Freud, *Obras Completas*. VII, *La interpretación de los sueños* (tomo II), traducción de Luis López Ballesteros, Biblioteca Nueva, Madrid, 1934; pág. 53.

[4] *Op. cit.*, pág. 68.

[5] El subrayado es mío.

[6] *Op. cit.*, pág. 68.

metáforas oníricas se obtiene a veces haciendo que el paciente asocie un término A que le ocasione un sentimiento igual al que el término B del sueño le causaba. A será entonces la *traducción* de B. (Naturalmente, lo dicho sólo es un esquema muy simplista y tosco del procedimiento psicoanalítico, porque, por supuesto, pocas veces se trata de una fórmula tan sencilla) [7].

La diferencia entre las imágenes oníricas y las visionarias de la expresión poética salta también a la vista. En las primeras puede no haber *en absoluto* semejanza objetiva entre las dos esferas comparadas (tal el caso de las encinas). En la lírica, como hemos indicado en la pág. 127, no hay tampoco *aparentemente* esa suerte de semejanza entre ellas; pero el análisis posterior, si lo realizamos, revela siempre, tras la primera impresión, la existencia de un difuso parecido de esa clase, que es precisamente lo que permite la universalidad imaginativa de la poesía, frente a la posible individualidad de las imágenes del sueño.

EXPRESIONES O VISIONES APO-
YADAS EN RECUERDOS INCONS-
CIENTES DE FRASES HECHAS

Hemos visto las afinidades y las diferencias que las imágenes del sueño tienen con el fenómeno visionario. Quisiera mostrar ahora cómo en determinadas ocasiones ciertas locuciones conocidas previamente sirven de falsilla inconsciente a expresiones poéticas: frases hechas, pongo por caso, que al asomar a flor de verso, se transforman de tal modo que de algo puramente expresivo pasan a ser algo visto plásticamente, y aun en forma de visiones. Por ejemplo: la expresión popular "calado de frío hasta los huesos", puede convertirse en esta otra de *La Destrucción o el Amor:* "viento negro secreto que sopla entre los huesos" [8], donde se atribuye al viento una cualidad irreal (soplar entre los huesos). Un momento de la composición titulada "La muerte o antesala de consulta" (del libro *Pasión de la Tierra*) puede

---

[7] S. Freud, *op. cit.*

[8] Véase Dámaso Alonso, "La poesía de Vicente Aleixandre", en *Ensayos sobre poesía española*, ed. Revista de Occidente Argentina, Buenos Aires, 1946, página 367.

ser analizada en igual sentido. Una frase hecha, "ponerse los pelos de punta" (a causa del miedo), sirve de pauta a un instante del poema. Aleixandre se refiere a unos trágicos seres que esperan la muerte, diciendo: "sus barbas crecían hacia el espanto". Observamos que esta expresión es casi la misma anterior, aunque cada una de sus palabras queda ahora sustituida por otra equivalente: "pelos" se transforma en "barbas", y "ponerse de punta" se trueca en "crecer". La preposición "hacia", que no se da en la frase pautadora, unida a los cambios introducidos, basta para que la fórmula fraseológica se convierta en visionaria. (En Lorca, la locución "lágrimas de cocodrilo" tal vez haya influido del mismo modo no reflexivo en el comienzo de una famosa canción suya: "El lagarto está llorando", si tenemos en cuenta que un lagarto tiene una remota semejanza y puede aparecérsenos como un cocodrilo en miniatura.)

Que la utilización en poesía de esta especie de bloques "prefabricados" (si vale la imagen) es una consecuencia más del suprarrealismo, con su escritura próxima al automatismo, o, al menos, de un irracionalismo muy agudo, queda comprobado cuando vemos que las representaciones oníricas los utilizan también, dándose en ellas, igualmente, la conversión de lo que es simplemente expresivo o comparativo en algo formulado plásticamente. Me serviré para exponer este punto de uno de mis propios sueños. Me habían impresionado bastante unas líneas que cierto amigo mío me escribiera: "X se ha puesto gordo como un cerdo". Pues bien: soñé que X había sido atropellado por un automóvil. Las ruedas del vehículo seccionaron completamente el pie de la víctima. En la calle quedaba ésta, tendida, y junto a ella, separado, el pie, "que resultaba ser un jamón".

El sueño había tomado literalmente los conceptos contenidos en una frase hecha ("engordar como un cerdo"). O de otro modo: las nociones que sólo comparativamente establecía ésta habían cuajado plásticamente.

Si queremos examinar aún otro ejemplo, tomado ahora de una autoridad en la materia, abramos el segundo tomo de *La interpretación de los sueños*, de Freud, por la página 52 de su edición española [9].

9 Biblioteca Nueva, tomo II, volumen VII, de las *Obras Completas*, Madrid, 1934.

Leeremos allí que la expresión popular alemana "quedarse sentada una mujer" (equivalente teutón de nuestro "quedarse para vestir imágenes") tiene en cierto sueño una representación literalmente visual. El procedimiento que acabo de exponer no es, en su esquema, una novedad absoluta. El conceptismo del XVII se había valido igualmente en su lenguaje de frases hechas, transformadas levemente por el escritor (un Quevedo, un Gracián) para conseguir determinados efectos. Había, sin embargo, una diferencia con el tipo aleixandrino. Los escritores barrocos usaban esa técnica de un modo *absolutamente consciente*. El poeta que estudiamos se sirve de ella, pero de modo no consciente. Al escribir el poema, puede no darse cuenta de que la visión en él plasmada se enraíza sobre un fondo de fraseología popular. En consecuencia, el lector, ante uno y otro caso, reaccionará también de manera diferente. Al leer a Quevedo necesita, si ha de recibir una impresión, conocer la frase hecha que ha estimulado la aparición de la nueva. En cambio, para emocionarse, no precisa de este conocimiento cuando lee al autor de *Pasión de la Tierra*.

EXPRESIONES O VISIONES

APOYADAS EN MITOS

Pero la falsilla inconsciente puede ser también un mito, ya clásico, ya bíblico, ya popular. Para evitar confusiones conviene aclarar que entiendo aquí por esa palabra algo más amplio que la significación que le es habitual, pues incluyo en ella también todo lo que pueda tener una contextura religiosa; o sea, tanto las historias evangélicas o mosaicas como las contenidas en las mitologías propiamente tales, o los cuentos de aparecidos, etc., que narran "las viejas tras el fuego".

Pues bien: tales "mitos", como otros muchos términos que forman la cultura mayor o menor de cada cual, se hallan en la memoria no actualizada, como en un sombrío desván o sótano junto a otras muchas cosas; están allí en un desorden no luminoso, en un como barajado *revolutum*, en un caos oscuro; pero pueden emerger hasta las composiciones poéticas (como emergen hasta las representaciones oníricas) [10], cuajando otra vez en lo que originalmente fueron: en

---

[10] S. Freud, *op. cit.*

original hermosura estética; aunque ahora esta belleza tenga nuevas facetas, brillos nuevos. Es decir: la poesía se servirá también, en ocasiones, de los mitos, pero sólo usará de ellos como el artífice utiliza oro para hacer una copa. El mito será únicamente materia con la que el poeta forma la visión o la expresión nueva [11]: exactamente lo que hacía con las fórmulas fraseológicas que comentábamos.

Cuando Aleixandre nos habla, en la composición titulada "El poeta" (o en la que lleva el título de "Padre mío"), de criaturas gigantescas, de tamaño infinitamente superior al normal humano, está creando unos seres que tienen evidente filiación con los titanes clásicos. Pero no es a estos semidioses a los que el autor de *Sombra del Paraíso* alude. Hasta es posible que al crearlos no haya tenido conciencia de que la mitología griega era la remota fuente de sus versos, el imán que atraía ciegamente la visión en ellos formulada. (¡Tan lejos está el poeta de querer hacer mitología!) Como tampoco que estos versículos

> Una concha de nácar intacto bajo tu pie te ofrece
> a ti como la última gota de una espuma marina.
>
> ("Casi me amabas", de
> *Sombra del Paraíso.*)

sean la expresión visionaria del mito de Venus naciendo de la espuma. O que estos otros:

> ¡Palabra sola y pura
> por siempre —Amor— en el espacio bello!
>
> ("La palabra", de *Sombra
> del Paraíso.*)

(referidos a la primera palabra amorosa pronunciada por labios humanos), tengan su origen en el recuerdo del Cuarto Evangelio y su exposición del Verbo.

En Antonio Machado se da ya el procedimiento. Este poema:

---

11 Al contrario de lo que sucedió en el Renacimiento, donde los mitos grecolatinos fueron repetidos hasta la saciedad, sin modificar esencialmente su estructura originaria.

> Arde en tus ojos un misterio, virgen
> esquiva y compañera.
> No sé si es odio o es amor la lumbre
> inagotable de tu aljaba negra.
> Conmigo irás mientras proyecte sombra
> mi cuerpo y quede a tu sandalia arena.
> ¿Eres la sed o el agua en mi camino?,
> dime, virgen esquiva y compañera.

cuya virginal protagonista *simboliza* oscura, inconfesablemente, la conciencia del destino de vida y muerte que el hombre tiene, o *bien* (borrosidad de todo símbolo), su poesía en cuanto expresión de tal conciencia, toma base, sin duda (pero sólo base, y base que no necesitamos reconocer), en el mito de Diana Cazadora.

VISIONES DE PURA CREACIÓN

En una palabra: esta poesía (como los sueños) se sirve algunas veces de fórmulas estereotipadas, ya sean frases hechas, ya mitos u otras formaciones culturales, que obrando ciegamente desde el trasfondo del espíritu de su autor producen muchas veces visiones.

Pero esto es lo absolutamente excepcional, que he estudiado para ver la relación entre el proceso onírico y el proceso poético aleixandrino. Lo frecuente es que las visiones nazcan de una más pura creación, sin apoyaturas en lo ya fijado y perteneciente a un común depósito de conocimientos. El lector de este libro ha visto ya ejemplos de ello, y verá pronto muchos más.

Capítulo XIII

COMPLICACIÓN DE LA ESTRUCTURA EXTERNA
DE LA IMAGEN

IMÁGENES SUPERPUESTAS

En el capítulo X insinuábamos que las imágenes visionarias (lo mismo que las visiones o los símbolos), al desarrollarse, podían emitir nuevas imágenes: esta arborización de que hablo es tan connatural a las modernas figuraciones que no podemos considerarla como elemento barroquizante de ellas, aunque sí como algo complicador de su estructura externa. Diríamos entonces que las figuras de lenguaje aleixandrinas son "naturalmente complejas"; que su misma esencia les prohibe la simplicidad.

Partiendo de este punto, conviene, para la exacta exposición de mi pensamiento, añadir otras a mis anteriores palabras. En esta complicación imaginativa interviene también no poco la especial fantasía del poeta, inclinada a la acumulación y engarzamiento de las imágenes. Tomemos un ejemplo que nos aclare lo dicho. Si un poeta contempla a un ser A (por ejemplo, una muchacha) en figura de B ("serpiente", pongamos por caso) a lo largo de todo un poema, como hace el autor de *Mundo a Solas* en una composición que hemos transcrito en otro lugar (véase la página 163), fácilmente esa suplantación de B por A, si es, por continuada, muy intensa, conduce de un modo natural a la consideración del elemento B ("serpiente") como verdadero plano real, sobre el que a su vez es posible levantar una nueva imagen C. Tal es lo que sucede en los siguientes versos, referidos a una muchacha:

> Aún recuerdo ese brillo de tu *testa* sombría,
> *negra magia* que oculta bajo su crespo acero...

La muchacha (plano real A) queda vista, en primer lugar, como serpiente (plano imaginado B). Pero, a su vez, la cabeza de esa serpiente (término b_1, dependiente de B) ha pasado a ser la base de una nueva imagen C, "negra magia", que llamaríamos de segundo grado por hallarse montada sobre otra (la B). Tres pisos forman, pues, esta atalaya poética: "muchacha", "serpiente" y "negra magia". Nada podríamos anotar que no fuese consecuencia lógica de la continuidad imaginativa. Los lectores siguen sin esfuerzo el proceso arborizador, puesto que la sustitución de "mujer" por "serpiente" había comenzado doce versos atrás, adquiriendo con ello la imagen tal relieve plástico que el lector la sentía como si fuese un plano real propenso a irradiar nuevos elementos figurativos. Todo esto parece muy claro. Pero hay evidentemente algo también temperamental en el impulso hacia estas ramificaciones, porque en muchos casos, sin que la imagen B sea continuada, desarrolla también nuevas figuraciones superpuestas (que a su vez pueden propagar otras oleadas imaginativas). Tal ocurre cuando el autor de *Sombra del Paraíso* alude al mar con estas palabras:

> ...Qué plumón estirado
> como un pecho tendido a la postrera caricia del sol
> alza sus espumas besadas...
>
> ("Plenitud del amor", de
> *Sombra del Paraíso.)*

Aquí se atribuye al mar (plano real A) una imagen B ("plumón"), que, sin continuarse, emite otra aún de segundo grado C: "pecho".

No es necesario continuar presentando ejemplos. Sepamos sólo que estas torres imaginativas que hemos sacado a relucir no son algo aislado dentro de la poesía aleixandrina. Precisamente la superposición de imágenes es, por lo frecuente, una de las notas más caracterizadoras de ella, aunque después de *Sombra del Paraíso* (en *Nacimiento*

Último y más decididamente a partir de *Historia del Corazón*) tienda casi a la extinción.

Antecedentes. —En la poesía de Aleixandre, tal procedimiento sólo ofrece como novedad la frecuencia de su uso. Y aun ésta halla antecedentes en el culteranismo. La superposición de imágenes era familiar a don Luis de Góngora y una de las vías de barroquización utilizadas por este poeta:

> De firmes islas no la inmóvil flota
> en aquel mar del Alba te describo
> cuyo número —ya que no lascivo—
> por lo bello, agradable y por lo vario
> la dulce confusión hacer podría
> que en los blancos estanques del Eurota
> la virginal desnuda montería
> haciendo escollos o de mármol pario
> o de terso marfil sus miembros bellos
> que pudo bien Acteón perderse en ellos.

(Versos 481-490 de la *Soledad Primera*.)

El plano real A, del que arranca toda la arborescente maraña, está constituido por las "islas" de Oriente que son llamadas "inmóvil flota", comparación de primer grado B, que va acompañada a su vez de una nueva figuración paralela: "ninfas de Diana", término elidido, de primer grado aún B'. Esta imagen se halla suplantada por una perífrasis ("virginal desnuda montería"). Pero no para aquí el crecimiento imaginativo: la "desnuda montería" finge "escollos de mármol pario" (elemento de segundo grado C y peldaño último de la escalinata).

Como vemos, el procedimiento es semejante al de Aleixandre: una metáfora o un símil trae asociado otro, y este último arrastra otro todavía. La cadena algunas veces posee más eslabones aún. Pero si en el poeta contemporáneo la superposición de las imágenes es en parte una consecuencia natural de la continuidad imaginativa, en el poeta del XVII tiene un claro matiz barroquizante. Lo mismo cabría decir de este ejemplo de Quevedo. Se refiere a una "dama que apagó la bujía y la volvió a encender en el humo soplando":

> Resucitólo un soplo tuyo impreso
> en humo, que en tu boca es milagrosa
> aura que nace con facción de beso.

El "soplo" (plano real A) es "aura" (plano imaginado B), que, a su vez, es "beso" (evocación C de grado segundo).

IMÁGENES CON PRO-
PIEDADES IRREALES

Hasta ahora hemos visto únicamente casos en que imágenes provocaban imágenes. No iba más allá el proceso. Pero el sistema figurativo de Aleixandre es mucho más complicado. En el capítulo X separábamos los conceptos de imagen visionaria y de visión. Sin embargo, en la práctica poética esos dos tipos imaginativos no siempre se presentan aislados: a veces se entrecruzan y combinan. Una realidad, por ejemplo, emitirá en ocasiones una imagen que posea propiedades irreales. Es decir: no sólo un plano real puede hallarse contemplado en forma de visión, sino también un plano evocado. Tomemos unos versos de *Sombra del Paraíso*:

> Muslos de tierra, *barcas* donde bogar un día
> por el músico mar del amor enturbiado,
> *donde escapar libérrimos, rumbo a los cielos altos,*
> en que la espuma nace de dos cuerpos volantes.

("Plenitud del amor".)

A los muslos de la amada (plano real A) se les llama en el primer verso "barcas" (plano imaginado B) "donde bogar un día por el músico mar del amor enturbiado". Hasta aquí las cualidades que el poeta asigna a la imagen "barcas" son realistas en cierto modo: las barcas bogan, efectivamente, por el mar. Pero reparemos en los versos que vienen a continuación:

> *donde escapar libérrimos, rumbo a los cielos altos,*
> en que la espuma nace de dos cuerpos volantes.

Ahora se concede a la evocación "barcas" una propiedad que no posee: volar. Esas barcas van hacia los cielos altos. La imagen, sin dejar de serlo, se ha convertido así en una visión.

Antes de proseguir con nuestras reflexiones nos conviene hacer una aclaración importante. Cuando Góngora escribía que el Ave Fénix era un arco iris "no corvo", sino "tendido" (véase la página 149) estaba atribuyendo a la imagen (arco iris) una cualidad que no le es propia. ¿Se trata de lo mismo que acabamos de ver en *Sombra del Paraíso?* De ninguna manera. La condición asignada por el poeta del siglo XVII al arco iris ("no corvo, mas tendido") procedía del plano de realidad "Ave Fénix". En Aleixandre no ocurre lo mismo: no sólo las barcas (el plano imaginado) carecen de facultad para volar, sino también los hombres (el plano real).

Podría ahora plantearse la cuestión de cuál sea la causa que motiva esa "visionización" de la imagen. La sensibilidad nos dice que el poeta, al presentarnos esas lanchas que vuelan hacia el cielo, está haciendo resaltar el éxtasis de los amantes en la dicha amorosa. Lo que nuestros místicos llamarían "vuelo del espíritu" queda así traducido a vuelo material. En resumen: una condición del plano real (éxtasis de dicha en los amantes) pero que sólo hallamos tras un análisis extraestético, como siempre ocurre en el fenómeno visionario, hace que se conceda a la imagen (barcas) una función irreal: volar. No se trata de nada extravagante: una visión que debería estar impregnando una realidad A, colorea otra B que le sustituye, de igual modo que un embajador recibe en su persona los honores que se quieren tributar al monarca o a la nación a quienes representa.

IMÁGENES QUE
EMITEN VISIONES

A veces, en la poesía aleixandrina, se producen otra clase de relaciones entre visiones e imágenes. No es ya que se atribuyan a una esfera evocada funciones o propiedades fantásticas, como en el caso anterior sucedía, sino que esa esfera evocada arrastra visiones aplicadas a otros objetos:

¡Oh estrellas mías, *vino celeste!* Dadme toda
vuestra hermosura, dadme vuestros bordes lucientes.
Mis labios saben siempre sorberos, mi garganta
se enciende de sapiencia, mis ojos brillan dulces.
Toda la noche en mí *destellando ilumina*
vuestro sueño, oh dormidos, oh muertos, oh acabados.

("Los dormidos", de *Sombra del Paraíso.*)

La luz de las estrellas (plano real A) es llamada "vino celeste" (plano
evocado B). Esta imagen da origen a una visión: el poeta bebe ese
"licor", y el fulgor nocturno, así ingerido, hace destellar su cuerpo.

Vemos en este ejemplo una cualidad importante del procedimiento visionario: la coherencia a partir de una irrealidad. Partiendo de
algo imposible o irreal (que la luz de las estrellas sea vino) todo lo
demás es lógico: el poeta bebe ese vino, cuyas condiciones lumínicas
(cualidad del plano real, estrellas) le hacen brillar en medio de la
noche.

VISIONES QUE
EMITEN IMÁGENES

Y aún puede ocurrir lo contrario: que una visión dé lugar a una
imagen, cosa que hemos visto también en Bécquer. Diríamos entonces
que el plano real de esa figuración es, paradójicamente, una irrealidad.
Tal es lo que sucede en la pieza titulada "Las manos", de *Sombra
del Paraíso* (véase página 167 de este libro). En ella se presenta una
mano que vuela buscando su pareja amante; visión sobre la que se
engasta una imagen: la fantástica mano es un "ala de luz que cruzando en silencio toca carnal esa bóveda oscura".

CASOS MÁS COMPLEJOS

Todos los que hemos presentado hasta ahora son casos relativamente sencillos de entrecruzamiento entre visiones e imágenes. Para
ver ese entrecruzamiento con mayor claridad, tuve cuidado en escoger
aquellos ejemplos que ofrecían una sola imagen relacionada con una
sola visión, o al contrario. Pero es corriente hallar en los versos de

Aleixandre proliferaciones más complejas. Volvamos la mirada hacia el pasaje de las "barcas", ya comentado, y copiemos también la estrofa que sigue a la antes transcrita:

> Muslos de tierra, barcas donde bogar un día
> por el músico mar del amor enturbiado,
> donde escapar libérrimos, rumbo a los cielos altos,
> en que la espuma nace de dos cuerpos volantes.
>
> ¡Ah maravilla lúcida de tu cuerpo cantando,
> destellando de besos sobre tu piel despierta,
> bóveda centelleante, nocturnamente hermosa,
> que humedece mi pecho de estrellas o de espumas!

En primer lugar, consideremos que el plano real sobre el que está basado esta especie de edificio de pisos imaginativos se encuentra "visionizado": "muslos de tierra". Pero los "muslos" (plano real A) son barcas (plano imaginado B) que vuelan hacia los cielos (segunda visión). Otras dos nuevas visiones se producen ahora: el cuerpo canta y los besos destellan. Pero no hemos acabado aún. El ser querido, alzado ya en el firmamento, es una "bóveda centelleante" (imagen de segundo grado C) que humedece el pecho del poeta de estrellas (cualidad de la imagen de segundo grado C, "bóveda") o de espumas (cualidad de la de primer grado B, "barca en el mar").

Complicado conjunto visionario: A, B, C, y nada menos que cuatro visiones acompañando a esas imágenes superpuestas, ligadas a ellas o por ellas producidas. No se piense que son muy escasos los pasajes aleixandrinos que podrían ser comparados a éste en complejidad. Se trata, desde luego, de uno de los más complicados, pero tan complicados como él hay bastantes.

Probablemente, algunos de estos cruces imaginativos, si no todos, serán hallables en otros poetas contemporáneos (y más aún en los que siguen una técnica aproximadamente suprarrealista). Pertenecerán, pues, a un lenguaje de época, sobre el que Aleixandre realiza algunas novedades de pormenor, y que, en cierta manera, le caracterizan sólo en cuanto a la frecuencia e importancia de su uso. Creo que únicamente en Pablo Neruda podríamos hallar un equivalente en tal aspecto.

CAPÍTULO XIV

COMPLICACIÓN DE LA ESTRUCTURA INTERNA
DE LA IMAGEN: I. PUNTOS DE CONTACTO
ENTRE LOS PLANOS IMAGINATIVOS

Hemos analizado en el capítulo anterior la complicada estructura externa que las imágenes aleixandrinas poseen: cómo se reúnen o funden formando sistemas. Las que hemos llamado superpuestas, por ejemplo, no son otra cosa que esto: constelaciones de imágenes, en que una de ellas se relaciona con otra u otras, intrincándose de muy diversos modos como lianas proliferativas. Pero en el capítulo que ahora se inicia y en el que le sigue trataremos de ver algo distinto: si la imagen simple, esto es, la que sólo consta de un plano real y otro evocado, se halla igualmente complicada en su configuración. O en otras palabras: intentaremos examinar si la imagen aleixandrina nos presenta una estructura interna tan compleja como hemos visto que lo es su conformación externa.

Y, en efecto, encuentro que en Aleixandre las posibles complicaciones de la imagen simple pueden ser de dos clases: que los dos planos A y B se interfieran, prestando uno de ellos sus cualidades al otro, o que se invierta el orden de su colocación normal dentro de lo que llamaríamos sintagma comparativo: en vez de "A como B", "B como A".

Pero entremos ya en el estudio de la posibilidad primera, objeto de este capítulo.

I. *LOS CONTAGIOS IMAGINATIVOS EN LAS IMÁGENES SIMPLES*

Cuando Aleixandre construye una imagen, o sea cuando asigna una imagen a un plano real, lo que suele formarse con la imagen misma es un cuerpo intermedio que tiene elementos de sus dos planos constitutivos. El plano real puede, en efecto, enviar sus cualidades al plano imaginario, y viceversa, el plano imaginario enviar sus cualidades al plano real.

Ambos casos los escudriñaremos con algún pormenor en los apartados que siguen [1].

CUALIDADES DEL PLANO REAL
A CALIFICAN AL EVOCADO B

Por muy intensa que sea la identificación entre un objeto real A y otro evocado B, nunca lo será tanto que el poeta llegue a olvidar el cuerpo sumergido, el plano real evitado, que se comporta casi siempre de un modo semejante a esas falsillas o pautas que determinan la recta dirección de los renglones en el papel sin rayar: a través de la blanca superficie, y debajo de ellas, las gruesas líneas están, aunque débilmente, visibles. Pero además, la realidad ascenderá, en algunas ocasiones, como por ósmosis, hasta la encubridora evocación, con lo cual se consigue a veces uno de los propósitos fundamentales de la poesía contemporánea: sorprender al lector con creaciones idiomáticas originales. Esto es exactamente lo que pasa en unos versos de "Diosa", pieza integrante de *Sombra del Paraíso:*

> ...Y un tigre
> soberbio la sostiene
> como la *mar hircana*
> donde flotase extensa,
> feliz, nunca ofrecida.

---

[1] Estos dos casos son la mayor parte de las veces una consecuencia inmediata del desarrollo imaginativo, que llega a su perfección, como sabemos, dentro de la poesía española en Aleixandre.

Se describe en ellos a una mujer reclinada sobre un tigre. "Tigre de Hircania" será plano real, cuya condición "hircana" se filtra hasta el plano evocado "mar", formándose la sorprendente expresión "mar hircana". Otro ejemplo, casi tan claro como el anterior, lo encontraremos en "Destino trágico". En esta composición la visión poética es la contraria: aquí es el mar el que está visto como tigre. Pues bien: el poeta continúa tal imagen, y al describirnos los ojos del animal, dice: "sus ojos amarillos —minúsculas guijas casi de nácar al Poniente—, cerrados, eran todo silencio 'ya marino' ".

El plano real A ("mar") contagia con sus cualidades (silencio marino) al plano imaginario B (tigre).

Lo anterior no resulta procedimiento nuevo dentro de la historia de la poesía, como es sabido y veremos. Pero lo he mencionado porque era necesario para entender lo que va a seguir, que sí es, en cambio, muy nuevo y sorprendente. Es muy frecuente en *La Destrucción o el Amor*, en efecto, la identificación de dos seres, uno real y otro imaginado, apoyándose en un adjetivo *que se toma como común a ambos, pero que sólo es inherente al real.* Así este verso:

Tu corazón caliente como un alga de tierra.

("Que así invade", de *La Destrucción o el Amor.*)

identifica el "corazón" (plano real A) con un "alga" (plano evocado B) por medio del adjetivo "caliente" *en el que se supone que los dos planos coinciden,* pero que sólo puede poseer el real. Se trata, pues, de un caso particular, pero especialmente propio de Aleixandre, de lo que estamos exponiendo: una cualidad del plano real "corazón" (ser caliente) pasa al imaginado. Multitud de imágenes en *La Destrucción o el Amor,* repito, están montadas sobre este esquema, o sobre el contrario, que examinaremos después, en el apartado siguiente (véase la página 230).

En el poema que lleva el título de "Destino trágico" se da una variante curiosísima del caso que comentamos. En cierto momento se afirma allí que el océano

No es piedra rutilante toda labios tendiéndose...

Prescindamos de la negación. (En otro lugar hemos de ver que un tipo aleixandrino de negación tiene a veces —y aquí lo tiene— carácter cuasi-afirmativo.) En el verso copiado el plano real A ("mar") contagia con dos de sus condiciones (rutilar y tener olas) a la correspondiente imagen B ("piedra"). Pero una de ellas (y aquí nuestra sorpresa) asciende hasta esta evocación B, no simplemente, sino después de sufrir una operación metaforizante: las olas se han convertido en "labios": "piedra rutilante *toda labios* tendiéndose".

Antecedentes. — Este influjo que la realidad ejerce sobre la imagen, ¿ofrece alguna novedad? En cuanto a los tipos últimamente estudiados ("tu corazón caliente como un alga de tierra", o el océano "no es piedra rutilante toda labios tendiéndose") sí que la ofrece. Pero en cuanto al tipo más normal ("tigre... como la mar hircana") sólo muy relativamente, según he dicho ya. No sólo la poesía contemporánea se había servido de tal procedimiento; también la poesía barroca, y no sólo ella, utilizaba en gran escala una técnica semejante para matizar la imagen tradicional. Así, Góngora llama "volante nieve" a las plumas blancas de las aves. "Volante" es cualidad del plano real A ("plumas") que pasa al imaginado B ("nieve"). Sin embargo, estos contagios entre el plano A y el B no tienen en Góngora o en los poetas de su familia el mismo sentido que en Aleixandre, y, por tanto, son otra cosa, ya que la *realidad* de un procedimiento es, justamente, su sentido. En el autor de *Las Soledades* significa una "aclaración", impidiendo la ininteligencia de la metáfora, puesto que una sola palabra le sirve al poeta para representar objetos los más diversos. "*Oro* será la palabra que exprese todos los objetos poseedores de una propiedad común, la de ser dorados: ya sean cabellos de mujer, miel de abeja, aceite de olivas, mieses de trigo. *Nieve* será todo lo que coincida en blancura. Cuando el lector encuentra en *Las Soledades* una de esas palabras, tiene ya la llave —género próximo— para un tropel de conceptos. La última diferencia se la dan sólo el contexto o los determinativos que a la palabra misma acompañan: si se habla de *nieve hilada* habrá de entenderse *manteles de blanco lino*; ...si de *nieve de colores mil vestida*, se trata de los miembros de una serrana cubiertos por coloreadas ropas; si de *los fragantes copos que sobre el*

suelo ha sembrado mayo, se ha designado así a los lirios blancos cre-
cidos en la primavera" [2].

En Aleixandre, en cambio, estos cruces imaginativos, esta absorción
de las propiedades de un plano que el otro realiza, no son especifica-
tivos de la "última diferencia". No son aclarativos. No sirven como
guía o vademécum del lector para que éste descifre un enigmático
sentido. Aleixandre no suele levantar edificios de Cumas, como Góngora acostumbra [3]. En él estos contactos son resultado de una confusión visionaria. Son como la última perduración de lo real, que aún
riega, con alguna delgada venilla, el cuerpo más manifiesto y plástico
de lo evocado.

CUALIDADES DEL PLANO IMAGI-
NADO B CALIFICAN AL REAL A

Mucho mayor interés tiene el fenómeno inverso, consistente en
que el plano imaginario B haga descender sus cualidades hasta el
real A. Si Aleixandre, por ejemplo, ha contemplado a la noche en
figura de columna que oprime al hombre:

> ...Un oleaje
> de negror invencible, *como columna altísima,*
> gravita en el esclavo corazón oprimido,

podrá decir en los versos siguientes:

> ¡Ah! Cuan hermosas, allá arriba en los cielos
> sobre la *columnaria noche* arden las luces,
> los libertados luceros...

> ("Noche cerrada", de *Sombra del Paraíso.*)

O si el poeta ha visto a un cuerpo humano como cielo crepuscular, podrá calificar a los labios de "ponientes" ("ponientes" es aquí un
adjetivo):

---

[2] Dámaso Alonso, "Claridad y belleza de *Las Soledades*", pág. 196 del
libro *Ensayos sobre poesía española,* Revista de Occidente, Madrid, 1944.
[3] La posible dificultad de Aleixandre es de otro orden.

Sólo un sueño de vida sentí contra los labios
ya ponientes...

("Muerte en el Paraíso", de *Sombra del Paraíso*.)

Lo que nos importa en ambos casos es ver que los planos reales ("noche", en uno; "labios", en otro) quedan tocados por calificaciones procedentes de las respectivas imágenes ("noche columnaria", "labios ponientes").

Igual ocurre en el poema que lleva el título de "La verdad". Se trata también de una imagen referida al cuerpo humano, pero contemplado ahora como manantial: "el manantial, el cuerpo luminoso, *fluyente*". El "manantial" (plano evocado) califica con una de sus condiciones (fluencia) el plano real (cuerpo): "cuerpo fluyente".

Paralelamente a lo dicho en el apartado anterior, un adjetivo sólo inherente al plano imaginado puede servir de enlace entre éste y el real (y en tal caso la originalidad aleixandrina crece): "eres azul como noche que acaba" (de *La Destrucción o el Amor*: "No busques, no"). El adjetivo "azul" que sirve para conjugar la imagen se da como común a los dos planos, pero sólo pertenece, hablando en términos realísticos, a la imagen atraída ("noche"). Por tanto, esta cualidad del plano B desciende hasta el plano A. Tal construcción es frecuentísima en *La Destrucción o el Amor* (de donde he tomado el ejemplo), como queda indicado en la página 227.

ANTECEDENTES POÉTICOS

Dejando a un lado esta subespecie que acabo de mencionar ("eres azul como noche que acaba"), de sello tan marcadamente aleixandrino, encuentro que el genérico procedimiento en cuestión fue usado en la poesía española únicamente a partir de Antonio Machado, aunque en toda la obra de este autor sólo exista un caso claro:

y el alma aúlla al horizonte pálido
como loba famélica.

"Aullar" es propio del plano imaginario "loba" y no del plano real "alma", a quien en el poema se atribuye.

Pero en Juan Ramón Jiménez abundan ya los ejemplos. En la página 199 hemos comentado desde otro punto de vista su composición "Convalecencia". Si la releemos nos daremos cuenta de que el sol queda allí visto como "perro de luz". Pero ese sol (plano real), "se yergue", "ladra", etc., acciones que sólo la imagen ("perro") puede efectuar. Algo semejante ocurre en estos fragmentos del mismo autor :

> Poco a poco las hojas secas van cayendo
> de mi corazón mustio, doliente y amarillo.

El corazón se compara a un árbol otoñal, al cual se le caen secas las hojas, y es mustio y amarillo. Todas esas cualidades y modos del objeto imaginario "árbol en otoño" pasan al real "corazón". En este caso se ve muy bien una de las razones por las que la poesía contemporánea, cuyo fundamental individualismo concibe la poesía como sorpresa, como indicamos más arriba, utiliza tanto este recurso, ya que es justamente sorprender lo que se consigue esencialmente al colocar inesperadamente en A lo que sólo es inherente a B. En los versos juanramonianos de la cita aún la sorpresa se incrementa al resultar que la cualidad de B que se atribuye a A es contraria a una de las cualidades verdaderas de A : al corazón, que es rojo, se le llama "amarillo".

En la generación siguiente, la de Aleixandre, el artificio es ya habitual. Leemos en el "Llanto por la muerte de Ignacio Sánchez Mejías", de Lorca :

> Y como un trozo de mármol
> su dibujada prudencia.

Se compara la prudencia del torero con una escultura romana. Lo dibujado de la escultura (cualidad de la imagen) se atribuye al plano real ("prudencia") : su dibujada prudencia.

Si en nuestra búsqueda de precedentes poéticos a tan peculiar técnica abandonamos ahora la zona contemporánea, para realizar un escrutinio en poetas anteriores, la rareza y originalidad "contemporánea" de este fenómeno destacará con relieve. Es natural que sea así, pues la técnica que investigamos se halla en relación con una peculiaridad sólo propia de la poesía de nuestro siglo : el desarrollo visionario (no alegórico) de la imagen (véanse las págs. 161 y ss.), el hecho de que los términos del plano evocado no necesiten arraigar inmediatamente en el plano de realidad, bastando con la justificación que la imagen misma les confiera. Si esto es posible, será posible también, dando un paso más, el fenómeno que nos preocupa: que las cualidades del plano imaginado se atribuyan al real.

Tomemos el poeta no contemporáneo que haya complicado más la imagen: Góngora. Mejor aún: acerquémonos a su obra más imaginativamente compleja: *Las Soledades*. Podría creerse que habríamos de encontrar, por lo menos, una porción de casos semejantes a los aleixandrinos. No esperaríamos otra cosa de la difícil y enredada imaginería del vate cordobés. Pero después de someter los dos mil versos de ambas *Soledades* a un escrupuloso análisis, encontré solamente un caso *similar,* en cierto modo, a lo que en el autor de *Sombra del Paraíso* es frecuente. Helo aquí: "Volantes no galeras — sino grullas veleras" (versos 605-606 de la *Soledad Primera*). La negación es de tipo cuasi-afirmativo, por lo que podemos darla de lado. "Grullas volantes" es un plano real A, al que corresponde la evocación B, "galeras a velamen". Examinemos este caso y trataremos de hallar su diferencia con los aleixandrinos. En el autor de *Sombra del Paraíso* únicamente se producen contagios simples: sólo uno de los planos contagia al otro. Pero en Góngora, concretamente en los versos de Góngora que hemos aducido, hay una transferencia mutua. La fantasía B, "galeras", cede su calificativo, "veleras", a la realidad A, pero no desinteresadamente, porque adquiere, en cambio, el adjetivo "volantes" de ésta. Si el gran poeta del siglo XVII realiza así un barroco juego, Aleixandre no pretende deslumbrarnos con esa clase de artificios: las impregnaciones imaginativas son en su lírica resultado inmediato de la plasticidad imaginativa contemporánea.

Por tanto, si en la obra de Góngora no se da más que una sola vez, y de otro modo y con otro sentido, el procedimiento que en el autor de *Mundo a Solas* es usual, podemos, con fundamento, sospechar que el resto de nuestra poética "tradicional" lo desconocía, como, en efecto, parece ocurrir [4].

---

[4] Esa clase de afirmaciones sólo pueden hacerse en precario y con el ánimo muy resuelto a retirar lo dicho de modo tan rotundo en cuanto un erudito nos demuestre alguna excepción a nuestras palabras.

de *La devoción de la cruz* y exigido por la moral social de la época. La chispa cómica brotaba de este modo con gran facilidad.

EL PROBLEMA DE LA ANTICIPACIÓN
DE LOS PROCEDIMIENTOS POÉTICOS
EN LA LITERATURA BURLESCA: DI-
FERENCIA ENTRE POESÍA Y CHISTE

Surge de pronto aquí una pregunta importantísima: ¿Cuáles son las relaciones que median entre el chiste y la poesía? En el humor barroco la semejanza de procedimiento se nos ha hecho evidente, pero es preciso decir en seguida que no se trata de algo excepcional: el chiste se vale siempre para sus fines de los mismos medios de que echa mano el poeta. ¿Cuál es la razón entonces de que en un caso nos emocionemos y en el otro se produzca en nosotros un efecto tan distinto como es la risa?

Este problema se halla en conexión íntima con otro que los párrafos anteriores asimismo plantean: el problema de la frecuente anticipación en la literatura burlesca de ciertos rasgos retóricos que sólo luego se utilizarán en los géneros "serios": tal lo que vemos en el caso que estamos investigando.

En mi *Teoría de la expresión poética* he intentado responder a la primera de estas cuestiones, y al hacerlo creo que se ponen a nuestro servicio los datos necesarios para contestar a la segunda. Por supuesto, en el presente libro no puedo sino resumir muy insuficientemente, y sobre todo sin aportar pruebas, lo que allí se desarrolla de otro modo más amplio y acaso más adecuado.

Muestro o intento mostrar, efectivamente, en ese libro que la diferencia entre poesía y chiste consiste en que frente al contenido poético y antes de toda posible emoción (que justamente depende de ello) debemos "asentir" en un juicio implícito por considerar ese contenido legítimamente nacido, mientras que ocurre lo opuesto en lo que respecta al chiste: la materia verbal del chiste nos lleva al *disentimiento*, ya que se trata de un contenido anímico que aunque existente de hecho en una psique humana, no debería existir si tal psique se hubiese comportado con corrección. Añadamos que para que el chiste se produzca es necesario, además, que el disentimiento se acompañe de *tolerancia*, pues el puro disentimiento nos conduciría al absurdo y no a la comicidad. Y que esa necesaria tolerancia resulta siempre de que se nos ponga en suficiente claridad la causa del error psíquico que se ha originado.

Pues bien: todos y cada uno de los procedimientos poéticos llevan dentro de sí la fecha de su aparición, que nunca es, por supuesto, azarosa. Depende, por una parte, de imperiosas necesidades expresivas sentidas en ese determinado momento histórico, y, por otra, de que un nuevo modo de interpretar el mundo vuelva inteligible el recurso en cuestión, que en otra época no podría tal vez ser comprendido. Si el uso de la imagen visionaria, la visión y el símbolo, por ejemplo, es cosa del siglo XX se debe a que a la sazón se busca proporcionar al lector sensaciones verbales de misterio y sorpresa, y también porque en ese tiempo el artista está interesado en la supresión de la anécdota, cosas las tres que el mencionado tipo de imágenes conlleva; pero, además, el irracionalismo y el subjetivismo del hombre contemporáneo casa con y permite entender la estructura subjetiva e irracional de esa clase de figuraciones, *que con anterioridad se hubieran experimentado como faltas de sentido, y, por tanto, como "disentibles"*.

Generalizando la doctrina diríamos: un procedimiento estético que nace a la literatura antes de la época en que puede ser del todo entendido y, en consecuencia, "asentido", lleva consigo el cumplimiento de una de las dos leyes propias del chiste: el disentimiento. Pero el hecho de que en el futuro ese mismo procedimiento vaya a tener plena inteligibilidad y razón de ser supone que ya ahora tenga alguna, es decir, que ya ahora nos sea dado ver como *posible* en algún "equivocado" su "ilegítima" existencia. Toleramos entonces sin asentir, y la consecuencia es que nos reímos. Por tanto, los procedimientos que se anticipan a su momento literario "serio" se hacen, sin más, aptos para un uso cómico. De ahí que sea el chiste y no la poesía la que muchas veces los estrene, tal como hemos empezado por sentar.

II. *LOS CONTAGIOS IMAGINATIVOS ENTRE IMÁGENES SUPERPUESTAS*

UNA IMAGEN DE SEGUNDO GRADO COLOREA
LA CORRESPONDIENTE DE PRIMER GRADO

Hemos visto hasta ahora que las cualidades de una realidad A pueden ser absorbidas por una evocación B; que, al contrario, una evocación B puede impregnar, calificativamente, una realidad A. Esto sucede en las imágenes simples, sólo integradas por dos planos A y B. Pero si consideramos un complejo de imágenes superpuestas, A, B y C, pongo por caso, en que B sea la imagen de primer grado y C la de segundo, ocurrirá lo propio. Las propiedades inherentes a A pueden ascender hasta el tercer estrato C; las de B, subir hasta C o bajar hasta A; y, por fin, pueden las condiciones de C descender, bien hasta el plano real absoluto A, bien hasta la primera evocación B (que hace oficio de plano real relativo con respecto a la imagen de segundo grado C). Lo último sucede en estos versos de "Muerte en el Paraíso":

...rendidamente tenté tu frente de mármol
coloreado como un cielo extinguiéndose.

En ellos vemos un plano real A ("frente") que lleva una imagen B ("mármol") sobre la que se superpone una segunda C ("cielo extinguiéndose", o sea, crepuscular). Pero, como decíamos, esta imagen de segundo grado C ("cielo") impregna con una de sus cualidades (coloreamiento) no el plano real, sino la imagen de primer grado B ("mármol") resultando así el "mármol coloreado" que los versos citados nos presentan.

Antecedentes. — Este caso, agredido al mismo tiempo por fuerzas complicadoras de la configuración externa de la imagen —superposición— o interna —contacto entre los planos C y B— es, al parecer, nuevo en la técnica poética. No existe, según creo, en la poesía anterior a Aleixandre. Pero igualmente lo volvemos a encontrar, como recurso cómico, en la literatura barroca del XVII. Antes explorábamos un pasaje de *El Buscón* que utilizaremos aquí otra vez. Recordemos: En la sopa estudiantil se cayeron las cuentas de un rosario. Sigue Quevedo:

> Unos decían: ¿Garbanzos negros? Sin duda son de Etiopía. Otros decían: ¿Garbanzos con luto? ¿Quién se les habrá muerto?

Estas breves líneas nos proporcionan nada menos que dos ejemplos. Veamos el primero: el de los garbanzos negros. El plano real A es "cuentas de rosario dentro del caldo". La comparación de primer grado B, "garbanzos negros". La superpuesta C (no expresa), "hombres negros". Una cualidad de la comparación de segundo grado C —algunos negros proceden de Etiopía— tiñe a la de primer grado B, "garbanzos": los garbanzos negros serán, asimismo, de Etiopía.

El segundo ejemplo es idéntico: plano real A: el mismo, "cuentas de rosario"; primera comparación B: "garbanzos con luto"; segunda C (tácita): "hombres que llevan luto". Una propiedad de la evocación de segundo grado C tiñe la de primer B: si los hombres que llevan luto lloran a un difunto querido, los garbanzos, que también lo llevan, sufrirán, igualmente, esa desgracia.

UNA IMAGEN DE PRIMER GRADO COLO-
REA LA CORRESPONDIENTE DE SEGUNDO

El caso inverso al anterior nos lo ofrecen unos versos de *La Destrucción o el Amor*:

> Beso alegre, descuidada paloma,
> blancura entre las manos, sol o nube;
> corazón que no intenta volar porque basta el calor,
> basta el ala peinada por los labios ya vivos.

("Hay más".)

Al beso se le llama, en primer lugar, "paloma", imagen de primer grado B sobre la que se instala otra de segundo C, una sinécdoque: "blancura". Encima de C aún se acomoda otro piso D, desdoblado en un par de imágenes de tercer grado: "sol" y "nube". Pero esa torre finaliza, para levantarse otra paralela a partir de B ("paloma") con un estrato también sinecdóquico: "corazón". Ahora bien: es un corazón que puede volar y que tiene alas, cualidades del plano B, "paloma". Esta esfera B, por tanto, ha segregado sustancias que ascienden hasta otra C. No he hallado antecedentes de este complejo caso ni en la poesía ni en la literatura burlesca, aunque no niego que puedan existir en esta última zona.

III. *GÓNGORA Y ALEIXANDRE*

LOS CONTAGIOS IMAGINATIVOS EN GÓNGORA Y ALEIXANDRE.
ANÁLISIS COMPARATIVO GENERAL

Hemos estudiado cuatro modos de contagio entre los planos imaginativos dentro de la obra de Aleixandre. Los cuatro bien netos y diferenciados. En el primero, cualidades de la realidad eran absorbidas por la evocación; en el segundo, al contrario, era la evocación la que enviaba sus cualidades al plano real; en el tercero, una imagen de segundo grado descendía calificativamente hasta otra de primero; y en el cuarto sucedía lo opuesto: la propagación calificativa iba desde una imagen de primero hasta otra de segundo grado. Cada uno de estos casos fue comparado con otro gongorino paralelo, excepto los dos últimos, que no tuvieron posible emparejamiento. Pero me interesa establecer ahora la diferenciación, no ya específica, sino genérica, entre el procedimiento visible en nuestro poeta y el mismo en las manos de Góngora. De otro modo: tomemos los cuatro casos del autor de *Sombra del Paraíso* y enfrentémoslos conjuntamente con los que existan en *Las Soledades*. Quizá así deduzcamos una separación más tajante entre ambas técnicas, la del cordobés del XVII y la del sevillano de hoy.

Una cosa se ofrece a nuestra mirada sin más detenimiento: en ninguna de las cuatro posibilidades de impregnación que hemos rastreado en el poeta contemporáneo, los contactos imaginativos se realizan entre imágenes horizontales (es decir, aquellas que se hallan insertas sobre una misma realidad) [8], sino entre planos superpuestos. La corriente contaminadora asciende o desciende, pero jamás va de derecha a izquierda o de izquierda a derecha. Pues bien: en Góngora se da, exactamente, el caso inverso. Si prescindimos del coloreamiento de lo evocado que la realidad efectúa, por no tener un sentido puramente estético (seamos inexactos "para mayor claridad"), sino en cierto modo práctico (especificación del objeto a poetizar) [9], veremos que el fluido imaginativo corre siempre en dirección horizontal (ya hemos indicado que el ejemplo de las "grullas" es absolutamente insólito). Es decir, se contagian recíprocamente las cualidades de dos imágenes B y B' emitidas por un mismo plano real. Porque la circulación es siempre doble: de B partirá un movimiento calificador hacia B'. Pero, a su vez, de B' partirá otro hacia B. Esto último es regla general en *Las Soledades,* y en cambio no se da ni una vez en toda la obra de Aleixandre. Veamos como ilustración de todo lo dicho el verso 250 de la *Soledad Primera:* una zagala es

Si aurora no con rayos, sol con flores.

---

[8] Me interesa exponer con claridad el concepto de "imágenes horizontales", puesto que lo vamos a utilizar más adelante. Si una realidad A emite una imagen B, y esta última da lugar a otra C, tendremos un complejo "de imágenes superpuestas" A, B, C. Pero si esa realidad A da lugar a un par de evocaciones B y B', de tal modo que ambas se inserten sobre A, tendremos un conjunto de "imágenes horizontales". Así, cuando el poeta dice: "Qué dura frente dulce, qué piedra hermosa y viva — (...) rama joven bellísima que un ocaso arrebata", en que los dos elementos, "piedra" y "rama" son imágenes de una común realidad, "frente", y no el segundo representación figurada del primero. No se superponen, por tanto. No forman una torre. El plano real es "frente", y sobre él se levanta una primera imagen B ("piedra") y una segunda B' ("rama"). La fantasía del poeta hiere con diversas imágenes *un mismo objeto* poético.

[9] Véase la página 228.

El endecasílabo copiado muestra un plano real A ("zagala") con un par de imágenes horizontales B y B' : "aurora" y "sol". Las cualidades de B —"aurora"— (tener flores : metáfora a su vez que alude a los matices cromáticos) pasan a B' —"sol"—, pero recíprocamente las cualidades de B' —"sol"— (tener rayos) aparecen en B —"aurora"— : aurora con rayos y sol con flores.

Y aun el caso puede ser más complejo :

> Seis hijas, seis deidades bellas
> del cielo espumas y del mar estrellas.

> (Versos 215-216 de la *Soledad Primera*.)

Estamos ya ante imágenes horizontales de segundo grado. Veamos : unas muchachas (plano real A) son llamadas "deidades" (expresión que alude a Venus). Tenemos por tanto aquí una primera evocación B, que aún prolifera : Venus queda sustituida por un par de imágenes horizontales de grado segundo : la espuma de que naciera, según la Mitología (C), y el astro de su nombre (C'). Ahora bien : condición de la espuma es originarse en el mar ; condición de la estrella brillar en el cielo. Góngora hace que ambas cualidades se interfieran : las muchachas serán :

> del cielo espumas y del mar estrellas...

Esa doble cesión es la que vemos también en el caso de "volantes no galeras — sino grullas veleras" y tal era precisamente la diferencia con los ejemplos "contemporáneos" y concretamente aleixandrinos.

Capítulo XV

COMPLICACIÓN DE LA ESTRUCTURA INTERNA
DE LA IMAGEN: II. PERMUTACIÓN RECÍPROCA
EN EL LUGAR DE LOS PLANOS IMAGINATIVOS

I. LA PERMUTACIÓN DE LAS IMÁGENES SIMPLES

Ya tenemos un modo de complicación interna de la imagen utilizado en la poesía de Aleixandre: por contagio entre los diversos planos de que consta. Pero aún existe un segundo modo de complejidad, muy abundante y peculiar de las obras que estudiamos, y cuyo análisis será la labor del presente capítulo. Las imágenes normales, las usadas tradicionalmente, tienen en cierto modo como finalidad *transfigurar* las realidades (en este lugar no necesitamos ser excesivamente severos en cuanto a precisión). Lo mismo cuando un poeta renacentista escribe "cabello como oro" que cuando Aleixandre dice "las muchachas son ríos felices", un plano real (cabello, en un caso; muchachas, en otro) queda visto *bajo la forma* de otro imaginado ("oro", "ríos"). Pero se realizará no ya una *transfiguración*, sino una verdadera *transustanciación*, si trastrocamos la normal colocación de los planos real y evocado, de tal modo que éste se sitúe en el lugar que a aquél corresponde, y a su vez aquél venga a ocupar el lugar que éste dejó vacante. Si normalmente la construcción es *A como B*, nuestro poeta, muchas veces, dirá *B como A*. O sea: en lugar de "labios como espadas" (donde el plano real es "labios"), "espadas como labios" (título de uno de los libros de Aleixandre), pero sabiendo que

el plano real del nuevo complejo sigue siendo el mismo: "labios".
Se obtendrá así una expresión enormemente intensa (procedente del
concepto de amor como destrucción, beso como muerte), expresión
cuyo pensamiento, muy condensado, es el siguiente: "los labios son
esencialmente espadas que adoptan, que fingen forma de labios".
La figura es, pues, la de "labios", pero la sustancia será la de "espadas". El trueque de planos habrá producido algo así como una transustanciación. El uso de este procedimiento tiende, evidentemente, a
proporcionar a la imagen ese carácter *plástico,* que también poseen
característicamente, como sabemos ya, los procedimientos visionarios.
La plasticidad es, pues, una tendencia de la poesía contemporánea.
Pongamos otros ejemplos. Cuando Aleixandre, en "La luna es una
ausencia", de *La Destrucción o el Amor,* escribe este verso:

del otro lado donde el vacío es luna...

nos está indicando que la luna es vacío, pero con más fuerza y plasticidad de lo ordinario: casi transustanciadamente, repito.
El aludido trueque de lugar entre los planos de la imagen es extraordinariamente frecuente en la obra de Vicente Aleixandre a partir
de *Espadas como Labios,* y constituye una verdadera aportación que
éste ha hecho a la expresión poética. Si en "La luz", de *La Destrucción o el Amor,* leemos esta frase:

celeste túnica que con forma de rayo luminoso...

entenderemos que el plano real es "luz", y "túnica" la correspondiente
evocación, aunque el sintagma imaginativo normal hubiera sido "rayo
luminoso que con forma de celeste túnica...". Cuando en "Humana
voz" encontramos un verso como éste:

palomas blancas como sangre...

(De *La Destrucción o el Amor.*)

sabremos que "sangre" es el plano de realidad, pese a que la construcción corriente habría dicho "sangre como palomas blancas". Y, en
fin, si en *Sombra del Paraíso* hallamos los dos versículos siguientes:

> Una larga espada tendida como sangre
> recorre mis venas...
>
> ("Al cielo".)

(donde la expresión al uso hubiese sido: "la sangre, tendida como una larga espada, recorre mis venas"), inmediatamente nos damos cuenta de que la esfera de realidad es "sangre", y "espada", su imagen. Este original procedimiento, seguramente con escasísimos precedentes en la literatura española [1], nació sin duda bajo las urgentes instancias de un interno acorde que bullidoramente exigía exteriorizarse. Al poeta le resultaban insuficientes los recursos idiomáticos existentes para poder formular con palabras su personal visión de la Naturaleza. Al realizar el hallazgo de la permutación entre los planos imaginativos, el autor de *La Destrucción o el Amor* encontró uno de los medios más idóneos para la justa transmisión de su concepción de la realidad. El poeta va a enfrentarse con un mundo cuyas criaturas coinciden en ser sustancialmente la misma cosa: amor. La multiplicidad visible en la naturaleza será sólo aparente. Se tratará únicamente de las diversas formas, las variadas máscaras del amor:

> El amor como lo que rueda,
> como el universo sereno...

En estos versos está usado precisamente, y a mi juicio no por azar, el procedimiento que vamos analizando. Porque "universo" es el plano de la realidad, y "amor" la correlativa evocación. Pero si el poeta hubiese escrito "universo sereno como amor", nos transmitiría su intuición de un modo equívoco. El lector creería que el universo se coloreaba momentáneamente de amor, traduciendo quizá un estado sentimental del poeta. Y lo que Aleixandre pretendía afirmar era muy otra cosa: que la sustancia es el amor, y "universo" la forma visible de esa sustancia. El autor del poema no podía, pues, enderezar la frase al modo tradicional sin arriesgarse a ser inexacto en la formulación de su pensamiento intuitivo. La novedad ha nacido, en consecuencia, por una necesidad de expresión, no por un capricho de

---

[1] He hallado un solo ejemplo: en la obra de Juan Ramón Jiménez (pero pueden existir más que yo no haya visto).

orfebre, aunque después el autor de *Sombra del Paraíso* haya visto las posibilidades que la nueva técnica le ofrecía y las haya utilizado. Por medio de ella, la imagen podía adquirir excepcional plasticidad (y ya nos es familiar la propensión plástica de las imágenes contemporáneas). Los sentimientos mismos que la imagen transmitía alcanzaban un grado de intensidad insospechada. Reléanse de nuevo los ejemplos antes aducidos y podrá comprobarse cuanto acabo de afirmar.

Antecedentes. — He hablado antes de la originalidad de esta técnica. No obstante, he oído a un muchacho andaluz una frase burlesca (sin pretensiones literarias) que utiliza idéntico recurso. Se trataba de unos garbanzos muy duros: "No hay quien coma *estos balines como garbanzos*". "Balines como garbanzos", en lugar de "garbanzos como balines". B como A, en vez de A como B [2]. El procedimiento no difiere del aleixandrino, salvo en su intención, que aquí es cómica. De nuevo vemos la identidad de medios entre poesía y chiste, a que ya nos hemos referido.

II. *LA PERMUTACIÓN DE LOS PLANOS IMAGINATIVOS EN LAS IMÁGENES SUPERPUESTAS Y HORIZONTALES*

Hasta ahora únicamente hemos presentado casos muy sencillos de permutación entre los planos de la imagen. Únicamente nos hemos acercado a aquellos ejemplos en que este fenómeno actuaba sobre imágenes simples (o sea, las que sólo constan de un plano real A y

---

[2] Emilio Alarcos Llorach, en una reseña de la primera edición del presente libro, afirma que esa construcción existe en el idioma usual; verbigracia: "Tenemos un imbécil como profesor de alemán". Creo que el análisis de mi buen amigo Alarcos no ha tenido en cuenta dos hechos importantes. En primer lugar, que la frase vulgar citada no es metafórica, y en consecuencia, no existe en ella permutación de planos. Y en segundo lugar, relacionado íntimamente con el primero, que, cuando Aleixandre dice "espadas como labios", *quiere decir* "labios como espadas". En cambio, cuando se afirma que "tenemos un imbécil como profesor de alemán", no queremos decir, ni esa frase equivale a tal otra: "tenemos un profesor de alemán como imbécil". La semejanza entre ambas construcciones es, pues, sólo aparente.

otro evocado B). Pero también puede actuar sobre un complejo de imágenes superpuestas o de imágenes horizontales[3]; dando por resultado difíciles y en algún caso hasta barrocas formas, que tanto pueden intensificar la expresión como oscurecerla. Veamos primero unos versos en que desgraciadamente ocurre esto último.

DISLOCACIÓN DE LOS TRES MIEM-
BROS A, B, C DE UNA IMAGEN SU-
PERPUESTA DE SEGUNDO GRADO

El que vamos a exponer es el ejemplo tal vez más complicado que en toda la obra de Aleixandre pueda existir. Porque en él se produce no un intercambio de lugar entre los dos elementos A y B de la imagen, sino que el procedimiento dislocador se extiende a los tres miembros, A, B, C, de una figuración de segundo grado:

　— C —　　　— B —
　Relojes como *pulsos*
　　　　　— A —
　en los árboles quietos son *pájaros* cuyas gargantas cuelgan...

("Cobra", de *La Destrucción
o el Amor.*)

El plano real A es "pájaros". "Pulsos", la imagen de primer grado B, sobre la que se dispone otra aún: "relojes" (C).

Hay, pues, dos imágenes superpuestas, y las dos tienen cruzados sus miembros. Descomponiendo la primera, tendríamos:

　En los árboles quietos, *pájaros* (A)
　cuyas gargantas cuelgan son *relojes* (C)
　como *pulsos*... (B).

Pero "relojes como pulsos" es un conjunto que lleva también dislocados los planos imaginativos. Su versión en construcción normal sería

---
[3] Véase la nota 8 que va al pie de la pág. 242.

"pulsos como relojes". Por lo tanto, el significado completo de los dos versos que analizamos es el que sigue:

> En los árboles quietos, pájaros (A)
> cuyas gargantas cuelgan son pulsos (B)
> como relojes (C).

El poeta, en versos anteriores, había hablado de una lasciva cobra. Mientras ella pasa, los pájaros, hipnotizados, temerosos, son un puro latido de sangre. La pulsación atrae una noción comparativa: el tic-tac del reloj, el reloj mismo [4]. Los pájaros son sólo latido; el latido es un tic-tac como de reloj. He aquí la reducción al plano lógico de estos crípticos versos. El pasaje más difícil de *La Destrucción o el Amor*. Uno de los pocos momentos en que el verso de Aleixandre roza lo acaso directamente ininteligible.

DISLOCACIÓN DE LOS PLANOS A, B, B′ EN LAS IMÁGENES HORIZON- TALES DE PRIMER GRADO AFIRMADAS

En "Mina", de *La Destrucción o el Amor*, leemos este pasaje:

> —— B ——
> De nada sirve que una *frente gozosa*
> — A —
> se incruste en el azul como un *sol* que se da,
> — B′ —
> como *amor* que visita a humanas criaturas.

En este complejo, un plano real A ("sol") recibe dos imágenes: B y B′: "frente gozosa" (B) y "amor que visita humanas criaturas" (B′). Son, pues, un par de imágenes horizontales [5] afirmadas que en-

---

[4] La imagen pulso = reloj no es nueva en Aleixandre. Compárese con los aducidos en el texto este otro verso de *Espadas como Labios*:

> *Oh, sangre, sangre; oh, ese reloj que pulsa...*
> ("Reposo".)

[5] Véase la nota que va al pie de la página 242.

cubren la misma realidad. Ahora bien: el plano real A ("sol") y la
primera evocación B ("frente") intercambian su posición lógica dentro
de los versos. En vez de un "sol como frente", aparece una "frente
como sol". El tercer elemento, el plano imaginado B' ("amor"), permanece inmóvil. Pero como los otros términos ("sol" y "frente") se
han cambiado recíprocamente de sitio, parece, a primera vista, que B
("frente") es un plano real que tiene dos imágenes: "sol" y "amor".
Ya hemos visto que no es así. La construcción normal de los tres
versículos transcritos sería:

——— A ———

De nada sirve que un sol que se da

——— B ———

se incruste en el azul como frente gozosa,

————— C —————

como amor que visita a humanas criaturas.

DISLOCACIÓN DE LOS PLANOS
EN LAS IMÁGENES HORIZONTA-
LES DE PRIMER GRADO NEGADAS

Acerquémonos ahora a un caso en que la dislocación, siendo muy
complicada, posee máxima eficacia poética:

La cintura no es rosa,
no es ave, no son plumas.
La cintura es la lluvia.

("La lluvia", de *Sombra del Paraíso*.)

Analicemos estos tres versos, descomponiéndolos en sus dos piezas
fundamentales: la negación y el cambio mutuo de lugar entre los
planos de la imagen. Más adelante hemos de ver que hay en la poesía
de Aleixandre un tipo de negación que equivale a una afirmación
frenada por el adverbio "casi" [6]. Tal la que hallamos en los versos

---

[6]   Véase en el capítulo XXIII "La negación cuasi-afirmativa" (págs. 341 y ss.).

que acabo de copiar, los cuales tendrán, en consecuencia, un valor
lógico semejante a la frase siguiente:
"La cintura es casi una rosa, casi un ave, casi unas plumas. Pero
la cintura es, sobre todo, la lluvia."
Todavía nos queda por desmenuzar y componer en un orden
normal la otra pieza del complejo: el trueque de posición entre los
planos imaginativos, de que el poeta se ha valido para reforzar la expresión. Cuando dice, en el tercer verso, "la cintura es la lluvia", el
plano real es "lluvia" y el evocado "cintura". De modo que, endere-
zando la oración, diríamos:

> La lluvia es la cintura.

Pero la descoyuntación de los planos no ha comenzado en el tercer verso, sino en el primero. La palabra "cintura" ya empezó allí
sustituyendo a la palabra "lluvia". Nosotros ahora debemos hacer la
operación contraria, restituyendo cada vocablo al lugar que normalmente le correspondería. De esta manera, obtendremos la frase que
sigue:

> La lluvia no es rosa, no es ave, no son
> plumas. La lluvia es la cintura.

Y agrupando ahora las dos piezas (negación y recíproco trueque
de lugar entre las esferas A, B, B' de la imagen), analizadas hasta
ahora por separado, tendremos ya la significación completa de los tres
versos:

> La lluvia es casi una rosa, casi un ave,
> casi unas plumas. Pero, sobre todo, la
> lluvia es como una cintura.

Este caso que acabamos de analizar es único en la poesía aleixandrina, pero muy característico, sin embargo. No es algo que nos sor-
prenda: es un ejemplo, perfectamente esperable, de la complejidad
imaginativa que la obra de nuestro poeta posee. La causa de su extraña configuración ya la hemos visto: la palabra "cintura" suplanta
a la palabra "lluvia" desde el primer verso, en virtud de la disloca-

ción imaginativa, y sobre la usurpadora voz "cintura" se construye una negación cuasi-afirmativa [7], desplegada en cuatro términos horizontales ("rosa", "ave", "plumas" y "lluvia"), que obligan a que los elementos "cintura" y "lluvia" queden, relativamente, muy alejados uno de otro.

---

[7] Véase la nota anterior.

CAPÍTULO XVI

EVOLUCIÓN DE LA IMAGEN ALEIXANDRINA

Nos hemos venido refiriendo hasta ahora a la imagen de Aleixandre vista en su conjunto y no en su evolución, para lo cual me
he servido, generalmente, de ejemplos tomados de *Sombra del Paraíso*, por ser esta obra la que nos ofrece un máximo de complejidad
imaginativa. Tal complejidad es el fruto último de un desarrollo creciente que tiene su inicio en *Pasión de la Tierra* y que después de su
cenit en *Sombra del Paraíso* amengua notablemente. *Historia del Corazón* es libro de extraordinaria sencillez en éste como en otros aspectos, e igual diríamos de los siguientes volúmenes hasta el día de
hoy. Pero, como digo, desde *Pasión de la Tierra* y hasta *Sombra del
Paraíso*, las imágenes de nuestro poeta van sucesivamente ganando
en complicación, y recorriendo los distintos libros podemos fechar el
instante en que cada uno de los procedimientos complicadores antes
estudiados aparecen.

EVOLUCIÓN HACIA
EL TEMA CONCRETO

Antes que consideremos el proceso que siguen las figuraciones se
hace indispensable examinar otro proceso distinto, aunque relacionado
con aquél: el de la sucesiva delimitación temática visible en la obra
de Aleixandre: mientras en *Pasión de la Tierra*, con raras excepciones, el tema no existe en cuanto bulto concreto, en *Historia del Cora-*

zón y en los libros posteriores el relieve temático es acusadísimo. Mas en este sentido, como en tantos otros, la evolución aleixandrina ha sido lentísima. No ha habido saltos, sino plácida fluencia: las aguas casi parecían reposar inmóviles. Conviene aclarar que únicamente estoy hablando del proceso evolutivo que se inicia a partir de *Pasión de la Tierra*. Porque entre este libro y el anterior, *Ámbito*, la distancia es tan grande que no parecen ambos de la misma mano. Los versos de *Ámbito* son, en este sentido, tradicionales, y el tema posee una apretada concreción. Hay una coherencia absoluta que *Pasión de la Tierra* viene a destrozar violentamente. Después del tormentoso ventarrón que este libro representa, queda deshecho en diez mil pedazos el cristal de los ventanales discursivos. Rota la cámara, sólo un caos impera. Sólo una desordenada catástrofe de cal, piedras y vidrio es lo que resta del edificio primigenio. La poesía de *Pasión de la Tierra* se realiza por asociaciones de términos que no tienen otra coherencia entre sí que la que les presta un difuso estado sentimental. Este estado sentimental es como el plasma donde nadan las ituiciones poéticas, desligadas unas de otras, de signo distinto cuando no totalmente opuesto. Sólo se parecen en el sentimiento al que simbolizan y que les ha dado origen. Si el poeta experimenta, digamos, una emoción angustiosa, angustiosas serán las figuraciones que la expresan (por otro lado muy disímiles), y la angustia el único hilo conductor del desarrollo poemático. No habrá un tema fijo, concreto, sobre el que se vayan urdiendo los bordados imaginativos, que forman aquí líquida y móvil masa informe y no cuerpo sólido y de exactos límites determinables.

Pero, tímidamente primero, francamente después, el tema asoma. *Espadas como Labios* será el volumen donde esto empiece a verificarse, sobre todo en algunos poemas [1]. Línea que se completa en *La Destrucción o el Amor*. Y es curioso ver cómo en unas pocas piezas de este libro, cronológicamente iniciales, el tema está sólo borrosamente visible, mientras en el abundante resto posterior del mismo libro se halla completamente claro ya y con un desarrollo que se extiende desde el principio al final de las composiciones. Pero aun así

---

[1] Véase Vicente Aleixandre, Prólogo a la segunda edición de *La Destrucción o el Amor*, ed. Alhambra, Madrid, 1945.

faltaba un último pormenor para completar la aventura hacia la concreción temática a que aspira el crecimiento de la poesía de Aleixandre. Porque todavía en los versos de *La Destrucción o el Amor* existen desviaciones que, aunque ya no disparadas totalmente fuera del tema, sí se distraen de la rígida línea del discurso. Leamos, por ejemplo, el comienzo de "Ven siempre, ven":

> No te acerques. Tu frente, tu ardiente frente, tu encendida frente,
> las huellas de unos besos,
> ese resplandor que aun de día se siente si te acercas,
> ese resplandor contagioso que me queda en las manos,
> ese río luminoso en que hundo mis brazos,
> en el que casi no me atrevo a beber, por temor después a
> ya una dura vida de lucero.
>
> No quiero que vivas en mí como vive la luz,
> con ese ya aislamiento de estrella que se une con su luz,
> a quien el amor se niega a través del espacio
> duro y azul que separa y no une,
> donde cada lucero inaccesible
> es una soledad que gemebunda envía su tristeza.
>
> La soledad destella en el mundo sin amor.
> La vida es una vívida corteza,
> una rugosa piel inmóvil
> donde el hombre no puede encontrar su descanso,
> por más que aplique su sueño contra un astro apagado.
>
> Pero tú no te acerques. Tu frente destellante, carbón encendido que me arrebata a la propia conciencia,
> duelo fulgúreo...

> (De *La Destrucción o el Amor*.)

El tema es erótico y comienza con una invocación: "No te acerques. Tu frente, tu ardiente frente...". Una visión, la de los besos resplandecientes, va a dar lugar a una asociación de nociones poéticas que desviará el cauce discursivo nada menos que en once amplísimos versículos. El poeta ve los besos brillar: si bebiera tal fulgor, tendría una "dura vida de lucero". Aquí comienza el prolongado meandro, que consiste en la contemplación, muy bellamente formulada, por cierto, de los astros solitarios, fríos y sin amor. Hasta el verso 18 no retorna el tema inicial: "pero tú no te acerques". Ha habido un hondo repliegue, una especie de paréntesis frondoso, que si poéticamente de considerable valor, se sale, en cambio, del punto de vista clásico sobre el orden del desenvolvimiento temático, que debería ser rectilíneo.

La que hemos aducido es una cita entre las múltiples posibles. Porque el procedimiento asociativo desviador es normal en *La Destrucción o el Amor* y una de las notas que separan su estilo del que existe en *Sombra del Paraíso* y en los libros que le siguen, *Nacimiento Último, Historia del Corazón*, etc., donde el tema aparece ya perfectamente delimitado, en abultada evidencia: como ocurría también en el primer volumen de versos publicado, *Ámbito*, según hemos expuesto. Aleixandre, en su prólogo a la segunda edición de *La Destrucción o el Amor*, dice esclarecedoras palabras: "Con *Sombra del Paraíso* en la mano (el poeta) mira hacia atrás y se sigue reconociendo en su remoto origen confesado, en su segundo libro, en el hervoroso y ciego o clarividente *Pasión de la Tierra*. Pero (...) con *Sombra del Paraíso* en la mano, mira más hacia atrás y siente que ese libro, último extremo de una evolución comenzada con el revolucionario *Pasión de la Tierra*, se emparenta y enlaza de pronto, insospechadamente y por alguna zona visible, con aquel tradicional primer libro *Ámbito*, que había quedado aparte, marginal y como excluido del proceso vivo de la evolución. La poesía se muerde la cola. Todo está rescatado. Lo que parecía una ruptura no lo había sido entonces. Y el sonriente espectador ve comprobado una vez más (...) lo que ya se sabía: que en poesía, en algún momento, la línea revolucionaria, si de veras genuina, acaba mostrando ser, haber sido, la única línea tradicional".

En pocas ocasiones vemos seguir un curso tan natural al desarrollo de una poética. El proceso, continuo como el crecimiento de un ser vivo, está marcado, sí, por unos cuantos jalones que son las sucesivas obras (*Pasión de la Tierra, Espadas como Labios*, etc.), pero que no señalan cortes radicales. Al contrario, dentro de ellas la evolución prosigue. Igual que las edades fundamentales del hombre (niñez, puber-

tad, adolescencia, etc.) no indican transiciones bruscas, ni podemos establecer con exactitud matemática el día y la hora en que cada una
de las tales comienza, paralelamente, si comparamos un libro de Aleixandre con el que le sigue, no percibimos apenas el cambio. Hasta
existen en cada libro composiciones que están muy cerca del precedente, y otras, en cambio, que insinúan el que vendrá después. Y así,
poemas hay en *La Destrucción o el Amor* que se hallan enormemente próximos a *Espadas como Labios*, mientras que unos cuantos parecen de *Mundo a Solas*. Ahora bien: si la comparación se realiza entre
miembros extremos de la cadena, la distancia semeja diametral. Yo
creo que no tenemos un ejemplo tan claro de una evolución muy marcada, pero sin rompimiento (exceptuando el paso de *Ámbito* a *Pasión
de la Tierra*), en toda nuestra historia literaria. Y creo asimismo que
ello es, además de un rasgo característico, un evidente valor estético.

EVOLUCIÓN DE LA IMAGEN

Si pasamos ahora a la consideración específica de la imagen, observaremos lo mismo. Las complicadas y ricas figuraciones de *Sombra del
Paraíso* no han nacido —lo hemos indicado antes— por arte de birli-
birloque ni por generación espontánea. Son la cima de todo un sucesivo y largo recorrido que empieza en *Pasión de la Tierra* y se continúa en constante y lentísimo enriquecimiento a través de las diversas obras. Cada una de ellas conserva las conquistas anteriores, obtiene
otras nuevas y transmite todo el conjunto, como herencia o patrimo-
nio, al libro subsiguiente.

Comentario aparte merecería *Ámbito*, que no es más que la continuación —con acentos personales, desde luego— de la poética que
flotaba en el ambiente español del momento. Es el instante del ceñi-
miento formal, de la tensa condensación eliminativa que la poesía de
un Guillén preconiza y lleva a término feliz. También, de la belleza
expresiva que la tendencia de la poesía contemporánea a la tensión
del contenido, unida al estudio de Góngora, habían traído en consecuencia.

Ámbito cae dentro de esa atmósfera que es la de la primera oleada generacional. Visiones o imágenes visionarias abundarán, por tan-

to, en sus versos, mas algunos toques, aquí y allá, del tipo imaginativo que en *Las Soledades* hemos visto, y que luego o desaparecen
de la poesía de Aleixandre o se transforman y personalizan. Por ejemplo: el poema final, que lleva el título de "Posesión", tiene, en cierto
modo, inserta una alegoría, en su quinta y sexta estrofas, que luego
en estrofas inmediatas (¡fuerza de la modernidad!) se trueca dicho-
samente en visión; estrofa quinta:

> Extendido ya el paisaje
> está. Su mantel no breve
> flores y frutos de noche,
> en dulce peso, sostiene.

El poeta ha considerado el paisaje natural como mantel (luego ha-
blaremos de la negación que lo determina: "no breve") sosteniendo
las flores y frutas que representan a la noche... *Todos* los elementos
de la imagen, "mantel" y "frutos", tienen traducción a otros de la
realidad, "paisaje" y "noche". Se trata, pues, de una alegoría a lo
Góngora. Pero el desarrollo posterior de ella es visionario ya. Desaparece el casero "mantel" y los versos, libres de carga tan anacrónica,
se hinchan de sorprendente y auguradora grandeza.

Igualmente gongorina es, entre otras, la negación "no breve", antes citada, que frena una imagen audaz en exceso. En efecto: llamar
"mantel" a un paisaje no sería adecuado (según la mentalidad que pre-
side *Las Soledades*) sin especificar que no se trata de un mantel cualquiera, sino de uno "no breve".

Pero no es *Ámbito*, sino *Pasión de la Tierra* el comienzo de una
nueva poética, el punto de partida de la larga carrera o evolución que
examinamos. Desaparece aquí toda zona puramente real, de tal modo
que una interminable sucesión de visiones encadenadas, entrecortadas
por lo general, forman el núcleo de la obra. No podemos esperar todavía imágenes continuadas con desarrollo visionario, ni visiones de
este tipo, porque la continuidad es, precisamente, resultado del tema
concreto que todavía no existe allí. En cambio, *Espadas como Labios*
ofrece multitud de novedades: las imágenes superpuestas (algunas
sustentándose sobre una irrealidad); las visiones continuadas (que se
daban en *Ámbito*, pero que el caótico tumulto de *Pasión de la Tierra*
impedía); el trueque de lugar entre los planos real y evocado, y la

contaminación de uno de tales planos por el correspondiente paralelo, aunque únicamente se registren casos de contagio apoyados en un verbo o en una cualidad que se supone común a las dos esferas A y B, siendo sólo inherente a una de ellas. (Véanse las páginas 227 y 230).

La Destrucción o el Amor ya muestra, como dijimos en el anterior apartado, bastante delimitación temática, que permitirá no sólo la muy frecuente continuidad de las visiones, sino también la continuidad de la imagen visionaria a poema entero con desarrollo visionario, aunque este último tipo sea excepcional. E igualmente son rastreables impregnaciones imaginativas ascendentes, entre las figuraciones simples sobre todo, pero también entre figuraciones superpuestas.

Tanto en *La Destrucción o el Amor* como en *Mundo a Solas*, en *Pasión de la Tierra* y en *Espadas como Labios* hay una continua irrigación irreal, una sustitución casi completa de elementos reales por otros de naturaleza visionaria. Se me dirá que tal sucede también en *Sombra del Paraíso*, y es muy cierto. Pero en los libros mencionados es muchísimo más copiosa. Veamos un pasaje típico:

> ...las fieras muestran sus espadas o dientes
> como latidos de un corazón que casi todo lo ignora
> menos el amor,
> al descubierto en los cuellos, allá donde la arteria golpea,
> donde no se sabe si es el amor o el odio
> lo que reluce en los blancos colmillos.

> ("La selva y el mar", de *La Destrucción o el Amor*.)

Vayamos señalando en el período cómo todos los elementos reales quedan suplantados por otros irreales: las fieras muestran sus espadas (imagen de dientes) como latidos (imagen de segundo grado) de un corazón que casi todo lo ignora, menos el amor (visión) al descubierto en los cuellos (sigue la visión anterior) donde no se sabe si es el amor o el odio (visión) lo que reluce en los blancos colmillos (nueva visión).

¿Qué ha quedado de la realidad? Nada absolutamente. O mejor dicho: la realidad permanece, pero sólo en cuanto que la voz del poeta expresa algo de la vida; la realidad sólo permanece, pues, indirectamente. Directamente lo que dice y *ve* el poeta es una representación estrictamente no real.

El diluvio visionario no ha cesado en *Sombra del Paraíso*, pero se amengua un tanto. Ya no es torrencial invasión, sino majestuoso curso fluvial lo que allí transcurre. Lo que no significa que la complicación imaginativa cese, sino todo lo contrario. Cobra aquí, como en otro lugar hemos afirmado, intensidad mayor porque el tema concretísimo y desarrollado en general sin desviación alguna puede permitírselo. Si las pinceladas son más espaciadas (con lo que se obtiene bella variedad en el hablar), son también más refinadas y complejas. Llegan, efectivamente, a un máximo de esplendor troquelado casi, todos los procedimientos anteriores: la imagen continuada con desarrollo visionario, los contagios ascendentes entre los planos imaginativos... Todo ello se logra con una más elevada belleza y hasta con una mayor abundancia: las constantes visiones de otras obras se hacen menos copiosas, pero quizá resultan estéticamente más eficaces. Sin embargo, *Sombra del Paraíso* no sólo perfecciona y da relieve a una técnica heredada de los precedentes libros aleixandrinos, sino que surge por vez primera en sus páginas un procedimiento inédito: la utilización de los fluidos imaginativos descendentes (impergnación de sus cualidades que un plano evocado realiza sobre otro real, o la que una imagen de segundo grado efectúa sobre otra de primero) [2]. Sólo me queda ya repetir que los siguientes libros, *Nacimiento Último,* y sobre todo *Historia del Corazón* y los volúmenes que le siguen, simplifican aún más el proceso imaginativo.

CONCLUSIONES: PARADÓJICO RESUL-
TADO DE LA HUELLA SUPRARREALISTA

Ya tenemos sobre la mesa bastantes de las piezas que integran la imagen aleixandrina. A lo largo de unas páginas, quizá demasiadas,

---

[2] La transmisión de sus cualidades que una esfera imaginativa B hace a otra real A se producía también en *La Destrucción o el Amor,* pero allí se apoyaba aún en adjetivos supuestamente comunes a ambas esferas, siendo sólo inherentes a la B; por ejemplo: "eres azul como noche que acaba" (véase la pág. 230). Lo que *Sombra del Paraíso* aporta es, pues, la obtención de ese tipo de contagio sin apoyaturas en acciones verbales o en calificativos.

hemos ido desmontando su difícil engranaje que nos ha permitido formular ciertas conclusiones de carácter general, a las que podemos aún añadir ésta: el suprarrealismo inicial de nuestro poeta, que en cierto modo podemos dar por clausurado a partir de *La Destrucción o el Amor*, ha dejado, sin embargo, profunda huella en su obra total, al intensificar enormemente un vasto fenómeno imaginativo, el visionario, que venía gestándose trabajosamente desde los tiempos de Bécquer.

Y aquí se hace necesario anotar una aparente paradoja. El suprarrealismo, motor el más importante de esa intensificación visionaria, cuando se hallaba en su estadio más riguroso (en *Pasión de la Tierra*), al impedir la coherencia lógica del discurso, prohibía también la continuidad de las imágenes. Y sólo después, cuando cedió ese rigor, pudieron asomar por los versos de Aleixandre las figuraciones continuadas de tipo visionario que alcanzan su apogeo en *Sombra del Paraíso*. La paradoja es ésta: la continuidad visionaria, que en último término era consecuencia del suprarrealismo inicial, no podía producirse cuando ese suprarrealismo hallaba su expresión más pura.

EL VERSÍCULO

CAPÍTULO XVII

NORMAS DEL VERSÍCULO ALEIXANDRINO

La irrupción de la segunda oleada de poetas inclusos en la generación del veintisiete, a la que pertenece Aleixandre, representa, como queda dicho, el triunfo del fenómeno visionario. Eso, en cuanto a la imagen, a cuyo estudio nos hemos dedicado con largueza hasta ahora. Pero si nos referimos a otro aspecto de esta poesía, una característica más visible aún, y no menos trascendental ni carente de significación e importancia, nos ayuda a delimitar, todavía con mayor nitidez, las fronteras de ella; la especial versificación de que muchas veces se reviste, a la que llamamos versículo o verso libre.

OPINIÓN DE ANTONIO MACHADO

La aparición de este tipo de verso ocasionó multitud de protestas, no sólo entre personas ajenas a los encantos o encantamientos de todo arte, sino también entre aquellas otras que por su formación o su sensibilidad conocían y eran capaces de experimentar los puros goces estéticos. Hasta un tal poeta —y no pequeño—, Antonio Machado, estaba en desacuerdo con los cánones de la nueva métrica, como dejan traslucir algunos de los pasajes de su obra. Para quien siempre había sido la poesía "palabra en el tiempo", un verso que despreciaba la rima y —aparentemente— el ritmo, no podía ser más que un error que, sin duda, acarrearía toda suerte de esterilidades. La rima es necesaria, piensa Machado, porque la concordancia o repetición de dos unidades sonoras marca y mide el tiempo, cuya presencia es esencial en la poesía. El ritmo es también imprescindible por razones vecinas a las expuestas [1].

La crítica de semejantes ideas no creo sea difícil de realizar. Pero tal vez sea mejor y más rápido acudir simplemente a nuestra experiencia de lectores. El verso blanco ha demostrado clásicamente su eficacia. Igualmente existen ejemplos, aunque escasos, de verdadera y alta poesía escrita en prosa. Pero además, de los dos pecados mortales que se atribuyen al versículo —falta de rima y falta de ritmo— sólo el primero tiene fundamento, sobre todo, refiriéndonos a Aleixandre. Porque el versículo de nuestro poeta no es de ninguna manera un abandono de las leyes rítmicas, sino un ensanchamiento de sus posibilidades, y más aún, si hablamos del que *Sombra del Paraíso* utiliza, ya que en este libro es quizá donde, por lo menos según el asenso de muchos, el versículo adquiere un punto de clasicidad. Todas mis afirmaciones se referirán, por tanto, a tal obra, y sólo en parte, aunque en parte de relieve y sustancia, serán aplicables a las aleixandrinas anteriores o posteriores o, en general, al versículo contemporáneo (creo, sin embargo, que las consideraciones que siguen sobre el versículo son válidas *en lo sustancial,* repito, para cualquier uso de tal metrificación).

Pretendo, pues, aislar el grupo de normas que determinan, no rígidamente sino con elasticidad, ese tipo de verso. Quiero decir que el complejo de leyes que en el presente capítulo voy a mostrar es el que gobierna el 95 por 100 de los versos de *Sombra del Paraíso.* Sólo un cinco (si acaso) se libran de ese yugo que, como hemos de comprobar, es ya harto suave.

Para que exista verdadero versículo (nos referimos especialmente a aquel organismo aleixandrino) es preciso que la inmensa mayoría de las unidades métricas sigan las normas que estableceremos a continuación. *Pero si en algún instante la música de una de ellas queda algo más vacilante, por no obedecerlas totalmente, el conjunto no padece en su estructura, semejando como que absorbe en su masa rítmica la unidad dislocada.*

---

[1] Antonio Machado, *Obras,* ed. Séneca, México, 1940, págs. 346 y 349.

LOS RITMOS "ENDECASILÁBICOS", NÚ-
CLEO FUNDAMENTAL DEL VERSÍCULO

Se ha dicho que el versículo carece de ritmo, o que, por lo menos, es el suyo un ritmo imposible de definir. Veamos si es verdad en
nuestro poeta. He aquí un ejemplo tomado de "Casi me amabas":

1 Ante tus manos el resplandor del día se aplacaba continuo,
2 dando distancia a tu cuerpo perfecto.
3 La transparencia alegre de la luz no ofendía,
4 pero doraba dulce tu claridad indemne.
5 Casi, casi me amabas.
6 Yo llegaba de allí, de más allá, de esa oscura conciencia...

El verso número 1 parece, de primera intención y por su longitud,
un extraño ejemplar sin antecedentes. Pero si lo descomponemos en
sus hemistiquios [2] pronto echamos de ver que se trata de la yuxtaposición de otros tres: uno de cinco sílabas, y los otros dos de siete
cada uno. Desde el punto de vista rítmico, ninguna novedad ofrece.
La mezcla de heptasílabos y pentasílabos era conocida, por lo menos,
desde el Siglo de Oro, y no sólo en la lírica culta. Recordemos la se-
guidilla de la poesía popular. El verso número 2 es un simple endecasílabo de gaita gallega. El 3 y el 4 son alejandrinos (7 más 7). El
quinto es un heptasílabo, y el último, un endecasílabo italiano más otro
de siete sílabas (o bien un heptasílabo ligado a un endecasílabo de
gaita).
Naturalmente, no siempre se trata de esto, como en páginas sucesivas iremos comprobando. Pero sí puede afirmarse que la mayoría
de las veces el versículo de *Sombra del Paraíso* no es otra cosa que la
yuxtaposición de ritmos que denominaríamos endecasilábicos. Doy este
nombre a todos los versos que tradicionalmente eran combinables con

---

[2] Aunque el significado etimológico sea otro, en todo este libro llamaré
hemistiquios a cada una de las partes del verso que se hallan separadas por
cesuras. Según esta terminología, un versículo puede tener dos, tres y hasta
más hemistiquios.

el endecasílabo: los de once sílabas, tanto como los de cinco, siete, nueve (acentuando en cuarta), trece (alejandrinos franceses) y catorce (alejandrinos siete más siete). Por tanto, si atendemos a los datos estadísticos que *Sombra del Paraíso* nos proporciona, es evidente que *en un tanto por ciento muy elevado* el versículo no muestra otras combinaciones que las ya utilizadas por el modernismo, con una única novedad: la de reunir en un solo renglón, como hemistiquios, los versos que antes se disponían, independientemente, en varios. Lo cual no es capricho, sino que responde a necesidades rítmicas, pues el final de un verso impone una pausa que de este modo queda suprimida, y ello puede ser un valor eufónico.

LIBERTAD DE ASOCIACIÓN ENTRE
RITMOS DE NATURALEZA DISTINTA

Pero no nos hagamos ilusiones. A pesar de lo dicho, aún nos quedaría un importante núcleo de versos irreducibles a la música endecasilábica. Hay que coger sin temor al toro por los cuernos. Seguramente que hasta en ese grupo hostil, rebelde a nuestro primer acercamiento, hemos de hallar, todo lo flexible que se quiera, una ley. Copiemos un trozo de "Sierpe de amor":

1   Si pico aquí, si hiendo mi deseo, si en tus labios
2   penetro, una gota caliente
3   brotará en su tersura, y mi sangre agolpada en mi boca
4   querrá beber, brillar de rubí duro,
5   bañada en ti, sangre hermosísima, sangre de flor turgente,
6   fuego que me consume centelleante y me aplaca
7   la dura sed de tus brillos gloriosos.

El primer verso no tiene nada de particular: un hemistiquio de cinco sílabas se une a otro de once. El segundo es un perfecto eneasílabo anfibráquico (‿ ⊥ ‿ / ‿ ⊥ ‿ / ‿ ⊥ ⊥) acentuado en las sílabas segunda y quinta, conocido desde el romanticismo, época que también supo del tercero, formado por una serie de anapestos (‿ ‿ ⊥). El cuarto es un endecasílabo normal. El quinto consta de un eneasílabo (con la cuarta sílaba en posición fuerte) y de un heptasílabo.

El sexto es un alejandrino (siete más siete) y el séptimo un endecasílabo de gaita gallega. Por tanto, de los siete versículos sólo dos no
siguen el ritmo endecasilábico; y aun así, no son musicalmente nuevos, puesto que los románticos (y naturalmente los modernistas) usaban ambos. Nos sorprende, en cambio, que se pase desde el compás
endecasilábico del comienzo al golpeador ritmo de los tres anfíbracos
que forman el segundo verso; y que luego sucedan los anapestos
(‿ ‿ ´) del tercero, para retornar a la música inicial a partir del cuarto.
Aquí sí que estamos frente a una extraña mixtura. Porque se han
combinado versos basados en la repetición de un mismo pie métrico
(anfíbracos en un lugar, anapestos, en otro) con versos (endecasílabos,
etcétera), cuya ley, muy distinta, consiste en la sabia repartición de
unos acentos no equidistantes, que misteriosamente resultan eufónicos.
(Aclarar este misterio sería muy fácil pero nos desviaría inútilmente
de nuestro tema actual.)

UN PRECEDENTE DE ESTA LIBER-
TAD ASOCIATIVA: RUBÉN DARÍO

El análisis, pues, que acabamos de realizar nos muestra que el
versículo introduce en la métrica, al parecer, una innovación importante: la combinación de dos tipos rítmicos de naturaleza diferente.
Hemos visto que Aleixandre no tiene escrúpulo en mezclar una serie
de anapestos o de anfíbracos con endecasílabos italianos, con alejandrinos bipartitos (siete más siete), etc. Ahora bien: ¿se trata de una
verdadera novedad? Sólo relativamente. Rubén Darío, en más de una
ocasión, había asociado (y en esto no hacía sino seguir la remota
pauta dantesca y la pauta próxima de la poesía francesa) endecasílabos italianos a los de gaita (formados por cuatro dáctilos), dando así
un paso trascendental hacia lo que el versículo haría más tarde:

> Tal fue mi intento, hacer del alma pura
> *mía una estrella, una fuente sonora,*
> con el horror de la literatura,
> y loco de crepúsculo y de aurora.

(Cantos de Vida y Esperanza.)

En esta estrofa se halla implícito cuanto nos sorprendía en la métrica de *Sombra del Paraíso*. Aquí también un verso (el segundo), basado en la reiteración de un mismo pie métrico (de naturaleza dactílica) se une a tres endecasílabos italianos cuya armonía depende de otras razones.

No nos engañe el hecho circunstancial de que en el cuarteto transcrito todas las unidades sean endecasilábicas. Porque entre un endecasílabo italiano y otro de gaita la distancia es enorme. Ambos se asemejan sólo en poseer el mismo número de sílabas. Pero difieren en algo mucho más esencial: en ser ritmos de naturaleza disímil: el endecasílabo de gaita consiste en el cuádruple redoble de un dáctilo. Los endecasílabos italianos, en cambio, no son *de hecho* la sucesiva adición de un mismo pie métrico. Su eufonía es mucho más compleja, como antes señalábamos.

Ahora bien: si ya Rubén Darío combina un conjunto de cuatro dáctilos (endecasílabo de gaita) con los versos de once italianos[3], que tienen una ley muy distinta, no había razón musical alguna que prohibiera la unión de estos últimos con cualquier otro ritmo basado en la repetición de un mismo pie métrico, ya sea el anapéstico, ya el anfibráquico, peónico, etc. Lo cual resulta ser una de las conquistas esenciales del moderno versículo, según vimos al estudiar hace muy poco un fragmento de "Sierpe de amor".

RITMOS HEXAMÉTRICOS

Hemos llegado, pues, a descubrir la norma más importante que rige el versículo: su nerviosa combinatoriedad —valga la palabra—. Y esto no por capricho del poeta, sino por la naturaleza misma del verso. Ahora bien: unos ritmos son más frecuentes que otros. El en-

---

3   Ya en el Marqués de Santillana y luego en Garcilaso se observa la combinación de los endecasílabos de gaita con los italianos; pero en ambos poetas era torpeza (en cierto sentido, primitivismo) lo que en Rubén es maestría. Explicar cuándo resulta eufónica tal mezcla y cuándo cacofónica nos apartaría del tema. Después de Garcilaso queda prohibida esta mixtura. Por ello, Rubén Darío realiza una verdadera innovación al introducirla. (Y ya he dicho en el texto que Dante mezcla también ese par de ritmos y que en la poesía francesa el hecho es habitual.)

decasilábico, por ejemplo, se da con una mayor abundancia, como hemos visto; y dentro de este grupo, los alejandrinos son los que se repiten más. Pero hay también un tipo estadísticamente numeroso, y sobre todo muy peculiar: es el que resulta de asociar un verso de siete sílabas, acentuado en su tercera y sexta, a otro de ocho, con acentos en la primera, cuarta y séptima, o sólo en la cuarta y séptima:

...de los rayos celéstes / que adivinában las fórmas...

("Criaturas en la aurora".)

No cabe duda que este complejo resulta musical, y hasta muy musical. Pero en Rubén Darío existía algo semejante. Releemos la "Salutación del optimista", y hallamos un verso como éste:

... ni entre mómias y piédras / réina que habíta el sepúlcro...

El autor de *Cantos de Vida y Esperanza* (libro al que pertenece el aludido poema) llamaba hexámetro al verso que acabo de copiar. No lo es exactamente, pero sí un excelente sucedáneo del canon grecolatino. Recordemos el comienzo de la *Eneida:*

Arma vírumque cáno / tróyae qui prímus ab óris...

Parece a nuestro oído que se trata de lo mismo, porque hemos perdido el sentido de la cantidad silábica. Por tanto, no puede haber igualdad, sino sólo semejanza, entre ambos moldes, el virgiliano y el español. Es bien sabido que un hexámetro consta de seis pies métricos, repartidos entre dáctilos ($\_ \cup \cup$) y espondeos ($\_ \_$). La única regla imprescindible en esta amigable partición es la de colocar al final del verso un espondeo precedido de un dáctilo. Los cuatro restantes huecos han de llenarse con dáctilos y espondeos en siembra caprichosa. El poeta dispone así de múltiples recursos rítmicos, y puede suavizar o fortificar la expresión según convenga, sin más que poner en el hexámetro mayor o menor cantidad de dáctilos. Para "traducir" este metro a la prosodia de nuestra lengua, los poetas —desde Villegas, que hizo los primeros ensayos, hasta Rubén Darío, pasando por el lírico romántico hispanoamericano Eusebio Caro— han entendido por sílaba larga ($\_$) la acentuada ($\acute{\_}$), y por corta ($\cup$), la que no lleva acento (‿). Pero, desgraciadamente, el castellano tiene muy pocos monosílabos para, haciéndolos consecutivos, poder formar espondeos (que necesitan dos sílabas largas), y aunque los tuviera es difícil que sobre dos sílabas seguidas cargue el acento prosódico. Pero como tal pie es absolutamente insustituible en el extremo terminal del hexámetro, se deduce que éste resulta imposible en nuestra lengua, incluso dando por supuesto que una sílaba acentuada castellana equivalga a una sílaba larga latina y que una sílaba corta latina venga a ser como otra átona castellana, lo cual es mucho suponer. A pesar de ello, el poeta de Nicaragua intentó con éxito, como veíamos, un sucedáneo del hexámetro, debilitando una de las sílabas de los espondeos, y hemos comprobado que Aleixandre hace lo propio.

Por los motivos expuestos, el hexámetro castellano tendrá una ley distinta, si bien paralela, a la que el latino manifestaba. Emilio Huidobro, citado por Pemán [4], halla que esa ley consiste en una triple exigencia que concretaríamos así:

1.º El hexámetro español no puede bajar de trece sílabas ni pasar de diecisiete, puesto que (añadamos) la máxima posibilidad en cuanto a generosidad silábica es una formación de seis dáctilos (ya he dicho que el espondeo final se debilita, formándose así un troqueo o un dáctilo), 17 sílabas, y la mínima, una unión de cinco espondeos (o sea, troqueos o yambos en nuestro idioma) más un dáctilo (o un troqueo), lo cual constituye un verso de 13 sílabas.

2.º Sus cinco últimas sílabas han de ir acentuadas en la primera de ellas y en la cuarta, regla derivada directamente de la latina, que exigía para cierre del hexámetro un dáctilo seguido de un espondeo (‿ ◡ ◡ / ‿ ‿; en castellano, ‿ ‿ ‿ / ‿ ‿).

3.º Es imprescindible la existencia de una cesura entre la sílaba quinta y la décima, pudiendo, por tanto, constar el primer hemistiquio de cinco a diez sílabas, y el segundo, de seis a diez, con tal de que sigan cumpliéndose las dos condiciones susodichas, esto es, siempre que entre los dos hemistiquios no sumen una cifra superior a diecisiete sílabas.

---

4 Véase: José María Pemán, "Creación y métrica de la *Salutación del optimista*, de Rubén Darío", en *Boletín de la Real Academia Española*, Madrid, 1945, pág. 308.

A la vista de tan escueto código, he querido extraer todas las posibilidades del hexámetro castellano, confeccionando para ello la siguiente lista de variantes (para facilitar la lectura pongo entre paréntesis un número, que es el de la sílaba en que debe recaer el único acento necesario [5] para el hemistiquio segundo):

5 + 8	(4.ª)		7 + 10	(6.ª)
5 + 9	(5.ª)		8 + 6	(2.ª)
5 + 10	(6.ª)		8 + 7	(3.ª)
6 + 7	(3.ª)		8 + 8	(4.ª)
6 + 8	(4.ª)		8 + 9	(5.ª)
6 + 9	(5.ª)		9 + 6	(2.ª)
6 + 10	(6.ª)		9 + 7	(3.ª)
7 + 6	(2.ª)		9 + 8	(4.ª)
7 + 7	(3.ª)		10 + 6	(2.ª)
7 + 8	(4.ª)		10 + 7	(3.ª)
7 + 9	(5.ª)			

Veamos ahora algunos ejemplos aleixandrinos de cada una de las 21 especies hexamétricas, extraídos, aquí y allá, del versículo de *Sombra del Paraíso*:

De 5 + 8 (4.ª):

> Un bulto claro de una muchacha apacible...
> allí nacían cada mañana los pájaros...

De 5 + 9 (5.ª):

> entre las ramas de los altos álamos blancos...
> no, no es ahora cuando la noche va cayendo...

De 5 + 10 (6.ª):

> palmas de luz que sobre las cabezas, aladas...
> sus dientes blancos, visibles en las fauces doradas...

---

[5] Prescindo del acento final de verso.

De 6 + 7 (3.ª):

> y desde lo alto de una roca instantánea...
> ni el turbio espesor de los bosques hendidos...
> modestos y únicos habitantes del mundo...
> última expresión de la noble corteza...

De 6 + 8 (4.ª):

> ¡No crueles: dichosos! En las cabezas desnudas...

De 6 + 9 (5.ª):

> vi dos brazos largos surtir de la negra presencia...

De 6 + 10 (6.ª):

> sino suavemente rotunda, liminar, perfectísima [6]

De 7 + 6 (2.ª):

> vigilaba sin límites mi cuerpo convulso...

De 7 + 7 (3.ª):

> Hasta la orilla del mar condujiste mi mano...
> ligeramente rubia, resbalando en lo blando...

De 7 + 8 (4.ª):

> Cuando yo correré tras vuestras sombras amadas...
> que una mirada oscura llena de humano misterio...
> allí fui conducido por una mano materna...

De 7 + 9 (5.ª):

> Ah, musical muchacha que graciosamente ofrecida...
> mis oídos escuchan al único amor que no muere...

De 7 + 10 (6.ª):

> los ramos, las cañadas luminosas, las alas variantes...
> eres tú primavera matinal que en un soplo llegase...

---

[6] Este verso puede considerarse con más acierto como un hexámetro del tipo 9 + 7 (3.ª).

De 8 + 6 (2.ª):

> Míralo rematar ya de pálidas luces... [7]

De 8 + 7 (3.ª):

> mientras el sol melodioso templa dulce las ondas...
> por tus calles ingrávidas. Pie desnudo en el día...
> a la ciudad voladora entre monte y abismo...
> me miras bajo tu crespa cabellera nocturna...

De 8 + 8 (4.ª):

> cuando la vida sonaba en las gargantas felices...

De 8 + 9 (5.ª):

> Y mecerse en un vaivén de mar, de estelar mar entero... [8]

De 9 + 6 (2.ª):

> Amigos, no preguntéis a la gozosa mañana... [8]

De 9 + 7 (3.ª):

> Veo tu dibujo preciso sobre un verde armonioso...
> No he de volver, amados cerros, elevadas montañas...

De 9 + 8 (4.ª):

> Lejos el rumor pedregoso de los caminos oscuros...
> brillaban acaso las hojas iluminadas del alba...

De 10 + 6 (2.ª):

> mientras el universo, ascua pura y final, se consume... [8]

De 10 + 7 (3.ª):

> y mecerse en un vaivén de mar, de estelar mar entero... [9]

---

[7] Este hexámetro es algo irregular.
[8] Hexámetro levemente irregular.
[9] Este verso puede también considerarse como hexámetro del tipo 8 + 9 (5.ª), aunque entonces carecería de la indispensable cesura, y sería ligeramente incorrecto. Véase más arriba.

RITMOS SEUDOHEXAMÉTRICOS

Aparte de estos hexámetros que con cierta relatividad llamaríamos puros o canónicos, existen otros que no son canónicos en sentido estricto ni siquiera relativamente, pero que nos suenan como si lo fuesen. Y claro está que lo importante en poesía no es lo que nos diga una supuesta regla abstracta sino lo que nos dice de verdad el oído, esto es, la intuición. Y ocurre que la intuición, el oído, "siente" como hexámetros *completos* no sólo a los que cumplen las tres condiciones de Huidobro, sino a otros muchos que no las cumplen. Analizando estos últimos sin prejuicios, he llegado a la conclusión de que para existir ritmo hexamétrico *cabal* basta con que se den dos hemistiquios separados por una cesura y que las cinco últimas sílabas del segundo hemistiquio vayan acentuadas así:

$$\acute{\_} \_ \_ \acute{\_} \_$$

aunque el hexámetro no canónico de que hablamos resultará más eufónico aún si el primer hemistiquio posee ritmo endecasilábico o si finaliza igualmente con el ritmo que acabo de esquematizar como obligatorio para el cierre del hemistiquio segundo.

Serán, pues, hexámetros, aunque se aparten del modelo propuesto por Huidobro otros muchos versículos de Aleixandre, tales como éstos:

Y sobre tu carne celeste, sobre tu fulgor rameado...
...Con el mismo fulgor de una misma inocencia...
...tristes ropas, palabras, palos ciegos, metales.

Pero, en consideración a un posible purismo métrico, podríamos llamar a estos ritmos, ya que no hexamétricos, seudohexamétricos. Así se tranquilizarán todas las conciencias, incluso las más puritanas.

RITMOS NUEVOS

Hasta ahora hemos estudiado únicamente los ritmos del versículo que en mayor o menor grado se encuentran autorizados por una tradición. Si hacemos un cálculo estadístico basado en *Sombra del Paraíso*, veremos que este tipo es abrumadoramente el más numeroso. Pero aun así nos restaría un núcleo, muy escaso, es cierto, pero existente, de versos que tienen una configuración musical inaudita y que conviene estudiar.

1) *El dodecasílabo de gaita.* — Entre ellos, como más notable, tenemos un dodecasílabo que llamaríamos de gaita, por su parecido con el endecasílabo de este nombre. Se trata de la suma dáctilo ($\llcorner$ _ _) más peón primero ($\llcorner$ _ _ _) seguido de dos dáctilos ($\llcorner$ _ _ / $\llcorner$ _ _). Es relativamente abundante, y hasta se da regularmente a lo largo de todo un poema que lleva el título de "A los inamistosos", y de otro de *Sombra del Paraíso* que se titula "Las manos", si exceptuamos en este último los cinco versos del principio. He aquí su estrofa final:

> Sois las amántes vocaciónes, los signos
> que en la tiníebla sin sonído se apelan.
> Cielo extinguído de lucéros que, tibio,
> campo a los vuélos silenciósos te brindas.
> Manos de amántes que muriéron, recientes,
> manos con vída que volántes se buscan
> y cuando chócan y se estréchan encienden
> sobre los hómbres una lúna instantánea.

Escudriñando la estructura interna de este ritmo tan original daremos con la causa de su extraña armonía, su jadeo, su anhelo entrecortado, que tan ceñidamente se ajusta al vuelo ansioso de esas alucinantes manos amorosas. Veamos el esquema:

$$\llcorner \; \_ \; \_ \; / \; \llcorner \; \_ \; \_ \; \_ \; / \; \llcorner \; \_ \; \_ \; / \; \llcorner \; \_ \; \_$$

Para nuestro análisis dispongamos el último pie en su forma de sílaba aguda: sabemos que una sílaba final de verso, si es tónica, equivale a las dos últimas sílabas de palabra llana, o a las tres de palabra esdrújula; y, por tanto, una simple sílaba acentuada en posición final vale por un troqueo o por un dáctilo:

$$\acute{-} - - \, / \, \acute{-} - - - \, / \, \acute{-} - \acute{-} \, / \, \acute{-}$$

o sea, para ver la simetría:

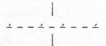

Se trata de un compás "capicúa", con una sílaba átona, desparejada, en el centro, cumpliendo funciones de eje de simetría. El metro así no resulta cacofónico. Pero, por otro lado, la duplicidad de pies empleados —dáctilos y peón primero— produce esa inquietud, ese desasosiego tan característico, que hace al dodecasílabo de gaita especialmente apto para la expresión del movimiento o de los afectos convulsos. Este ritmo es una aportación de Aleixandre a la métrica española, y es curioso observar que, a mi juicio, se trata de la única gran novedad de esta clase que apareció en nuestra literatura después de las múltiples traídas por el modernismo.

2) *El endecasílabo con las sílabas tercera y séptima en posición fuerte.* — Otra novedad, sin embargo, la constituye un endecasílabo muy original que se acentúa inauditamente en las sílabas tercera y séptima; pero, en último término, pertenece a la misma familia del "dodecasílabo de gaita", verso del que procede por supresión de la primera sílaba. En *Sombra del Paraíso* este extraño endecasílabo se ofrece unas veces suelto y otras en combinación con otros ritmos, bajo forma de hemistiquio:

...entonában su quietísimo éxtasis...

("Criaturas en la aurora".)

...parecían presidír a los áires...

("Criaturas en la aurora".)

...leveménte tentadór y te espío...

("Sierpe de amor".)

...hecho lúmbre que en el áire fulgúra...

("Sierpe de amor".)

...la esplendénte libertád de los seres...

("Mar del Paraíso".)

Considero necesario indicar que no es ésta la acentuación frecuente en el verso aleixandrino de once sílabas. En los seis primeros poemas de *Sombra del Paraíso* existen cuarenta casos de endecasílabo, de los cuales sólo seis pertenecen al tipo *tercera* y *séptima*. Los otros treinta y cuatro casos se reparten entre los de gaita y los italianos.

RITMOS CONTINUADOS

Ya el modernismo aprendió la posibilidad de alargar un verso, sin más que añadirle uno o varios pies métricos, si tal era la base de su ritmo. Así, la citada "Marcha triunfal", de Rubén [10]. El romanticismo conocía la unión de tres y cuatro anfíbracos ($\smile \perp \smile$), con los que lograba versos de nueve y de doce sílabas respectivamente. Pero el poeta nicaragüense, para escribir la mencionada pieza, asocia hasta siete anfíbracos. Igual hace Aleixandre con los dáctilos, por ejemplo. Si cuatro forman un endecasílabo de gaita, tres darán lugar a un octosílabo; hemos visto lo peculiar que es este verso en *Sombra del Paraíso* y su capacidad de asociación con los ritmos endecasilábicos [11]. Pero puede también ligar cinco dáctilos, originando un verso de catorce:

...iluminándo un instánte tu frénte desnúda...

("El poeta".)

...y ábre sus brázos yacéntes y tóca, acarícia...

("El poeta".)

tipo que ciertos poetas modernistas habían utilizado con anterioridad.

---

[10] Véase P. Henríquez Ureña, *La versificación irregular en la poesía castellana*. Centro de Estudios Históricos. Madrid, 1933; pág. 324.

[11] Ello se debe a que un pentasílabo está formado por dos dáctilos, y por cuatro un endecasílabo de gaita. El octosílabo acentuado en cuarta tiene tres dáctilos. Se trata, pues, de ritmos de la misma familia. No es de extrañar que casen con toda perfección.

Mayor originalidad ofrece la continuación de los endecasílabos italianos, que, fuera del versículo, sospecho no había sido intentada nunca en nuestra lengua. La cantidad de posibilidades musicales distintas
que tiene este metro resulta extraordinaria. Serán, por tanto, igualmente múltiples sus posibilidades de continuación. Si se juntan tres
peones segundo (_ ᴗ _ _) se forma un verso de once con las sílabas
segunda, sexta y décima en posición tónica. Pero Aleixandre, en
ocasiones, une cuatro, constituyendo un verso de quince:

> Hallában en mi pécho confiádo, un envío.
>
> ("Mar del Paraíso".)

$$[\_ \smallsmile \_ \_ \ / \ \_ \smallsmile \_ \smallsmile \ / \ \_ \smallsmile \_ \_ \ / \ \_ \smallsmile \_ (\_)]$$

(Después de la coma se hace una pausa, de modo que las palabras
"confiado" y "un envío" se separen.)

Otras veces es de diferente clase la continuidad. Los endecasílabos acentuados en tercera, sexta y décima son el resultado de agrupar
dos anapestos y un peón cuarto. Aleixandre repetirá el último peón,
conformando un verso de quince sílabas, a base de dos anapestos y
dos peones cuarto:

> ...por tu pécho bajába una cascáda luminósa...
>
> ("Padre mío".)

Cuyo esquema sería:

$$\_ \_ \smallsmile \ / \ \_ \_ \smallsmile \ / \ \_ \_ \_ \smallsmile \ / \ \_ \_ \_ \smallsmile$$

La repetición del último pie es técnica nada infrecuente en Aleixandre. Si escribiéramos:

> Todos, multiplicados, repetidos...

obtendríamos un endecasílabo en el que fuesen tónicas las sílabas primera, sexta y décima. Su representación esquemática tendría esta
forma:

$$\smallsmile \_ \_ \_ \_ \smallsmile \ / \ \_ \smallsmile \_ \smallsmile$$

El último pie es un peón cuarto. Aleixandre agregó otro ($\llcorner\_\_\_\llcorner$ / $\_\_\_\llcorner$ / $\_\_\_\llcorner$), creando un verso de 15:

Todos, multiplicados, repetidos, sucesivos...

("Destino de la carne".)

Lo mismo sucede en otros metros. Por ejemplo, en el dodecasílabo de gaita que antes estudiábamos. Al estar compuesto este metro de dáctilo más peón primero, seguido de otros dos dáctilos, puede continuarse, reiterando el dáctilo postrero:

...que desde vuestra limitada existencia arrojáis...

(No debe confundirnos el hecho de estar debilitado el primer dáctilo en su sílaba tónica.) Su esquema sería:

$$(\_)\_\_ \ / \ \llcorner\_\_\_ \ / \ \llcorner\_\_ \ / \ \llcorner\_\_ \ / \ \llcorner(\_\ \llcorner)$$

o sea, dáctilo más peón primero, al que se añaden aún tres dáctilos.

IRREGULARIDADES EN UNO DE LOS PIES
MÉTRICOS QUE FORMAN EL VERSO

Hasta ahora hemos venido considerando el versículo de *Sombra del Paraíso* como un verso normal, que siguiera las reglas establecidas por la métrica tradicional (aunque introduciendo algunas legítimas innovaciones). *Y así es la mayoría de las veces.* Pero suponer que siempre sucede de este modo conduciría a un grave engaño. En ocasiones se producen algunas irregularidades, que pueden ser de dos clases. En este apartado nos referimos sólo a una de ellas, dejando para el siguiente el estudio de la que resta. La que ahora vamos a analizar consiste en que un verso basado en la repetición de un determinado pie métrico permite la sustitución de *una* de tales unidades por otra distinta, siempre que ese trueque no se realice en posición final. Un ejemplo:

...la juventud de tu corazón no es una playa...

El efecto musical que tal versículo produce a nuestro oído es el mismo que si la lectura fuese la que sigue:

...la juventud del corazón no es una playa... [12]

Esquematicemos este último verso:

2

_ _ _ ´ / _ _ _ ´ / _ _ _ ´

Se trata, pues, de la asociación de tres peones cuarto. Escribamos ahora la auténtica fórmula aleixandrina:

2

_ _ _ ´ / _ _ _ _ ´ / _ _ _ ´

Comparando ambos esquemas vemos que la diferencia estriba en el segundo pie, que posee una sílaba átona más de la cuenta en Alei-xandre.

IRREGULARIDADES EN LA RAÍZ
ABSOLUTA DEL VERSO

La segunda irregularidad que puede poseer el versículo, a la que aludí hace poco, se da sobre todo en los ritmos endecasilábicos, y más concretamente en el endecasílabo propiamente dicho, aunque no es difícil hallarla en otros tipos de ritmo. Consiste en que alguna que

---

[12] Dámaso Alonso ha notado que, aunque las distancias entre los golpes acentuales del versículo sean a veces desiguales, sigue existiendo una ley de igualdad *temporal*, conseguida por correcciones constantes, bien apresurando la lectura, bien retardándola. (Dámaso Alonso, *Seis poemas de Hopkins*. Colección Camelina. Monterrey, 1949; pág. 14; incluido ahora en *Poetas españoles contemporáneos*, ed. Gredos, Madrid, 1955). De ahí que las cinco sílabas "de tu corazón" nos suenen, desde el punto de vista métrico, aproximadamente igual a las cuatro "del corazón".

otra vez el verso o el hemistiquio añade una, dos o tres sílabas en su comienzo *absoluto,* o bien deduce una de ellas [13]. Así puede leerse:

> ...*la* luz, el calor, el sondear lentísimo...
>
> > ("Criaturas en la aurora".)

o

> ...*espinas* que atravesaban bellos labios...
>
> > ("Plenitud del amor".)

en vez de

> ...*luz,* el calor, el sondear lentísimo...

o

> ...*pinas* que atravesaban bellos labios...

que serían endecasílabos normales.
Ejemplo de supresión de una sílaba:

> ...embebed en vuestra cabellera el rojo ardor de los besos
> inmensos...
>
> > ("Mensaje".)

Este versículo está formado de dos hemistiquios: "embebed en vuestra cabellera" y "el rojo ardor de los besos inmensos". El segundo no tiene nada de particular: es un endecasílabo de gaita. Pero el primero sólo aparentemente es un decasílabo. Porque si le sumamos una sílaba en su principio, obtendremos un verso de once, perfectamente acentuado: "O ya embebed en vuestra cabellera".
Ocurre igual en este otro ejemplo:

> ...donde lentos os movéis seguros /
> como la roca misma de la gleba.

---

[13] Precisamente esta irregularidad fue la base del verso que Juan Ramón Jiménez había empleado a partir del *Diario de un poeta recién casado,* primer ensayo de versículo en castellano, si olvidamos algún desorientado intento modernista. El versículo del poeta de Moguer consiste, por lo general, en la combinación de ritmos endecasílabos (pentasílabos, heptasílabos, eneasílabos, endecasílabos y alejandrinos), en los que podía introducir la irregularidad aludida. Se trataba, pues, de un verso flexible, aunque con menos posibilidades rítmicas que el visible en *Sombra del Paraíso.*

Si agregamos una sílaba en el comienzo de la frase, formaremos un versículo con dos endecasílabos como hemistiquios:

> *En* donde lentos os movéis seguros /
> como la roca misma de la gleba.

La índole misma del verso castellano admite en ciertos casos esas aparentes anomalías. Pero, además, son éstas más naturales aún en el versículo, *cuyo ritmo no exige demasiada rigurosidad en la ondulación musical de su comienzo absoluto,* y tal libertad aparece como una de sus características esenciales. Rota la armonía regular en su iniciación, le basta descansar pronto en una musicalidad conocida (o nueva, pero legítima) que lo hace eufónico. (Y ello sirve también para explicar las anomalías que investigábamos en el apartado anterior.) Por eso, los finales de verso y los finales de estrofa suelen ser de la mayor rigurosidad tradicional.

RESUMEN

Tal vez convenga alinear en un resumen lo que hemos hallado. Hemos querido mostrar que el versículo de *Sombra del Paraíso* se guía por normas, indudablemente amplias, pero claras, que lo diferencian nítidamente de la prosa. (Y *mutatis mutandis* ello vale para todo versículo eufónico, como dijimos al principio, con las prudentes restricciones que allí nos imponíamos.) En primer término hemos hallado la ley fundamental que lo rige: su formidable capacidad para reunir ritmos de naturaleza distinta. Lo cual no representa un salto en el vacío, sino que es producto de una larga preparación que comienza en el romanticismo y, sobre todo, en el modernismo. Cuando Rubén Darío asocia cuatro dáctilos (endecasílabo de gaita) a versos de once italianos, quedan abiertos ya tan vastos horizontes. Porque si era posible fusionar un verso basado en la repetición de un pie métrico (el dactílico) con endecasílabos italianos, nada se oponía a que éstos se combinaran con un complejo de anapestos o de anfíbracos, etcétera, sin tener en cuenta el número de sílabas; labor que será la fundamental del versículo.

Pero, además, los ritmos que forman la masa más abundante de la versificación aleixandrina no tienen nada de extravagante. Se trata simplemente de endecasílabos y de sus combinaciones, ya tradicionales desde los tiempos del modernismo: pentasílabos, heptasílabos, eneasílabos y alejandrinos. A lo que habría que agregar hexámetros y seudohexámetros, anfíbracos, anapestos y peones para obtener la casi totalidad de los tipos posibles. Todo materia oída o escasamente nueva. Claro que se dan también nuevas cristalizaciones métricas, entre las que sobresalen un dodecasílabo acentuado en cuarta, octava y decimoprimera, y un endecasílabo golpeado en su tercera y séptima sílabas. Pero estas novedades son perfectamente legítimas y no caprichosas. Igualmente hay que hacer constar que el versículo admite dos tipos diferentes de irregularidad. El primero consiste en que un verso o un hemistiquio basado en la reiteración de un mismo pie métrico permite la sustitución de una de tales unidades por otra distinta, si el cambio no se produce en posición final. El segundo tipo de irregularidad se realiza cuando se añade una, dos o tres sílabas en la raíz absoluta del verso o del hemistiquio, o bien cuando se deduce una de ellas. Esto nos indica que esta clase de verso no es muy rigurosa en el ritmo de su comienzo absoluto, bastándole para ser eufónico con descansar luego en una musicalidad perfecta (y ello nos explica, a su vez, que en ocasiones un verso, en el interior de la estrofa, pueda aflojar su ritmo, mientras no se permiten esa misma libertad los versos que se constituyen como cierres estróficos).

CAPÍTULO XVIII

ADECUACIÓN DEL RITMO A LA REPRESENTACIÓN
POÉTICA

JUSTIFICACIÓN DEL VERSÍCULO

Se nos impone ya una pregunta: ¿Cuál es la razón interior, la razón estética de la movilidad rítmica del versículo, de esa ausencia total de medida y ritmo fijos que le caracterizan? En principio, la poesía requiere que todos sus elementos tengan sentido, y precisamente sentido estético. No debe haber en ella nada que sea caprichoso o arbitrario. Es preciso que cada ingrediente se halle justificado, si no en sí mismo, sí en otro a cuya plena expresividad se encamina. Según esto, la nerviosa volubilidad métrica del verso libre ha de tener una causa. ¿Cuál puede ser ésta?

La pregunta así planteada no es de respuesta difícil. Un poema es siempre expresión de un fluir anímico, no forzosamente de idéntica intensidad y sentido en todo su desarrollo. Más bien lo frecuente es lo opuesto: el cambio, en cantidad y cualidad, que puede ser hasta brusco, de la emoción o la representación o ambas cosas a la vez. El ritmo del poema será tanto más eficaz cuanto mejor refleje esa mutación del contenido, reproduciéndolo en sí mismo. La naturaleza fluida y plástica del versículo se ha originado, pues, y ha venido a posibilitar con medios más adecuados esa honda necesidad, sentida por la forma, de imitar con mayor perfección las incidencias y variaciones que sucesivamente afectan al fondo.

Desde estas ideas comprendemos mejor el hecho, a mi juicio evidente, de que siempre hayan triunfado en las diversas literaturas aquellos tipos de verso que han podido ser experimentados como más capaces de variaciones rítmicas: en Francia, el alejandrino; en España, el octosílabo o el endecasílabo. Si en la concepción de esta ley no nos engañamos, podríamos aventurarnos a augurar largo éxito al versículo, pues ¿qué verso puede existir más flexible o dúctil que él?

EXPRESIÓN DEL MOVIMIENTO

Únicamente me detendré en la consideración de unos cuantos instantes de la poesía aleixandrina que muestran lo que acabamos de decir: la exacta equivalencia que en ella se da entre forma rítmica y contenido o significación. Veremos cómo el ritmo semeja *traducir* a la esfera del significante los conceptos poéticamente formulados. Para ello, no sacaré a colación más que ejemplos de *Sombra del Paraíso*, que es donde este fenómeno se produce con especial intensidad.

Si investigamos este libro con un poquito de cuidado, repararemos en algo sumamente curioso: cuando en el tema se empieza a sugerir movimiento, lo mismo el físico que el espiritual, el ritmo suele hacerse trisilábico: bien dactílico (⌣ _ _), bien anfibráquico (_ ⌣ _) o anapéstico (_ _ ⌣). Como el mundo poético de Aleixandre suele ser bullidor, en constante agitación de seres y pasiones, los ejemplos rastreables son numerosísimos. Pero sólo expondré algunos. He aquí dáctilos:

> ...y *ábre* sus *brázos* yacéntes y *tóca, acarícia.*
>
> ("El poeta".)

Anfíbracos:

> ...mi *plánta* imprimía su *huélla* en las *pláyas*
> con la misma rapidez de las barcas...
>
> ("Poderío de la noche".)

Anapestos:

> ...pájaros de la dicha *iniciál* que se abrían
> estrenando sus alas...
>
> ("Criaturas en la aurora".)

Me interesa señalar además, y como complemento a lo dicho, un significativo fenómeno. Muchas veces los pies trisilábicos no se inician, como aquí sucede, desde la raíz misma del versículo. Este metro puede comenzar por unas cuantas sílabas, por un hemistiquio de ley distinta a la trisilábica. Pues bien: el significado que corresponde a esa zona de más suave ondulación musical resulta casi siempre no ser dinámico: el movimiento sólo suele empezar cuando los pies trisilábicos se ponen en marcha. Veamos un par de ejemplos:

1   ...*mojé mis pies,* herí con mi cuérpo sus óndas...

("Primavera en la tierra".)

2   ...*ligeramente rubia,* resbalándo en lo blándo del tiémpo...

("Nacimiento del amor".)

En los dos versículos copiados —podrían transcribirse muchos más, pues la técnica es frecuente— se produce algo idéntico: el primer segmento —el subrayado— sigue la ley endecasilábica, mientras el segundo obedece la de pie trisílabo. El ejemplo que lleva el número 1 muestra la unión de un verso de cinco sílabas con otro de nueve, compuesto de anfíbracos. Pero el pentasílabo no expresa traslación física, acción que indican, en cambio, los anfíbracos que le siguen: natación rápida, afilada, a través de las aguas del mar. Aún es más claro el ejemplo que lleva el número 2: el heptasílabo del comienzo hace referencia sólo a la coloración del cabello que la amada posee; y, en cambio, el segundo hemistiquio, que es anapéstico, expresa resbalamiento, pasaje.

El ceñidísimo ajuste entre significación y metro usado que aquí vemos, es constante en *Sombra del Paraíso.* Hasta ahora hemos observado cómo esa idoneidad se realiza dentro de un mismo versículo. Pero, naturalmente, sucede lo propio, y aun con mayor relieve, en el interior de una estrofa:

1   ...y cómo el resonante clamor de los bosques
2   se aduerme suave un día en nuestras venas.
3   Para ti, poeta, que sentiste en tu aliento
4   la embestida brutal de las aves celestes,

5 y en cuyas palabras tan pronto vuelan las poderosas alas
de las águilas...

("El poeta".)

El verso inicial está formado por una serie de anapestos (con tres sílabas agregadas en su comienzo absoluto, constituyendo la "irregularidad" estudiada en la página 282), que expresa el clamor agitado de los bosques. El ritmo del versículo segundo da un brusco giro, serenándose en un endecasílabo. Pero igual suerte corre la idea formulada; porque el "clamor de los bosques" del verso precedente "se aduerme... en nuestras venas". Nuevamente comienza la agitación en el versículo tercero para culminar en el cuarto, formado por un complejo de anapestos. Es interesante anotar que el tercero lleva una irregularidad ("poeta", en vez de "poetá"). Es que aún el movimiento, el aletazo de las aves celestes, sólo se halla en la iniciación, y el ritmo ha de ser menos insistente para que el verso cuarto tenga plena eficacia, al sorprendernos su golpeadora música. El versículo quinto tiene tres hemistiquios, todos de orden endecasilábico: cinco sílabas (con una más agregada en su comienzo absoluto), más cinco, más once. Nuevamente se ha remansado el ritmo en un endecasílabo que contiene también una idea de serena plenitud: el gran vuelo aquilino, pausado, lentísimamente majestuoso. El grupo 5 *más* 5 expresa el girar ondulante de ese vuelo, efecto que tal asociación puede producir, como luego hemos de comprobar, siempre que el significado colabore.

Otro pormenor: la estrofa que investigamos está formada, en gran parte, por anapestos. ¿Por qué no dáctilos, por ejemplo? Los preceptistas clásicos han considerado siempre a los pies métricos comenzados en sílaba átona y terminados en tónica (los anapestos, por ejemplo: _ _ ́) como más vigorosos que sus contrarios (los dáctilos, pongo por caso: ́ _ _), que iniciándose en sílaba acentuada finalizan en sílaba sin acento. Así, sirviendo los genéricos pies trisílabos para expresar la movilidad, los específicos anapestos serán aptos para cantar movimientos enérgicos, mientras los dáctilos habrán de reservarse para dar la impresión de ligereza. He aquí por qué Aleixandre usa intuitivamente anapestos y no dáctilos en la estrofa copiada. "El clamor de los bosques" y la "embestida brutal de las aves celestes" son fuerzas poderosas y precisan, para formularse, de ese ritmo lleno de pujanza.

EXPRESIÓN DEL MO-
VIMIENTO ANHELANTE

Si lo que se pretende exaltar es el movimiento hacia un fin no
alcanzado aún, resulta sumamente adecuado el dodecasílabo de gaita.
Recordemos que tal dodecasílabo está compuesto de dáctilo más peón
primero, seguido aún de dos dáctilos. Pues bien: por un lado, el predominio de dáctilos consiente la expresión de la movilidad, mientras
la duplicidad de pies empleados —dáctilos y peón primero— proporciona al verso inestabilidad, anhelante vacilación. Habrá, por tanto,
concordancia entre fondo y forma cuando sea precisamente ansia y
deseo lo que el poeta quiere describir. He aquí alguna muestra de tal
concordancia, dejando aparte el poema "Las manos" [1], donde es aún
más visible:

> Mar alentando como un brazo que anhela...
>
> ("Ciudad del Paraíso".)

> Como esa mano que del cuerpo tendido...
> se eleva...
>
> ("El cuerpo y el alma".)

El verso que continúa a este último reza así:

> ...y *quiere* solamente acariciar las luces...

Sí: el dodecasílabo de gaita indica casi siempre anhelo. Pero por
su desequilibrio puede también reflejar la convulsión del ánimo:

> ...vigilaba sin límites mi cuerpo convulso...

(Obsérvese que este versículo lleva dos sílabas agregadas en su
comienzo absoluto —véase la página 282—; para aislar el dodecasílabo hay que suprimirlas: "...laba sin límites mi cuerpo convulso".)

---

[1] Véase la página 167, donde se halla copiado este poema.

EFECTOS DE ONDULACIÓN

Tomemos otro tipo de ritmo. Por ejemplo, el compuesto de pentasílabos y heptasílabos o sólo de pentasílabos. Examinemos si seguimos encontrando idoneidad entre la significación poética y su forma. El poeta se contempla a sí mismo como sierpe en una composición:

...mi oscura sombra larga que te desea...

("Sierpe de amor".)

Este versículo está constituido por dos hemistiquios: uno de siete sílabas y otro de cinco. Por ello el ritmo resulta ondulatorio, y reproduce la típica reptación de la serpiente. No se trata de un ejemplar aislado. La misma ondulación rítmica hallamos cuando se canta el movimiento zigzagueante del pez:

...la presencia de peces por las orillas, su plata núbil...

("Mar del Paraíso".)

Aquí se asocia un heptasílabo a dos pentasílabos, hemistiquios que por su diferente número de sílabas reproducen la quebrada natación de esos animales marinos, e igual sucede en el ejemplo anterior. Pero los matices son finísimos: siendo las olas del mar ondulaciones de amplitud más o menos siempre la misma, la armonía que las describa deberá imitarlas también en este aspecto:

...pero tú duras, nunca desciendes, y el mar suspira...

("Ciudad del Paraíso".)

y entonces son tres versos iguales entre sí, tres pentasílabos, los que se reúnen.

EFECTOS DE SERE-
NIDAD Y PLACIDEZ

No hace mucho señalábamos cómo cuajaba un endecasílabo italiano cuando era el sosiego, la serena plenitud, lo cantado. Los casos citados no eran únicos. Al contrario, el hecho es frecuente:

Un azul grave, *pleno, serenísimo*
te ofrecía su seno generoso
para tu alegre luz, oh luna joven...

("Luna del Paraíso".)

El placer *no tomaba el temeroso nombre* de placer...

("Criaturas en la aurora".)

Sus *silenciosas* capas de ceniza...

("Poderío de la noche".)

...de amor, de luz, de *plenitud,* de espuma...

("Nacimiento del amor".)

Advierto que todos los ejemplos aducidos pertenecen a poemas escritos en versículo y no en versos de once sílabas. No se trata, pues, de ejemplos que he arrancado de piezas enteramente endecasilábicas. Lo que sucede es que cuando el significado se modifica, se modifica también el tipo de ritmo que lo expresa. Si aquél adquiere serenidad, éste se remansa y aquieta, como en los casos que acabo de transcribir.

EXPRESIÓN DE
LA GRANDIOSIDAD

En cambio, el hexámetro aparece cuando el poeta necesita exponer con rotundidad un hecho grandioso. Así que la "vacía presencia de un cielo no estrellado"

...vela cóncavamente sobre el titánico esfuerzo...,

("Poderío de la noche".)

sobre la lucha entre la espuma del mar y la amenazante sombra. O que el océano, la terrible fuerza, se halle

...continuamente aplacado por una mano dichosa...

O ya, que después del amor el cuerpo humano refleje las estrellas,

> ...como se contempla la tarde que colmadamente termina...

> ("Plenitud del amor".)

O que la nocturna luminosidad sea el único testigo de la muerte :

> Luz de la noche sobre el cuerpo tendido sin alma...

> ("El cuerpo y el alma".)

etcétera.

CONCLUSIÓN

Hemos visto a lo largo de estas páginas cómo en el versículo de Aleixandre (y más concretamente en el versículo de *Sombra del Paraíso*) el ritmo se ajusta con rigurosa precisión a la representación poética que le corresponde.

Quizá sólo un Góngora, o un Rubén Darío, o un Juan Ramón Jiménez, a fuerza de maestría, hayan sido dueños de tan certeros y variados registros. El verso libre llega así en *Sombra del Paraíso* a un punto de perfección en su desarrollo que debemos consignar como un mérito, llegado el instante de la valoración crítica de nuestro autor.

CAPÍTULO XIX

ADECUACIÓN DE LA MATERIA FONÉTICA DEL VERSO A LA REPRESENTACIÓN POÉTICA. COLOCACIÓN DE LAS PALABRAS DENTRO DEL VERSO

La materia fonética del verso puede ser objeto de un tratamiento semejante al que el ritmo, según hemos visto, se sometía. También desde la esfera fónica puede intentarse la reproducción onomatopéyica (permítaseme usar este adjetivo en un sentido amplio) del contenido. Y también la mayor o menor habilidad o propensión a utilizar este procedimiento podrá servirnos para separar estilísticamente a unos poetas de otros. Existen desde poetas casi totalmente ajenos a su encanto, como Unamuno, hasta aquellos otros seducidos por ese encanto poco menos que de continuo, como Góngora o Rubén Darío. Vicente Aleixandre pertenece a esta última suerte de escritores. Mas no se piense por ello que de esta manera hemos incluido a nuestro autor en el fichero del preciosismo literario. La excelencia del ajuste formal con respecto al fondo no dice, en principio, absolutamente nada en este sentido acerca del tipo de poeta de que se trate. San Juan de la Cruz no hace estilismo cuando escribe:

un no sé qué que quedan balbuciendo,

verso que "balbuce" con sus tres qué seguidos; o cuando traza este endecasílabo en que las sibilantes parecen, en efecto, silbar:

el silbo de los aires amorosos.

Y, en efecto, Aleixandre, por muy certeramente intuitivo que se nos muestre en el instante de plasmar *formalmente* un contenido, no nos produce jamás la impresión del *formalista* (usemos, por una vez, esta palabra, increíblemente torpe). Para darse cuenta de ello bastaría, si hiciese falta, con repasar los capítulos de este libro que versan sobre su cosmovisión. Ahora bien : no todos los libros de Aleixandre se nos manifiestan a este respecto con idéntica significación. *Sombra del Paraíso* es, sin duda, el más atento a la vigilancia del acierto fonético (y, en general, del acierto formal). Los libros anteriores, o posteriores, aunque pueden sorprendernos también con la plástica adaptación del continente sonoro al contenido (lo hemos pronto de comprobar en algún caso) no suelen distinguirse especialmente por ella.

EXPRESIÓN DE
LA SENSUALIDAD

Los ejemplos podrían ser muchos y variados. Véase la expresión de la sensualidad suave y dulce de las horas iniciales del mundo :

...era más bien la *tersura,* la mórbida *superficie* del
mundo
que ofrecía su *curva* como un seno hechizado...

("Criaturas en la aurora".)

Las erres que van seguidas de vocal suelen ser muy adecuadas para darnos la impresión de poderío, de impulsos incontenibles y apasionados : fuerza, ira, frenesí, etc. En cambio, colocadas en posición postvocálica, trabando sílaba, dan o pueden dar sensualidad al verso. Reléanse los versículos copiados : obsérvese cómo las palabras "tersura", "mórbida", "superficie" y "curva", allí enlazadas, sugieren esa pereza sensual a que aludimos. Claro que tal efecto se ve reforzado por otro sonido diferente : el interdental, las "ces" de "superficie", "ofrecía" y "hechizado". E incluso por el labiodental, la efe de "ofrecía" y de "superficie". Sonidos dulces, blandos, junto a sonidos sensuales. Eso en la expresión. Pero ¿y en el contenido? Sensualidad de

mundo cálido, caricias de hora primera. No cabe duda: hay una perfecta coherencia entre la alusiva materia fonética del verso y la intentada representación.

EXPRESIÓN DE LA IRA

Para que el lector vea el distinto efecto que producen las erres
cuando traban sílaba, tomaremos un ejemplo de *La Destrucción o el
Amor:*

> El busto erguido, la *terrible columna,*
> el cuello *febricente,* la *convocación* de los *robles,*
> las manos que son *piedra,* luna de *piedra* sorda,
> y el *vientre* que es el *sol,* el único extinto *sol.*
> Hierba seas, hierba seca, *apretadas raíces...*
>
> ("La dicha".)

Se trata de un pasaje imprecatorio, de tono colérico. Todo él se
halla duramente cosido por sonidos fuertes, redoblantes: erres por
todos lados: "terrible", "febricente", "robles", "piedra", "vientre",
"apretadas", "raíces". Pero aún el efecto de imprecación iracunda se
ve estimulado por palabras de acento agudo colocadas en los lugares
de mayor resalte: el vocablo "convocación" del segundo verso y el
vocablo "sol" del penúltimo.

Los pasajes con erres para sugerir estruendo o energía, o grandeza, o varias de estas cosas al tiempo, son muy frecuentes en *La Destrucción o el Amor:*

> ...esa lava *rugiente*
> que *regando encerrada...*
>
> ("Unidad en ella".)

Pero no faltan en *Sombra del Paraíso.* El poeta se refiere a la noche con estas palabras:

> (las águilas) ...la *estrujan* —todo un *río* de último
> *resplandor* va a los mares...

OTROS EFECTOS

Veamos ahora otros efectos. Se nos habla de limoneros, del agrio zumo de sus frutos. El verso se puebla entonces de sonidos que interpretan sinestésicamente esa agriedad:

> Allí el limonero que *sorbe* al sol su *jugo agraz* en
> la mañana *virgen*...
>
> ("El río", de *Sombra del Paraíso.*)

Para producir esa sensación, el poeta se vale de varios sonidos consonánticos en combinación: grupos s-rb ("sorbe"); gr-z ("agraz"); rg ("virgen"), y sonidos velares ("jugo", "virgen"). El éxito mayor en esta representación sonora es el sintagma "jugo agraz", centro apoyado por dos palabras ("sorbe" y "virgen"), que son como un par de notas que reduplican la intensidad de aquél.

No puedo enumerar aquí más que algunos de los muchos momentos aleixandrinos donde hay esa idoneidad de la representación con respecto a los sonidos representantes. Véase un velero que corta velozmente la superficie del mar:

> ...que con quilla de acero *rasgue, sesgue*...

Obsérvese cómo el grupo -sg ("rasgue", "sesgue") da la sensación de roce rápido, de quilla que toca apenas las aguas hendidas.

Aquí, los graznidos de unas aves:

> ...que *graznaban deseo* con *pegajosas plumas*...

El grupo gr-z- de "graznaban", seguido de la sibilante de "deseo", de la p, la g, la j y las dos eses de "pegajosas" y del grupo pl- de "plumas", produce en nuestra sensibilidad la sensación de la pegajosidad repelente de esas aves.

Una sucesión de zetas,

> [(el mar) ...cantaba dulcemente azotado por mis manos
> inocentes...]

nos introduce en un mundo de gozosa inocencia, de candor inicial.

Otras veces es el dinamismo (y ello no deja de asombrarnos) lo que aparece evocado por la materia fónica. En un caso concreto, será el dinamismo de un cuerpo poderoso y maligno:

> ...duro cuerpo de lumbre tenebrosa, pujante
> que incrustaste tu testa en los cielos helados...
>
> ("Arcángel de las tinieblas".)

Consonante seguida de erre ("lumbre", "tenebrosa", "incrustaste"), la velar jota de "pujante" y, sobre todo, la sucesiva insistencia de dentales sordas ("incrustaste *tu testa*"), que parece como la reiteración en el movimiento que ese cuerpo realiza, son los núcleos que obtienen un triunfo tan evidente [1].

O, en fin, es la blancura de una ciudad la sugerida, esta vez por medio de vocales, no de consonantes: una serie de aes será la llamada a cooperar en tal sensación:

> ...blanca en los aires con calidad de pájaro...
>
> ("Ciudad del Paraíso".)

En otras ocasiones, un esdrújulo, por el mero hecho de serlo, logra parecidos resultados de adecuación con su sentido:

> ...en que escapan las flautas de la primavera *apagándose*...
>
> ("Primavera en la tierra".)

En todo esdrújulo, la sílaba acentuada es más larga que las dos átonas que la siguen, y por tanto su pronunciación es más distinta. La sonoridad del gerundio "apagándose" tendrá, pues, un punto álgido de intensidad en la tercera sílaba, que luego va extinguiéndose en las dos últimas (-dose). De este modo, si las flautas a que el poeta alude se apagan, el vocablo que expresa la noción de apagamiento tiene una musicalidad en apagamiento también.

---

[1] Aunque no corresponde a este lugar, indicaré que contribuye al mismo efecto el uso de dos adjetivos seguidos: "tenebroso", "pujante".

COLOCACIÓN DE LAS PALA-
BRAS DENTRO DEL VERSO

Pero no sólo los sonidos: también en Aleixandre la colocación de las palabras dentro del verso puede ajustarse intuitivamente a la representación poética. Pondré un ejemplo muy claro de encabalgamiento expresivo. Hace un instante citábamos fragmentariamente un versículo de "Ciudad del Paraíso", que copiaremos entero ahora: esa ciudad está vista como

> blanca en los aires con calidad de pájaro suspenso
> que nunca arriba...

Nótese el lugar donde se halla situado el vocablo "suspenso": a fin de versículo. Con ello el período queda también como *suspendido*, al obligar que la lectura haga una breve pausa. Se retrasa así la llegada del verso "que nunca arriba", como ese pájaro de que el poeta habla.

LA SINTAXIS

Capítulo XX

EL DINAMISMO EXPRESIVO

Hemos visto en el capítulo XVIII cómo generalmente los versículos de Aleixandre van plegando su ritmo a las mínimas infractuosidades de la representación poética; y en el capítulo XIX comprobábamos que lo mismo le ocurría a la materia fonética de que esos versículos se componen. Pero el verso no sólo consta de sonidos y de ritmo. Lo integran también palabras, palabras relacionadas entre sí. En el verso existe, pues, una sintaxis. Nuestro estudio, por ahora, se acercará al estudio de la sintaxis con una intención muy limitada: ver si la sintaxis sigue, pero sólo en cuanto a su dinamismo, la norma que hemos encontrado para el ritmo y para los sonidos del lenguaje poético. Es decir: si existe aquí también adecuación entre contenido y continente, entre dinamismo expresivo y su respectiva representación.

Este trabajo requiere una previa indagación, pues se trata de un campo totalmente inexplorado. Hemos de conocer con exactitud el valor dinámico que de un modo genérico poseen los verbos, los sustantivos, los adjetivos, los adverbios, etc., tarea que acometeremos en este capítulo.

DINAMISMO POSITIVO Y
DINAMISMO NEGATIVO

Luego hemos de ver que en el lenguaje el dinamismo positivo (acelerador del período) está encomendado a las partes de la oración que transportan nociones nuevas (verbos principales y sustantivos), y que el dinamismo negativo (retardatario de la expresión) se abandona a aquellas palabras que sirven únicamente para matizar, de un modo u otro, a las nociones mismas (adjetivos, adverbios, etc.). Si decimos "casa", "bosque", "perro" o "leo", "castigo", "llueve", nuestra mente percibe con claridad los conceptos que esas palabras llevan consigo. En cambio, no adquiriremos noción alguna con vocablos tal "grande", "negro" [1], "cansadamente". Estas voces precisan de un soporte que las sostenga: "perro negro", "leo cansadamente", etc.

Por otra parte, como la repetición de una palabra dentro de la frase no aporta ninguna noción nueva al discurso, parece evidente que el valor dinámico de las reiteraciones sea negativo. Entrarán, pues, a engrosar el grupo formado por los adjetivos y los adverbios.

Ya tenemos formulada, en rápida síntesis, la norma general del dinamismo. Pero la realidad práctica del lenguaje es algo mucho más complejo.

DINAMISMO DEL VERBO

Establecíamos para el verbo una regla que hemos de comprobar. Indicábamos que poseía cargas positivas de dinamismo. Si esto es cierto, la reunión de varios verbos hará más rápida la expresión (los pájaros —imagen de besos):

> ...felices, mira, van, ahora escapan.
> Mira, vuelan, ascienden, el azul los adopta...
>
> ("Los besos", de *Nacimiento Último*.)

> ...ay, algo allí templa, se encienden mis labios,
> y un agua se dora y cálida bulle
> y quema y arrasa y me arrastra en sus cauces...
>
> ("La boca", publicado en revista.)

---

1 Sólo se obtendrán nociones si se sustantivan esos adjetivos: "lo negro", "lo grande". Creer que "negro" o "blanco" nos proporcionan nociones es una ilusión psicológica basada en el hecho de que al oír esos adjetivos, así sueltos y fuera de su obligado contexto sustancial, inmediatamente *los entendemos sustantivados*.

Los dos ejemplos aducidos parecen mostrarlo así: nótese la agitación que los verbos comunican a la frase. A pesar de todo, hemos de matizar mucho nuestras anteriores palabras. Todo lo dicho vale para los verbos principales, pero no para los subordinados. Los verbos subordinados no aportan al discurso nuevos conceptos: sólo modifican o limitan la acción del verbo principal. Si expresamos que "los hombres pasean cuando hace sol", no formulamos propiamente dos conceptos, "pasear" y "hacer sol", sino únicamente uno, "pasear", limitado por otro, "hacer sol". Por tanto, la subordinación del verbo arranca de éste todo dinamismo positivo, y aun le carga de dinamismo negativo:

Es por la piel secreta, secretamente abierta, invisiblemente
    entreabierta,
por donde el calor tibio propaga su voz, su afán dulce;
por donde mi voz penetra hasta tus venas tibias
para rodar por ellas en tu escondida sangre,
como otra sangre que sonara oscura, que dulcemente oscura
    te besara
por dentro, recorriendo despacio como sonido puro
ese cuerpo que ahora resuena mío, mío, poblado de mis
    voces profundas,
oh resonado cuerpo de mi amor, oh poseído cuerpo,
oh cuerpo sólo sonido de mi voz poseyéndole.
Por eso, cuando acaricio tu mano, sé que sólo el hueso
    rehusa
mi amor —el nunca incandescente hueso del hombre...
Y que una zona triste de tu ser se rehusa,
mientras tu carne entera llega un instante lúcido
en que total flamea, por virtud de ese lento contacto de
    tu mano,
de tu porosa mano suavísima que gime,
tu delicada mano silente, por donde entro
despacio, despacísimo, secretamente en tu vida,
    hasta tus venas hondas totales donde bogo,
donde te pueblo y canto completo entre tu carne.

("Mano entregada", de *Historia del Corazón*.)

Más adelante hemos de volver sobre este poema. Por ahora con-
formémonos con observar la lentitud de la sintaxis. Y, sin embargo,
existen 22 verbos. El secreto de esa morosidad expresiva radica en
que sólo dos de ellos (el verbo "ser" del primer versículo y el verbo
"saber" del décimo) son principales, e incluso estos que lo son, carecen
en su significación de toda noción dinámica. Los 20 restantes son
subordinados, y su efecto resulta retardatario.

Después de este análisis parece ocioso decir que los verbos que
no se hallen en forma personal carecen de valores dinámicos positivos, por actuar como simples modificadores de otro principal. Pero
ocurre que a veces verbos sintácticamente expresados en forma personal, psicológicamente, actúan, en cierto modo, como gerundios de
un verbo próximo. Cuando Aleixandre dice:

> Sí: te veo en la sombra, te adivino, te palpo...

> ("Separación", inédito en libro.)

sentiremos que, si hay tres verbos, existe una acción tan sólo. Ese
verso, psicológicamente, repito, equivaldría a una frase como ésta:
"Te veo, o, mejor dicho, no te veo: te adivino palpándote". Es decir: los tres verbos pueden reducirse a uno solo: "adivinar palpan-
do". En consecuencia, "ver" y "palpar" no tendrán cargas de dinamismo positivo, sino de dinamismo negativo.

DINAMISMO DEL SUSTANTIVO

Algo semejante ocurre con los sustantivos. En la mayor parte de
los casos siguen la regla que hemos dado, y la acumulación de sustantivos dota al período de velocidad:

> Sólo eres tú, continua,
> graciosa, quien se entrega,
> quien hoy me llama. Toma,
> toma el *calor*, la *dicha*,
> la *cerrazón* de bocas
> selladas. Dulcemente
> vivimos. Muere, ríndete...

Sólo los besos reinan:
sol amarillo y tibio,
riente, delicado,
que aquí muere, en las *bocas*
felices, entre *nubes*
rompientes, entre *azules*
dichosos, donde brillan
los *besos*, las *delicias*
de la tarde, la *cima*
de este poniente loco,
quietísimo, que vibra
y muere. Muere, sorbe
la vida. —Besa. —Beso.
¡Oh mundo así dorado!

("Los besos", de *Sombra
del Paraíso.*)

Véase la rapidez que imprimen al poema las partes subrayadas
(dejo aparte aquellas otras zonas, también muy dinámicas, cuya movilidad se deriva del uso del verbo; tampoco quiero considerar ahora
cuánto deba a la brevedad del verso esa velocidad). Ese inquieto dinamismo es indudable que lo producen las series de sustantivos:
"calor", "dicha", "cerrazón", "bocas", "nubes", "azules", "besos",
"delicias", "cima".

Y lo mismo pasa en la siguiente estrofa de *La Destrucción o el
Amor:*

Días, noches, ponientes, madrugadas, espacios,
ondas nuevas, antiguas, fugitivas, perpetuas [2],
mar o tierra, navío, lecho, pluma, cristal,
metal, música, labio, silencio, vegetal,
mundo, quietud, su forma. Se querían: sabedlo.

("Se querían".)

En cambio, es evidente que ciertas cláusulas cargadas de sustantivos no poseen velocidad, sino lentitud:

---

[2] Este segundo verso está formado no por sustantivos, sino por adjetivos.
Pero tales adjetivos poseen una peculiaridad que tocaremos más adelante, y
ella contribuye a acelerar la expresión más que a demorarla.

308   *La poesía de Vicente Aleixandre*

> Cuerpos humanos, rocas cansadas, grises bultos...
> Un océano sin origen que envía
> ondas, ondas, espumas, cuerpos cansados, bordes
> de un mar que no se acaba y que siempre jadea
> en sus orillas...

> ("Destino de la carne", de *Sombra del Paraíso.*)

¿En qué consiste esta diferencia de resultados? ¿Por qué la serie de sustantivos origina en "Destino de la carne" lentitud, mientras en "Los besos" y en "Se querían" hace más veloz la frase? En las dos enumeraciones de "Destino de la carne" que hemos copiado, el poeta no expresa una sucesión de realidades distintas entre sí, sino que los *sustantivos allí presentes son imágenes que encubren una misma realidad.* Ahora empezamos a comprender. Cuando el poeta decía:

> Cuerpos humanos, rocas cansadas, grises bultos...
> Ondas, ondas, espumas, cuerpos cansados, bordes
> de un mar...

estaba repitiendo el mismo concepto ("cuerpos humanos") bajo una serie de imágenes: ondas, espumas, rocas, etc. Por tanto, se trataba de un caso especial de reiteración y caía bajo la ley de ésta. Si la reiteración produce detenimiento, lentitud, una sucesión de imágenes encubridoras de un mismo plano real había de producir efectos similares, esto es, había de demorar el período.

DINAMISMO DEL ADJETIVO

Ya sabemos: los adjetivos van cargados de dinamismo negativo, y por ello su acumulación alterará la frase en el sentido de la morosidad:

> Y vi a la nube alejarse, densa, oscura, cerrada,
> silenciosa, hacia el meditabundo ocaso sin barreras...

> ("No basta", de *Sombra del Paraíso.*)

Sin embargo, nos encontramos muchas veces con que un complejo de adjetivos tiene el efecto contrario: comunicar rapidez a la cláusula. Acordémonos de aquel verso copiado no hace mucho:

> ...ondas nuevas, antiguas, fugitivas, perpetuas...

Leamos también estos otros:

> Allí nacían cada mañana los pájaros,
> sorprendentes, novísimos, vividores, celestes...
>
> ("Criaturas en la aurora", de *Sombra del Paraíso.*)

Ello se debe a que en los dos ejemplos citados los adjetivos están graduados hacia un clímax. En uno se pasa de lo *nuevo* a lo *perpetuo*; en otro, de lo *sorprendente* a lo *celeste*. Hay en ambos una gradación ascensional, por lo que los calificativos se cargan de un valor en cierto modo exclamativo, es decir, se cargan de un valor dinámico.

CLÍMAX ASCENDENTE, CLÍMAX
DESCENDENTE Y EXCLAMACIÓN

El clímax ascendente y la exclamación tienen, pues, dinamismo positivo; lo opuesto ocurre con el clímax descendente, y todo ello por causas meramente psicológicas. Nuestro espíritu e incluso nuestro cuerpo tienden a interpretar la tristeza por medio de la lentitud y la alegría por medio de la velocidad (términos ambos relativos, como es de suponer); y así los ritmos lentos son especialmente aptos para la expresión fúnebre, lo mismo en poesía que en música, y al revés, los ritmos rápidos (es sabido que en la nomenclatura musical éstos se llaman significativamente "allegros"). Nuestro cuerpo hace algo similar: la tristeza definitiva y sin solución propende a paralizarnos en la misma medida en que propendemos a la agitación cuando estamos gozosos. Y es que psicológicamente la tristeza supone quietud y al contrario la alegría, pues en la tristeza, al percibir al mundo como enemigo, nos cerramos a él y, consiguientemente, nos inmovilizamos en nuestra hermética interioridad, mientras en la alegría, al entender como benévola a la realidad, nos sentimos atraídos y movidos hacia ella. Y es este movimiento y aquella inmovilidad lo que el músico, el poeta y también nuestro cuerpo traducen simbólicamente a sus respectivas esferas.

Ahora bien: como por tales razones nuestra intuición identifica, de algún modo, la alegría y sus afinidades afectivas con el dinamismo positivo y la tristeza o sus alrededores sentimentales con el dinamismo negativo, se nos impone como muy natural que aquello que en la lectura esa intuición experimente como triste tienda psicológicamente a ser expresado apresurando la dicción, y demorándola lo que experimente como alegre.

Pero sucede que en principio y de modo irreflexivo lo que está colocado en alto nos parece bueno, y, por tanto, gozoso, por motivos igualmente psicológicos, o tiende a parecérnoslo, e inversamente lo que se halla en situación inferior. Las mismas palabras "inferior" y "superior" retienen en muchos idiomas esta intuición primigenia, y lo propio acontece con todos los verbos que expresan la idea de ascenso o descenso. No se dice que el coronel "descendió a general" sino que "ascendió". Ingenuamente se supone que el Cielo con mayúscula está en el cielo sin ella (significativa confusión lingüística, por otra parte, en que incurren numerosos idiomas) porque algo de tanta excelencia no podría localizarse sino en el mejor lugar: arriba. A mi juicio, las identificaciones intuitivas:

alto, arriba, subir = bueno, alegre

y

bajo, abajo, descender = malo, triste,

se deben a experiencias de carácter muy primario que (en obediencia a una de las leyes fundamentales de la mente primitiva en que consistimos cuando situados en plena espontaneidad) nosotros generalizamos. Quien está en una cima abarca y señorea no sólo con la vista, sino, incluso, físicamente; se perfecciona y completa en cuanto que ve y en cuanto que domina, y, en consecuencia, vive un cierto género de plenitud. Al contrario, quien está abajo, de modo que nosotros llegamos con toda naturalidad, por extensión primaria hasta el

todo de lo que sólo es propio de la parte, a las groseras pero evidentes ecuaciones dichas.

Refiramos ahora todo ello al análisis del efecto que en punto a
dinamismo producen en el lector la ascensión o descenso climáticos.
Como por lo ya expuesto, y, repito, en trance puramente intuitivo,
asimilamos la ascensión a la alegría, y la alegría a la velocidad, no
puede sorprendernos que el clímax *ascendente* posea, en principio,
dinamismo positivo, en tanto que lo tenga negativo por razones opuestas el clímax *descendente*. De igual modo, bien que con menor complicación, las exclamaciones, cuando lo son de dicha, deben contribuir,
igualmente en principio, a acelerar el período en que se encuentren.

Debo añadir aún que el clímax (sea positivo o sea negativo) "puede" más que cualquier otro procedimiento en cuanto al efecto que
estudiamos. Significo con esto que un clímax negativo hará lenta la
frase, aun cuando esté compuesta de un cúmulo de sustantivos, y
que, como hemos constatado, un clímax ascendente la apresurará, incluso en el caso de que se halle formado, digamos, por un conjunto
de adjetivos. Puesto que lo segundo lo hemos ejemplificado ya ("ondas nuevas, antiguas, fugitivas, perpetuas"; pájaros "sorprendentes,
novísimos, vividores, celestes"), ejemplifiquemos sólo lo primero. Los
tercetos de un conocido soneto gongorino dicen así:

> Goza cuello, cabello, labio y frente,
> antes que lo que fue en tu edad dorada
> oro, lilio, clavel, marfil luciente,
>   no sólo en plata o vïola truncada
> se vuelva, mas tú y ello juntamente,
> en tierra, en humo, en polvo, en sombra, en nada.

El endecasílabo final es de notoria lentitud, bien que se acumulen
en él nada menos que cinco sustantivos, por la progresión descendente con que éstos se ordenan.

CAPÍTULO XXI

ADECUACIÓN DEL DINAMISMO EXPRESIVO
ALEIXANDRINO A LA REPRESENTACIÓN POÉTICA:
EJEMPLOS

El análisis realizado en el capítulo anterior nos ha preparado para
poder estudiar ahora la sintaxis de nuestro poeta desde el limitado
punto de vista que nos habíamos propuesto. Recordémoslo: teníamos
que comprobar si el dinamismo de la sintaxis aleixandrina se acomoda al dinamismo paralelo de la representación poética. Para ello voy
a tomar cuatro poemas, dos afectados de lentitud en toda o casi toda
su extensión y los otros dos, al contrario, afectados del mismo modo
por la expresiva rapidez. El primero que someteremos a investigación
será "Destino de la carne", pieza perteneciente a *Sombra del Paraíso*:

EJEMPLO PRIMERO: "DESTINO DE LA CARNE"

No, no es eso. No miro
del otro lado del horizonte un cielo.
No contemplo unos ojos tranquilos, poderosos,
que aquietan a las aguas feroces que aquí braman.
No miro esa cascada de luces que descienden
de una boca hasta un pecho, hasta unas manos blandas,
finitas, que a este mundo contienen, atesoran.

Por todas partes veo cuerpos desnudos, fieles
al cansancio del mundo. Carne fugaz que acaso
nació para ser chispa de luz, para abrasarse

de amor y ser la nada sin memoria, la hermosa redondez de la luz.
Y que *aquí está, aquí está* marchitamente eterna,
sucesiva, constante, *siempre, siempre* cansada.

Es inútil que un viento remoto, con forma vegetal,
o una lengua,
lama despacio y largo su volumen, lo afile,
lo pula, lo acaricie, lo exalte.
Cuerpos humanos, rocas cansadas, grises bultos
que a la orilla del mar conciencia *siempre*
tenéis de que la vida *no acaba, no,* heredándose.
Cuerpos que, mañana repetidos, infinitos, rodáis
como una espuma lenta, desengañada, *siempre.*
Siempre carne del hombre sin luz. *Siempre* rodados,
desde allá, de un océano sin origen que envía
ondas, ondas, espumas, cuerpos cansados, bordes
de un mar que no se acaba y que siempre jadea en
sus orillas.

Todos, multiplicados, repetidos, sucesivos, amontonáis
la carne,
la vida, sin esperanza, monótonamente iguales bajo
los cielos hoscos que impasibles se heredan.

Sobre ese mar de cuerpos que aquí vierten sin tregua,
que aquí rompen
redondamente y quedan mortales en las playas,
no se ve, no, ese rápido esquife, ágil velero
que con quilla de acero rasgue, sesgue,
abra sangre de luz y raudo escape
hacia el hondo horizonte, hacia el origen
último de la vida, al confín del océano eterno
que humanos desparrama
sus grises cuerpos. Hacia la luz, hacia esa escala as-
cendente de brillos
que de un pecho benigno hacia una boca sube,
hacia unos ojos grandes, totales que contemplan,
hacia unas manos mudas, finitas, que aprisionan,
donde cansados siempre, vitales, aún nacemos.

(De *Sombra del Paraíso.*)

LOS VEINTISIETE PRIMEROS
VERSÍCULOS: TÉCNICA DILATORIA

Se trata de una pieza agónica. Indudablemente uno de los más des-
engañados poemas de nuestra literatura, donde el desengaño ha sido
tema importante y característico, sobre todo en ciertas épocas: Edad
Media, barroco. Pero en la Edad Media, en el barroco, si había desengaño, ese desengaño era desengaño del mundo y de la vida terrena
del hombre, considerada como "valle de lágrimas". Pero tras él, tras
ese tiempo de limitación y dolor temporales, se abría el orbe de la
plenitud y de la eternidad. En cambio, a partir sobre todo del siglo XVIII en Europa, y del XIX en España, la expresión literaria puede
mostrar en características ocasiones la crisis de la fe religiosa. La poesía
de Bécquer, por ejemplo, ha perdido parte de aquella luz que alumbra-
ba el corazón de nuestro barroco. Rubén Darío puede ignorar "adónde
vamos y de dónde venimos". Antonio Machado se contempla a sí
mismo como "buscando a Dios entre la niebla". Asoma la agonía religiosa de un don Miguel de Unamuno. El desencanto, el verdadero
pesimismo, hace su aparición: he aquí el poema de Aleixandre que
acabo de transcribir. ¿Qué es el hombre? Una ola, un cansado sucederse de espumas, una sempiterna vuelta, un "eterno retorno" de la
misma angustia. El hombre es la *repetición* monótona del hombre. Su
tristeza, una réplica de otra y otra tristeza anterior.

He creído necesaria esta digresión para poder ahora intentar un
estudio del estilo que el poeta ha usado en esta pieza. El tema ya lo
hemos visto: el hombre no tiene un final de celeste paraíso; eternamente vivo en la especie perpetuada, el hombre es una repetición
agónica. Bien: pues repetición agónica es toda la sintaxis que el
poeta utiliza para transmitirnos esa desconsoladora visión. Empecemos
el análisis desde los primeros versos: reiteraciones negativas ("*No, no
es eso. No miro... No contemplo... No miro...*"), después, reiteraciones de verbos y adverbios ("*... aquí está, aquí está... siempre, siempre* cansada"). Y más adelante, reiteraciones otra vez, de adverbios
("la vida *no* acaba, *no*, heredándose... *Siempre* carne del hombre sin
luz. *Siempre* rodados") y de sustantivos ("*ondas, ondas*").

Pero hay más. Contribuyen a la coherente impresión de monotonía las enumeraciones de sustantivos que funcionan como imágenes de la misma realidad:

> Cuerpos humanos, rocas cansadas, grises bultos.
> ... ...
> Ondas, ondas, espumas, cuerpos cansados, bordes
> de un mar que no se acaba...
> ... ...
> ...amontonáis la carne, la vida...

Lo mismo que la acumulación de adjetivos y de adverbios:

> ...marchitamente eterna, sucesiva, constante, siempre,
> siempre cansada.
> ... ...
> cuerpos repetidos, infinitos...
> ... ...
> espuma lenta, desengañada...
> ... ...
> Todos, multiplicados, repetidos, sucesivos,...
> ...monótonamente iguales.

Y aún podríamos añadir otras importantes causas, como la abundancia de oraciones subordinadas.

Como vamos viendo, los instrumentos usados son bastante complejos; pero también lo son los efectos obtenidos. Porque no hemos agotado el análisis de éstos. Fijémonos, por ejemplo, en los versos siguientes:

> ...Siempre rodados
> desde allá, de un océano sin origen que envía
> ondas, ondas, espumas, cuerpos cansados, bordes
> de un mar que no se acaba y que siempre jadea
> en sus orillas.
> Todos multiplicados, repetidos, sucesivos, amontonáis
> la carne,
> la vida, sin esperanza, monótonamente iguales, bajo
> los cielos hoscos que impasibles se heredan.

La representación poética es, pues, un océano que envía hacia las playas, sin cesar, una onda, y otra, y otra aún. Pues bien: los sucesivos adjetivos, circunstancias y adverbios hacen el efecto de esas oleadas. Diríamos, si ello no trajera confusión para el lector, *que son como sus imágenes en la esfera de la sintaxis* [1]:

> Todos, *multiplicados, repetidos, sucesivos,* amontonáis la
> carne, la *vida, sin esperanza, monótonamente iguales...*

LOS TRECE ÚLTIMOS VERSÍCULOS: TÉCNICA DE ACELERACIÓN

Todo lo dicho está referido a los primeros veintisiete versículos del poema. Pero aún nos quedan los trece últimos —subrayados—, que no parecen responder a la misma contextura de los anteriores. Notamos en ellos un especial dinamismo, una aceleración muy distinta del lento desenvolvimiento de los versos que preceden. Y, sin embargo, la técnica de la reiteración no ha cesado: dos series de reiteraciones (éstas anafóricas) son visibles.

Serie primera:

> No se ve, no, ese rápido esquife, ágil velero
> que con quilla de acero rasgue, sesgue,
> abra sangre de luz y raudo escape
> *hacia* el hondo horizonte, *hacia* el origen
> último de la vida, al confín del océano eterno
> que humanos desparrama
> sus grises cuerpos. *Hacia* la luz, *hacia* esa escala ascendente de brillos...

Serie segunda:

> ...que de un pecho benigno *hacia* una boca sube,
> *hacia* unos ojos grandes, totales que contemplan,
> *hacia* unas manos mudas, finitas, que aprisionan...

---

[1] Es curioso que por las mismas fechas en que yo escribía esa frase, Dámaso Alonso redactaba su *Poesía española,* donde a la forma expresiva y reproductora del fondo llama "imagen del significante". Ni Dámaso Alonso ni yo conocíamos nuestros mutuos trabajos.

¿Cómo explicaremos tan contradictorio fenómeno? Examinemos si existe alguna diferencia entre las repeticiones de partículas que aquí vemos y las repeticiones que antes estudiábamos. Tomemos la serie primera: *"hacia* el hondo horizonte, *hacia* el origen último de la vida, al confín del océano eterno...".* Observamos de pronto que los elementos introducidos por la partícula "hacia" forman una gradación climática: "hondo horizonte", como escalón inicial: "origen último de la vida", un paso hacia la triunfal cresta; y "confín del océano eterno", erguido picacho de gloria. Por tanto, lo que ha sucedido es que el acelerador clímax pudo más que la dilatoria reiteración [2]; y lo mismo sucede con los elementos "luz" y "escala ascendente de brillos" que forman, a su vez, un nuevo clímax ascendente relacionado con el que antecede.

Tiende a idéntico resultado la serie que el poeta inicia a continuación: (Escala ascendente de brillos) "que de un pecho benigno *hacia* una boca sube, *hacia* unos ojos grandes, totales que contemplan, *hacia* unas manos mudas, finitas, que aprisionan". Aquí existe también una clara gradación, que va desde una parte del cuerpo ("el pecho") en dirección ascendente ("boca", "ojos") hasta las manos alzadas. Pero fijémonos además en el tipo de los sustantivos enumerados: todos aluden a realidades diferentes entre sí ("pecho", "boca", "ojos", "manos"), al contrario de lo que sucedía en los veintisiete versículos iniciales. Es significativo observar que la representación plástica de una luz que como en cascada brota ahora, al final del poema, de la Divinidad repite lo que en igual sentido se había dicho en la estrofa primera de la composición. Pero, y tal es lo significativo, en ese comienzo la luz *descendía*, mientras ahora *asciende*. Evidentemente, porque entonces interesaba un dinamismo negativo, que el clímax *descendente* proporciona, mientras, al contrario, ahora interesa lo opuesto.

La sintaxis ha dado, pues, un giro completo, pasando de la lentitud expresiva a la más rauda movilidad. ¿Por qué? Porque la representación poética ha seguido idéntica suerte: antes Aleixandre describía el eterno y cansado sucederse de las generaciones. Ahora, en cambio, describe —no importa que negativamente— la rauda navega-

---

ción de una ágil quilla que corta las aguas del océano para escapar
hacia el seno de la divinidad.

Algo semejante encontraremos en el poema "Mano entregada",
que fragmentariamente habíamos copiado en el capítulo anterior. Helo
aquí en su integridad:

> Pero otro día toco tu mano. Mano tibia.
> Tu delicada mano silente. A veces cierro
> mis ojos y toco leve tu mano, leve toque
> que comprueba su forma, que tienta
> su estructura, sintiendo bajo la piel alada el duro
>   hueso
> insobornable, el triste hueso, a donde no llega nunca
> el amor. Oh carne dulce que sí se empapa del amor
>   hermoso.
>
> Es por la piel secreta, secretamente abierta, invisi-
>   blemente entreabierta,
> por donde el calor tibio propaga su voz, su afán
>   dulce;
> por donde mi voz penetra hasta tus venas tibias
> para rodar por ellas en tu escondida sangre,
> como otra sangre que sonara oscura, que dulcemente
>   oscura te besara
> por dentro, recorriendo despacio como sonido puro
> ese cuerpo que ahora resuena mío, mío poblado de
>   mis voces profundas,
> oh resonado cuerpo de mi amor, oh poseído cuerpo,
> oh cuerpo sólo sonido de mi voz poseyéndole.
> Por eso, cuando acaricio tu mano, sé que sólo el
>   hueso rehusa
> mi amor —el nunca incandescente hueso del hombre—.
> Y que una zona triste de tu ser se rehusa,
> mientras tu carne entera llega un instante lúcido
> en que total flamea, por virtud de ese lento con-
>   tacto de tu mano,

de tu porosa mano suavísima que gime,
tu delicada mano silente, por donde entro
despacio, despacísimo, secretamente en tu vida,
hasta tus venas hondas, totales, donde bogo,
donde te pueblo y canto completo entre tu carne.

(De *Historia del Corazón.*)

TÉCNICA DILATORIA :
ORACIONES SUBORDINADAS

Veamos ante todo la representación poética que esta pieza nos da. El poeta acaricia la mano de la amada, comprobando con detenimiento su forma, tentando su estructura. Al tocar la mano querida, el calor del amante se propaga a la amada, rueda por sus venas,

...como otra sangre que sonara oscura,

... ...

recorriendo despacio...
ese cuerpo...

La morosidad es, pues, elemento primordial del tema poemático. En ese dato aún se insiste :

tu delicada mano silente, por donde entro
despacio, despacísimo, secretamente en tu vida.

Pues bien : si la representación formulada en los versos es que el calor del poeta (su vida) va penetrando *lentísimamente* en el cuerpo querido, la sintaxis utilizada posee también un movimiento paralelo de parsimonia. En páginas anteriores veíamos cómo, a partir de la segunda estrofa, sólo existen dos verbos principales de los que dependen veinte subordinados. Si hay sólo dos acciones principales en dieciocho largos versículos (cuya medida oscila entre catorce y treinta y tantas sílabas) no puede sorprendernos la lentitud sintáctica de todo el poema. Pero hay más. Hay mucho más.

TÉCNICA DILATORIA:
LA   REITERACIÓN

Los efectos poéticos suelen lograrse por la cooperación de un complejo de causas. Releamos "Mano entregada" y examinemos ante todo
su primera estrofa. Nos sorprende que toda ella sea una pura reiteración. Reiteración de las palabras y de las ideas:

> Pero otro día toco tu mano. Mano tibia.
> Tu delicada mano silente. A veces cierro
> los ojos y toco leve tu mano, leve toque...

Si en el primer verso leemos "toco tu mano", en el tercero encontramos "toco leve tu mano". Y aun la palabra "mano", entre los
tres versículos, está escrita dos veces más. Si nos fijamos ahora en la
segunda vez que se emplea el verbo "tocar", hallaremos que a continuación el poeta reitera ese concepto con el sustantivo "toque".
Aparte de esto, Aleixandre ha usado también del poder retardatario
del adjetivo. El vocablo "mano" aparece primero sin adjetivación:
luego, con un calificativo tan sólo ("mano tibia"); en seguida, con
dos ("tu delicada mano silente"). Continuemos leyendo:

> ...sintiendo bajo la piel alada el duro *hueso*
> insobornable, el triste *hueso* adonde no llega nunca
> el amor...

Nueva reiteración ("duro hueso", "triste hueso") y, otra vez, la
acumulación de adjetivos.
La estrofa segunda persiste en esa técnica: "secreta", "secretamente"; "abierta..., entreabierta"; "voz", "voz"; "por donde...,
por donde"; "sangre..., sangre"; "oscura..., oscura"; "resuena...,
resonado..., sonido"; "mío..., mío"; "cuerpo..., cuerpo, cuerpo...,
cuerpo"; "poseído..., poseyéndole", etc., etc. Y conste que no queda,
ni con mucho, agotado, con esto, el análisis de las reiteraciones en esa
estrofa.

La parte final del poema es aún más interesante en este sentido. No sólo se reiteran en ella ciertas palabras ("rehusa..., rehusa"; "mano..., mano..., mano..., mano..."), sino que la reiteración está también referida *a todas* las ideas expresadas con anterioridad.

Nuestro análisis puede ser aún ahondado teniendo en cuenta que en un poema el tema mismo pueda ser, en parte o por completo, simbólico (véase el capítulo XXVIII), y que, por tanto, a veces (como aquí) explicar el dinamismo de la frase por el dinamismo de la representación, resulta, aunque correcto, en última instancia insuficiente. Pues, en efecto, y refiriéndome sólo al presente caso, el dinamismo expresivo de la representación ("recorriendo despacio como sonido puro tu cuerpo"; "por donde entro despacio, despacísimo, secretamente en tu vida") es, a su vez, un modo de expresar "simbólicamente" otro elemento que se halla en el poema también: la tristeza del protagonista poemático ante la idea de la imposibilidad de perfecta comunicación amorosa. Siempre hay una región en el alma del ser amado, se nos sugiere, donde el amante no puede penetrar: he ahí la significación (simbólica también) del "duro hueso insobornable, el triste hueso adonde no llega nunca el amor". Y ante ese inexorable hueso u obstáculo obstructor del envío amante surge, repito, la melancolía del personaje literario, al servicio de la cual el poema se pone.

Pero la melancolía, sabemos, puede ser dicha poéticamente de un modo indirecto, lo mismo en música que en poesía, por medio de la lentitud, como la alegría se comunica en ambas artes, con alguna frecuencia, a través de la velocidad. Lo primero es lo que nos es dado ver en "Mano entregada", que utiliza sin duda la despaciosidad de la representación para proporcionarnos una impresión melancólica, y que, coherentemente, se sirve luego de una sintaxis muy poco dinámica como símbolo de esas dos cosas al mismo tiempo: la tristeza poemática y la correspondiente morosidad representativa.

Algo por completo semejante es visible en el caso anterior de "Destino de la carne". También allí la lentitud o velocidad de la sintaxis, que analizábamos como conexas a la rapidez o lentitud de la significación, hallan un estrato de causalidad más hondo en el desaliento y cansancio vital ante el sucederse sin sentido de las generaciones humanas y ante el momentáneo entusiasmo que produce al poeta la entrevisión (bien que ilusoria) de un Dios justificador. Desaliento y entusiasmo que explican a su vez, por su parte, el dinamismo, negativo primero, positivo luego y negativo por fin (verso último) de la representación misma.

EXPRESIÓN DE LA VELOCI-
DAD EN OTROS EJEMPLOS

Pasemos ahora al estudio de un poema de *En un Vasto Dominio*: "Lope, en su casa":

I

Miráis. Ahí el dintel, con su dicción antigua,
granito perdurable, sonando, profiriendo.
Al fondo, luz: cristales. Y si en la luz entráis
veréis esta quietud que huerto fue o ha sido.
Aquí está "la mosqueta". Sus flores misteriosas.
Los "dos naranjos": hálito, azahar, ¿azar? De amor
imagen valenciana
que él trajo y aquí hincara. Sus frutos nos perfuman.
Mirad, vosotros jóvenes que visitáis despacio,
calladamente el orbe
pequeño: aquí el brocal, el balde, el pozo, el agua
y, al fondo, retenido, el mismo cielo bello:
Madrid, su transparencia.
Hoy tibia: es el verano. Oíd los "ruiseñores":
los niños. Los "dos niños". Carlillos Félix, Lope:
Lopillo Félix. Cantan. Marcela, Antonia Clara...
¡Cuán claros! Pero no. Cuán dulce calla el orbe
que entre los brillos rueda, perdura, torna, aléjase,
despunta o amanece. Eterno, eterno un día.

Subid. ¿Arriba suena? El aire inmóvil tránsese
del rasguear buido que vuestra oreja alcanza.
La pluma de ave vuela, a ras del blanco intacto,
y traza o vive: escribe. Hirientemente quéjase.
¿La fuente? ¿El pío? El orbe casi volando bate
como ala, y se serena. Pasad. O luz, o sombra.

II

Lope sale visible. ¿Le veis? Su ardida frente,
volumen numeroso que resplandece a oscuras,
y bajo las dos cejas los ojos transparentes.
Otra es la luz que asumen o imparten. Alma o cuerpo,
viviendo, rebrillando. La voz, la voz... "Tú, Marta..."
En esa sombra impura la libertad pujante
cuerpo pidió y obtuvo, garganta, lira, voces.
El corazón rodante que de hombre en hombre pasa
aquí se detuviera: proclamación. ¿Ventura?
Oh, libertad humana que encarnación exige
por todos, y en un hombre se reconoce a veces,
de todos, para todos, por la palabra misma.
Por la común palabra que, dicha en uno, rueda
allá, hasta el mero límite: la condición humana.
Ventura, y aventura, sin fin. Lope aquí ardiendo.

III

Aquí el hogar, el hierro. Las trébedes. Ahí suena
la tabla. Los colgados vestidos. La frazada
que da aun calor. Miradlos: son los juguetes niños,
la manecita en bronce. Está el velón. Más lunas...
La libertad fue amor y redundó en prisiones.
Preso es o libre un hombre según su ánima dígale.
En sus cadenas suelto forjó el destino haciéndose
quien entre muros siempre vivió, venció: entregóse.
Libertad más que amor fue Lope, y así brilla
perpetuamente libre: más libre hoy hace al hombre.

La calidad, en mi criterio muy elevada, de esta composición, se
debe, por lo menos en proporción considerable, a su perfecto ajuste
dinámico. A partir del verso 15 de la primera parte:

los niños. Los dos niños. Carlillos Félix, Lope,

y hasta el verso 25 de ella:

como ala, y se serena. Pasad. O luz, o sombra,

la sintaxis se hace progresivamente veloz, y lo mismo sucede, en la parte II, entre los versos séptimo y decimoquinto. ¿Por qué? En la parte primera se reúnen, en breve espacio, varios nombres propios, interrumpidos por un verbo principal:

> los niños. Los dos niños. Carlillos Félix, Lope,
> Lopillo Félix. Cantan. Marcela, Antonia Clara,

y tras todo ello van tres oraciones exclamativas, en una de las cuales, a su vez, se juntan seis verbos, que nos dan la ilusión de ser principales, aunque en rigor no lo sean (pero en poesía, en arte, lo que cuenta, como he dicho en otro lugar, es, precisamente, la ilusión que nos produzca, si se trata, como aquí, de una ilusión universal):

> ¡Cuán claros! Pero no. Cuán dulce calla el orbe
> que entre los brillos rueda, perdura, torna, aléjase,
> despunta o amanece. Eterno, eterno un día.

En la estrofa siguiente vemos algo parecido. Abundan los verbos principales ("subid", "suena", "tránsese", "vuela", "traza", "vive", "escribe", "quéjase", "bate", "se serena", "pasad") y, en menor proporción, también se acumulan los sustantivos ("fuente", "pío", "orbe" "ala", "luz", "sombra").

El fragmento citado como dinámico en la parte segunda obtiene, por su parte, velocidad por la suma de sustantivos ("garganta", "lira", "voces", "proclamación", "ventura") y por el tono exclamativo del período que empieza en "oh libertad" y termina en la expresión "la condición humana". El verso último de esa segunda parte está constituido por la suma de varios nombres ("ventura", "aventura", "Lope") que, además, tienen carácter exclamativo e implican verbos. (Entre paréntesis al menos, debo aclarar que si los verbos principales poseen dinamismo positivo, esa positividad aumenta aún, por razones obvias de rapidez expresiva, al implicitarse.)

¿Y a qué conduce todo ello? ¿Cuál es la finalidad estética hacia la que los mencionados elementos se estructuran? Lo que ese dinamismo, evidentemente, persigue es la expresión de un entusiasmo: el entusiasmo del autor o protagonista poemático ante la figura, obra y significación humana de Lope:

Libertad más que amor fue Lope, y así brilla
perpetuamente libre : más libre hoy hace al hombre.

El cuarto poema que quiero considerar es el titulado "Los besos",
de *Sombra del Paraíso:*

Sólo eres tú, continua,
graciosa, quien se entrega,
quien hoy me llama. Toma,
toma el calor, la dicha,
la cerrazón de bocas
selladas. Dulcemente
vivimos. Muere, ríndete.
Sólo los besos reinan :
sol tibio y amarillo,
riente, delicado,
que aquí muere, en las bocas
felices, entre nubes
rompientes, entre azules
dichosos, donde brillan
los besos, las delicias
de la tarde, la cima
de este poniente loco,
quietísimo, que vibra
y muere. —Muere, sorbe
la vida. —Besa. —Beso.
Oh mundo así dorado.

Aquí, la felicidad del amor (nótense adjetivos como "felices" y
"dichosos") se simboliza en un creciente dinamismo positivo, que tiene dos puntos de aceleración : arranca al final del verso tercero
("toma") y aumenta de pronto, marcadamente, a partir del final del
verso onceno ("bocas"). Los medios de que se sirve el poeta para lograr sus fines son varios : al principio se acumulan sustantivos ("calor", "dicha", "cerrazón") y verbos principales ("toma", "vivimos"
"muere", "ríndete", "reinan"). Luego se acumulan sustantivos, orde-
nados además hacia arriba en dos series climáticas que, por añadidura, se corresponden entre sí, según lo que Dámaso Alonso llamaría
correlación *progresiva* (el adjetivo subrayado es elocuente) : "besos"
"delicias" y "cimas" son, en efecto, sustantivos que correlatan progresivamente con "bocas", "nubes" y "azules". Sigue después otro com-

plejo de verbos principales: "muere", "sorbe", "besa", "beso" y un sustantivo: "vida". La técnica utilizada se remata con el uso de una frase exclamativa que cierra la composición: oh mundo así dorado. Agreguemos a lo dicho el empleo del verso heptasílabo, cuya ágil brevedad proporciona al texto rapidez sintáctica todavía mayor.

Por supuesto, el procedimiento que estudiamos ha sido intuitivamente usado por otros autores y épocas (de ahí que se haga especialmente raro que nadie hasta ahora lo haya descrito). He aquí un par de fragmentos del "Canto a la Argentina" de Rubén Darío:

> Saludemos las sombras épicas
> de los hispanos capitanes,
> de los orgullosos virreyes,
> de América en los huracanes
> águilas bravas de las gestas
> o gerifaltes de los reyes;
> duros pechos, barbadas testas
> y fina espada de Toledo;
> capellán, soldado sin miedo,
> don Nuño, don Pedro, don Gil,
> crucifijo, cogulla, estola,
> marinero, alcalde, alguacil,
> tricornio, casaca y pistola,
> y la vieja vida española.
>
> ....
>
> Tráfagos, fuerzas urbanas,
> trajín de hierro y fragores,
> veloz, acerado hipogrifo,
> rosales eléctricos, flores
> miliunanochescas, pompas
> babilónicas, timbres, trompas,
> paso de ruedas y yuntas,
> voz de domésticos pianos,
> hondos rumores humanos,
> clamor de voces conjuntas,
> pregón, llamada, todo vibra,
> pulsación de una tensa fibra,
> sensación de un foco vital,
> como el latir del corazón
> o como la respiración
> del pecho de la capital.

En el fragmento primero, el entusiasmo (tan generoso) de Rubén Darío por "la vieja vida española" se expresa a través de un gran dinamismo positivo, el cual a su vez se logra con el carácter exclamativo de todo el texto y con la abundancia de nombres, sustantivos y propios, especialmente a partir del verso décimo ("don Nuño, don Pedro, don Gil"). Semejantemente, en el fragmento segundo, el autor consigue plasmar poéticamente su entusiasmo por Argentina, sirviéndose del dinamismo de la representación (tráfago incesante de una gran ciudad), mientras que este dinamismo y aquel entusiasmo hallan formulación condensada en el dinamismo sintáctico, que, de modo parecido a lo que sucedía en casos anteriores, se obtiene aquí por el enlace unitario de varias causas, que no son ya novedad para nosotros: el tono exclamativo, la implicitación verbal y el cúmulo de sustantivos.

CAPÍTULO XXII

LA CONJUNCIÓN IDENTIFICATIVA "O"

En los dos capítulos anteriores nos hemos detenido a examinar la sintaxis del autor de *Mundo a Solas* desde un punto de vista muy restringido. Sólo hemos considerado su dinamismo y la adecuación de ese dinamismo con respecto a la representación poética correspondiente. Ahora nos enfrentaremos con la sintaxis aleixandrina para estudiarla desde otro ángulo. Vamos a examinar sus peculiaridades, que, como veremos, son copiosas [1]. Advierto, sin embargo, que sólo tendré en cuenta las más descollantes, dejando a un lado aquellas otras fórmulas idiomáticas que posean una significación o un resalte menores. Tratándose de un poeta como Aleixandre, tan rico en invenciones lingüísticas, no es posible apurar el análisis, sin fatiga del lector. Elegiremos lo esencial, y aun dentro de lo esencial, lo más característico.

IDENTIFICACIÓN, NO DISYUNCIÓN

Quizá la mayor originalidad de esta sintaxis sea el peculiar uso que en la obra de nuestro poeta tiene la conjunción "o": identificar

---

[1] Este estudio de la sintaxis aleixandrina que desde aquí se emprende, se refiere a la primera época del poeta, y sobre todo a *La Destrucción o el Amor* y *Sombra del Paraíso*. De los libros posteriores apenas si he hecho otra cosa al respecto que señalar lo más esencial en los capítulos sobre la visión del mundo.

dos términos entre sí. Seguramente es la nota más sobresaliente de su lenguaje y su aportación más personal al lenguaje poético español. Novedad que, como todas, halla su raíz en posibilidades del idioma. Lo usual es que la "o" sea una fórmula disyuntiva. Efectivamente, la coordinación entre dos elementos, establecida por la conjunción "o" en su uso más general, indica que uno de ellos excluye al otro: "tú o él lo haréis". Sin embargo, puede poseer también en algún momento un matiz copulativo: "juntos o separados te querré siempre"; y aún ve Gili y Gaya un nuevo modo de utilizar la "o" cuando esta conjunción tiene un sentido de equivalencia: "Nueva España o Méjico", "las lenguas romances o neolatinas"[2].

Pues bien: sobre esta última tendencia lingüística (valoración de la "o" como elemento asimilador de dos términos) que asoma débilmente en el idioma, pero que potencialmente está implícita en él. Vicente Aleixandre apoya buena parte de sus construcciones sintácticas. En nuestro poeta la conjunción "o" tiene, sí, en ocasiones, el valor disyuntivo vulgar; otras muchas, el infrecuente copulativo; pero la mayor parte de las veces es el identificativo el que posee[3], escasísimo en la lengua corriente, tanto literaria como popular. *Espadas como Labios* y *La Destrucción o el Amor* son la gran cantera de las "oes" identificativas: en los mil y pico de versos que contiene el primero de estos libros hay cien ejemplos de tales conjunciones, y en los mil setecientos versículos de *La Destrucción o el Amor* se producen más de doscientos. En cada una de sus composiciones existen algunos, en ocasiones muchos[4]. Es lo primero que llama la atención del lector, y uno de los elementos lingüísticos de Aleixandre que más feliz descendencia han tenido después, al ser usado no sólo por imitadores sin personalidad, sino por otros con ella. En *Sombra del Paraíso* el empleo de esta clase de "o" ha disminuido notablemente en número (apenas se cuenta una docena de esas partículas) y tan mí-

---

[2] Gili y Gaya, *Curso superior de sintaxis española,* pág. 254, segunda edición, Barcelona, 1948.

[3] Véase José María Valverde, "De la disyunción a la negación en la poesía de Vicente Aleixandre (y de la sintaxis a la visión del mundo)", en *Escorial,* 52, Madrid, 1945, págs. 447-457.

[4] Sólo existen tres poemas exentos de "oes" en *La Destrucción o el Amor.* Algunos tienen hasta trece conjunciones de esta clase.

nima proporción es la que existe en *Historia del Corazón*. La diferencia en cantidad que vemos al comparar ambas series de libros habría que buscarla en la diferente importancia concedida en ellos a la idea de la unidad cósmica. Me atrevería a aventurar el carácter identificativo de la "o" como oriundo de la concepción aleixandrina que quiere contemplar en la diversidad de las formas visibles una sola substancia: el amor. La mirada que Aleixandre asesta a las cosas es espectroscópica: ve más allá o más adentro de las apariencias y sostiene, como sabemos, la *identidad* sustantiva de todos los seres. No puede hacérsenos raro que busque una fórmula para la expresión de esa *identidad*, una fórmula, por tanto, *identificativa*, que rápidamente capte y nos ponga en comunicación con ese especial modo de presentársele la realidad. Ahora bien: donde más insistentemente manifiesta el poeta su panerotismo es en su obra anterior a *Sombra del Paraíso* (muy concretamente en *La Destrucción o el Amor*). Aunque en el libro paradisíaco perdure el mismo concepto (abandonado en *Historia del Corazón*), Aleixandre no lo atiende ya directamente; no se le dibuja en el primer plano de su conciencia lírica y sólo existe como en un borroso trasfondo: se trata de algo que por sabido (por ya dicho) prácticamente se silencia (aunque aquí o allá aún se transparente). La "o" identificativa no tiene, pues, en ese libro (y menos en *Historia del Corazón*) una misión que cumplir. Seguir utilizando el procedimiento, una vez vaciado de contenido, hubiese degenerado en manierismo. Y Aleixandre no lo ha hecho. Una de sus indudables virtudes es la difícil de saber renunciar a tiempo, de saber despojarse de sus hallazgos lingüísticos y retóricos cuando éstos han perdido su carácter funcional. *En un Vasto Dominio* es libro donde reaparece el uso de la "o" identificativa: pero es que reaparece también la idea de la unidad del mundo (véase el cap. VIII): prueba de la relación entre ambas cosas.

Estas "oes" identificativas serán las únicas que someteremos a nuestro análisis, prescindiendo de las otras —la disyuntiva y la copulativa—, que nos interesan menos. Cuatro grupos, cuatro variedades distintas se ofrecen a mi mirada: "oes" imaginativas, sinecdóquicas, adjetivantes y las que sirven de nexo entre dos adjetivos o dos verbos.

LA "O" IMAGINATIVA

Es evidente que la "o" utilizada con este valor asimilativo de un par de términos puede servir como nexo de una imagen, si esos dos términos son —cosa perfectamente hacedera— el plano real y el evocado. Entonces pasa la "o" a ocupar, dentro de la frase, un puesto no muy distinto del que corresponde al verbo sustantivo o al adverbio comparativo "como". Cuando quiera Aleixandre decir que los besos son *como* pájaros, lo expresará de este modo: "besos o pájaros"; cuando llame "amor" a la piel de las fieras, la fórmula será la misma: "las pieles o un amor que destruye". La "o" imaginativa tiene la mayor parte de las veces en el autor de *La Destrucción o el Amor* un cariz que llamaríamos metafísico, usando esta palabra con las restricciones que son exigibles cuando se habla de un poeta [5]. Indica la igualdad sustancial de todo lo existente, y encontramos que por ella se expresa una como metamorfosis universal.

> ...vengo del mundo,
> del mundo o del agotamiento...

> ("Playa ignorante", de *Espadas como Labios*.)

> Quiero amor o la muerte...

> ("Unidad en ella", de *La Destrucción o el Amor*.)

> Sangre o sol que se funden en el feroz encuentro..

> ("El frío", del mismo libro.)

> ¡Oh corazón o luna...!

> ("Sólo morir de día", del mismo libro.)

---

[5] Eugenio de Nora, "Forma poética y cosmovisión en la obra de Vicente Aleixandre", en *Cuadernos Hispanoamericanos*, Madrid, enero-febrero, 1949, páginas 115-121.

Un amor o el desnudo

("El desnudo", del mismo libro.)

Amor o castigo...

("La selva y el mar", del mismo libro.)

(la luna) ...deja una estela o cabello de plata...

("Filo del amor", de *Mundo a Solas.*)

Un pez o luna seca...

("Guitarra o luna", del mismo libro.)

Cuerpo o río...—

("Cuerpo sin amor", de *Sombra del Paraíso.*)

Observemos que de los nueve ejemplos copiados, ocho responden a una igualdad en cierto modo sustancial y sólo uno a un criterio de embellecimiento de la realidad. Este último se encuentra en el verso: "(la luna) deja una estela o cabello de plata". "Cabello de plata" es imagen embellecedora del plano real "estela". Pero no sucede lo mismo cuando Aleixandre hace equivalentes el amor y la muerte, el amor y el castigo, la luna y el pez, el mundo y el agotamiento (véanse las citas anteriores), puesto que tales identificaciones son más bien ontológicas y responden, como hace poco hemos sostenido, a la visión unitaria que del mundo tiene nuestro poeta.

No nos sorprenderá, en consecuencia, que este tipo de "o" sea el que más abunde en la obra aleixandrina, sobre todo en *La Destrucción o el Amor*, aunque —como ha observado muy bien Eugenio de Nora [6]— su presencia pueda rastrearse desde el primer libro, *Ámbito*, en una de cuyas composiciones, "Cerrada", encontramos los versos siguientes:

---

6 Eugenio de Nora, "Hacia una revisión de libros capitales. *La Destrucción o el Amor*, de Vicente Aleixandre", en *Cisneros*, 6, Madrid, 1943, páginas 92-102.

> Flagelación. Corales
> de sangre o luz o fuego,
> bajo el cendal se auguran,
> vetean, ceden luego.

"Sangre" o "luz" o "fuego": identificación de tres elementos por medio de la "o". Es que ya en *Ámbito* se insinúa, en algunos momentos, la visión del mundo como unidad.

Antecedentes. — En Tirso de Molina podemos ver usada la "o" como nexo imaginativo, al modo de Aleixandre. En el verso 802, jornada I, de la comedia *Entre bobos anda el juego*, se lee:

> Bien haya ese velo o nube
> que piadosamente densa
> porque no ofendiese al sol
> detuvo a la luz perpleja.

"Nube" es un plano real unido al vocablo "velo" por medio de una conjunción de naturaleza y oficio semejante a la que vemos en el autor de *La Destrucción o el Amor*.

Idéntico empleo de tal partícula existe en otro lugar de la misma obra del fraile mercedario que acabamos de sacar a relucir, y con una significación parecida: el gran dramaturgo habla del agua de un río (verso 73 de la jornada II), diciendo que

> ...estaba, al movimiento de la arena,
> ciego o turbio el cristal...

"Turbio" es plano real y "ciego" la correspondiente imagen, aunque pueda no parecerlo, quizá por tratarse aquí de una imagen que llamaríamos léxica, estudiada en páginas anteriores de este libro, adonde remito la curiosidad del lector.

A pesar de que hemos rastreado dos ejemplos en una misma comedia, esta "o" imaginativa es rarísima en la literatura española anterior a Aleixandre. Y sólo contemporáneamente la volvemos a hallar: veo algún ejemplo en Altolaguirre, en Luis Cernuda y en el chileno

Pablo Neruda, y en todo caso posteriores a los de Aleixandre, que, como hemos podido comprobar, las utiliza desde su primer libro, publicado en 1928 [7].

LA "O" SINECDÓQUICA

Nexo imaginativo es también la "o" sinecdóquica (usada mucho en *La Destrucción o el Amor* e inexistente en los libros posteriores). Pero si la partícula estudiada en el apartado anterior asimilaba entre sí dos objetos *distintos*, ésta de que tratamos ahora servirá para extraer de un plano real su porción más interesante desde el punto de vista poético, haciéndola resaltar vivamente; esto es, servirá para identificar un ser con aquella de sus partes que posea mayor eficacia estética. He aquí algunas citas:

> (las fieras están) ...rugiendo en el bosque
> como *fauce o marfil*..
>
>   ("El frío", de *La Destrucción
> o el Amor.*)

> En esta boca o dientes que saltarán sin luna.
>
>   ("Mina", del mismo libro.)

> Un corazón o un latido...
>
>   ("Humana voz", del mismo libro.)

> Pájaro soy o ala rumorosa que brilla...
>
>   ("Nube feliz", del mismo libro.)

> Qué pecho el tuyo, playa o arena amada...
>
>   ("Hija de la mar", del mismo libro.)

---

[7] Antes que Aleixandre, Juan Ramón Jiménez usó la o identificativa (aunque no sea exactamente "imaginativa"), al menos una vez,

> *el silencio de todos o la voz de la fuente*

("Elegías lamentables", poema 89 de la *Segunda Antología*).

En todos estos ejemplos observará el lector que el poeta elimina del plano real todos aquellos elementos no esenciales para un determinado efecto artístico, y realza sólo uno de ellos, que pasa a ocupar el primer plano de nuestra atención. De las "fauces" destacará sólo el marfil de los dientes; del pájaro, el ala; de la playa, la arena. El procedimiento es, claro está, viejo como la historia de la poesía. La única novedad que Aleixandre nos ofrece es la del nexo, la "o".

LA "O" ADJETIVANTE

Existen casos en que la "o" enlaza dos sustantivos, al segundo de los cuales puede sustituir un adjetivo, por tener un oficio calificador del primero. Cuando el poeta dice: "tu voz o juventud", expresa la idea de que esa voz es joven. Cuando dice: "un clamor o sollozo de alegría", nos habla de un sollozo clamoroso. La "o" adjetivante identifica, por tanto, a un ser con una de sus cualidades, y en esto se asemeja de cierta manera a la que más específicamente hemos denominado "sinecdóquica", que lo identifica con una de sus partes.

LA "O", NEXO ENTRE
ADJETIVOS Y VERBOS

Lo que más puede sorprender al lector al encararse con esta personalísima "o" aleixandrina es que con bastante frecuencia sirve para identificar no dos sustantivos, como hasta ahora hemos visto, sino dos adjetivos o dos verbos. O sea: no un par de objetos, sino un par de cualidades o un par de acciones.

Si lo que el poeta fusiona son dos verbos, la relación que entre ellos existe, justificadora de la "o" identificativa, es que uno tiene psicológicamente, con respecto al otro, una función adverbial. Así, cuando en *Sombra del Paraíso* se lee que "una luna redonda gime o canta" (obsérvese que ambos actos son sinestésicos), sentimos que esa expresión equivale a esta otra: "una luna redonda canta *gemidoramente*". Lo mismo sucede en el siguiente verso de *La Destrucción o el Amor*:

..un amor que estrecha o asfixia un cuerpo.

El significado no variaría gran cosa (desde el punto de vista puramente conceptual) si se hubiese dicho: "un amor que estrecha *asfixiadoramente* un cuerpo".

En otras ocasiones tal conjunción liga dos cualidades de un objeto que, dentro de la especial visión aleixandrina del mundo, poseen una relación de dependencia. Un ejemplo que no ofrece dudas: en el capítulo V hemos dicho que el autor de *Sombra del Paraíso* considera la muerte como un acto de integración en la unidad honda de la materia, única realidad afectiva del cosmos. Por tanto, la muerte será una más alta, una más auténtica vida. Tal es la causa de que en dos lugares distintos ("Canción a una muchacha muerta", de *La Destrucción o el Amor,* y "El enterrado", de *Nacimiento Último*) Aleixandre califique a un cuerpo de "muerto o vivo", paradoja tan sólo aparente, si atendemos a la concepción de nuestro poeta. "Muerto" es cualidad real, y este adjetivo queda identificado con el otro que se asigna, de un modo visionario, al sustantivo "cuerpo": "cuerpo muerto o vivo". Muerto para la vida individual, pero vivo, vívido, altísimamente existente más allá de la torpe individuación, sumido en la tierra profunda, hecho "tierra perenne", "gloria" suprema.

Pero los adjetivos asimilados por la "o" pueden ser ambos visionarios si la cualidad que uno de ellos irrealmente expresa lleva aparejada la que el otro también irrealmente indica. Así, la sangre es en realidad roja, y en su color, apasionada. Pero el poeta puede verla no ardiente, sino casta (visión), y entonces, paralelamente, ha de rebajar el grado de su color y la contempla amarilla (visión también). La llama amarilla por ser casta: "sangre amarilla o casta" (De *La Destrucción o el Amor,* "Tristeza o pájaro".)

CAPÍTULO XXIII

LAS NEGACIONES IMAGINATIVAS

El abultado carácter de cierto tipo de negaciones en la obra aleixandrina ha sido notado ya por algún crítico [1]. Incluso en una lectura rápida puede percibirse que nuestro poeta las emplea con desusada originalidad para modificar el sentido de las imágenes. Pero si aplicamos en el examen una atención más rigurosa, lo que antes se nos aparecía como grueso género indiscriminado se nos separa en tres especies perfectamente definidas. Veámoslas.

NEGACIÓN DE LO REAL

A veces el autor de *Sombra del Paraíso* se sirve de las negaciones (en este libro y en los siguientes, nunca en los anteriores) para rechazar una realidad, en beneficio de una evocación. La fórmula de este procedimiento sería: "No A, B". Si el plano real A es "tierra" y "grama dulce" el imaginado B, Aleixandre podrá expresarse así:

No tierra: grama dulce...

("El sol" —"Los inmortales"—,
de *Sombra del Paraíso*.)

---

[1] José María Valverde, "De la disyunción a la negación en la poesía de Vicente Aleixandre (y de la sintaxis a la visión del mundo)", en *Escorial,* 52, Madrid, 1945, págs. 447-457.

Si "tumba" es el término de la realidad A, y "tierra libre" la imagen B, la expresión aleixandrina será ésta:

> ¡No tumba: tierra libre!
>
> ("Epitafio", de *Nacimiento Último*.)

Si el poeta contempla unos barcos en el horizonte que enturbian con sus chimeneas el azul límpido del cielo, el autor de *Sombra del Paraíso* igualmente negará la realidad en beneficio de una exaltada evocación:

> No son barcos humanos los humos pensativos
> que una sospecha triste del hombre allá descubren.
> ¡Oh no, el cielo te acepta, trazo ligero y bueno
> que un ave nunca herida sobre el azul dejara! [2].
>
> ("La Isla", de *Sombra del Paraíso*.)

O, en fin, si el poeta ve una estrella lucir en el firmamento, utilizará procedimiento semejante:

> ¿Quién dijo que ese cuerpo
> tallado a besos, brilla,
> resplandeciente en astro
> feliz? ¡Ah, estrella mía,
> desciende! Aquí en la hierba
> sea cuerpo al fin, sea sangre
> tu luz...
>
> ("No estrella", de *Sombra del Paraíso*.)

Véase el título de la composición "No estrella". Pero "estrella" es, precisamente, el plano real A. El plano imaginado B, "cuerpo humano", que, como en los casos anteriores, está afirmado.

---

[2] El plano real A es "humo de barcos". El imaginado B no está claramente presentado, pero lo descubrimos muy pronto: "rastro de un ave nunca herida". El pensamiento lógico es el siguiente: "Los humos pensativos" (plano A, negado) "que allá se ven no son producto triste de unos barcos humanos, sino el rastro de un ave nunca herida".

Antecedentes. — Encuentro dos ejemplos de un tipo de negación semejante a éste en *Las Soledades,* de Góngora. Uno de ellos en la "Primera" y el otro en la "Segunda". No creo que existan más, porque realicé la búsqueda muy minuciosamente. Habla el poeta de la especia llamada clavo:

> Clavo no, espuela sí del apetito.
>
> (Verso 496 de la *Soledad Primera.*)

Este primer caso no cabría asimilarlo a los aleixandrinos más que mirando a su forma exterior, porque el poeta no niega exactamente lo real: niega únicamente el *nombre* que esa realidad lleva. Equivale a decir: mejor que clavo debería llamarse "espuela del apetito" por sus cualidades estimulantes. O sea: el poeta cordobés no extirpa aquí el cuerpo de la realidad, a pesar del adverbio de negación.

En cambio, el otro ejemplo de *Las Soledades* se halla muchísimo más cerca del que vemos en *Sombra del Paraíso:*

> ¡Oh canas, dijo el huésped, *no peinadas*
> *con boj dentado* o con rayada espina,
> sino con verdaderos desengaños...!
>
> (Versos 364-366 de la *Soledad Segunda.*)

(Estamos aquí ante uno de los pocos ejemplos gongorinos en que las imágenes no tienen función embellecedora, aproximándose mucho al tipo "contemporáneo"). El término real —los peines son los que ordenan el cabello— queda negado, afirmándose el irreal: los desengaños peinarán las canas.

Pero la estricta negación por medio de la cual se escamotea el elemento de la realidad para exaltar el imaginativo en virtud de un *entusiasmo* (que tal es como Aleixandre la usa) no se da en Góngora, aunque sí en la literatura romántica inglesa. El poema de Shelley titulado "To a skylark" empieza con estos dos versos:

> *Hail to thee, blithe spirit!*
> *Bird thou never wert.*

(El poeta se dirige a una alondra con estas palabras: "¡Salve, espíritu alegre! Pájaro nunca fuiste".)

La técnica del romántico inglés está, como vemos, enormemente próxima a la que el autor de *La Destrucción o el Amor* utiliza. Se da en ambos una negación de la realidad (en los versos de Shelley, "pájaro") y una afirmación del elemento imaginativo ("espíritu" en Shelley), *originándose, tanto la afirmación como la negación, de un impulso admirativo.* En el poeta español como en el británico, cualidades o seres del mundo cotidiano quedan sustituidos por otros más excelsos que la fantasía introduce.

Con ello no intento, por supuesto, sugerir un influjo de Shelley sobre Aleixandre, pues es mucho más fácil explicar esta clase de negación aleixandrina como desarrollo de algo que existía en la literatura española, y cuya fórmula sintáctica es usual en la diaria conversación. (Ejemplo: "Fulano no es un hombre, es una fiera".) Agreguemos que ese desarrollo e intensificación nace en Aleixandre por el afán de dar plasticidad a la imagen, por el afán de que ésta se nos haga *visible.* Fijémonos en que por todas partes llegamos a la misma conclusión: la plasticidad imaginativa de la poesía del siglo xx.

NEGACIÓN DE LO IRREAL

Pero sin duda ofrece más novedad un esquema de negación opuesto al estudiado en el apartado anterior. En todos los libros de Aleixandre, excepto en el primero, se observa el empleo de peculiarísimos y personales adverbios negativos que manifiestan *atributos irreales no poseídos* por el ser que constituye objeto poético: "Tiniebla sin sonido", "traje sin música", "florecillas sin grito" (de *Sombra del Paraíso*), son expresiones que, entre una multitud de la misma índole, entresaco de los versos de este poeta. Todos son casos de sinestesia negada. Pero es igualmente usual que imágenes de clase distinta, por ejemplo imágenes visionarias, se muestren en forma negativa:

...la menguada presencia de un cuerpo de hombre que jamás podrá ser confundido con una selva.

("La selva y el mar", de *La Destrucción o el Amor.*)

[la luna] no es una voz, no es un grito celeste

          ("Ya no es posible", de *Mundo*
          a Solas.)

O ya que a un objeto real se le atribuyan dos metáforas: una, negada; afirmada la otra:

    Por mis venas no nombres, no agonía,
    sino cabellos núbiles circulan.

          ("Circuito", de *Espadas como Labios.*)

El plano real A está elidido, pero existe: es "sangre". El imaginario negado B es "nombres", "agonía". El imaginario afirmado B, "cabellos núbiles".

¿Qué significación tienen estas negaciones de lo irreal tan insólitas en nuestra tradición literaria?[3]. La respuesta es fácil. No cabe duda de que cuando necesitamos negar algo es porque existía una posibilidad de afirmarlo. Lo que nos indica que el autor de *Sombra del Paraíso,* al negar hechos o elementos irreales, da por supuesta y archisabida su posibilidad poética. No en vano viene detrás de una vasta tradición visionaria que había preparado y dispuesto lo que luego se desarrolla por completo en la poesía de Aleixandre y sus compañeros de generación. Tan sumergido se halla éste dentro de un mundo irracionalista, que afirma no ser la luna un grito celeste, o no tener sonido determinada niebla, como aseguraríamos que determinada rosa no es amarillenta, sino carmesí.

LA NEGACIÓN CUASI-AFIRMATIVA

Sí. Cuando necesitamos negar algo es porque existe una posibilidad de afirmarlo. De este modo, trasplantando la afirmación a la esfera poética, negar pudiera ser también, en algunos momentos, expresar una realidad incierta o, dando un paso más, una realidad aproximada. Tal sucede muchas veces en los versos aleixandrinos, sobre

---

[3] Veo sólo un antecedente en la lírica popular anónima: "No eres Palma, / eres retama, / eres ciprés de triste rama" (*Endechas en la muerte de Guillén Peraza*); y aun el caso no es exactamente idéntico a los aleixandrinos.

todo en los de *Sombra del Paraíso* (en los libros anteriores a éste, excepto en *Mundo a Solas*, tal tipo de negación sólo existe de un modo embrionario). En efecto, cuando nuestro poeta escribe:

> ...la gran playa marina,
> no abanico, no rosa, no vara de nardo,
> pero concha de un nácar irisado de ardores...
>
> ("Primavera en la tierra", de
> *Sombra del Paraíso.*)

experimentamos en nuestra sensibilidad que esa playa es *casi* un abanico, una rosa, una vara de nardo, pero que es propiamente una concha de nácar. Estamos, pues, ante un caso distinto al que veíamos en el apartado anterior. Allí el poeta, al decir: "Por mis venas no nombres, no agonía — sino cabellos núbiles circulan", estaba, efectivamente, excluyendo, de un modo completo, que su sangre fuese agonía. Su sangre no era agonía; era todo lo contrario: era juventud, era nubilidad, era gozo. Aquí, en cambio, "la gran playa marina" es casi abanico, casi rosa o casi vara de nardo. Por medio de la negación se ha creado una serie de imágenes horizontales[4] construidas sobre el plano real "playa", de las cuales tres están negadas por ser únicamente aproximativas, y sólo una ("concha") se encuentra afirmada. Se van lanzando flechas que intentan ser cada vez más certeras, hasta que la afilada punta del instrumento se clava agudamente en el corazón mismo del blanco. Pero en ocasiones no se produce tan exacto triunfo, y el poeta se limita entonces a presentarnos la diana, rodeada de un cerco de disparos aproximados. Ejemplo de esto último (el poeta se dirige al Amor):

> No, no eras el río, la fuga, la presentida fuga
> de unos potros camino del Oriente,
> ni eras la hermosura terrible de los bosques.
>
> ("Al amor", de *Mundo a Solas.*)

El poeta va asediando su objeto poético (en este caso el Amor). Ninguna flecha acierta por completo ("río", "fuga de unos potros",

---

[4] Véase la nota que va al pie de la página 242.

"hermosura de los bosques"), pero entre todas lo rodean, lo circundan, lo van precisando más y más, y el lector percibe con nitidez el cuerpo rehuido.

La negación cuasi-afirmativa completa constaría, pues, de tres partes: un plano real A, otro evocado, aproximativo B (negado) con una o varias imágenes (en el ejemplo de la playa, "abanico", "rosa" y "vara de nardo") y el evocado exacto B', que siguiendo con el mismo ejemplo sería "concha de nácar", elemento afirmado. Sin embargo, como hemos visto en los versos copiados de *Mundo a Solas*, este último puede faltar, produciéndose entonces una fórmula cuasi-afirmativa con sólo dos términos: el correspondiente a la realidad y el correspondiente a la fantasía, levemente frenado por adverbios de negación.

Los dos planos imaginativos, el negado y el afirmado, suelen tener un valor bastante semejante en cuanto a intensidad en la representación plástica. Tal equivalencia podemos observarla con toda claridad en un poema de *Sombra del Paraíso* titulado "Destino trágico". Casi todo él es, en realidad, el desenvolvimiento en gran escala de una negación cuasi-afirmativa completa, con plano negado y afirmado. Copiaré los fragmentos de tal composición que sean más interesantes para nuestro análisis:

Confundes ese mar silencioso que adoro
con la espuma instantánea del viento entre los árboles.

Pero el mar es distinto.
No es viento, no es su imagen.
No es el resplandor de un beso pasajero,
ni es siquiera el gemido de unas alas brillantes.

No confundáis sus plumas, sus alisadas plumas,
con el torso de una paloma.
No penséis en el pujante acero del águila.
Por el cielo las garras poderosas detienen el sol.
Las águilas oprimen a la noche que nace,
la estrujan —todo un río de último resplandor va a los
    mares—
y la arrojan remota, despedida, apagada,
allá donde el sol de mañana duerme niño sin vida.

Pero el mar, no. No es piedra
esa esmeralda que todos amasteis en las tardes sedientas.
No es piedra rutilante toda labios tendiéndose,
aunque el calor tropical haga a la playa latir
sintiendo el rumoroso corazón que la invade.

Muchas veces pensásteis en el bosque.
Duros mástiles altos,
árboles infinitos
bajo las ondas adivinasteis poblados de unos pájaros de
    virginal blancura.
Visteis los vientos verdes
inspirados moverlos
y escuchasteis los trinos de unas gargantas dulces.
Ruiseñor de los mares, noche tenue sin luna,
fulgor bajo las ondas donde pechos heridos
cantan tibios en ramos de coral con perfume.

¡Ah, sí, yo sé lo que adorásteis!
Vosotros pensativos en la orilla,
con vuestra mejilla en la mano aún mojada,
mirásteis esas ondas mientras acaso pensábais en el cuerpo:
un solo cuerpo dulce de un animal tranquilo.
Tendisteis vuestra mano y aplicásteis su calor
a la tibia tersura de una piel aplacada.
¡Oh suave tigre a vuestros pies dormido!

El poema tiene veinticuatro versículos más, de los cuales seis están
dedicados a presentarnos la visión del mar como tigre. Pero sólo nos
interesa ahora la parte que acabo de copiar. Como antes dijimos, se
trata de una negación cuasi-afirmativa, con plano negado y afirmado,
enormemente desarrollada. El esquema del trozo transcrito sería: "A
("el mar") no es B ("espuma instantánea", "beso pasajero", "gemido
de unas alas", "paloma", "águila", "piedra", "bosque"), sino B' ("tigre")". ¿Cómo, pues, este esquema, relativamente sencillo, ocupa nada
menos que treinta y siete versículos del poema? La respuesta a esta
pregunta nos da una clave importante. Lo que ha sucedido es que de
los siete términos que constituyen el plano B negado tres tienen un
desenvolvimiento considerable. La visión del mar como águila absor-

be seis versículos; la visión del mar como piedra, cinco; la visión del mar como bosque, diez. Esto nos está indicando que Aleixandre da cierto valor de realidad afirmada al negativo plano B. Pero nuestro convencimiento sube de punto cuando vemos que al afirmativo B', o sea la visión del mar como tigre, le son dedicados siete versos tan sólo. Es decir, que la descripción del mar como bosque (elemento negado) es más extensa que la descripción del mar como tigre. El poeta ha dado aquí tanta importancia —por lo menos— al plano B (negado) como al B' (afirmado).

Antecedentes. — También Góngora nos ofrece ejemplos de negaciones cuasi-afirmativas, semejantes, en cierto modo, a estas aleixandrinas que ahora comentamos. En el estudio que Dámaso Alonso ha hecho de la lengua poética del autor de *Las Soledades* se encuentra un interesante capítulo dedicado a la fórmula "A si no B" (que según mi nomenclatura sería "A es B *si no* B"). El ilustre crítico halla dos significados fundamentales para ella: uno "específicamente adversativo" y otro "aproximadamente igualativo", en que el poeta exhibe los dos términos A y B "como alternativos o como iguales, o dando un valor más real y aceptable al elemento A, pero cargando la intención estética del lado de B". Pues bien: este segundo significado del esquema gongorino es el que se parece algo al de Aleixandre, aunque las diferencias también existan, como haremos resaltar a continuación. Veamos unos versos de Góngora ya citados en otra ocasión: "Cloris, el más bello grano — si no el más dulce rubí — de la granada a quien lame — sus cáscaras el Genil". (Traducción de Dámaso Alonso: "Cloris es el más bello grano, si no me queréis admitir que sea el más dulce rubí", etc.) Aquí se ha rechazado precisamente el elemento "rubí", en el que Góngora ha puesto mayor carga emocional. Aleixandre hubiera negado más valientemente el otro elemento —"grano"—, que el poeta cordobés afirma. Hubiera dicho: "Cloris, no el más bello grano — sino el más dulce rubí — de la granada a quien lame — sus cáscaras el Genil".

CAPÍTULO XXIV

EL VERBO

En una primera lectura, sin duda lo que más destaca del lenguaje aleixandrino es el empleo anómalo de la conjunción "o" y la peculiaridad con que son usadas las negaciones. Pero si nos fijamos un poco más, adquieren relieve también ante nuestros ojos otros importantes rasgos estilísticos, entre los que cuenta el raro uso con que el poeta trata, muchas veces, el verbo.

EL VERBO AL FINAL
DE LA ORACIÓN

Más que el resto de los libros de Aleixandre, *Sombra del Paraíso* se caracteriza por la colocación de los verbos al final de las oraciones (que suelen coincidir con el final del versículo), formando parte de una subordinada de relativo:

¡Oh cabellera que en una almohada derramada reinas!

("Cabellera negra", de *Sombra del Paraíso.*)

(Luna) ...que una secreta luz interior me cediste...

("Luna del Paraíso", del mismo libro.)

...selva virgen que en llamas te destruyes...

("La verdad", del mismo libro.)

...como la piel turgente que los besos tiñeran...

("Primavera en la tierra", del
mismo libro.)

Se trata de un giro repetido una y otra vez. ¿Qué se logra con ello? Evidentemente, dar una primacía a la acción sobre los otros elementos representados en la frase. No es lo mismo decir "los ramos tropicales, quemantes que un ecuador empuja", como hace Aleixandre en un poema de *Sombra del Paraíso*, que decir "los ramos tropicales, quemantes, que empuja un ecuador". En el primer caso, el poeta da mayor relieve al verbo, a la acción de empujar, que al sujeto de ese verbo, "ecuador". En el caso segundo sucede lo contrario: es la palabra "ecuador" la que usurpa la atención del que lee. La función estética que este procedimiento puede tener es muy variada. Véase, por ejemplo, cómo todo un verso queda iluminado repentinamente si el verbo que se utiliza indica una acción de luminosidad:

...sobre la que los pájaros virginales se encienden...

("El desnudo", de *Sombra del Paraíso*.)

Pruebe el lector a colocar el verbo en otro sitio de la oración: resultará inmediatamente que la especial colocación aleixandrina (que tiene en España una tradición literaria que se remonta a la Edad Media) es cien veces más expresiva, más fuerte; sí, entre otros efectos, se obtiene también el de pujanza, el de poderío. Poderío que a veces se trueca en violenta imprecación:

¿Esa sombra es tu cuerpo que en la tormenta escapa
herido de la cólera nocturna, en el relámpago,
o es el grito pelado de la montaña, libre,
libre sin ti y ya monda que fulminada exulta?

Es un estallido de materia verbal. El ánimo, según va progresando el desarrollo de la oración ("libre sin ti y ya monda que fulminada..."), está en espera del verbo, atento a su llegada, y su retra-

so hasta el final de la frase hace que su efecto llegue intensifica-
dísimo. A ello contribuye la ansiedad a que el lector ha sido obligado. No nos asombrará entonces que esta localización verbal aparezca en un autor como Aleixandre, poeta en quien predomina la visión
de grandiosidades, como advertimos en la pág. 98, y en quien es
frecuente el tono imprecatorio para anatematizar *violentamente* a
cuantos seres desoyen la voz de la naturaleza (los versos recién copiados son claro ejemplo de esto último).

NUEVO EMPLEO
DEL GERUNDIO

Es frecuente, pues, la colocación de los verbos al final del versículo, formando parte de una subordinada de relativo. Mas es especialmente propio de todos los libros de nuestro poeta anteriores a *Sombra
del Paraíso*, donde ya desaparece, el caso en que ese verbo finalizador
no está en forma personal, sino en gerundio:

...cuando sobre la arena quedan sólo unas conchas,
unas frías escamas de unos peces amándose...

("La muerte", de *La Destrucción
o el Amor.*)

...la sequedad del desierto
finge un agua o un rumor de espadas persiguiéndose...

(De *La Destrucción o el Amor.*)

Unas mudas palabras que habla el mundo finando...

("Los dormidos", de *Sombra del
Paraíso.*)

Tu desnudez se ofrece como un río escapando...

(De *Sombra del Paraíso.*)

¡Oh cuerpo sólo sonido de mi voz poseyéndole...

("Mano entregada", de *Historia
del Corazón.*)

Frecuentísimo es tal giro, y de naturaleza peculiar desde el punto de vista sintáctico. La Academia Española admite únicamente tres casos de gerundio, clasificados según el tipo de oración personal a que equivalgan. Daremos de lado a dos de ellos, por carecer de interés para nosotros. Nos importa, en cambio, fijar nuestra atención en el tercero, que es el utilizado anormalmente por el autor de *La Destrucción o el Amor*. Se produce cuando el gerundio es transformable en una oración de relativo: decir "vi una luz brillando" es, si desatendemos ciertos matices, lo mismo que decir "vi una luz que brillaba". Pero dentro de este grupo —fijémonos bien— sólo son normales dos posibilidades: o que el gerundio se refiera al sujeto de la oración principal o al complemento directo. En el primer caso, afirma Gili y Gaya [1], el gerundio ha de tener carácter explicativo: *"El capitán, viendo que el barco se hundía, mandó preparar la lanchas de salvamento. Me puse a contemplar el paisaje, dejando a un lado mis preocupaciones"*. "En ambos casos el gerundio enuncia una acción secundaria del sujeto, con la cual (...) explica la acción principal. Si tratásemos de particularizar o especificar al sujeto, el gerundio perdería su cualidad verbal para convertirse en adjetivo, y su empleo sería incorrecto. Por este motivo, es contrario a la naturaleza del gerundio español su uso como atributo: 'Era un hombre alto, robusto y gozando de buena salud'." Cuando el gerundio está ligado al complemento directo del verbo principal, "es necesario —dice Gili y Gaya— que exprese una acción, transformación o cambio en transcurso perceptible, y no una cualidad, por no ser perceptible el cambio que se produce. No podríamos decir, por ejemplo (......): *'miro un árbol floreciendo'*, sino *'que florece'*; ni *'te envío una caja conteniendo libros'*, sino *'que contiene'*, porque las cualidades o transformaciones a ellas semejantes no son compatibles con la idea de acción en curso, esencial del gerundio. Son adjetivos y no verbos" [2].

Examinemos ahora los ejemplos tomados de nuestro poeta. La anormalidad salta a la vista: en *La Destrucción o el Amor, Sombra del Paraíso* o *Historia del Corazón*, el gerundio pierde su valor verbal

---

[1] Samuel Gili y Gaya, *Curso superior de sintaxis española* (segunda edición), Barcelona, 1948.

[2] *Ibid.*

para transformarse en mero adjetivo, lo que es contrario al uso corriente en nuestra lengua. Cuando Aleixandre escribe: "sobre las playas quedan sólo... unas frías escamas de unos peces amándose", el gerundio "amándose" no califica al sujeto "escamas", sino al genitivo posesivo que ese sujeto lleva, "peces". Son los peces los que se aman, no las escamas.

Y no es éste el único tipo que el autor de *La Destrucción o el Amor* utiliza con novedad. En este verso:

>...tu desnudez se ofrece como un río escapando...

el gerundio se halla ligado a un sustantivo que hace función de sujeto en una oración adverbial comparativa, cosa extraña a la construcción ordinaria.

Y mayor anomalía muestra aún el giro que nos presenta el siguiente versículo:

>(El mar está) "continuamente aplacado por una mano dichosa acariciando sus espumas vivientes..."

donde el gerundio califica al complemento agente en ablativo de una oración construida en la voz pasiva.

Estas novedades no son totalmente exclusivas de nuestro poeta. En menos proporción, las encuentro también en el chileno Pablo Neruda, poeta de la misma época que el nuestro, y perteneciente a lo que, algo impropiamente, llamaríamos la misma escuela. Ejemplos de Neruda:

>Como cenizas, como mares *poblándose*...
>
>("Galope muerto", de la 1.ª *Residencia en la Tierra*.)

>Soy yo ante tu ola de olores *muriendo*
>
>("Entrada a la madera", de la 2.ª *Residencia en la Tierra*.)

Si atendemos a la cronología, es imposible que haya habido influjo de uno en otro[3]. Sin duda se trata del fruto de una atmósfera común, de tendencias poéticas parecidas, etc. O sea: de coincidencias generacionales.

Los efectos que tan sorprendentes giros pueden lograr son, en muchos momentos, de economía sintáctica, pero sobre todo de matiz expresivo. Tómese un ejemplo cualquiera. Siempre el gerundio aleixandrino habría de ser suplantado, según las normas del lenguaje usual, por una subordinada de relativo: "peces amándose" serían "peces que se aman". Es evidente que ambas expresiones no son del todo equivalentes. La frase de relativo pone menos de relieve la acción o acaecimiento. Si decimos: "unas frías escamas de unos peces amándose", otorgaremos un bulto o una importancia mayor a la *acción* de amarse que si escribimos "unas frías escamas de unos peces que se aman". Me pregunto si en el caso de Aleixandre esta anomalía no será el congruente reflejo expresivo del *dinamismo* erótico (amor que destruye, amor *activo*) de *La Destrucción o el Amor*. Nótese que los carac-

---

[3] Quiero en esta nota salir al paso de un error, extrañamente reviviscente en algún que otro crítico: el supuesto influjo del viaje de Neruda a España en octubre de 1934 sobre la generación española de 1927. Cuando Neruda, en octubre de 1934, como digo, llegó a España, el estilo de la generación española de 1927 estaba ya totalmente formado: *Manual de Espumas*, de Gerardo Diego, había sido publicado en 1925; las *Canciones*, de Federico García Lorca, en 1927; el *Romancero Gitano*, en 1928; *Cántico*, de Jorge Guillén, en 1928; *Sobre los Ángeles*, de Alberti, en 1929. En cuanto a Aleixandre, dejando a un lado *Ámbito*, que es de 1928, *Pasión de la Tierra* fue escrito entre 1928 y 1929. En *Litoral* de Málaga y *La Gaceta Literaria* de Madrid se publicaron poemas de tal obra en ese último año. *Espadas como Labios* fue redactado entre el año 1930 y 1931, y publicado en 1932. *La Destrucción o el Amor* fue premiado públicamente, como libro inédito, en noviembre de 1933. ¿Cuándo pudo influir la presencia en España de Neruda sobre esos libros aleixandrinos, cuyo estilo, además, está ya fraguado desde *Pasión de la Tierra* en 1928? Se trata de una de tantas inepcias que alguien irresponsablemente pone de pronto en circulación y a la que luego la pereza mental de los más facilita el camino. Sobre todo, en nuestros países hispanohablantes (España, por supuesto, incluida), donde, evidentemente, salvo algunas brillantes excepciones, no hay crítica propiamente dicha, por las mismas razones (a mi juicio) que han impedido hasta hace muy poco la existencia de una filosofía y una ciencia normalmente establecidas y vivas.

terísticos gerundios no propagan su presencia a *Sombra del Paraíso,* donde, justamente, la visión del amor como *acción* aniquiladora se ha alejado hasta un borroso segundo término.

ELISIÓN DEL VERBO PRINCIPAL EN
"LA DESTRUCCIÓN O EL AMOR"

Es enormemente propio de *La Destrucción o el Amor* la elisión del verbo principal. En multitud de composiciones hay varias estrofas que carecen de él. Y esta supresión se realiza a veces en un poema entero, como éste que copio a continuación, que, aunque uno de los menos relevantes desde el punto de vista poético, es muy significativo, sin embargo, en ese otro sentido:

CORAZÓN EN SUSPENSO

Pájaro como luna,
luna colgada o bella,
tan baja como un corazón contraído,
suspendida sin hilo de una lágrima oscura.

Esa tristeza contagiosa
en medio de la desolación de la nada,
sin un cuerpo hermosísimo,
sin un alma o cristal
contra la que doblar un rayo bello.

La claridad del pecho o el mundo acaso,
en medio la medalla que cuelga,
ese beso cuajado en sangre pura,
doloroso músculo, corazón detenido.

Un pájaro solo, quizá sombra,
quizá la dolorosa lata triste,
el filo de ese pico que en algún labio
cortó unas flores, un amarillo estambre o polen luna.

Para esos rayos fríos,
soledad o medalla realizada,
espectro casi tangible
de una luna o una sangre o un beso al cabo.

¿Qué se consigue con este módulo? Siempre una máxima economía sintáctica. Pero además, en muchos casos, la voz poética adquiere
un acento de tipo más exclamativo o de tipo más confidencial. Si el
poema es melancólico o abatido, el abatimiento o la tristeza tienen
adecuadísima representación. Parece que el poeta no tiene ánimo más
que para nombrar los objetos de su doloroso sentimiento:

> El pez espada, cuyo cansancio se atribuye ante todo
>   a la imposibilidad de horadar a la sombra,
> de sentir en su carne la frialdad del fondo de los
>   mares donde el negror no ama,
> donde faltan aquellas frescas algas amarillas
> que el sol dora en las primeras aguas...
>
>   ("Sin luz".)

> La tristeza gemebunda de ese inmóvil pez espada
>   cuyo ojo no gira...
>
>   ("Sin luz".)

CAPÍTULO XXV

EL ADJETIVO. EL ARTÍCULO. HIPÉRBATON DE LOS ADVERBIOS

I. EL ADJETIVO

ADJETIVO COMO ADVERBIO

La adverbialización de los adjetivos es un fenómeno conocido en nuestra lengua y perfectamente estudiado; por ejemplo: "El niño duerme tranquilo". El adjetivo "tranquilo" califica al sujeto y concierta con él; pero constituye también una calificación modal del verbo [1]. Pues bien: en Aleixandre es muy usual esta adverbialización, pero dando un paso más, porque, con frecuencia, el calificativo se despoja por completo de su carácter adjetivo, convirtiéndose en una palabra rígida, inmovilizada en su forma neutra y sin concertar, por tanto, con el sujeto:

> ...dientes de amor que mordiendo los bordes de
> la tierra
> braman *dulce* a los seres...
>
> ("El poeta", de *Sombra del Paraíso.*)

> ¡Oh! Miro los cielos que *azul* casi existen...
>
> ("La boca", publicado en revista.)

---

[1] Gili y Gaya, *Curso superior de sintaxis española* (segunda edición), Barcelona, 1948.

En ambos ejemplos el sujeto está en plural —"dientes" en uno; "cielos" en otro—, mientras el adjetivo, adverbializado, permanece en singular ("dulce", "azul"). Naturalmente, tal construcción tiene su apoyatura en otras semejantes de la lengua hablada, citadas también por Gili y Gaya: "hablar claro", "jugar limpio", etc. La novedad de nuestro poeta consiste, pues, en extender a un número amplio de voces lo que ya existía en un escaso grupo de ellas.

ADJETIVOS EN GRADO SUPERLATIVO

Es extraordinariamente frecuente la aparición de superlativos en todos los libros de Aleixandre, hecho que sin duda está en relación, por una parte, con el carácter panerótico, y por tanto apasionado, de esta lírica, y, por otra, con su tendencia a la visión de macroscópicas inmensidades, esto es, de extensiones *superlativas* también. Creo no exagerar si digo que en ellos podrían hallarse diez veces más adjetivos de esta clase, proporcionalmente, que en otro poeta cualquiera. En muchas ocasiones los superlativos tienen carácter visionario, y entonces el lector los nota como más peculiares: así, en el poema titulado "Sin luz", de *La Destrucción o el Amor*, se habla de un "amarillo tristísimo". Otras veces se forma un superlativo en -*ísimo*, desusado: "brazo solísimo", ejemplo obtenido en el libro que acabamos de citar ("Mina"). O sólo su abundancia les imprime carácter. De *Sombra del Paraíso* formo al azar, en un momento, la siguiente lista, que no contiene más que una mínima parte de los ejemplos que podrían aducirse: "frente blanquísima", "senos secretísimos", "venado dulcísimo", "luna perfectísima", "luna bellísima", "sol hermosísimo", "sandalia fresquísima", "labios tristísimos", "resplandor erguidísimo", "seres vivísimos", "sondear lentísimo"..., y otras obras de nuestro poeta nos proporcionarían colecciones similares.

II. *EL ARTÍCULO*

ANOMALÍAS EN EL USO
DEL ARTÍCULO DETERMINADO

En el recorrido que estamos haciendo a través de la lengua poética del autor de *Historia del Corazón* hemos encontrado bastantes novedades, algunas de extraordinario relieve. Pero las sorpresas no han terminado: ahora nos damos cuenta de otra originalidad, y no pequeña, visible en el lenguaje aleixandrino: el extraño uso que nuestro poeta hace del artículo determinado a través de las páginas de *La Destrucción o el Amor* y de *Mundo a Solas*.

Cuando en el lenguaje corriente establecemos una comparación entre dos elementos A, real, y B, evocado, si este término B se halla en singular (sin ser abstracto ni tratarse de un ejemplar único en la naturaleza, o que carezca de plural), lo normal es que no lleve artículo o que lo lleve indeterminado: "cantas como un jilguero" o "como jilguero". Sería insólito decir "cantas como el jilguero", porque "jilguero" no es abstracción. Sólo se utilizaría el artículo determinado en frases de este tipo: "fue cruel cual la verdad", en que se habla de un elemento no concreto; o de estos otros: "rostro tan puro como el cielo", por no existir más cielo que uno; o "amarillo como el oro", puesto que el oro carece de plural.

Sin embargo, las normas gramaticales que acabo de exponer no valen para el lenguaje empleado en *La Destrucción o el Amor* y en *Mundo a Solas*. Precisamente lo característico de tales libros es el fenómeno contrario: la utilización del artículo determinado en aquellos casos imaginativos en los que la sintaxis normal hubiera usado el indeterminado:

> ...mientras la cara cárdena se dobla como *la* flor...
>
> ("Después de la muerte", de *La Destrucción o el Amor*.)

...el mar palpita como *el* vilano...

> ("El mar ligero", de *La Destrucción*
> *o el Amor.*)

Di, ¿qué palabra impasible como *la* esmeralda...?

> ("El desnudo", de *La Destrucción*
> *o el Amor.*)

Canto... como *la* dura piedra...

> ("Tormento del amor", de *Mundo*
> *a Solas.*)

A partir de *Sombra del Paraíso* ha desaparecido el procedimiento. Sólo pude hallar un caso, arrastre sin duda de las obras anteriores: el poeta expresa que tal vez el mar sea bosque, de esta manera:

> Muchas veces pensasteis en *el* bosque...
>
> ("Destino trágico".)

No sería construcción anómala decir: "muchas veces pensasteis en el bosque que existe al borde de la ciudad", porque entonces ese "bosque" no es cualquiera, sino uno específico. Pero, al igual que en los ejemplos anteriores, no se refiere aquí Aleixandre a un elemento determinado, a un bosque determinado, sino al bosque en general, a "un bosque", por lo que nos hallamos en presencia de un giro inaudito.

Intentemos ahora explicarnos el origen de esa peculiaridad.

Lo que al Aleixandre anterior a *Historia del Corazón* le importa de las cosas es, sobre todo, dijimos, su condición de elementos naturales. De esta flor, esta piedra o este bosque particulares, únicos, en general, sólo le interesará, pues, señalar justamente lo que tales objetos tengan en común con los otros de su especie respectiva, y no las diferencias individuales que ostenten. *Este* bosque diferirá de *aquél* en el número y clase de sus árboles, situación geográfica y otras características, pero no en el hecho de ser manifestación de la naturaleza. Como nuestro autor es únicamente esto último lo que frecuentemente quiere destacar, parece inteligible que acostumbre a desdeñar, de alguna manera, aquellas otras circunstancias que resultan más inoperantes o inertes en su cosmovisión. (Entiéndase que hablo en términos generales, y además en un especial sentido, ya que, en otro, podríamos afirmar que cuando Aleixandre canta intuye siempre —porque no es posible hacerlo de otro modo— un bosque determinado, una piedra determinada, etc., aunque esa piedra o ese bosque le sirvan como prototipos de *naturalidad*.)

Por tanto, la poesía aleixandrina anterior a *Historia del Corazón* será, como por otras razones la de otros poetas de su tiempo (Guillén, etc., y antes Juan Ramón Jiménez), resueltamente utópica, si entendemos tal expresión en su sentido originario: Aleixandre abstraerá de los objetos su "aquí" y su "ahora", por lo menos en la intención (cuando el poeta se inspira en la ciudad de Málaga o en la llanura de Castilla, ni por un instante alude con su nombre real a tales realidades). Al hablar de una selva, de un río, un vilano o una piedra, tales seres funcionan en su palabra como arquetipos universales: valen por todos los representantes de su género, o por lo menos de su especie: si el *Río del paraíso*, pongo por caso, no vale por todos los ríos, vale, en cambio, por todos los ríos bellos y gloriosos. (Compárese con lo que ocurre en la poesía de Antonio Machado: su río Duero es una criatura única, precisamente la que "traza en torno a Soria una curva de ballesta". En la poesía de Jorge Guillén hallamos este mismo utopismo aleixandrino, pero con sentido diferente. En Guillén se trata de suprimir *todo lo que no sea esencial*, puesto que el centro de *Cántico* es el ser. Lo esencial del río, pensará este autor, es ser río y no ser río Duero. En el tercer *Cántico*, y más aún en el cuarto, empieza a desvanecerse este prurito esencialista y asoman ya, con alguna timidez, nombres propios: Castilla, cerro de San Cristóbal, etc. Igual le ocurre a Aleixandre a partir de *Historia del Corazón*: exactamente en el libro en que desaparece la anomalía que investigamos.)

Espero que con las anteriores consideraciones estemos en condiciones de entender ya la peculiaridad con que nuestro poeta utiliza el artículo determinado. Es evidente que tal peculiaridad le sirve precisamente para poblar de universalidad el sustantivo afectado. Aleixandre dice: "canto como *la* piedra", o "muchas veces pensásteis en *el* bosque", como el lenguaje usual asegura que "*el* hombre es mortal". El artículo determinado, en esos casos, convierte en abstracto el nombre correspondiente: utopiza la realidad, le otorga fuerza de represen-

tación universal, y esa universalización, en el caso de Aleixandre, puede muy bien hacernos entrar en un mundo donde lo que principalmente cuenta de las cosas es su participación en la naturaleza. Ahora
bien: al lado o sobre esa explicación particular que he dado al utopismo en Aleixandre (o en Guillén) existe sin contradicción otra explicación muy distinta de tipo general que vale para toda la época
contemporánea. En efecto: toda esa época (en su búsqueda, por un
lado, del misterio verbal y, por tanto, de la vaguedad del significado,
y, por otro, de la tensión del verso, y por tanto de la sugerencia) tiende
a la supresión de la anécdota (en consecuencia, también la anécdota
espacio-temporal: excepción ya indicada con respecto a esto último:
Antonio Machado). Las dos justificaciones, la general y la particular,
pueden coexistir pacíficamente en cada uno de los poetas en que se
den, pues la necesidad expresiva particular aprovecha en su propio
interés la tendencia de tipo general preexistente, puesto que esta
última camina en el mismo sentido que ella, aunque con otra intención, que, claro está, no le es incompatible. Se trata de uno de tantos
casos de supradeterminación de los ingredientes poéticos (cosa curiosa: el mismo fenómeno se da en el sueño. Véase Freud: *La interpretación de los sueños*).

SUPRESIÓN DEL ARTÍCULO

Pero la novedad puede producirse por otras causas: por elisión
del artículo en un nombre que tiene función de sujeto dentro de la
oración principal. A veces esta elisión es de tipo muy anómalo:

Cobra pasa lasciva mirando a su otro cielo...

("Cobra", de *La Destrucción
o el Amor.*)

por tratarse de un sustantivo en singular y concretísimo; el poeta no
habla de la cobra genérica, sino de una que el poeta ha descrito ya
en versos anteriores. Pero no piense el lector que son abundantes los
casos de tan grande extremosidad. Lo más frecuente en Aleixandre es
un uso más restringido de tal elipsis, que cae, la mayor parte de las
veces, dentro de lo posible en nuestra lengua:

> Niñas sólo perfiles dulcemente
> ladeados... avanzan...
>
> ("Junio", de *La Destrucción
> o el Amor.*)

Estimo que el giro aleixandrino puede proceder de la lectura de Góngora, a quien el constante hipérbaton y, sobre todo, el afán de acercar la lengua castellana al dechado latino, llevó en muchas ocasiones a utilizar esa desacostumbrada supresión del artículo[2]. Cierto que con menos violencia que en el ejemplo de la cobra antes aducido. Compárese con aquél éste de *Las Soledades:*

> En ésta, pues, fiándose atractiva,
> del norte amante dura, alado roble
> no hay tormentoso cabo que no doble...
>
> (Versos 393-395 de la *Soledad
> Primera.*)

Destruyendo el hipérbaton, diríamos: "Alado roble (los navíos) no hay tormentoso cabo que no doble, fiándose de esta amante dura del norte (la brújula)". "Alado roble" es, por tanto, sujeto en singular de una oración (en este caso, una oración subordinada de relativo), circunstancias semejantes a las que vemos en el ejemplo aleixandrino que mencionábamos. Pero aquí "alado roble" vale por todos los barcos, lo que disminuye un tanto la valentía expresiva. La hipótesis del influjo de Góngora en este aspecto podría ser, quizá, comprobada si observamos que el mejicano premodernista Díaz Mirón, por contagio (en este caso evidente) del gran poeta cordobés, llega en bastantes momentos a una técnica parecida. Añadamos que, en Aleixandre, tal impregnación fue posible porque la peculiaridad descrita le resultaba muy adecuada para la expresión de su visión de la realidad. En efecto, la supresión del artículo en estos ejemplos obtiene, paradójicamente, un efecto semejante al producido por su uso anómalo, tal como quedó expuesto en el apartado anterior, y, por tanto, ambos procedimientos poseerán, a mi juicio, una razón de ser idéntica.

---

[2] Leo Spitzer, *La enumeración caótica en la poesía moderna,* Colección de Estudios Estilísticos, Anejo I, Buenos Aires, 1945. Publicado también en *Lingüística e historia literaria,* Edit. Gredos, Madrid, 1955, págs. 295-355.

III. *HIPÉRBATON DE LOS ADVERBIOS*

Si queremos hablar de hipérbaton en el autor de *Sombra del Paraíso* tenemos que olvidar, en cierto modo, el significado que esa palabra tiene al referirnos, por ejemplo, al autor de *Las Soledades*. El hipérbaton de Aleixandre sólo en algún raro momento puede asemejarse a los tipos que vemos en esa obra y en otras de la tradición literaria española. Este verso:

> ...por esa que adivino canción entre unos labios...
>
> ("Amor del cielo", de *Nacimiento Último.*)

podría pasar por gongorino; pero, en cambio, es irreconocible como de Aleixandre. Claro que resulta muy típica de nuestro poeta la colocación del verbo al final del período (en otro lugar lo hemos dicho), pero quizá sea ése el único caso de hipérbaton tradicional que puede rastrearse abundantemente a través de su poesía. Porque lo peculiar de *La Destrucción o el Amor* —en los libros posteriores, salvo excepciones, son inhallables tales giros— no es la separación de nombre y adjetivo, la anteposición del genitivo con respecto a la palabra de que depende, la distanciación de artículo y sustantivo, etc., construcciones utilizadas por poetas renacentistas y barrocos. No. El dislocamiento que Aleixandre realiza en el orden normal de las palabras se reduce a una colocación anómala de los adverbios. Así, la organización de esta frase:

> ...rodar ligero *con siempre* capacidad de estrella...
>
> ("A ti viva", de *La Destrucción o el Amor.*)

normalmente hubiese sido: "rodar ligero *con* capacidad de estrella *siempre*". Esta otra:

No quiero que vivas en mí como vive la luz,
con ese *ya* aislamiento de estrella que se une con su luz...

("Ven siempre, ven", de *La
Destrucción o el Amor.*)

en la construcción ordinaria rezaría: "No quiero que vivas en mí como vive la luz, *ya* con ese aislamiento de estrella que se une con su luz". He aquí otros casos:

...sed que voló hacia la remota montaña,
donde *allí* se castiga entre el relámpago morado...

("Nube feliz", de *La Destrucción
o el Amor.*)

(...*allí* donde se castiga...)

...luz que llegas...
con *todavía* el calor de una piel que nos ama...

("La luz", de *La Destrucción
o el Amor.*)

(...*todavía* con el calor...), etc.

Algo semejante les sucede a los adverbios negativos. A veces tienen un empleo muy particular en la poesía que analizamos, porque, al sufrir el hipérbaton, llegan a modificar no a un verbo, sino a un sustantivo, y esto ocurre en todas las épocas de Aleixandre. En este ejemplo:

...la gran playa marina,
no abanico, no rosa, no vara de nardo,
pero concha de un nácar irisado de ardores...

("Primavera en la tierra", de *Sombra
del Paraíso.*)

podríamos considerar —forzando bastante la interpretación— que se suple el verbo "ser" y el relativo "que": "la gran playa marina (que) *no* (es) abanico, etc.". Pero en este otro:

...encerrado en un pecho con *no forma* de olvido...

("El escarabajo", de *La Destrucción
o el Amor.*)

no cabe duda que la negación se ha adherido al sustantivo para formar con él un inusitado sintagma adverbio-nombre, en virtud de las posibilidades que el uso del hipérbaton acarrea. El hipérbaton ha hecho posible tan valiente anomalía, aunque luego el poeta pueda utilizarla con independencia del hipérbaton al dar, por ejemplo, a un poema el título de "No estrella".

Me atrevería a pensar que en este caso la dislocación adverbial sirve para que nuestra atención se fije en el elemento dislocado, especialmente interesante en ese momento desde el punto de vista estético. La tendencia general de la poesía contemporánea a la individualista originalidad y sorpresa favorecería el empleo de tan inusuales giros, y aun los estimularía (en este caso y en todos los otros que estoy considerando).

Capítulo XXVI

OTRAS PECULIARIDADES DE LA SINTAXIS

En este capítulo vamos a dirigir nuestra indagación hacia otros dos puntos estilísticos: uno de ellos (la acumulación de las negaciones) propio de todas las épocas aleixandrinas; el otro (la anáfora), usado únicamente en *La Destrucción o el Amor*.

LA ANÁFORA

Algún crítico ha observado el tono oratorio que predomina en *La Destrucción o el Amor*. Las frases en este libro suelen, efectivamente, hallarse notablemente amplificadas por la aparición en serie de aposiciones o de oraciones subordinadas, introducidas, generalmente, en cada caso, por una partícula que se repite: por una anáfora. Que puede ser un demostrativo:

> No te acerques. Tu frente, tu ardiente frente, tu
>   encendida frente,
> las huellas de unos besos,
> *ese* resplandor que aun de día se siente si te acercas,
> *ese* resplandor contagioso que me queda en las
>   manos,
> *ese* río luminoso en que hundo mis brazos...
>
>   ("Ven siempre, ven".)

Un adverbio de lugar:

> Allí *donde* el mar no golpea,
> *donde* la tristeza sacude su melena de vidrio,
> *donde* el aliento suavemente espirado...
>
> ("Ven, ven tú".)

Un adverbio de comparación o un verbo, o ambas partículas:

> Ven, ven *como* el carbón extinto oscuro que encie-
> rra una muerte,
> *ven como* la noche ciega que me acerca su rostro,
> *ven como* los dos labios marcados por el rojo,
>
> ("Ven siempre, ven".)

Una preposición *(de, sobre):*

> ...duelo fulgúreo en que de pronto siento la tentación
> *de* morir,
> *de* quemarme los labios con tu roce indeleble,
> *de* sentir mi carne deshacerse contra tu diamante
> abrasador...
>
> ("Ven siempre, ven".)

> Soy el calor que sin nombre avanza *sobre* las piedras
> frías,
> *sobre* las arenas donde quedó la huella de un pesar,
> *sobre* el rostro que duerme como duermen las flores...
>
> ("Mina".)

O un pronombre:

> La tristeza gemebunda de ese inmóvil pez espada
> *cuyo* ojo no gira,
> *cuya* fijeza quieta lastima su pupila,
> *cuya* lágrima resbala entre las aguas mismas...
>
> ("Sin luz".)

Se trata de uno de los rasgos estilísticos que distingue la sintaxis de *La Destrucción o el Amor,* aunque la técnica en cuanto tal sea muy conocida.

En cada poema no falta nunca una de estas series, y en multitud
de casos existen varias: precisamente entre los seis ejemplos que acabo de presentar, tres pertenecen a la misma composición ("Ven siempre, ven").

Desde luego, tan peculiar recurso es la respuesta sintáctica al mundo bullidor, abundante, apasionadamente amoroso que el libro nos
ofrece. Pero este procedimiento consigue también efectos de otra índole que a veces poseen un alto valor estético.

El poeta intenta introducirnos en un mundo de absoluta quietud,
en las zonas abisales del océano, donde todo tiene un torpor como de
sueño, oprimido por la aplastadora masa acuática: inmovilidad de
los grandes peces submarinos. La utilización de la repetidora anáfora
servirá para traducir a lenguaje la monotonía de ese mundo. Fijémonos:

> "La tristeza gemebunda de ese inmóvil pez espada
>   *cuyo* ojo no gira,
> *cuya* fijeza quieta lastima su pupila,
> *cuya* lágrima resbala entre las aguas mismas
> sin que en ellas se note su amarillo tristísimo."
>
>   ("Sin luz".)

Estos tres "cuyos", reiterados una y otra vez, prolongan además
generosamente el período. Parece como si la frase quedara trabada o
detenida en su progreso. La quietud del pez de que se trata tiene,
pues, adecuadísima representación. Claro que son varios los artificios
(llamémoslos tan impropiamente) que se coordinan con el expuesto para tal menester. En primer lugar, véase la extraordinaria longitud del
verso primero. Y en segundo, obsérvese la falta de verbo principal,
notable peculiaridad de *La Destrucción o el Amor,* como en otro capítulo hemos dicho, que hace más intensa la monotonía: tengamos
en cuenta el significado del verbo: verbo es acción, es movimiento.
Su ausencia puede indicar, como en este caso, inmovilidad. Sí, todo
se ha coordinado: múltiples fuerzas se han fusionado para un único
resultado, que se nos aparece así ejemplar, iluminador.

ACUMULACIÓN DE NEGACIONES

En otro lugar [1] estudiábamos las negaciones en su relación con la imagen. Ahora nos fijaremos sobre todo en la frecuencia de su empleo. Es muy aficionado Aleixandre a acumular varias y hasta muchas negaciones en un período solo e incluso a emplearlas de un modo alógico. Estos amontonamientos, muy característicos de nuestro poeta, suelen tener una misión fácilmente discernible, a poco que nos detengamos a examinarla: cargar la expresión de lenta, de pesada melancolía, sentimiento en que se traduce a veces el pesimismo cósmico del poeta, muy visible en el ciclo anterior a *Historia del Corazón* (y que dentro de este último libro se resuelve en resignación dolorosa frente al humano transcurrir).

A veces, todo un estado de abatimiento, de oscura pesarosidad, se halla extraordinariamente incrementado por la negación de cada uno de los términos de una compleja cláusula:

> ...ese profundo oscuro donde *no* existe el llanto,
> donde un ojo *no* gira en su cuévano seco,
> pez espada que *no* puede horadar a la sombra,
> donde aplacado el limo *no* imita un sueño agotado.

> ("Sin luz", de *La Destrucción*
> *o el Amor.*)

Dentro del poema, ¡cómo se siente la pesadez oceánica, el plúmbeo reposo, la negativa existencia de un mundo yacente, quieto, aplastado! Evidentemente, la insistencia en el uso de la negación alcanza acentos de la más certera expresividad. La monotonía de esa región submarina tiene su traslado a la lengua poética en esa repetición de adverbios negativos. (Aunque también coopere el procedimiento que antes examinábamos y que aquí vemos otra vez: la aparición anafórica del adverbio de lugar "donde": "donde no existe...", "donde un ojo no gira...", "donde aplacado el limo...".)

---

[1] Véase el capítulo XXIII.

Igual comentario nos merecería este otro ejemplo tomado también de *La Destrucción o el Amor*. El poeta se refiere al aire quietísimo que envuelve una sepultura:

> ...ese aire que *no* mueve unas hojas *no verdes...*
>
> ("Canción a una muchacha muerta".)

El segundo "no" casi carece de valor lógico. En realidad, si se leen con sensibilidad estos versos, se verá que la negación segunda sirve para reforzar la primera más que para rechazar el verde como color de las hojas. La reunión de esos dos adverbios intensifica la idea de inmovilidad, de muerte, a que el poeta alude.

Es conveniente indicar que el empleo abundante de adverbios negativos, acumulados o no, se da en toda la obra de Aleixandre, anterior a *En un Vasto Dominio*. Véase este ejemplo, de un poema escrito en la época de *Historia del Corazón:*

> En vano vienen y van sombras lentas, las oscuras
> presencias
> que mis ojos que *no miran* ignoran.
> Que mis oídos que *no oyen*
> *no escuchan.* Que mi corazón que *no siente*
> *no golpea* en amor.
>
> ("Ausencia", *Mito*, n.º 1, Bogotá,
> enero-febrero 1955.)

Como en los casos analizados anteriormente, la sucesión de adverbios unen su fuerza, cual varias olas que se fusionan para formar otra de mayor tamaño, y aparte de su significación lógica, tienen otra puramente poética, de rechazamiento absoluto, de absoluto desamor a todos los seres que no sean la criatura amada.

CAPÍTULO XXVII

ALOGICISMO IDIOMÁTICO

Al estudiar el procedimiento visionario hemos comprobado los
nexos alógicos que, por su carga irracional, pueden producirse en las
asociaciones imaginativas aleixandrinas. Esto no se limita a las imágenes, sino que cala otros aspectos, y ciertos instrumentos del lenguaje quedan también, con alguna frecuencia, invadidos por tal alogicismo [1].

El lector no puede ya sorprenderse. En el capítulo anterior veía
cómo las negaciones actuaban en ciertos instantes dentro de la frase
con pérdida de su significado ordinario. No se trata de un hecho aislado. Lo mismo les ocurre a otras partículas, sobre todo a los adverbios y a las conjunciones. Ese vaciamiento de sentido puede ser casi
total. Si leemos un poema que comienza diciendo:

---

[1] Sobre el carácter alógico que muchas veces posee el lenguaje hablado,
y aun en algunos casos el lenguaje literario, y sobre todo el lenguaje poético
de la lírica popular y de la lírica primitiva en todo el mundo, véase Otto
Jespersen, *Humanidad, nación, individuo, desde el punto de vista lingüísti-
co*, Rev. de Occidente Argentina, Buenos Aires, 1947, páginas 235-242.
Igualmente, A. Schinz, en *Smith College Studies*, octubre 1923, ha tratado
de la ausencia de sentido lógico en la poesía dadaísta; y, entre otros, Karl
Bücher, *Arbeit und Rhythmus*, 2. Aufl., Leipzig, 1899, pág. 303, ha escrito
sobre el marcado alogicismo que los estribillos de las canciones populares poseen, y aun sobre el alogicismo visible a todo lo largo de las canciones mismas.
(Citados por Jespersen.)

Un pelo rubio ondea.
Se ven remotas playas, nubes felices, un viento
   así dorado
que curva cuerpos sobre la arena pura.

("Pájaros sin descenso", de *Mundo
a Solas.*)

hemos de reconocer que el poeta ha extirpado del adverbio "así" toda alusión a circunstancias modales expresadas con anterioridad.

En otros instantes, el adverbio conservará aún un valor funcional, pero no el que lógicamente le correspondería:

...las fieras muestran... sus espadas o dientes
como latidos de un corazón que casi todo lo ignora
menos el amor,
al descubierto en los cuellos allá donde la arteria
   golpea,
donde no se sabe si es el amor o el odio
lo que reluce en los blancos colmillos.

("La selva y el mar", de *La
Destrucción o el Amor.*)

El segundo "donde", el subrayado, ha perdido por completo su significado de relativo de lugar, convirtiéndose en una apoyatura de tipo más o menos copulativo. El sentido de los versículos aducidos es el siguiente: "el amor está al descubierto en los cuellos, donde la arteria golpea; y en los colmillos, no se sabe si lo que reluce es amor o es odio: es amor que puede parecer odio".

Lo propio les ocurre a las conjunciones. La partícula "aunque", por ejemplo, se desnuda de su color concesivo en los versos que siguen:

...Pero el mar no. No es piedra
esa esmeralda que todos amasteis en las tardes sedientas.
No es piedra rutilante toda labios tendiéndose,
aunque el calor tropical haga a la playa latir
sintiendo el rumoroso corazón que la invade.

("Destino trágico".)

La pérdida de valor funcional en ciertas conjunciones tendrá como consecuencia la formación de falsas coordinaciones y subordinaciones. Así, el ejemplo tomado de "Destino trágico" muestra una coordinada concesiva falsa. Sin embargo, el empleo de partículas desprovistas de su verdadera significación está poéticamente justificado, porque sirve para ligar unas estrofas con otras, unas visiones con otras distintas, suavizando el desarrollo del discurso e impidiendo que se verifiquen transiciones demasiado bruscas. Mas, en algunos casos, la falta de lógica que otro tipo de construcciones evidencia tiene diferente tono. Así, leemos en "Poderío de la noche":

> Un claror lívido invade un mundo donde nadie
> alza su voz gimiente.
>
> (De *Sombra del Paraíso.*)

Si la sintaxis fuese la normal, estos versos significarían que nadie alza su voz gimiente en el mundo que el poeta canta, *pero que pueden alzarse voces no gimientes.* Y no es tal el sentido del par de versos copiados, sino este otro: "un claror lívido invade un mundo donde nadie alza su voz; pero si alguien existiese en ese mundo, su voz no podría ser más que gimiente".

La construcción aleixandrina es anómala, pero muy eficaz, por condensar extraordinariamente la significación. El alogicismo tiene, pues, muchas veces, una importante misión estética, misión que vemos muy clara cuando la falta de lógica sirve para lavar el lenguaje de todo tópico sintáctico. Si utilizando la fórmula "no A, sino B", decimos como primer miembro de la adversación "no crueles", inevitablemente esperamos que como segundo miembro aparezca una expresión tal como "sino benignos" "no crueles, sino benignos". Si es "no rauda" el término que se enuncia en primer lugar, el término aguardado será "sino lenta" o "sino tranquila". El poeta puede usar también, claro está, de ese molde siguiendo tan mecánicas normas, pero le prestará una súbita virginidad, un súbito resplandor, cuando, destruyendo la rígida ley que lo gobierna, contrapone entre sí cualidades que no se excluyen mutuamente:

No crueles: dichosos.

("Criaturas en la aurora", de
Sombra del Paraíso.)

No rauda, sino deleitable.

("Primera aparición", inédito.)

Este pequeño esguince, este leve quiebro que el poeta ha dado,
basta para proporcionar una extraordinaria economía a la expresión,
pues el significado que ahora encierra la palabra "deleitable", por
ejemplo, es más o menos el siguiente: "pasabas no rauda, sino lenta,
y esa lentitud te convertía en un ser deleitable para mis ojos, que podían recrearse morosamente en tu belleza" [2].

Resulta interesante observar que es exactamente la falta de coherencia sintáctica uno de los recursos de que se vale el chiste contemporáneo para provocar la risa. Expresiones como "¿es Vd. casado o
feliz?", "muchacha pobre, pero fea", "ni alto ni bajo, sino todo lo contrario", no son difíciles de hallar en revistas y libros de humor. (Otra
vez volvemos a encontrar en la comicidad procedimientos idénticos
a los que la poesía utiliza.)

Pero, de todas maneras, el hallazgo de esta técnica en la literatura
de humor revela que se trata de un amplio fenómeno de época, cuya
presencia está producida por causas muy concretas: el individualismo,
irracionalista, que impregna la cultura toda de nuestro siglo.

Hasta ahora hemos venido comentando el alogicismo referido a
la sintaxis. Pero si hablamos del período anterior a *Sombra del Paraíso* podríamos verlo irrigar también a la semántica. No tenemos más
que recordar aquel extraño nexo imaginativo "(A) del tamaño de (B)",
que no indicaba la igualdad de A y B en cualidades de volumen o de
longitud, como sería lo normal, sino que expresa su completa identi-

---

2 Un análisis más detenido de ese caso puede verse en mi *Teoría de la
expresión poética*, 4.ª edición, ed. Gredos, Madrid, 1967. En cuanto al otro
caso ("No crueles: dichosos"), el significado, muy condensado, vendría a ser
éste: "No crueles, dichosos, que es un modo superior de benignidad". (Y es
que tras "no crueles" esperamos el adjetivo "benignos", que aunque no llega,
como al esperarlo lo hemos anticipado de hecho, realiza su aparición en nuestra
mente). Al procedimiento usado en ambos casos lo he llamado "ruptura del
sistema de una vinculación lógica entre contrarios".

ficación. Así, leemos en "La selva y el mar", pieza perteneciente a *La Destrucción o el Amor,* el siguiente verso:

> ...tigres del tamaño del odio...

cuyo significado es equivalente a una frase que utilizara el verbo sustantivo: "los tigres son odio".

Todo ello, en conjunto, no es otra cosa sino el despojo irracionalista que la marea del suprarrealismo, al retirarse, ha dejado en la expresión de Aleixandre. Después de *Espadas como Labios,* Vicente Aleixandre no es ya suprarrealista, pero su expresión ha aprendido a ser libre, fuera, a veces, según vemos, de los moldes lógicos.

LA ESTRUCTURA GENERAL DE LOS POEMAS
ALEIXANDRINOS

CAPÍTULO XXVIII

GÉNESIS DE UN POEMA ALEIXANDRINO DE LA PRIMERA
ÉPOCA

EL TEMA DE LAS COMPOSICIONES
POÉTICAS, SÍMBOLO DE UNA
DIFERENTE REALIDAD AFECTIVA

El análisis que en el presente capítulo y en otro posterior vamos
a efectuar se extenderá por vertientes muy distintas de las que hemos
considerado hasta ahora, y que salvo alguna excepción han sido extrañamente olvidadas por la crítica literaria. Nos encararemos, pues,
con el estudio de la estructura que las composiciones de Vicente Aleixandre suelen seguir, pero antes de entrar en tal labor se me permitirá realizar una pesquisa previa que consistirá en escudriñar la
psicología del poeta en el momento de la creación y en examinar
cómo se verifica luego el nacimiento y ulterior desarrollo del poema.

Todo ello nos hará conocer la técnica aleixandrina de composición
a lo largo de la primera época y, en general, la de todos los artistas
contemporáneos [1]. Tomemos el instante primero de ella, el del impulso

---

[1] Llamo poesía contemporánea a la que se escribe en Europa, aproximadamente, desde Baudelaire hasta la segunda guerra mundial. Aleixandre, a
partir de *Historia del Corazón*, como sabemos, supera la "contemporaneidad"
y lo mismo que les ocurre a todos los poetas poscontemporáneos, cambia su
modo de componer. Lo que digo en el texto vale únicamente para el primer
Aleixandre.

o inspiración. Algo exterior o algo interior ha movido la sensibilidad del poeta. Se trata, quizá, de un percance en su vida afectiva que desata, digamos, en su corazón un movimiento de tristeza. He aquí, por ejemplo, el motor inicial de la pieza a escribir. En este momento su futuro autor puede hacer dos cosas: o cantar directamente el objeto que le ha inspirado o cantar otro cualquiera, situado dentro de una amplia, aunque limitada zona: la del dolor, que es el estado en que se encuentra su alma. Los temas, por tanto, pueden ser muy variados: el atardecer, la noche, la muerte, la ausencia del bien sobre la tierra, la insensibilidad de los hombres, la humana soledad... Cabría que cualquiera de ellos fuese excipiente del estado anímico en que nuestro poeta se halla, porque todos son susceptibles de ser expresados con melancolía. Claro que no suele realizarse la elección de tema de modo reflexivo. El procedimiento acostumbra ser otro. A partir del instante de la difusa emoción inicial, Aleixandre comienza a indagar de un modo vago en su espíritu, trazando versos sueltos que tal vez luego abandona, para comenzar con otros que quizá abandone también. Con frecuencia surgen así una o dos estrofas enteras. El poeta sabe que aquellas líneas no serán utilizadas después[2], pero con ellas está

---

2 He examinado los originales de *Sombra del Paraíso*: veinte poemas tienen tachados los primeros versos. Veamos por ejemplo el manuscrito de la pieza titulada "Primavera en la tierra". El poeta había comenzado a redactarla con estos versos:

> Todas las nubes alegres,
> el mágico arrebato
> de un día alegre y triste,
> mirando sobre las aguas claras,
> evoca su imagen sonriente, su minucioso (ilegible)
> y ese resplandor vacilante de un cabello que (ilegible)
> devuelve en la (ilegible)...

Luego había seguido:

> ¿Quiénes sois vosotros,
> espíritus de un alto cielo,
> poderes benévolos que presidisteis mi vida...?

Aquí, sí, el poema comenzaba realmente. Se hacía necesario suprimir la estrofa anterior: sólo representaba una indagación previa, semejante a la que algún músico realiza en el piano, cuando hace unas escalas antes de empezar

tratando de encontrar el verso clave: el encendidamente tocado de la tristeza precisada. Por fin, nace ese verso. Tachados los anteriores, sólo a partir de éste la composición comienza, hinchándose como una vela dispuesta para el viaje. Supongamos que el tema elegido ha sido el anochecer. Es evidente que en nuestro supuesto sólo se trata de un reflejo, una imagen del estado anímico de Aleixandre. En realidad, de un *símbolo*, dando a tal vocablo el significado científico que le hemos otorgado en el capítulo X de este libro. Su plano real será un sentimiento anímico: la melancolía del poeta, producida por causas seguramente muy ajenas al objeto cantado, tal vez hasta triviales; acaso de índole puramente material.

Pero sigamos contemplando el desarrollo de nuestro poema. Avanzada su composición acaece un inesperado fenómeno: el poema se *hegemoniza*, en cierto modo, con respecto a quien lo concibe: el poeta se siente arrastrado hacia una meta desconocida. No sabe lo que dos estrofas más abajo va a decir, ni mucho menos cómo finalizará la composición, enigma este último tan oscuro para él como para otra persona cualquiera. El trabajo del artista consiste en no dejar en ningún momento de ir comprobando en su sensibilidad que el verso sigue fijo al norte del sentimiento inicial. Tal vez Aleixandre hubiese deseado expresar una determinada significación cuya manifestación, sin embargo, no consiente el poema, cargado de vida propia y con un desarrollo que, si auténtico, no depende, en cierto modo, de los deseos exteriores de su creador, sino que se verifica, generalmente, por asociaciones de ideas, muchas veces de carácter no reflexivo. Por fin se llega a un punto culminante, cima no sobrepasable o abismo final, más abajo del cual no es posible descender: el poema ha terminado. Esa meta postrera se hallará colocada muy cerca o muy lejos del comienzo. La composición ha sido breve o larga, independientemente (por lo menos, hasta cierto punto y en un cierto sentido) de los propósitos de quien la escribe. Ha cesado por sí misma, como una criatura viva que muere a los diez años o a los ochenta, sin que sus pa-

---

a componer. Para dar coherencia a la representación, convenía además modificar el verso que iba a quedar como primero. En vez del interrogativo "¿quiénes sois vosotros?", le parece a Aleixandre más adecuado empezar por una aseveración: "vosotros fuisteis". Ahora sólo restaba seguir. El tema apuntaba ya muy claramente.

dres puedan oponer al destino otra cosa que buenos deseos. En ocasiones ocurrirá, incluso, que el verso último no agota el deseo creador
del artista. Pero la composición no es continuable. ¿Qué hacer? Empezar, en todo caso, otro nuevo poema que tal vez tenga el mismo
plano real del anterior, aunque el tema-símbolo sea otro. (Igual que
todos los sueños de una noche, según el psicoanálisis, se relacionan entre sí, y hasta expresan a veces las mismas ideas latentes.) Si antes
consistía en el anochecer, ahora podría versar, digamos, sobre el destino del hombre o bien sobre la ausencia de Dios, o sobre la muerte.

Este modo de composición, según el cual el poeta parte de la
impresión subjetiva que un objeto le produce y no de ese objeto,
caracteriza no sólo a Aleixandre, sino a toda la poesía a partir de
Baudelaire, y es, justamente, resultado de ese subjetivismo, iniciado en
Descartes, y culminante en el período romántico, y más aún en el
contemporáneo, que declara la indubitabilidad del yo y sus representaciones, mientras considera como esencialmente problemático ese
mundo objetivo que nos representamos. El mundo objetivo será así
desconsiderado en beneficio de la subjetividad. No importarán, por
ejemplo, los admirables ojos de Lucía, sino mi admiración hacia ellos
en cuanto tal. Lo interesante para mi poema no es consignar el origen de la emoción que siento, sino la emoción misma, que yo puedo
expresar en consecuencia a través de otro tema, que, así, muy ampliamente, la simboliza: por ejemplo, el amanecer, cuya temblorosa y
bellísima claridad me parece digna de igual aprecio y pasmo que la
transeunte mirada que he percibido. En la época contemporánea, y
acusadamente en Aleixandre, el tema se humilla ante la tiranía de la
emoción. Pues lo primero y primordial es la emoción que ha de ser
expresada, en tanto que el tema es segundo con respecto a ella, al contrario de lo que ocurre en las épocas no contemporáneas: las que van
antes y la que va después de ese período. Pues he de decir nuevamente que la poesía contemporánea terminó definitivamente en Aleixandre con la publicación de su *Sombra del Paraíso*. Posteriormente a
ese libro la poesía española, y también la de nuestro autor, entran
en una nueva estética que provisionalmente he llamado "poscontemporánea" o "neorrealista", representada hasta hoy en Vicente Aleixandre, como sabemos, por *Historia del Corazón*, *En un Vasto Dominio* y *Retratos con Nombre*. En todos estos libros el tema recobra o

suele recobrar la vieja preminencia con respecto a las emociones. Pero volvamos al período primero de su producción.

En él, el tema poético es de hecho en Aleixandre y sus congéneres un "correlato objetivo" o "símbolo" de la subjetividad del autor, según he sentado más arriba, y sirve para establecer esa distancia psíquica entre autor y creación, que con posterioridad al romanticismo y como reacción frente a esta escuela los poetas contemporáneos sintieron con urgencia y necesidad. En todo el siglo XX la poesía española (y desde Baudelaire, la poesía francesa), aunque intensamente subjetiva, como sabemos, tiende al pudoroso disimulo del yo, que nunca había sido, sin embargo, tan imperioso. De ahí la utilización del tema como cortés simulacro de la intimidad del poeta o de quien habla en su poema y que figura que es el poeta; intimidad que ese tema ofrece, pues, con objetivización [3].

Después del análisis que acabamos de hacer, surge con toda claridad una conclusión importante: que casi siempre los temas poéticos aleixandrinos aparecen como figuraciones imaginativas cuyo sustentáculo o realidad emisora fuese un difuso estado de ánimo. El tema no será, por tanto, elegible caprichosamente, sino teniendo en cuenta su capacidad para polarizar alrededor de su núcleo las dispersas nebulosidades de esa especial situación del espíritu. (En el capítulo VIII ya decíamos, más ampliamente aún, que no sólo los temas, la cosmovisión misma de la primera época en su conjunto es en Aleixandre simbólica. Por lo que toca a la segunda época, el tema pierde también, como la visión del mundo, por lo general y característicamente su naturaleza de símbolo tal como hace poco he insinuado).

---

[3] Después de publicada la 1.ª edición del presente libro (ed. Ínsula, Madrid, 1950), Amado Alonso apoyó la tesis que por entonces yo sustentaba, dándole el mismo sentido universal que yo le había dado y que hoy no acepto.

CAPÍTULO XXIX

LA ESTRUCTURA DE LOS POEMAS

I. *EL COMIENZO*

COMIENZOS TANTEANTES

La indagación realizada en las páginas anteriores va a servirnos ahora para comprender mejor la estructura general de los poemas de Aleixandre. Si echamos una mirada general sobre ellos, veremos que ya a partir de la *Destrucción o el Amor*, pero sobre todo desde *Sombra del Paraíso*, existen en las piezas aleixandrinas, como es sólito, tres instantes esenciales: planteamiento, desarrollo creciente (paralelo a lo que en las obras teatrales se llama "nudo") y final o culminación (semejante al desenlace de la dramaturgia). En el presente subcapítulo sólo vamos a considerar el momento primero, el de planteamiento.

Antes insinuábamos que el carácter frecuentemente simbólico del tema, o lo que es lo mismo, la tendencia "contemporánea" al subjetivista predominio de la emoción hace que cuando Aleixandre comienza a redactar una composición en su primera época (que es cuando se utiliza ese modo de composición) no suela saber con exactitud el tema que en ella va a desarrollarse. Sólo percibe una emoción difusa que podría originar temas diversos. Por eso, el principio de las piezas tendrá muchas veces la forma de un tanteo. Lo que en *Sombra del Pa-*

raíso e *Historia del Corazón* [1] se patentiza más que en los libros anteriores, al concretarse alguna vez ese tanteo en una pregunta que parece dirigida al propio poeta, como si éste sólo borrosamente empezase
a vislumbrar el tema. De las cincuenta y dos composiciones de *Sombra
del Paraíso* existen hasta trece que se abren interrogativamente (y alguna que no lo hace en el texto definitivo lo hace en el original manuscrito, véase la nota 2 al capítulo anterior) e idéntica proporción
es la visible en *Historia del Corazón*:

> ¿Qué nuevo y fresco encanto,
> qué dulce perfil rubio emerge
> de la tarde sin nieblas?
>
> ("Plenitud del amor", de
> *Sombra del Paraíso.*)

> ¿Qué voz entre los pájaros de esta noche de ensueño
> dulcemente modula los nombres en el aire?
>
> ("Los dormidos", de
> *Sombra del Paraíso.*)

> ¿Era acaso a mis ojos el clamor de la selva,
> selva de amor resonando en los fuegos
> del crepúsculo,
> lo que a mí se dolía con su voz casi humana?
>
> ("Muerte en el Paraíso", de
> *Sombra del Paraíso.*)

La indecisión de los versos iniciales puede verse aún más nítidamente comprobada en un poema como "Las manos", donde los versículos primeros semejan buscar el ritmo que sólo hacia el final de la
primera estrofa se hará uniforme:

> Mira tu mano, que despacio se mueve,
> transparente, tangible, atravesada por la luz,
> hermosa, viva, casi humana en la noche.

---

[1] Aunque en *Historia del Corazón* el tema ya no es simbólico, la costumbre de componer partiendo de la emoción y no del tema pudo, al parecer, por
inercia, mantenerse inalterable, como un hábito psicológico.

Con reflejo de luna, con dolor de mejilla,
con vaguedad de sueño,
mírala así crecer, mientras alzas el brazo,
búsqueda inútil de una noche perdida,
ala de luz que cruzando en silencio
toca carnal esa bóveda oscura.

No fosforece tu pesar, no ha atrapado
ese caliente palpitar de otro vuelo.
Mano volante, perseguida : pareja.
Dulces, oscuras, apagadas, cruzáis.

(De *Sombra del Paraíso*.)

El resto de la pieza estará escrita ya en el originalísimo metro
que muestran los versículos últimos, y al que en otro lugar he llamado "dodecasílabo de gaita". Sin embargo, ese ritmo no comienza hasta
el verso séptimo [2]. Los seis anteriores, en consecuencia, significan una
búsqueda de tal musicalidad, búsqueda que nítidamente coincide con
otra paralela en el terreno temático. Porque es casi seguro que Aleixandre, al escribir la mitad de la estrofa inicial, sólo confusamente
habría entrevisto la representación ulterior del poema : el alucinante
vuelo de unas manos amorosas. Reparemos en que el verso número 1
se dirige a la segunda persona del singular :

Mira tu mano, que despacio se mueve...

Es difícil que el "tu" que aquí vemos esté referido a uno de los
amantes muertos. Más bien el lector se inclinaría a pensar que el
poeta alude a sí mismo con tal partícula [3]. Acaso contemplase su
propia mano moviéndose y luego, en marcha ya el poema, la visión
sufriera un leve traslado : he aquí, pues, un ejemplo más del alogi-

---

[2] Obsérvese aquí algo peculiar de nuestro poeta y que ya conocemos :
sólo cuando se inicia en el significado la movilidad, aparece en el significante
un ritmo más dinámico.

[3] Ese "tu" que en otro sitio (*Teoría de la expresión poética*) he llamado
"testaferro", resulta del intento distanciador contemporáneo a que antes me
he referido, y su primera aparición, dentro de la poesía española, se realiza en
la obra de Antonio Machado.

cismo imaginativo, muy típico de las obras aleixandrinas anteriores a *Historia del Corazón*.

Pero también es peculiar (y en esto coincide Aleixandre, como diré, con otros poetas de su tiempo) que la falta de lógica en el principio de las composiciones sea de tipo sintáctico. Así, es hacedero que una pieza se abra con una falsa adversación:

Pero otro día toco tu mano. Mano tibia...

("Mano entregada", de
Historia del Corazón.)

En sentido más general diríamos que puede abrir el poema una partícula o una frase que para su cabal sentido necesita de un antecedente (cito versos absolutamente iniciales):

Así acaricio una mejilla dispuesta...

("Juventud", de *La Destrucción
o el Amor.*)

No. Basta...

("La dicha", de *La Destrucción
o el Amor.*)

Sí, te he querido como nunca...

("Soy el destino", de *La
Destrucción o el Amor.*)

Tú, en cambio, sí que podrías amarme...

("Otra no amo", de *Historia
del Corazón.*)

Para que hubiese lógica en cada uno de los versos transcritos haría falta que existiesen otros anteriores que justificasen el empleo de las partículas "así", "no", "sí" y "en cambio". Pues bien: estos comienzos, en que parece que se han perdido los primeros versos, son característicos del autor de *Espadas como Labios*, aunque, por otra parte, lo sean también de toda la poesía contemporánea, pues la tendencia a no decir lo que pueda ser sugerido, propia de toda esa época, hace que el poeta rompa los puentes lógicos donde quiera que la obligada inteligibilidad del texto que escribe se lo permita. En Machado son todavía pocos, pero característicos, estos comienzos poemáticos ex-abrupto, aunque sólo recuerdo en tal poeta un uso copulativo de ese tipo de comienzos, y más concretamente el uso a este propósito de la copulativa "y" ("y nada importa ya que el vino de oro..."; "¿y ha de morir contigo el mundo mago...?"). Añadamos que a partir de Juan Ramón Jiménez la apertura brusca de la composición (que tiene, por supuesto, otras formas, aparte de la comentada aquí) se convierte en frecuente y natural hábito expresivo entre los poetas. Vicente Aleixandre, pues, no hace en este punto otra cosa que proseguir una arraigadísima tradición de su tiempo.

II. *EL DESARROLLO DE LOS POEMAS*

EL DESARROLLO DE LAS PIEZAS POÉTICAS, UN PROCESO DE ASOCIACIÓN DE IDEAS

De esta manera, si el poeta no ha encontrado desde el comienzo el núcleo sustancial de la representación a tratar, el inicio de la pieza será tanteante y semejará una búsqueda del tema. Tal es lo que acabamos de mostrar. Otras veces, cuando ya desde los primeros versos arranca la visión poemática, es muy corriente que la estrofa inicial sea una especie de resumen previo de lo que después se desenvolverá con amplitud. Claro está que esos dos tipos no agotan todos los casos posibles de planteamiento. Sólo estoy hablando de lo que es más frecuente en las obras de Aleixandre, y no de particularidades menos características.

Pero veamos ahora cómo se va verificando el desarrollo de un poema, para lo que transcribiré íntegramente uno perteneciente a la época de *Historia del Corazón* [4].

---

[4] José Luis Cano, *Antología de poetas andaluces contemporáneos*, col. La Encina y el Mar, Madrid, 1952, pág. 260.

NO TE CONOZCO

1 ¿A quién amo, a quién beso, a quién no conozco?
2 A veces creo que beso sólo a tu sombra en la tierra,
3 a tu sombra para mis brazos humanos.
4 Y no es que yo niegue tu condición de mujer,
5 oh nunca diosa que en mi lecho gimes.
6 Pero yo no gimo de alegría cuando te estrecho.
7 Sobre la ebriedad del amor, cuando bajo mi pecho brillas
8 con el secreto brillo íntimo que sólo la piel de mi pecho conoce,
9 yo sufro de soledad, oh siempre allí postreramente desconocida.

10 Nunca: cuando la unidad del amor grita su victoria en la ya única vida,
11 algo en mí no te conoce en la oscura sombra estremecida
12 que bajo el dulce peso del amor me sostiene
13 y me lleva en sus aguas iluminadamente arrastrado.
14 Yo brillando arrastrado sobre tus aguas vivas,
15 a veces oscuras, con mezcladas ondas de plata,
16 a veces deslumbrantes, con gruesas bandas de sombra.
17 Pero yo, sobre el hondo misterio, desconociéndolas.

18 Natación del amor sobre las aguas mortales,
19 sobre las que gemir flotando sobre el abismo,
20 hondas aguas espesas que nadie revela
21 y que llevan mi cuerpo sobre ausencias o sombras.

22 Entonces, cerrado tu cuerpo bajo la zarpa ruda,
23 bajo la delicada garra que arranca toda la música de tu carne ligera,
24 yo te escucho y me sobrecojo de la secreta melodía,
25 del irreal sonido que de tu vida me invade.
26 ¡Oh! No te conozco: ¿quién canta o quién gime?
27 ¿Qué música me penetra por mis oídos absortos?
28 ¡Oh! Cuán dolorosamente no te conozco,
29 cuerpo amado que no hablas para mí que no escucho.

La composición empieza de un modo interrogativo. Lo más probable es que al comenzarla Aleixandre sólo percibiese o imaginase una difusa emoción de tristeza que se condensó luego en recuerdos de experiencias amorosas. Ya tenemos escrito el primer verso: "¿A quién amo, a quién beso, a quién no conozco?". Sí: la vaga melancolía de que hablamos, y cuyo origen fantástico o tal vez, por el contrario, biográficamente de algún modo determinable, no es del caso, se ha polarizado en el recuerdo —reciente o muy lejano— de alguna muchacha (quizás puramente imaginaria y simbólica) que el poeta supone que ha amado y que acaso pudo haberle hecho sufrir. Todo esto se concreta en una conciencia de la última incomunicación que es el amor, porque nunca cesan los amantes de ser dos seres, ni aun enlazados en el amor mismo[5]. El verso segundo y el tercero son consecuencia del primero: "A veces creo que beso sólo a tu sombra en la tierra, a tu sombra para mis brazos humanos". La palabra "sombra" atrae el verso cuarto. Si la muchacha es sólo "sombra", podría no tratarse de una mujer de carne y hueso, idea que el poeta se apresura a rechazar. El verso quinto abundará en la misma afirmación con más intensidad: "oh nunca diosa que en mi lecho gimes". "Gemir de amor" es algo sólo inherente a las criaturas, no a los seres fantasmales ni a las diosas. Y aquí llega, también por asociación de ideas, el versículo siguiente. La persona amada *gime de amor*, pero el amante *no gime* de alegría al estrechar su cuerpo. A su vez, la representación plástica introducida por el verbo "estrechar" origina la situación que vemos en los versos séptimo y octavo. La amada está *bajo el pecho* del amante. Pero, al mismo tiempo, la idea de "no gemir de alegría", expresada en el sexto, da lugar al noveno: "yo sufro de soledad, oh siempre allí (bajo mi pecho) postreramente desconocida". El verso número 10, lo mismo que el número 11, siguen tratando el tema del desconocimiento que venía arrastrándose desde el principio: la muchacha es una sombra cuya naturaleza permanece ignorada, sombra que sostiene físicamente al poeta. He aquí el comienzo de una "visión" que ocupará nueve versículos (desde el 13 al 21). Porque el verbo "sostener" y la representación plástica que lleva consigo atrae una noción relacionada: la idea de

---

5 Esa idea sobre la imposibilidad de la comunicación perfecta en el amor se halla repetida en la obra de Aleixandre. Véase, por ejemplo, el poema "mano entregada" y nuestro comentario en las págs. 318 y ss.

natación. El ser querido es un río que *sostiene* en sus aguas el cuerpo del amante. Pero ya en el verso vigesimosegundo se interrumpe en cierto modo (sólo en cierto modo) el proceso asociativo para iniciarse una nueva imagen que ocupa el resto del poema. El cuerpo de la persona amada queda ahora visto como un instrumento musical: el poeta lo tañe y se sobrecoge de la secreta melodía que irradia.

Hemos podido comprobar con tan minucioso análisis que las composiciones poéticas (frecuentemente y característicamente las de Aleixandre, pero no sólo las de Aleixandre) se van desarrollando por puras asociaciones ideológicas que proliferan sin cesar, siendo de índole imaginativa alguna de tales arborescencias. A veces la cadena se rompe, iniciándose otra nueva, que puede igualmente ser quebrantada al llegar a determinado sitio.

En *La Destrucción o el Amor* y en los libros anteriores a éste (no a partir de *Sombra del Paraíso*), las asociaciones de ideas pueden impedir que el hilo del discurso siga una dirección rectilínea en el tratamiento temático, lo cual es muy típico de ese momento de nuestro autor. Se originan entonces hondos repliegues o curvas de gran amplitud que introducen en el poema elementos muy ajenos a su tema estricto, aunque poéticamente puedan ser muy valiosos. Nada de lo cual es nuevo para el lector: lo hemos dicho ya en otras páginas de este mismo trabajo [6]. Veíamos en ellas, por ejemplo, que el tema erótico de "Ven siempre, ven" sufría un largo eclipse, en provecho de una muy bella disquisición sobre la soledad de los astros.

PLURIMEMBRACIÓN A FIN DE ESTROFA

Dámaso Alonso ha estudiado un artificio estilístico que placía mucho a nuestros poetas del Siglo de Oro: la partición simétrica del verso en dos, tres o más miembros, sobre todo si se trataba del verso que cerraba la estrofa [7]. Cita, entre otros, este endecasílabo de Calderón:

...culpa infiel, torpe error, ciega herejía...

---

[6] Véanse las págs. 254 y ss.
[7] Dámaso Alonso, *Versos plurimembres y poemas correlativos*, Madrid, 1944.

Y este otro de Pedro de Vargas Machuca:

> mejor voz, mejor lira, mejor pluma...

Los ejemplos abundan en Góngora. En una canción, el vate cordobés hace que todas las estrofas terminen en un verso trimembre:

> ...ver a Dios, vestir luz, pisar estrellas...
> larga paz, feliz cetro, invicta espada, etc....
>
> (*Canción a San Hermenegildo.*)

Pues bien: este procedimiento se encuentra relativamente prodi-
gado en *Sombra del Paraíso* [8], y con una intención estética semejante
a la que es visible en nuestros clásicos: sirve también para cerrar con
brillantez las estrofas. La plurimembración en Aleixandre posee siempre unas características especiales: cada uno de los miembros está
precedido por un genitivo de materia:

> (Un pájaro) ebrio de amor, de luz, de claridad,
>   de música...
>
> ("El desnudo", de *Sombra del
> Paraíso.*)

> ...y mi sangre ruidosa se despeñaba en gozos
> de amor, de luz, de plenitud, de espuma...
>
> ("Nacimiento del amor", de
> *Sombra del Paraíso.*)

> ...un ocaso...
> de luz, de amor, de soledad, de fuego...
>
> ("Muerte en el Paraíso".)

En muchos casos, esta técnica posee verdadera eficacia poética.
En algunos, la plurimembración puede lindar con el manierismo: si el
lector compara entre sí los tres ejemplos que he tomado, notará que
en los tres existe un par de elementos comunes: los términos "amor"
y "luz" se repiten en los tres casos, y su situación dentro del verso es
también la misma, o casi la misma.

---

[8] No se encuentra más que en este libro.

ESTROFAS CON TRA-
TAMIENTO DE POEMA

Es bastante típico del autor de *Sombra del Paraíso* que las sucesivas estrofas de que una composición consta (o algunas de entre ellas,
por lo menos) estén planeadas según las normas de un poema completo. Es decir, que tengan esbozadamente un planteamiento, un desarrollo y una culminación. He aquí la estrofa tercera de "El río", teniendo
en cuenta que después de esta estrofa existen aún otras cuatro:

> Allí el río corría, no azul, no verde o rosa, no
> amarillo, río ebrio,
> río que matinal atravesaste mi ciudad inocente,
> ciñéndola con una guirnalda temprana, para acabar
> desciñéndola,
> dejándola desnuda y tan confusa al borde de la verde
> montaña,
> donde siempre virginal ahora fulge, inmarchita en
> el eterno día.
>
> (De *Sombra del Paraíso.*)

Y he aquí la tercera estrofa de "El poeta", pieza de *Sombra del
Paraíso*, que posee ocho en total:

> Sí, poeta, el amor y el dolor son tu reino.
> Carne mortal la tuya que arrebatada por el espíritu
> arde en la noche o se eleva en el mediodía poderoso,
> inmensa lengua profética que lamiendo los cielos
> ilumina palabras que dan muerte a los hombres.

Obsérvese cómo en ambos ejemplos los versos van creciendo progresivamente en intensidad hasta el completo alzamiento del último,
cumbre climática que parece un estallido de sustancia poética. Técnica, así, idéntica a la que en proporciones más acusadas se da en el
poema total. Precisamente la que hemos llamado poesía poscontemporánea vendrá a destronar este tratamiento estrófico del poema, que
tiene matices personales o especialmente intensos en Aleixandre, pero

que caracteriza de otro modo a todo el período contemporáneo. Lo que dentro de esa tónica general tiene sello específicamente aleixandrino es que la estrofa, tal como queda dicho, no sólo sea intensa en sí misma, sino que lleve en su seno esos tres instantes (planteamiento, desarrollo y culminación) que son propios del poema entero.

III. EL FINAL DE LOS POEMAS

FINALES CLIMÁTICOS

Los finales relampagueantes, cúspide última de una elevación del tono expresivo, son, quizá, los más peculiares entre los usados por la lírica de Aleixandre, sobre todo en *Sombra del Paraíso*. (En los libros siguientes, en general, desaparecen.) Son al menos los que cierran el poema de una manera más brillante y los que proporcionan a éste mayor cohesión, apretando toda su estructura en un denso bloque acusadamente tectónico. Véanse las estrofas postreras de una composición titulada "Elegía" (en la muerte de Miguel Hernández). En ella se describe a la Tierra solitaria, que rueda llevando en su seno el cadáver inmenso, casi estelar, del poeta muerto:

> Tierra ligera, ¡vuela!
> Vuela tú sola y huye.
> Huye así de los hombres despeñados, perdidos,
> ciegos restos del odio, catarata de cuerpos
> crueles que tú, bella, desdeñando hoy arrojas.
> Huye hermosa, lograda,
> por el celeste espacio con tu tesoro a solas.
> Su pesantez, al seno de tu vivir sidéreo
> da sentido, y sus bellos miembros lúcidos para siempre
> inmortales sostienes para la luz sin hombres.

> (Del libro *Nacimiento Último*.)

Si quisiéramos hallar la causa de esta sensación de grito pujante, tendríamos que recurrir a un desmenuzamiento de todos los elementos utilizados. En primer lugar, la "visión" es ya de por sí poderosa: el cuerpo funeral de Miguel Hernández (el "tesoro" a que se refiere el verso séptimo) está visto con tamaño cósmico. Pero los ingredientes son mucho más variados, y la expresión brilla por su justeza y rigurosidad. Tomemos sólo, para no hacer interminable el análisis, los tres versículos últimos, comenzando por el primero de ellos:

> Su pesantez al seno de tu vivir sidéreo
> da sentido...

Los sustantivos "pesantez" y "vivir sidéreo" adjudican a la frase una fúnebre solemnidad, y la pausa terminal de este versículo intensifica la acción del verbo que viene al comienzo del siguiente ("da sentido"). Mas ni por un instante deja lo grandioso de actuar sobre la sensibilidad del lector:

> ...y sus bellos miembros lúcidos para siempre...

El adjetivo "bellos" aplicado a "miembros" posee valentía: pero el calificativo "lúcidos" y el adverbio "siempre" son los que siguen manteniendo la altitud del tono, que culmina en una explosión de luz suprema:

> ...*inmortales* sostienes para *la luz sin hombres*...

¡Para la luz sin hombres! Si dijera "para la luz solitaria" o "para la sola luz", no cabe duda que la expresión seguiría siendo bella. Pero también es evidente que no estaría cargada, al mismo tiempo que de grandiosidad, de ira y de desprecio por esa humanidad que destruyó la preciosa existencia del poeta cantado. Porque "luz sin hombres" es expresión sintética donde se reúnen condensadamente varios sentidos.

Tan raros aciertos en los finales que llamaríamos climáticos son normales en la poesía del autor de *Sombra del Paraíso*. He aquí un par de ejemplos más:

Final de "Ciudad del Paraíso":

> Por aquella mano materna fui llevado ligero
> **por tus calles ingrávidas. Pie desnudo en el día,**

pie desnudo en la noche. Luna grande. Sol puro.
Allí en el cielo eras tú, ciudad que en él morabas.
Ciudad que en él volabas con tus alas abiertas.

Final de "La verdad":

Bebed, bebed, la rota pasión de un mediodía
que en el cenit revienta sus luces y os abrasa
volcadamente entero, y os funde. ¡Muerte hermosa vital,
ascua del día! ¡Selva virgen que en llamas te destruyes!

(De *Sombra del Paraíso.*)

La lírica española no fue nunca muy propensa a esta clase de fina-
lizaciones poemáticas, y (salvadas las naturales excepciones) sólo se dan
de modo caracterizador contemporáneamente: en Guillén abundan
mucho; son visibles en algunas piezas de Machado, en varias de
Juan Ramón y aun en algunas de Unamuno.

FINALES ANTICLIMÁTICOS

Como contraste, consignaríamos ahora el tipo de terminación contrario, que no escasea tampoco y aun se hace muy peculiar de las obras
de nuestro poeta. Consiste en un apagamiento progresivo del tono, en
un lento descenso de la voz. Un ejemplo, tomado de "Poderío de la
noche":

Otro mar, muerto, bello,
abajo acabada de asfixiarse. Unos labios
inmensos cesaron de latir, y en sus bordes
aún se ve deshacerse un aliento, una espuma...

(De *Sombra del Paraíso.*)

Otro, de "Primavera en la tierra":

Y miro las vagas telas que los hombres ofrecen,
máscaras que no lloran sobre las ciudades cansadas,

mientras siento lejana la música de los sueños,
en que escapan las flautas de la primavera apagándose...

(De *Sombra del Paraíso.)*

Nótese en estos casos lo adecuado de esta clase de final para servir con exactitud a la inherente representación. En el ejemplo que hemos sacado de "Poderío de la noche", un mar *cesa* de latir. En el obtenido de "Primavera en la tierra", las flautas de la primavera *se apagan.* Es natural que el acento poético se aplaque en lugar de ascender, se difumine en vez de condensarse. Nuevamente comprobamos (ahora desde otro ángulo) lo que parece ser norma del autor de *Sombra del Paraíso:* el idóneo paralelismo entre contenido y continente.

Las terminaciones de esta clase están lejos de ser cosa nueva, ni ello sería posible tratándose de un módulo expresivo de orden tan genérico. Agradaban especialmente a San Juan de la Cruz, que las utilizó en todos sus poemas mayores. Véanse las dos últimas estrofas de *Llama de amor viva:*

Oh lámparas de fuego
en cuyos resplandores
las profundas cavernas del sentido
que estaba oscuro y ciego
calor y luz dan junto a su querido.

Cuán manso y amoroso
recuerdas en mi seno
donde secretamente solo moras:
y en tu aspirar sabroso
de bien y gloria lleno,
¡cuán delicadamente me enamoras!

Es visible el descenso. La estrofa de las lámparas parece un grito de gozo. Pero la altitud del tono se apaga en la estrofa siguiente, que nos ofrece en cambio el sereno y encendido deleite de la divina contemplación.

Tal era también la técnica de Fray Luis de León y de Medrano, heredada directamente de las obras de Horacio, como Dámaso Alonso ha demostrado [9]. En efecto, el final anticlimático es "el secreto de la oda clásica" y el fundamento esencial de todo horacianismo. Por eso no deja de ser raro que Dámaso Alonso, que tan magníficamente ha estudiado estas estructuras anticlimáticas en los horacianos españoles, no las haya visto en la poesía de San Juan, a la que ha dedicado, sin embargo, un interesantísimo libro.

Desde diversas perspectivas, y aun en este mismo apartado, hemos llegado a la conclusión de que en Aleixandre, y sobre todo en *Sombra del Paraíso*, es frecuente el acierto de la relación entre la forma y el fondo. Veríamos lo mismo si nos preguntamos ahora por la razón expresiva, no ya la particular de este o aquel poema, como antes hicimos, sino la general del cierre anticlimático y del climático en ese libro aleixandrino, que es donde ambos tipos de cierre se hacen verdaderamente peculiares, aunque no dejan de darse en otras obras de nuestro poeta. En las págs. 81-82 hemos dicho que *Sombra del Paraíso* es el resultado de contrastar la realidad presente del mundo, profundamente insatisfactoria, con un satisfactorio ideal deseado, con un ansiado mito. La mirada del poeta se fija a veces en aquella apagada realidad; a veces, en este encendido ensueño. De la primera operación resultarán los finales anticlimáticos; de la segunda, los climáticos. Y como el sentido de la composición es en Aleixandre, como en otros poetas de su tiempo, muy característico, se llega, en este aspecto, a una perfecta proporcionalidad intuitiva. De los 52 poemas que constituyen *Sombra del Paraíso*, 28 terminan climáticamente y 24 anticlimáticamente.

FINALES DE RESUMEN

¿No hay sitio, pues, en ese libro para otra clase de cierres? Solamente lo hay si introducimos en la clasificación un tipo obtenido desde perspectiva diferente a la que nos ha hecho descubrir los otros dos. Hallaríamos así, como propios de Aleixandre, y, sobre todo, como propios de *Sombra del Paraíso*, un diverso género de finales, los de resumen, por medio de los cuales el poeta, en una estrofa postrera,

---

[9] Dámaso Alonso, *Vida y obra de Medrano*, Madrid, 1948, págs. 281 y 85; *Poesía española. Ensayo de métodos y límites estilísticos*. Madrid, ed. Gredos, 1951.

traza de nuevo el cuadro que los versos anteriores han desenvuelto,
o torna a expresar, en rápido esbozo y síntesis, el pensamiento antes
desarrollado en más moroso estilo. Veamos un ejemplo. El poema
"Criaturas en la aurora" describe el momento paradisíaco del universo primigenio, con sus criaturas inocentes y radiantes en la felicidad
primera. Permítaseme copiar versos sueltos del desarrollo poemático,
y subrayar por mi cuenta ciertas palabras, para hacer notar la reiteración sintética del cierre :

> Vosotros conocisteis la generosa luz de la *inocencia*.
> Entre las flores silvestres recogisteis *cada mañana*,
> el último, el pálido eco de la postrer estrella.
> ... ...
> Amanecisteis *cada día*, porque *cada día* la túnica casi húmeda
> se desgarraba *virginalmente* para *amaros*,
> desnuda, *pura, inviolada*.
> ... ...
> La música de los *ríos*, la quietud de las *alas*
> ... ...
> entonaban su quietísimo éxtasis
> bajo el mágico soplo de la luz...
> ... ...
> Allí vivisteis. Allí *cada día* presenciasteis la tierra,
> la luz, el sondear lentísimo
> de los rayos celestes que adivinaban las formas,
> que palpaban tiernamente las laderas, los valles,
> los *ríos* con su ya casi brillante espada solar...
> ... ...
> Allí nacían *cada mañana* los *pájaros*,
> *sorprendentes, novísimos, vividores*, celestes.
> Las lenguas de la *inocencia*
> no decían palabras :
> entre las ramas de los altos álamos blancos
> *sonaban* casi también vegetales como el *soplo en las frondas*...
> ... ...
> *Pájaros* de la *dicha inicial* que se abrían
> estrenando sus alas...

El poema, en efecto, termina condensando con brevedad cuanto en él
se ha dicho anteriormente :

Por eso os amo, *inocentes, amorosos* seres mortales
de un mundo *virginal* que *diariamente se repetía,*
cuando *la vida sonaba* en las gargantas *felices*
de las *aves,* los *ríos,* los *aires* y los *hombres.*

Estos finales de resumen, como dijimos, no se oponen ni excluyen
los otros dos tipos peculiares de Aleixandre. Son compatibles absolutamente con ambos en el sentido de que no hay nada que impida a
un final de resumen ser, al propio tiempo, climático, como no hay
nada que le obstaculice ser anticlimático. Su misma naturaleza le conduce por lo común a un cierto modo de frialdad, de manera que lo
frecuente es esto último. En *Sombra del Paraíso* cuento hasta 12 poemas que terminan en un resumen, y de esos 12 dos son además climáticos en su final (precisamente "Criaturas en la aurora" es uno de
ellos), mientras 10 son anticlimáticos.

FUENTES E INFLUJO DE LA POESÍA ALEIXANDRINA

CAPÍTULO XXX

FUENTES E INFLUJO DE LA POESÍA ALEIXANDRINA

I. *FUENTES DE LA POESÍA ALEIXANDRINA*

La verdad es que de la poesía española no sabemos mucho. Hasta que la estilística no haya estudiado a fondo la obra de nuestros más importantes poetas, sus procedimientos específicos, su lenguaje, sus peculiaridades, poco podemos decir con exactitud de ellos. Los verdaderos manantiales de un determinado escritor no son los contagios pegadizos de ciertas expresiones aisladas, de ciertas aisladas ideas, de ciertos versos sueltos. Para una verdadera búsqueda de fuentes no suelen bastar las armas de que disponía la crítica hasta hace poco tiempo. Es preciso calar más hondo, y taladros tan profundos sólo parecen ser posibles con un instrumental más adecuado: con la nueva ciencia crítica del estilo.

Sirva este preámbulo a modo de disculpa. Los influjos que he visto en la poesía de Aleixandre son relativamente escasos, pues prescindo de todas aquellas notas, por supuesto numerosísimas, que en Aleixandre son consecuencia de su inmersión en el ámbito general de la poesía contemporánea, y en el particular de su misma generación. Prescindo de este análisis porque lo haré despaciosamente en obra aparte, ya que excede el limitado marco que nos hemos impuesto.

Hasta que esa obra salga a luz, los apuntes que van a continuación nos servirán al menos de guión o vago borrador de una investigación futura más afortunada.

FUENTES DE LA IMAGEN

Algo, no obstante, hemos llegado a precisar. Por ejemplo: sobre las figuraciones imaginativas. Decíamos que la tradición española —poesía popular, Bécquer, Machado, Juan Ramón, Unamuno, etc.— y la aportación extranjera —Rimbaud, Joyce— se unieron para conformar la especial estructura de las imágenes aleixandrinas. A lo que habría que añadir, como impulso importante en su segundo libro, la lectura del gran psicólogo vienés Segismundo Freud, que abrió insospechados panoramas por los que se lanzó nuestro poeta, como tantos otros coetáneos suyos. El resultado lo veíamos en su lugar: la violenta intensificación que sufrían los procedimientos visionarios.

FUENTES DEL MUNDO POÉTICO

Si nos referimos al mundo poético, algo podríamos decir también sobre las fuentes de la concepción paradisíaca. Salta a la vista la más importante de todas: el Génesis. No quiere esto expresar que Aleixandre se haya propuesto hacer una paráfrasis del capítulo bíblico que versa sobre el Paraíso. Hasta es casi seguro que el poeta no haya tenido conciencia completa, en el acto de la creación, del remoto motor que estaba operando sobre su obra[1]. Mas es indudable que si no existiera el mito bíblico, las composiciones de nuestro poeta hubiesen tomado forma distinta.

Igualmente, puede rastrearse en algún instante de *Sombra del Paraíso* la huella del pensamiento platónico[2]. Recordemos que el filósofo griego veía el universo desdoblado en dos planos: el mundo invisible

---

[1] Véase la pág. 176.
[2] G. de Lama, Antonio, *"Sombra del Paraíso"*, en *Espadaña*, 3, León, junnio, 1944.

de las ideas eternas, que tienen realidad en sí mismas, y el mundo visible de las cosas perecederas, que son tan sólo *sombras* de aquéllas. De la preexistencia del alma en el primero de tales mundos deduce Platón su teoría del conocimiento: conocer para él es recordar. Del mismo modo Aleixandre nos ha hablado (claro que sólo simbólicamente) (véase el cap. IX) de una preexistencia del poeta en la vida paradisíaca[3], de donde concluye lo que podríamos llamar "su teoría de la poetización". Leamos un fragmento de la carta que dirigió a Dámaso Alonso el 11 de septiembre de 1940[4]: "...así veo hoy a los poetas, que cuando hacen poesía *recuerdan* sin saberlo. Cuando en algunos poemas míos paradisíacos que tú tienes, evoco la juventud como una inmarcesible edad de oro, lo que hago es traer a mí la visión de mi reino, del que estoy desterrado. Su fulgor, el de tal reino, su luminosidad, su deslumbradora pureza, su amorosidad radiante, me iluminaron un día, no sé si en la región del sueño o en un trasmundo para el que nací y en el que no vivo. Y ahora es cuando voy haciendo *memoria, sin hacerla...*". He ahí un caso más de fragmento cosmovisionario simbólico y no directamente creíble (véase el capítulo IX).

Este difuso contacto con Platón, del que por otra parte le separan los aspectos más importantes de su concepción del mundo, se hace directo y patente en el poema breve titulado "La rosa". En él sigue Aleixandre, literalmente, la visión del pensador clásico: la rosa de la tierra es tan sólo un helado trasunto de la ideal rosa perpetua, existente en otra región "secreta de hermosura":

> ...Hueles,
> emanas. ¿Desde dónde,
> *trasunto helado* que hoy
> *me mientes?* ¿*Desde un reino*
> *secreto de hermosura,*
> donde tu aroma esparces...?
> ....
> Pero aquí, rosa fría,
> secreta estás, inmóvil:

---

[3] Léase, por ejemplo, "El poeta niño", de *Nacimiento Último*.
[4] Publicada en el número 5-6 de la revista *Corcel*, Valencia (sin fecha), páginas 46-47.

> menuda rosa pálida
> que en esta mano *finges*
> tu *imagen en la tierra.*

De parejo modo la luz del sol es sólo *sombra* de la verdadera luz:

> Pero el sol no reparte
> sus dones:
> da sólo sombras,
> sombras, espaldas de una luz engañosa,
> sombras frías, dolientes muros para unos labios
> hechos para ti, sol, para tu lumbre en tacto

y con pensamiento similar explica el título del libro: *Sombra del Paraíso.* La naturaleza hermosa que miramos es sólo *como sombra* de la belleza paradisíaca. La veta de creciente idealismo subjetivista de la poesía que tiene hitos en Rubén Darío (y, en general, en el modernismo), Juan Ramón Jiménez, Guillén, etc., da aquí, de otro modo, un último resplandor, pronto apagado por el invasor realismo de la poesía poscontemporánea en el que el propio Aleixandre incurre.

INFLUJO DE GÓNGORA

El influjo de Góngora en el lenguaje de nuestro poeta parece claro, y más si sabemos que en su juventud el futuro autor de *La Destrucción o el Amor* tuvo gran devoción por el célebre cordobés. Contagios evidentes de *Las Soledades* existen en *Ámbito* y en poemas de esa primera época no recogidos en libro. (Gongorino en giros y vocabulario es, entre otros, una pieza tan típica como "Cabeza" [5], escrita hacia 1927.) Pero no quiero referirme ahora a esa impregnación directa sufrida por el inicial Aleixandre, como otros poetas de su generación (Alberti, Gerardo Diego, Guillén, etc.). Creo que puede darse por seguro un influjo más hondo del poeta barroco sobre el contemporáneo. Influjo que se revela no en obras de juventud, sino en el lenguaje, tan personal, de la madurez. La negación cuasi-afirmativa,

---

5 Ídem, íd.

por ejemplo, muy reiterada en *Sombra del Paraíso*, parece proceder de
un tipo casi idéntico frecuentísimo en Góngora. Estos versos:

> La gran playa marina,
> no abanico, no rosa, no vara de nardo,
> pero concha de un nácar irisado de ardores...
>
> > ("Primavera en la Tierra", de
> > *Sombra del Paraíso.*)

no ofrecen una negación esencialmente distinta de la que vemos, pongo
por caso, en un romance del genial andaluz del XVII:

> Cloris, el más bello grano
> si no el más dulce rubí
> de la granada a quien lame
> sus cáscaras el Genil...

aunque la construcción sintáctica sea distinta.

Otra huella ha dejado el gran poeta barroco sobre el lenguaje aleixandrino: el uso del adverbio "ya" como nexo temporal entre imágenes. En el verso 307 de la *Soledad Primera* se dice de los conejos
que un cazador lleva a la espalda:

> ... trofeo *ya* su número es a un hombro...

giro que no se manifiesta como muy distinto de los innumerables que
existen en las diversas obras de Aleixandre o de otros poetas contemporáneos suyos:

> ...arpas
> *ya* casi cristalinas...
>
> > ("La luz", de *La Destrucción*
> > *o el Amor.*)

> Risas frescas los bosques enviaban, *ya* mágicos...
>
> > ("Destino trágico", de
> > *Sombra del Paraíso.*)

> Los dorados amantes, rubios *ya*, permanecen...
>
> > ("Coronación del amor", de
> > *Historia del Corazón.*)

Pero no es esto sólo. Como en otro lugar hemos dicho, es típica de *La Destrucción o el Amor* la supresión del artículo determinado en casos en que la lengua usual no lo utiliza:

> *Cobra* pasa lasciva mirando su otro cielo...
>
> ("Cobra", de *La Destrucción o el Amor.*)

Pues bien: en Góngora encontramos también esa económica fórmula:

> ...*alado roble*
> no hay tormentoso cabo que no doble...
>
> (Versos 394-395 de la *Soledad Primera.*)

¿INFLUJO DE FRAY LUIS DE LEÓN?

¿Ha influido fray Luis de León en determinadas particularidades de las negaciones aleixandrinas, como quiere Vicente Gaos? [6].

Es discutible. Sin embargo, abonarían tal tesis ciertos contagios que resultan diáfanos. Compárense estos versos de la "Oda del ciego Salinas":

> El aire se serena
> y viste de hermosura y *luz no usada*...

con estos de "La selva y el mar":

> Allá por las remotas
> *luces o aceros aún no usados*...

La coincidencia no puede ser casual en el caso aducido. En cambio, puede serlo en otros momentos el uso de esta negación ligada inmediatamente a un adjetivo, que es muy frecuente en ambos poetas, el contemporáneo y el renacentista. Ejemplo de fray Luis:

> ...despiértenme las aves
> con su cantar sabroso, *no aprendido*...

---

6 El trabajo de Vicente Gaos se halla en su libro *Temas y problemas de la literatura española,* ed. Guadarrama.

Ejemplo de Aleixandre:

> ...arañáis a la tierra *no cruel*, amorosa, que allí en
> su delicada piel os sustenta...
>
> ("Hijos de los campos", de
> *Sombra del Paraíso*.)

INFLUJO DE JUAN RAMÓN JIMÉNEZ

Hablar del influjo de la segunda época de Juan Ramón Jiménez sobre la generación del 27 es lugar común de la crítica literaria. Esa zona de su obra, al suponer un crecimiento de las posibilidades y espíritu "contemporáneos", acertó, en efecto, a crear unos moldes expresivos que, en parte y bajo la forma de "lenguaje de época", se filtraron después hasta la dicción, de otro lado personalísima, de los poetas más jóvenes que él. En este mismo libro lo hemos ido viendo, y no voy ahora a insistir acerca de cuestión tan palmaria. Ahora bien: más allá de esa vaga impregnación que más o menos todos los poetas entonces jóvenes sufren, no veo en el Aleixandre posterior a *Ámbito* ninguna huella clara y directa dejada por Jiménez, con una única excepción que se hace, sólo por eso, especialmente curiosa. Se trata de un poema de *Sombra del Paraíso* que nos es familiar, por haber tenido ya ocasión de estudiarlo desde otro punto de vista. Me refiero al titulado "Las manos". Helo aquí íntegro:

> Mira tu mano que despacio se mueve,
> transparente, tangible, atravesada por la luz,
> hermosa, viva, casi humana en la noche.
> Con reflejo de luna, con dolor de mejilla, con va-
>   guedad de sueño,
> mírala así crecer, mientras alzas el brazo,
> búsqueda inútil de una noche perdida,
> ala de luz que cruzando en silencio
> toca carnal esa bóveda oscura.
>
> No fosforece tu pesar, no ha atrapado
> ese caliente palpitar de otro vuelo.

Mano volante perseguida : pareja.
Dulces, oscuras, apagadas, cruzáis.

Sois las amantes vocaciones, los signos
que en la tiniebla sin sonido se apelan.
Cielo extinguido de luceros que, tibio,
campo a los vuelos silenciosos te brindas.

Manos de amantes que murieron, recientes,
manos con vida que volantes se buscan
y cuando chocan y se estrechan encienden
sobre los hombres una luna instantánea.

Esta composición, y a mi entender sin ningún género de dudas, se relaciona con esta otra de Juan Ramón :

¡Encuentro de dos manos
buscadoras de estrellas
en las entrañas de la noche!
¡Con qué inmensa presión
se sienten sus blancuras inmortales!

Dulces las dos olvidan
su busca sin sosiego,
y encuentran, un instante,
en su cerrado círculo
lo que buscaban solas.

Resignación de amor,
tan infinita como lo imposible.

(Eternidades, 39)

Enumeremos en compendio las semejanzas : en los dos casos hay unas manos que "visionariamente" (visión a poema entero) *buscan* algo *en la noche* y en ella *se encuentran*. Y en los dos casos, esas manos simbolizan el anhelo del amor, y, al fin, su logro. Las coincidencias llegan, incluso, al pormenor : en ambos poemas, por ejemplo, tales manos brillan. Juan Ramón :

Con qué inmensa presión
se sienten sus *blancuras* inmortales.

Aleixandre :

> y cuando chocan y se estrechan *encienden*
> sobre los hombres una *luna* instantánea.

El "cerrado círculo" que forman las manos en Juan Ramón equivale, por otra parte, al "se estrechan" alexandrino; la "luna instantánea" de uno de los poemas, al "instante" del otro ("y encuentran, un instante").

Pero precisamente la comparación de este par de piezas entre sí, y la lista de sus evidentes similitudes hacen que destaque más aún la personalidad tan diferenciada y distinta de Vicente Aleixandre. Por lo pronto, el tono es muy otro que el de Juan Ramón. El poema de Aleixandre "suena" por completo a Aleixandre. ¿Por qué? Por su acento mucho más apasionado, como corresponde a una cosmovisión, según sabemos, panerótica; el de Jiménez es, en cambio, más contenido, como corresponde a la estética, muy diferente, que este poeta profesa : la estética de la poesía pura. Además, el aspecto visionario (que también existe en Juan Ramón) se nos muestra mucho más franco y audaz en Aleixandre, consonando así con su mayor irracionalismo : las "manos" alexandrinas están claramente *desprendidas* del cuerpo y *crecen* y *vuelan* solitarias. En Juan Ramón Jiménez, añadamos, esas manos, que acaban simbolizando, sí, el impulso amoroso como en Aleixandre ("sois las amantes vocaciones", dice éste taxativamente) aparecen al principio del poema como símbolo de la búsqueda del ideal (son manos "buscadoras de estrellas"). Juan Ramón Jiménez aquí, como en tantos otros sitios de su obra, expresa, muy directamente, una de las intuiciones fundamentales de su lírica : el idealismo. Sólo cuando ese ideal apetecido y perseguido resulta inalcanzable ("imposible"), las manos juanramonianas se resignan al ideal menor que es el amor, al que ha de resignarse.

> Resignación de amor,
> tan infinita como el imposible.

En resumen : cada uno de los autores considerados posee un temple que le es propio y utiliza su tema y símbolo al servicio de una visión del mundo completamente personal. Gran lección acerca de lo que significa un contagio cuando un poeta lo es de veras.

INFLUJOS AISLADOS

Hemos hablado hasta aquí de lo más importante: de las influencias generales que son visibles en el estilo de nuestro escritor y en su concepción del mundo. Y sólo como curiosidad expondré a continuación algunos de los influjos aislados que muestran ciertos versos sueltos del autor de *Mundo a Solas*.

Veíamos el difuso, remoto y general influjo del *Génesis* en la concepción de *Sombra del Paraíso*. Ahora observaremos otras coincidencias fragmentarias, aunque evidentes, entre uno y otro libro. En el *Génesis* se habla de que Dios, después de la creación del mundo, "vio ser bueno cuanto había hecho". Esta frase indudablemente ha motivado la de Aleixandre cuando dice:

> Porque yo nací entero cada día, entero y tierno siempre,
> y débil y gozoso cada día hollé naciendo
> la hierba misma intacta: pisé leve, estrené brisas,
> henchí también mi seno, y *miré el mundo*
> y *lo vi bueno...*
>
> ("Padre mío".)

O cuando, en *Pasión de la Tierra*, contrariamente, escribió: "La serpiente se asoma por el ojo divino y encuentra que el mundo está bien hecho".

Igualmente, cuando en "No basta", de *Sombra del Paraíso*, se describe a la divinidad del siguiente modo:

> Una nube con peso, nube cargada acaso de pensamiento estelar,
> *se detenía sobre las aguas*, pasajera en la tierra...

se está recordando el versículo bíblico que reza así: "el espíritu de Dios flotaba sobre las aguas".

Si miramos ahora hacia el romanticismo español, encontraremos sendas huellas de dos poetas de tal escuela. El primer terceto de un conocido soneto de Espronceda, que por cierto gustaba mucho a Aleixandre hace años y supongo que ahora también, dice:

> Así brilló un momento mi ventura
> en alas del amor, y hermosa *nube*
> *fingí* tal vez de gloria y de alegría...

Véanse a continuación dos versículos de "Plenitud del amor", pieza que pertenece a *Sombra del Paraíso:*

> Yo sé que tu perfil, sobre el azul tierno del crepúsculo entero
> no *finge vaga nube* que un ensueño ha creado...

El contacto es evidente: "hermosa nube fingí", "no finge vaga nube".

Psicológicamente interesa más la otra huella a la que me he referido: se trata de la que un soneto amoroso, de José Somoza, que igualmente era poema predilecto de nuestro autor, dejó en "Casi me amabas", también de *Sombra del Paraíso.* El romántico o prerromántico español se compara a sí mismo con la luna:

> ...y como el *disco* de la *casta* diosa
> mudo, trémulo, puro, retirarme...

y el poeta de nuestros días asimila a la amada con el astro nocturno; he aquí sus palabras:

> ...y como un *disco* de *castidad* sin noche
> huyes rosada por el azul virgíneo...

Interesante contagio. El adjetivo "casto" tiene en Somoza una justificación de tipo mitológico: "la casta diosa" es Diana, es la Luna. Pero al pasar a Aleixandre pierde el verso todo carácter de alusión a tal mito. Y, sin embargo, la noción de castidad se conserva, ahora con función puramente estética, visionaria: se alude así *irracionalmente* (inconfesadamente, por tanto) a la palidez del nocturno satélite.

No resulta menos curioso constatar la influencia que dos versos de Rubén Darío y uno de Garcilaso han ejercido sobre un mismo pasaje de *Nacimiento Último:*

> Pájaros, las caricias de vuestras alas puras,
> no me podrán quitar la entristecida memoria...
>
> ("Cantad, pájaros".)

En "Los cisnes", de *Cantos de Vida y Esperanza,* del gran nicaragüense, hallamos este fragmento:

> Cisnes, los abanicos de *vuestras alas* frescas,
> den a las frentes pálidas *las caricias más puras*...

y en Garcilaso este otro:

> *no me podrán quitar* el dolorido
> sentir...

Nótese cómo el verso primero de Aleixandre es la síntesis de los
dos rubenianos aducidos. Se sustituye la palabra "cisnes" por la palabra "pájaros", pero conservándose el giro de la frase, el vocativo
inicial:

> Cisnes, los abanicos de vuestras alas...
> Pájaros, las caricias de vuestras alas...

En lugar de "abanicos" aparecen "caricias". Pero este elemento
suplantador procede del segundo verso copiado de *Cantos de Vida y
Esperanza* ("den a las frentes pálidas las *caricias* más puras"), cuyo calificativo "puras" entra igualmente a formar parte del poema aleixandrino. La frase "de vuestras alas frescas" se convierte así en "de
vuestras alas puras".

Nuestra sorpresa se incrementa al observar que el siguiente verso
del trozo que hemos tomado de *Nacimiento Último* también es remi-
niscente, como arriba insinué: se halla construido sobre la falsilla de
aquel pasaje garcilasiano antes mencionado: "no me podrán quitar el
dolorido sentir" se trueca en "no me podrán quitar la entristecida
memoria".

Es curioso observar en otro versículo aleixandrino, esta vez perteneciente a *Historia del Corazón,* una nueva doble fuente. Por un lado,
se trata, como en el caso anterior, de un pasaje rubeniano; por otro,
de una rima de Bécquer. El poema "Entre dos oscuridades, un relámpago" comienza así:

> Sabemos adónde vamos y de dónde venimos: entre
> dos oscuridades, un relámpago.

Nadie dudará de que la primera parte de este verso no es sino cita, ligeramente modificada, de aquellos tan conocidos de "Lo fatal", que dicen así :

> Y no saber adónde vamos
> ni de dónde venimos.

Mas, como antes adelanté, la segunda parte del versículo aleixandrino procede, a mi juicio, de la rima LXIX de Gustavo Adolfo :

> Al brillar un relámpago nacemos
> y aún dura su fulgor cuando morimos.
> ¡ Tan corto es el vivir !

ROMÁNTICOS INGLESES Y ALEMANES

Queda sólo por señalar la posible, aunque remota, relación entre *Sombra del Paraíso* y esa línea de poesía límpida y cálida, hacia mundos de redención, que encontramos en los románticos ingleses Shelley y Keats y en el alemán Hölderlin. Aparte de estas semejanzas de actitud, parece probable que el poeta germánico haya influido concretamente sobre el politeísmo que manifiesta un poema alejandrino titulado "Primavera en la tierra". — De pasada, insinúo también el influjo de estos versos de Keats :

> Bold lover, never, never, cants thou kiss.
> Though winning near the goal ⸍yet, do not grieve
> she cannot fade, though thou hast not the bliss,
> for ever wilt thou love, *and she be fair*.
>   ("On a grecian urn".) [7]

sobre este instante de *Historia del Corazón*:

> Hacemos vagos proyectos para cuando la vejez venga. Y decimos :
> *"Tú siempre serás hermosa, y tus ojos los mismos"*...)
>   ("No queremos morir".)

---

[7] "Enamorado audaz, no podrás besar nunca — aunque tan cerca estés. Mas no te apenes. — Ella no puede marchitarse; tu ventura no alcanzas. — pero siempre amarás *y será siempre hermosa*" ("A una urna griega").

II. *INFLUJO DE VICENTE ALEIXANDRE*

Ya desde antes de 1936, pero sobre todo después de 1940, la poesía española y la hispanoamericana sintieron con sensibilidad aguda la
presencia en su horizonte del gran meteoro que la poesía de Vicente
Aleixandre representó. Multitud de jóvenes se formaron al calor de
esta lírica, cuyo magisterio vino a ser decisivo con la publicación de
Sombra del Paraíso. Enumerar exhaustivamente la importancia cuan-
titativa y la intensidad de este influjo es tarea que aún resulta tem-
prana para nuestro propósito. Convendría, sin embargo, como simple
índice o como mero síntoma de ello, dejar aquí constancia del contagio aleixandrino que sufre un poeta tan acentuadamente personal y
tan intenso como Miguel Hernández. Elijo su nombre justamente por
no tratarse de un imitador, sino de un poeta particularmente recio e
individualizado en su expresión. Ello podrá mostrar hasta qué punto
la atmósfera poética de aquellos años estaba *casi fatalmente* teñida de
aleixandrinismo.

Empezaré por recordar que el propio Miguel Hernández aludió en
dos ocasiones a su formación parcialmente aleixandrina (y nerudiana):

...Con Vicente Aleixandre
y con Pablo Neruda tomo silla en la tierra.

dijo en "Llamo a los poetas", pieza de *El hombre acecha.* Y, a su vez,
el libro *Viento del pueblo* está dedicado al autor de *La Destrucción
o el Amor* con las significativas palabras siguientes: "Lo que echo de
menos en mi guitarra lo hallo en la tuya. Pablo Neruda y tú me
habéis dado imborrables pruebas de poesía...".

Ello muestra, sin lugar a dudas, que Miguel Hernández tenía conciencia de su conexión con respecto a la lírica de Vicente Aleixandre.
Y como, por otra parte, se sentía seguro y fuerte en su personalidad
absolutamente definida, no experimentaba ambage alguno en declarar
francamente su pensamiento. Miguel Hernández no era como escritor
ni débil ni vacilante y por ello no necesitaba ocultar sus fuentes.

La huella aleixandrina sobre la producción de Hernández no reside en el lenguaje de éste, pues éste en tal sentido era un formidable creador. Pocos poetas han poseído un don retórico (en el buen y en el mal sentido de la expresión) tan ágil y poderoso como el suyo. Lo que en su poesía nos remita a Aleixandre no será, pues, el lenguaje, sino ciertos segmentos parciales de su mundo poético, y también, y como consecuencia, algunos materiales líricos.

Es bastante frecuente, por ejemplo, que los versos de Miguel Hernández vean al hombre como parte del cosmos, y que, para hacer más radical tal elementalización, apelen, como los de Aleixandre, al uso de imágenes siderales:

> la encendida hermosura reside en los talones
> de los cuerpos que mueven sus cuerpos trabajados
> *como constelaciones*
>
> ("El sudor", de *Viento del pueblo.*)

(Igual ocurre con respecto a las máquinas inventadas por el hombre. He aquí unos aviones:

> Arrebatados, tensos, peligrosos, tajantes
> igual que una colmena de *soles extendidos,*
> de *astros* motorizados, de cigarras tremantes
> cruzan con sus bramidos.
> Ni un *paso de planetas,* ni un tránsito de toros
> batiéndose, volcándose por un desfiladero,
> darán al universo ni acentos más sonoros
> ni resplandor más fiero.)
>
> ("El vuelo de los hombres", de
> *El hombre acecha.*)

Dentro de esta misma dirección, el vientre de la mujer será una bóveda de azul firmamento:

> Vientre: carne *central* de todo lo que existe.
> *Bóveda eternamente, si azul, si roja, oscura.*
> Noche final, en cuya profundidad se siente
> la voz de las raíces, el soplo de la altura.
>
> ("Riéndose, burlándose".)

Pero, como sucede dentro del orbe aleixandrino, es en el amor donde el hombre obtiene la máxima proximidad al universo cósmico. La mujer amada es:

> Transparencia,
> *acercando los astros* más cercanos de lumbre.

("Yo no quiero más luz".)

Al amar, el poeta experimenta un astral sentimiento:

> *un astral sentimiento febril me sobrecoge,*
> incendia mi osamenta con un escalofrío.

("Hijos de la luz y la sombra": I.)

y se siente en comunicación con los mundos todos: [la noche]

> pide que tú y yo ardamos fundiendo en la garganta
> con todo el firmamento la tierra estremecida.

(Idem.)

Es natural entonces que el hijo, fruto de ese amor, tenga también relaciones estelares:

> El hijo está en la sombra; de la sombra ha surtido,
> *y a su origen infunden los astros una siembra...*

(Idem.)

e incluso que sea él mismo considerado como sol:

> Tú eres el alba, esposa: la principal penumbra,
> recibes entornadas las horas en tu frente.
> Decidido el fulgor, pero entornado, alumbra
> tu cuerpo. *Tus entrañas forjan el sol naciente.*
> ... ...
> La gran hora del parto, la más rotunda hora:
> estallan los relojes sintiendo tu alarido,
> se abren todas las puertas del mundo, de la aurora,
> *y el sol nace en tu vientre, donde encontró su nido.*

(Idem: II.)

Por otra parte, se ve en Miguel Hernández el concepto de amor como destrucción e integración en una suprema unidad pánica, que tan peculiar es de Aleixandre. Lo hemos visto más arriba:

> (La sombra amorosa de la noche)
> pide que nos echemos tú y yo sobre la manta,
> tú y yo sobre la luna, tú y yo sobre la vida.
> *Pide que tú y yo ardamos fundiendo en la garganta,*
> *con todo el firmamento, la tierra estremecida.*

El concepto "amor = muerte" se percibe con mayor claridad en un romance titulado "Boca que arrastra mi boca", donde el beso se equipara a la muerte (ya que el beso es concreción máxima de amor), exactamente como en el autor de *La Destrucción o el Amor* ocurre. Véanse algunos fragmentos, donde se percibe, igualmente, la atmósfera cósmica que rodea al hombre en actividad erótica:

> *Muerte reducida a besos,*
> *a sed de morir despacio,*
> das a la grana sangrante
> dos tremendos aletazos.
>
> ....
>
> Beso que rueda en la sombra
> *beso que viene rodando*
> *desde el primer cementerio*
> *hasta los últimos astros.*
> *Astro que tiene* tu boca
> enmudecido y cerrado,
> hasta que un rosa celeste
> hace que vibren sus párpados.
>
> ....
>
> Hundo en tu boca mi vida,
> *oigo rumores de espacios,*
> *y el infinito parece*
> *que sobre mí se ha volcado.*
>
> ....
>
> Boca que desenterraste
> al amanecer más claro
> con tu lengua. *Tres palabras,*

> *tres fuegos has heredado:*
> *vida, muerte, amor. Ahí quedan*
> *escritos sobre tus labios.*

No nos asombrará ya que la boca, en otro lugar, se designe con la misma metáfora que dio título a un libro de Vicente Aleixandre (*Espadas como Labios*): y así, del hijo, dice Miguel Hernández:

> que de nuestras dos bocas hará una sola *espada.*

> ("Hijo de la luz y la sombra" : III.)

No creo sea necesario insistir más. Sería atractivo examinar ahora de qué modo, incluso en esos poemas que acabo de citar como muy impregnados de aleixandrinismo, sigue Hernández ostentando una fuerte personalidad. Pero ello me obligaría a salirme del tema estricto que me he propuesto [8].

---

[8] Escrito ya este subcapítulo destinado a la segunda edición del presente libro, veo la obra de Juan Guerrero Zamora, *Miguel Hernández, poeta* (Col·El Grifón, Madrid, 1955), en cuyo capítulo "Contactos e influencias", apartado "Vicente Aleixandre" (págs. 263 y sigs.), se trata el tema aquí considerado. Me complace comprobar que este autor aceptó las ideas que acerca de este asunto le expuse en conversación privada.

CAPÍTULO XXXI

CONCLUSIÓN

GÓNGORA, RUBÉN DARÍO, VICEN-
TE ALEIXANDRE: SUS SEMEJANZAS

Recuerdo aún la primera impresión que me produjeron los versos
de Aleixandre: me pareció entrar en un ámbito donde nuestro lenguaje estaba en continuo trance de hallazgo, de renovación. Los análisis hechos a través de este libro nos han mostrado lo que en un
comienzo dijimos: la lírica de nuestro poeta puede parangonarse en
ese sentido con la de Quevedo, Góngora o Rubén Darío. Estos tres
poetas, quizá los más altos plasmadores de lenguaje que en un pasado
nuestro idioma haya tenido, en distintos tiempos han hecho crecer
por muchos sitios la sintaxis y las fórmulas poéticas hispánicas. Lo que
la lengua española debe a Góngora, por ejemplo, es difícil de precisar.
En todo caso, mucho, muchísimo. Cuenta Dámaso Alonso una anécdota muy significativa a este respecto: "Leía yo una vez una noticia
de un periódico, en compañía de mi inolvidable Gabriel Miró, cuando
mi amigo, con aquella su manera tan ponderativa, repitió una expresión del texto: 'Fíjese usted, Dámaso: «Vehículos de tracción sanguí-
nea». ¡Pero si eso es Góngora puro!'. 'Vehículos', 'tracción sanguí-
nea'. Ninguno de esos tres cultismos pertenecen al léxico de Góngora; y, sin embargo, la observación de Miró era exacta. Si es cierto
que la función crea el órgano, podemos decir que el estilo de Góngora
le abrió canales a la lengua para la creación de cultismos, y éste será
siempre el más legítimo enriquecimiento de nuestro léxico: sacar de

nuevo cuarteles olvidados de entre los más antiguos blasones de casa. Casa nuestra es Roma, y, en cierto modo, Grecia" [1].

Esto sucede siempre con los poetas, y sobre todo con algunos de ellos. Entre otras cosas, son los poetas rompedores de diques, por donde las aguas lingüísticas se desbordan en el primer instante, para en el segundo discurrir nuevamente plácidas a través de territorios antes inexplorados. ¿Quién puede calcular las consecuencias que han de provocar en nuestra lengua las innovaciones aleixandrinas?

GÓNGORA Y ALEIXANDRE: DIFERENCIA ESENCIAL

Pero no insistamos demasiado sobre este punto. No nos dejemos arrastrar por la creencia de que Aleixandre sea un preciosista, aunque la expresión resulte en sus manos una servidora fiel. Hay algo que le distingue radicalmente de Góngora. Podríamos decir, grosso modo, para entendernos, que, en algún sentido, el mundo estético del gran poeta del siglo XVII no rompe con el anterior renacentista; y que estando agotados por la tradición del quinientos los módulos poéticos para formular ese mundo, se hizo necesaria la renovación expresiva del vate cordobés. La revolución gongorina es, pues, parcialmente fruto de un cansancio (de otro lado, depende también de otras cosas; por ejemplo, del escepticismo frente a la naturaleza y lo natural que caracteriza al siglo XVII español). Pero las innovaciones del autor de *La Destrucción o el Amor* tienen precisamente un origen opuesto. Su mundo poético resulta, dentro de la lírica contemporánea española, extraordinariamente original. Si creemos a Leo Spitzer [2], toda novedad en la visión de las cosas ha de tener como resultado una novedad en la expresión. De aquí la renovación del lenguaje que resulta visible en la obra de nuestro poeta. Nada más distinto, por tanto, que la

---

[1] Dámaso Alonso, *Contestación al discurso de ingreso en la Real Academia Española de Vicente Aleixandre*, Madrid, 1950.

[2] Leo Spitzer, "La interpretación lingüística de las obras literarias", en *Introducción a la estilística romance*, por K. Vossler, L. Spitzer y H. Hatzfeld. Introducción y notas de Amado Alonso y Raimundo Lida, Colección de Estudios Estilísticos, Buenos Aires, 1932.

obra de Góngora y la de Aleixandre. Hablando con alguna imprecisión, diríamos que en la primera las ideas poéticas (no los "significados"
en su conjunto, claro está), e incluso las estructuras formales, en cierto
modo, le son, en general, dadas por una tradición. Góngora, dice Dámaso Alonso al respecto: "no inventa: recoge, condensa, intensifica" [3].
En cambio, Aleixandre es un renovador. Por lo pronto lo es en cuanto
a su mundo poético, como sabemos: las novedades estilísticas serán
consecuencia precisamente de la novedad en la visión del mundo.

Terminamos con esto nuestro quehacer. Levantamos los ojos de
la página y miramos alrededor. Aquí está nuestra áspera España. Pero
al fondo de su historia literaria se hallan Hita, San Juan, Lope, Quevedo, Bécquer... Aquí, vivo todavía entre nosotros, Vicente Aleixandre. Una noche cualquiera seremos como página final que lentamente
se cierra, como letra inútil que alguien lee, mientras sus ojos se vuel-
ven, con indiferencia tal vez, hacia otro lugar, en donde no estaremos.
Algo, sin embargo, quedará de nosotros. Como una primavera más
constante, como un verdor extraño y más duradero, la obra de los poetas permanecerá. Sus voces, sus ansiedades, como sus goces y sus penas, palpitarán en un coro constante, gritador en el tiempo y más allá
de él. Oyéndole, nuestras tristezas se aplacan, se exaltan nuestras
alegrías. Hombres al fin fugaces que se mojan las manos efímeras en
fuentes de perpetuo consuelo.

---

[3] *La lengua poética de Góngora.*

APÉNDICE

CRONOLOGÍA DE POEMAS DE VICENTE ALEIXANDRE

Vicente Aleixandre ha tenido la gentileza de facilitarme el acceso a sus manuscritos, en los que, afortunadamente, se consigna al pie de la mayoría de los poemas la fecha respectiva de su composición. Creo que la divulgación de estos datos no sólo puede satisfacer la legítima curiosidad de ciertos lectores de poesía, sino servir, de varias maneras, a la erudición de mañana.

Por desgracia, el poeta no conserva sino los originales de *Sombra del Paraíso*, de *Historia del Corazón* y de *En un Vasto Dominio*. De ahí que la cronología que establezco sólo se refiera a estos tres libros. Algunos de sus poemas no ostentan data al pie del original, y en tal caso, como es lógico, su título no figura en las listas que siguen.

Fechas de los poemas de "Sombra del Paraíso"

"Primavera en la tierra": septiembre de 1939 [1].
"Plenitud del amor": octubre de 1939 [1].
"El cuerpo y el alma": diciembre de 1939 [1].
"La verdad": diciembre de 1939 [1].
"Criaturas en la aurora": 23 de febrero de 1940.
"Los dormidos": 25 de agosto de 1940.
"Luna del Paraíso": septiembre de 1940 [1].

---

[1] No figura en los originales. Pero interrogado por mí el poeta, me da esa fecha aproximada.

"Arcángel de las tinieblas": 6 de octubre de 1940.

"Destino trágico": 13 de octubre de 1940.

"Hijo del sol": 28 de octubre de 1940.

"Último amor": 5 de noviembre de 1940.

"No basta": 29 de noviembre de 1940.

"Nacimiento del amor": 6 de diciembre de 1940.

"El desnudo": 19 de diciembre de 1940.

"Muerte en el Paraíso": 5 de enero de 1941.

"Sierpe de amor": 15 de enero de 1941.

"El poeta": 30 de enero de 1941.

"Mensaje": 15 de marzo de 1941.

"Mar del Paraíso": 12 de junio de 1941.

"Como serpiente": 13 de septiembre de 1941.

"Casi me amabas": 17 de noviembre de 1941.

"No estrella": 1942 [1].

"Destino de la carne": 5 de junio de 1942.

"Los besos": 23 de octubre de 1942.

"Al cielo": 16 de febrero de 1943.

"Padre mío": 21 de febrero de 1943.

"Ciudad del Paraíso": 27 de febrero de 1943.

"Diosa": 2 de abril de 1943.

"Hijos de los campos": 26 de abril de 1943.

"La rosa": 2 de mayo de 1943.

"La tierra": entre el 3 y el 7 de junio de 1943.

"El río": 4 de junio de 1943.

"La palabra": 1 de julio de 1943.

"El aire": 1 de julio de 1943.

"Adiós a los campos": 3 de julio de 1943.

"El mar": 15 de julio de 1943.

"Al hombre": 7 de agosto de 1943.

"A una muchacha desnuda": 16 de agosto de 1943.

"El pie en la arena": 27 de septiembre de 1943.

"Noche cerrada": 17 de octubre de 1943.

"Cuerpo sin amor": 17 de octubre de 1943.

"El perfume": 23 de octubre de 1943.

"Cabellera negra": 30 de octubre de 1943.

"La isla": 18 de noviembre de 1943.

Fechas de los poemas de "Historia del Corazón"

"Mano entregada" : 14 de mayo de 1945.
"La frontera" : 17 de junio de 1945.
"No te conozco" : 17 de junio de 1945 [2].
"Nombre" : 21 de junio de 1945.
"Otra no amo" : 24 de junio de 1945.
"Como el vilano" : 27 de agosto de 1945.
"Visita a la ciudad" : 4 de septiembre de 1945 [2].
"Después del amor" : noviembre de 1945 [1].
"Coronación del amor" : junio de 1945 [1].
"Sombra final" : agosto de 1946 [1].
"Ausencia" : 15 de febrero de 1947 [2].
"Mi rostro en tus manos" : 3 de febrero de 1950.
"El alma" : 18 de febrero de 1950.
"Tendidos, de noche" : 24 de febrero de 1950.
"La certeza" : 1 de marzo de 1950.
"La realidad" : 3 de marzo de 1950.
"En el jardín" : 28 de julio de 1950.
"Tierra del mar" : 18 de agosto de 1951.
"Con los demás" : octubre de 1951 [1].
"Difícil" : 7 de enero de 1952.
"No queremos morir" : 15 de enero de 1952.
"La explosión" : 22 de enero de 1952.
"Comemos sombra" : 13 de febrero de 1952.
"Mirada final" : 27 de febrero de 1952.
"En el bosquecillo" : 5 de junio de 1952.
"Ante el espejo" : 18 de julio de 1952.
"El sueño" : 23 de julio de 1952.
"Entre dos oscuridades, un relámpago" : 6 de agosto de 1952.
"El último amor" : 16 de agosto de 1952.
"Ascensión del vivir" : 20 de agosto de 1952.
"La oscuridad" : 27 de agosto de 1952.
"Vagabundo continuo" : 2 de septiembre de 1952.

---

[2] Este poema no fue luego recogido en libro.

"El visitante": 20 de octubre de 1952.
"El niño murió (Nana en la selva)": 20 de octubre de 1952.
"El otro dolor": 27 de octubre de 1952.
"El viejo y el sol": 4 de noviembre de 1952.
"En la plaza": 14 de noviembre de 1952.
"A la salida del pueblo": 5 de diciembre de 1952.
"Al colegio": 9 de diciembre de 1952.
"El niño raro": diciembre de 1952.
"La hermanilla": 31 de diciembre de 1952.
"La clase": 13 de enero de 1953.
"El más pequeño": 13 de enero de 1953.
"Violeta": 14 de enero de 1953.
"Una niña cruzaba": 19 de enero de 1953.
"En el lago": 26 de enero de 1953.
"La joven": 26 de enero de 1953.
"El poeta canta por todos": 22 de agosto de 1953.
"El niño y el hombre": 24 de agosto de 1953.

Fechas de los poemas de "En un Vasto Dominio"

"La pareja": 2 de abril de 1958.
"Para quién escribo": parte I: 21 de abril de 1958; parte II:
22 de abril de 1958.
"Cabeza dormida": 1958.
"El pie": 18 de agosto de 1958.
"El entierro": 25 de agosto de 1958.
"El brazo": 14 de octubre de 1958.
"Bomba en la ópera": 4 de enero de 1960.
"Escena V: La bofetada": 15 de enero de 1960.
"Ciudad viva, ciudad muerta": 24 de enero de 1960.
"Dúo": 18 de febrero de 1960.
"A una ciudad resistente (Ruinas de Numancia)": 31 de mayo
de 1960.
"El profesor": 10 de julio de 1960.
"El pecho": 5 de agosto de 1960.

"La sangre": 7 de agosto de 1960.
"La mano": 2: 10 de agosto de 1960.
"La pierna": 12 de agosto de 1960.
"El sexo": 14 de agosto de 1960.
"La cabeza": 17 de agosto de 1960.
"La pestaña, la visión": 18 de agosto de 1960.
"La oreja": 20 de agosto de 1960; parte 2: 22 de agosto de 1960.
"El pastor hacia el puerto": 29 de agosto de 1960.
"Félix": 31 de agosto de 1960.
"Camino del erial": 2 de septiembre de 1960.
"El álamo": sin fecha, pero por su posición en los manuscritos se hace evidente que fue escrito entre el 2 y el 5 de septiembre de 1960.
"El árbol del pueblo": 5 de septiembre de 1960.
"Corrida en el pueblo": 7 y 8 de septiembre de 1960.
"El arca de Noé": 11 de septiembre de 1960.
"El leñador": 15 de septiembre de 1960.
"El pueblo está en la ladera": 15 de septiembre de 1960 y 18 de septiembre de 1960.
"El buche y el niño": 13 de septiembre de 1960.
"En el cementerio": 22 de septiembre de 1960.
"Mano y tabla": 24 de septiembre de 1960.
"La madre joven": 28 de septiembre de 1960.
"Las casas": 4 de octubre de 1960.
"En la era": 7 de octubre de 1960.
"El ferrocarril": 12 de octubre de 1960.
"Antigua casa madrileña": 16 de octubre de 1960; parte 2: 19 de octubre de 1960; parte 3: 20 y 22 de octubre de 1960.
"Esquivias: bello nombre": 31 de octubre de 1960.
"Materia humana" (sin fecha).
"Hospital de la Caridad": 5 de noviembre de 1960.
"El vientre": 10 de diciembre de 1960.
"Mano del poeta viejo": 10 de diciembre de 1960.
"El vientre": 2: 10 de diciembre de 1960.
"El pelo": 13 de diciembre de 1960.
"El cuello, la voz": 13 de diciembre de 1960.
"Materia única": 25 de diciembre de 1960.
"El interior del brazo": 26 de enero de 1961.

"Amarga boca": 28 de enero de 1961.
"El tonto": 10 de febrero de 1961.
"Perrillo": 22 de febrero de 1961.
"Idea del árbol": 8 de julio de 1961.
"El engañado": 21 de julio de 1961.
"Castillo de Manzanares el Real": 23 de julio de 1961.
"Juana Marín": 26 de julio de 1961.
"El molino": 30 de julio de 1961.
"La vieja señora": 6 de agosto de 1961.
"Hijo de la mar": 3 de agosto de 1961.
"Estar del cuerpo": 15 de agosto de 1961.
"Primer par: Óleo": 20 de agosto de 1961; "Vida": 22 de agos-
to de 1961.
"Segundo par: Óleo": 24 de agosto de 1961; "Vida": 26 de
agosto de 1961.
"Historia de la literatura": 5 de septiembre de 1961.
"Tercer par: Óleo": 7 de septiembre de 1961; "Vida": 10 de
septiembre de 1961.
"Las meninas": 14 de septiembre de 1961.
"Cuarto par: Óleo": 22 de septiembre de 1961; "Vida": 24 de
septiembre de 1961.
"Quinto par: Óleo": 27 de septiembre de 1961; "Vida": 30
de septiembre de 1961.
"Impar": 4 de octubre de 1961.
"Casa de Lope": 11 de junio de 1962.
"Los borrachos": 23 de julio de 1962.

BIBLIOGRAFÍA SOBRE VICENTE ALEIXANDRE

A. A., "Actualidad de Vicente Aleixandre", en *La Tarde*, Santa Cruz de Tenerife, 20 de mayo de 1957.

A. C., "Sobre el último libro de Aleixandre", en *La Verdad*, Murcia, 3 de agosto de 1944.

"Actualidad de Aleixandre", en *Ínsula*, Madrid, abril de 1961.

ADELL, ALBERTO, "Vicente Aleixandre: Poems: *Retratos con Nombre*", en *International P. E. N.* (bulletin of selected books), vol. XVI, n.º 3, 1965, págs. 90-91.

A. E. M., "Vicente Aleixandre: *Sombra del Paraíso*", en *Hierro*, Bilbao, 5 de octubre de 1944.

AGUADO, EMILIANO, "*Sombra del Paraíso*", en *Pueblo*, Madrid, 4 de julio de 1944.

— "Hombres con voz y voto en diálogo con *Pueblo*", en *Pueblo*, Madrid, 31 de mayo de 1948.

AGUIRRE, JOSÉ LUIS, "Los que escriben también hablan. Vicente Aleixandre, poeta y académico, prepara la edición de sus *Poesías Completas*", en *Levante*, Valencia, 14 de febrero de 1960.

AGUIRRE, LEOPOLDO, "Un poeta habla de Valencia", en *Las Provincias*, Valencia, 2 de junio de 1954.

— "Media hora de charla con Vicente Aleixandre", en *Las Provincias*, Valencia, 5 de febrero de 1952.

AGUIRRE, "Un poema de Vicente Aleixandre", en *El Noticiero*, Zaragoza, 5 de marzo de 1950.

ALBERTI, RAFAEL, "Dos poemas. Retorno de Vicente Aleixandre", en *Papeles de Son Armadans*, tomo XI, n.ºs 32-33, Madrid-Palma de Mallorca, noviembre-diciembre de 1958, págs. 166-167. Reproducido en *Papel literario de El Nacional*, Caracas, 19 de marzo de 1959.

ALBERTI, SANTIAGO, "Vicente Aleixandre", en *Revista*, Barcelona, 23 de julio de 1953.

"Aleixandre en alemán e italiano", en *Ínsula*, n.º 208, Madrid, marzo de 1964.

ALEIXANDRE, JOSÉ JAVIER, "La poesía es el mundo principal de Vicente Aleixandre", en *Ya*, Madrid, 7 de julio de 1949.

"Aleixandre, Vicente, *En un Vasto Dominio*", en *Círculo de Lectores*, San Sebastián, 20 de diciembre de 1962.

"Aleixandre, Vicente, *En un Vasto Dominio*", en *Ínsula*, enero de 1963.

"Aleixandre, Vicente, *Nacimiento Último*", en *Ateneo*, Madrid, 6 de junio de 1953.

"Aleixandre, Vicente, *Retratos con Nombre*", en *Siglo 20*, Barcelona, 17 de julio de 1965.

ALFAYA, JAVIER, "Dos nuevos libros de V. Aleixandre", en *Ínsula*, Madrid, octubre de 1965.

ALONSO, DÁMASO, "*Espadas como Labios*, por Vicente Aleixandre", en *Revista de Occidente*, CXIV, Madrid, 1932, págs. 232-233.

— "*La Destrucción o el Amor*", en *Revista de Occidente*, CXVII, Madrid, junio de 1935, págs. 331-340.

— "La poesía de Vicente Aleixandre", en *Ensayos sobre poesía española*, ed. Revista de Occidente, Madrid, 1944, págs. 351-393.

— "El Nilo", en *Corcel*, 5-6, "Homenaje a Vicente Aleixandre", Valencia (1944), págs. 15-16.

— "Visión paradisíaca en la poesía de Aleixandre", en *El Español*, Madrid, 5 de mayo de 1944.

— "Vicente Aleixandre", en *Ínsula*, 50, Madrid, 15 de febrero de 1950.

— "Contestación al discurso de Vicente Aleixandre con motivo del ingreso de éste en la Real Academia Española", Madrid, 1950.

— *Poetas españoles contemporáneos*, ed. Gredos, Madrid, 1952, págs. 281-332. (Recoge todos los anteriores artículos y ensayos.)

— "*Sombra del Paraíso*", en *El Tiempo*, Madrid, 21 de diciembre de 1947.

ALONSO SCHÖKEL, LUIS, "Trayectoria poética de Aleixandre", en *Revista Javeriana*, n.º 208, Bogotá, septiembre de 1954, págs. 166-184.

ÁLVAREZ CRUZ, LUIS, "El poeta Vicente Aleixandre y su mensaje a la Isla", en *Gánigo*, n.º 26, Tenerife, marzo-abril de 1957.

ÁLVAREZ-RUIZ, ALBERTO, "Retrato incompleto", en *Aldonza*, Alcalá de Henares, marzo de 1967.

ÁLVAREZ VILLAR, ALFONSO, "El panteísmo en la obra poética de Vicente Aleixandre", en *Cuadernos Hispanoamericanos*, n.ºs 175-176, Madrid, julio-agosto de 1964, págs. 178-184.

— "El tema del paraíso", en *Cuadernos Hispanoamericanos*, n.º 170, febrero de 1964, págs. 337 y sigs.

ALLER, CÉSAR, "A cinco amigos. Vicente Aleixandre", en *Cuadernos de María José*, n.º 88, Málaga, 1967, págs. 9-10.

ALLUÉ Y MORER, F., "Bibliografía. *Retratos con Nombre*", en *Ceres*, Valladolid, 15 de diciembre de 1965.

AMADO BLANCO, L., "Sofrenado grito", en *Información*, La Habana, 3 de octubre de 1957.

ANDERSON IMBERT, "Aleixandre, Rubén Darío y Unamuno", en *Sur*, Buenos Aires, n.º 230, septiembre-octubre de 1954, págs. 100-101.

ANDRADE, EUGENIO DE, "Vicente Aleixandre, o Magnifico", en *Comércio do Porto*, Porto, 8 de noviembre de 1955.

ANDRÓNICO (MASOLIVER, JUAN RAMÓN), "Aleixandre en su paraíso", en *Destino*, Barcelona, agosto de 1944.

APARICIO, ANTONIO, "*En un Vasto Dominio* de Vicente Aleixandre", en *El Nacional*, Caracas, 17 de febrero de 1963.

APARICIO, FRANCISCO, "Luz y sombras de Vicente Aleixandre", en *Razón y Fe*, Madrid, n.º 672, tomo 149.

— "Términos del amor. Sobre *Historia del Corazón* de V. Aleixandre", en *Revista*, Barcelona, 8 de julio de 1954.

— "II. Poetas españoles contemporáneos", en *Razón y Fe*, Madrid, n.º 662, tomo 147.

ARANA, MARÍA DOLORES, "Vicente Aleixandre: *Sombra del Paraíso*", en *Las Españas*, México, abril de 1948.

ARAUZ, ÁLVARO, "Antología parcial de poetas andaluces (1920-1935)", Cádiz, 1936, págs. 41-59 y 299.

ARROITA JÁUREGUI, MARCELO, "*Nacimiento Último*", en *Ateneo*, Madrid, 15 de junio de 1953.

— (Véase M. A.).

ARTECHE, MIGUEL, "*Sombra del Paraíso*, por Vicente Aleixandre", en *Atenea*, 297, Santiago de Chile, marzo de 1950, págs. 309-312.

— "La nieve y Vicente", en *El Mercurio*, Santiago de Chile, 17 de febrero de 1952.

AUBERT, CLAUDE, "En Espagne, réveil de la poésie", en *Journal de Genève*, 11-12 de febrero de 1961.

AUCLAIR, MARCELLE, "Espagne 50", en *Les Nouvelles Littéraires*, París, 23 de marzo de 1950.

AUDITOR, "Conferencias y conferenciantes. 'Retratos de hombres y mujeres', por el poeta Aleixandre", en *Las Provincias*, Valencia, 7 de mayo de 1965.

AZCOAGA, ENRIQUE, "*Nacimiento Último*", en *Mairena*, n.º 1, Buenos Aires, 1953.

AZORÍN, "La sintaxis", en *ABC*, 21 de julio de 1962.

B., "Aleixandre, Vicente: Sombra del Paraíso", en Jornada, Valencia, 21 de octubre de 1944.

— "El poeta Aleixandre ocupará el sillón letra O en la Academia", en Baleares, Palma de Mallorca, 7 de octubre de 1949.

BABÍN, MARÍA TERESA, "Aleixandre, Vicente: En un Vasto Dominio", en Asomante, San Juan (Puerto Rico), octubre-diciembre de 1963, págs. 67-69.

BADOSA, ENRIQUE, "Los Encuentros de Vicente Aleixandre", en Distinción, Barcelona, octubre de 1958, pág. 67.

— "Mis poemas mejores, de Vicente Aleixandre", en El Noticiero Universal, Barcelona, 12 de marzo de 1957.

— "Mundos nuevos, en la literatura europea contemporánea", en El Noticiero Universal, Barcelona, 10 de agosto de 1954.

— "Últimas palabras y primer silencio en un poema de Vicente Aleixandre", en Destino, Barcelona, 29 de abril de 1957.

— "Una tarde de Velintonia, con Vicente Aleixandre", en El Noticiero Universal, Barcelona, 17 de mayo de 1955.

— "Vicente Aleixandre habla del tema del amor en su poesía", en El Noticiero Universal, Barcelona, 27 de noviembre de 1956.

BALLESTÉ, JAIME, "De las prensas malagueñas a la Real Academia Española", en Sur, Málaga, febrero de 1950.

BAQUERO GOYANES, MARIANO, "Vicente Aleixandre: Fidelidad a la poesía", en Arbor, Madrid, abril de 1950.

— "Vicente Aleixandre, Nacimiento Último", en Clavileño, Madrid, julio-agosto de 1953.

— "Vicente Aleixandre: Historia del Corazón", en Clavileño, n.º 27, Madrid, mayo-julio de 1954.

BARCE, RAMÓN, "Escaparate de la poesía. En un Vasto Dominio" [I], en Ya, Madrid, 5 de febrero de 1963.

— "Escaparate de la poesía: En un Vasto Dominio, por Vicente Aleixandre" [II], en Ya, Madrid, 6 de febrero de 1963.

— "Un nuevo libro de Aleixandre. Retratos con Nombre", en Ya, Madrid, 4 de diciembre de 1965.

BARRAL, CARLOS, "Memoria de un poema. Homenaje a Vicente Aleixandre", en Papeles de Son Armadans, tomo XI, n.os 32-33, Madrid-Palma de Mallorca, noviembre-diciembre de 1958, págs. 394-400.

— "Sol de invierno (1935). (En el homenaje a Vicente Aleixandre)", en Ínsula, n.º 151.

— "Un libro de Vicente Aleixandre", en Laye, n.º 24, Barcelona, 1954, páginas 84 y sigs.

B[ARROS], T[OMÁS], "Historia del Corazón", en Aturuxo, n.º 4, El Ferrol, 1954.

— "*Nacimiento Último*, Vicente Aleixandre", en *Aturuxo*, n.º 4, El Ferrol, 1954.

BÁSCONES, F. JOSÉ M.ª, "Vicente Aleixandre, el poeta de la luz", en *Cor Unum*, n.º 150, noviembre-diciembre de 1959.

BAYÓN, DAMIÁN CARLOS, *Viaje dentro del viaje*, ed. Botella al mar, Buenos Aires, 1954, "Azul Vicente", págs. 48-50.

BENÍTEZ CLAROS, RAFAEL, "Vicente Aleixandre : *Sombra del Paraíso*", en *Cuadernos de Literatura Contemporánea*, 15, Madrid, 1944, págs. 261-273.

BERNÁRDEZ, FRANCISCO LUIS, "Aleixandre y Alonso", en *Papel literario de El Nacional*, Caracas, enero de 1959.

"Bibliografía sobre Vicente Aleixandre", en *Papeles de Son Armadans*, tomo XI, n.ᵒˢ 32-33, Madrid-Palma de Mallorca, noviembre-diciembre de 1958, págs. 445-463.

BLAJOT, JORGE, "Más allá de la palabra", en *Razón y Fe*, Madrid, mayo de 1950, págs. 531-533.

— "Poesía y religiosidad", en *Razón y Fe*, Madrid, n.º 636, tomo 143.

— "Un libro mayor de poesía. *En un Vasto Dominio*", en *La Estafeta Literaria*, Madrid, 2 de marzo de 1963.

BLANCO AGUINAGA, CARLOS, "Carlos Bousoño, *La poesía de Vicente Aleixandre*", en *Nueva Revista de Filología Hispánica*, n.º 4, México, octubre-diciembre de 1951.

BLASCO, RICARDO JUAN, "Un poeta se encara con la eternidad (Vicente Aleixandre)", en *Trivium*, n.ᵒˢ 11 y 12, Monterrey, México, 1950.

BLECUA, JOSÉ M., *Los pájaros en la poesía española*, ed. Hispánica, Madrid, 1943, págs. 244-245.

— *El mar en la poesía española*, ed. Hispánica, Madrid, 1945, págs. 333-339.

BLEIBERG, GERMÁN, "Vicente Aleixandre y sus poemas difíciles", en *Ínsula*, 50, Madrid, 15 de febrero de 1950.

BO, CARLO, "L'Ultimo Aleixandre", en *Galleria*, 1-2, págs. 38-41, Caltanissetta, Roma, enero-abril de 1955.

BODINI, VITTORIO, *I poeti surrealiste spagnoli*, Ed. Einaudi, Torino, 1963, páginas LXXX-LXXXV, 306-364.

— "Il poeta sulla sierra", en *Il Mondo*, Roma, 21 de enero de 1962.

BONET, BLAI, "Carta a Vicente Aleixandre", en *Cántico*, Córdoba, febrero-marzo de 1955, págs. 6 y sigs.

— "Vicente Aleixandre (poema)", en *Papeles de Son Armadans*, n.º 50, Palma de Mallorca, mayo de 1960, págs. 311-314.

BOSCH, RAFAEL, "La antología poética de Aleixandre. *Mis mejores poemas*", en *Hispania*, marzo de 1963, págs. 177-178.

BOUSOÑO, CARLOS, "Vicente Aleixandre : En la muerte de Miguel Hernández", en *Ínsula*, 29, Madrid, 15 de mayo de 1948.

— "Vicente Aleixandre, académico", en *Clavileño*, 1, Madrid, enero-febrero de 1950.

— "Génesis de un poema aleixandrino", en *Ínsula*, 50, Madrid, 15 de febrero de 1950.

— "Un nuevo libro de Aleixandre : *Mundo a Solas*", en *Ínsula*, 53, Madrid, 15 de mayo de 1950.

— "Sobre *Historia del Corazón* de Vicente Aleixandre", en *Ínsula*, Madrid, junio de 1954.

— "Consideraciones en torno a un libro de poesía", en *Bolívar*, Bogotá, 1954, págs. 226-246.

— "Dos ensayos. El término 'gran poesía' y la poesía de Vicente Aleixandre", en *Papeles de Son Armadans*, tomo XI, n.os 32-33, Madrid-Palma de Mallorca, noviembre-diciembre de 1958, págs. 245-255.

— "Sentido de la poesía de Vicente Aleixandre", prólogo a las *Poesías Completas* de Vicente Aleixandre, Ed. Aguilar, Madrid, 1960.

— "Materia como historia. (El nuevo Aleixandre)", en *Ínsula*, Madrid, enero de 1963.

— *La Poesía de Vicente Aleixandre. Imagen. Estilo. Mundo poético.* Ed. Ínsula, Madrid, 1950; 2.ª ed. Gredos, Madrid, 1957; 3.ª ed. ibid., 1968.

BURGOS, ANTONIO, "El espíritu y la letra. Los premios de la crítica", en *Domingo*, Madrid, 5 de mayo de 1963.

BUSTOS, JUAN, "Con Walter Starkie, a 42 grados a la sombra", en *España*, Tánger, 9 de junio de 1950.

BUSUIOCEANU, ALEJANDRO, "Vicente Aleixandre revela sus secretos", en *Ínsula*, 37, Madrid, 15 de enero de 1949.

— "El epifanismo de Vicente Aleixandre", en *Ínsula*, 39, Madrid, 15 de marzo de 1949.

— "Epifanismo y epifanismo", en *Ínsula*, 41, Madrid, 15 de mayo de 1949.

CABA, PEDRO, "En torno al fenómeno poético", en *El Español*, Madrid, 8 de septiembre de 1945.

— "Poetas tardíos y poemitas agónicos", en *El Español*, Madrid, 7 de noviembre de 1945.

— "Sobre *Historia del Corazón*, de Vicente Aleixandre", en *Ateneo*, n.º 64, Madrid, 15 de agosto de 1954.

— "Más sobre *Historia del Corazón*, de Vicente Aleixandre", en *Ateneo*, n.º 65, Madrid, 1 de septiembre de 1954.

CABALLERO BONAL, J. M., "El paraíso de las palabras", en *La Voz del Sur*, Cádiz, abril de 1949.

— "La solidaridad humana en la poesía de Vicente Aleixandre", en *Mito* (Revista Bimestral de Cultura), n.º 34, Bogotá, enero-febrero de 1961, págs. 215-224.

— "Las *Poesías Completas* de Vicente Aleixandre. Una lección de Solidaridad Humana", en *Índice literario de El Universal*, Caracas, 15 de agosto de 1961.

CAMPO, ÁNGEL DEL, "Vicente Aleixandre vuelve a nacer", en *Revista*, Barcelona, 9 de abril de 1953.

CAMPOS, JORGE, "Nuestro amigo Vicente", en *Corcel*, 5-6 (Homenaje a Vicente Aleixandre), Valencia, 1944, págs. 37-39.

— "Mundo sin hombre", en *Índice de artes y letras*, 28, Madrid, abril de 1950.

— "*Los Encuentros* de Vicente Aleixandre", en *Papel literario de El Nacional*, Caracas, 16 de julio de 1959.

CANALES, ALFONSO, "Se ha decidido que Vicente Aleixandre sea inmortal", en *Sur*, Málaga, 28 de enero de 1950.

— "Poemas paradisíacos, de Vicente Aleixandre", en *Sur*, Málaga, 8 de febrero de 1953.

CANITO, ENRIQUE, "Diálogo con Vicente Aleixandre", en *Ínsula*, 50, Madrid, 15 de febrero de 1950.

— "Aleixandre y la poesía joven", en *Ínsula*, n.º 119, Madrid, 15 de noviembre de 1955.

— "*Los Encuentros*, de Vicente Aleixandre", en *Ínsula*, n.º 160, Madrid, marzo de 1960.

CANO, JOSÉ LUIS, "Sobre *Pasión de la Tierra*", en *Sur*, Málaga, 16 de octubre de 1935.

— "Málaga en la poesía de Vicente Aleixandre", en *Sur*, Málaga, 26 de noviembre de 1944.

— "El amor en la poesía de Vicente Aleixandre", en *Corcel*, 5-6 (Homenaje a Vicente Aleixandre), Valencia, 1944, págs. 21-27.

— "Vicente Aleixandre: *Sombra del Paraíso*", en *Mediterráneo*, 9-11, Valencia, 1945, págs. 171-174.

— "Vicente Aleixandre en la Academia", en *Ínsula*, 43, Madrid, 15 de julio de 1949.

— "Figuras literarias", en *Ínsula*, 34, Madrid, 15 de octubre de 1949.

— "El poeta y su discurso", en *Ínsula*, 50, Madrid, 15 de febrero de 1950.

— "*Mundo a Solas*, de Vicente Aleixandre", en *Arbor*, Madrid, septiembre de 1950.

— "La poésie espagnole d'aujourd'hui", en *Le journal des poètes*, n.º 4, Bruxelles, abril de 1953.

— "Vicente Aleixandre: *Nacimiento Último*", en *Insula*, Madrid, 15 de junio de 1953.
— "Vicente Aleixandre y su *Historia del Corazón*", en *Papel literario de El Nacional*, Caracas, 22 de julio de 1954.
— "Vicente Aleixandre y su *Nacimiento Último*", en *Foco*, Madrid, 29 de agosto de 1953.
— "Poetry in Spain", en *World Review*, London, noviembre de 1952.
— *De Machado a Bousoño (notas sobre poesía española contemporánea)*, ed. Insula, Madrid, 1955, págs. 85-119. (Se contienen algunos de los artículos antes mencionados.)
— *Antología de poetas andaluces contemporáneos*, ediciones Cultura Hispánica, Madrid, 1952, págs. 243-267.
— "La generación poética de 1925", en *Revista Nacional de Cultura*, n.º 111, Caracas, julio-agosto de 1955, págs. 78-79.
— "Nuevos rumbos de la poesía española", en *Cultura universitaria*, Caracas, julio-agosto de 1955, págs. 47 y sigs.
— "Aleixandre: Continuidad de una poesía", en *Mundo Nuevo*, n.º 9, París, marzo de 1967, págs. 4-6.
— "Cinco poetas del tiempo", en *Insula*, Madrid, junio de 1965.
— "Continuidad de un poeta" (sobre *Presencias* y *Retratos con Nombre*), en *Siglo 20*, Barcelona, 9 de octubre de 1965.
— "El poeta y sus encuentros", en *Papel literario de El Nacional*, Caracas, 16 de octubre de 1958.
— "Entrevista con Aleixandre", en *Cuadernos*, n.º 39, París, noviembre-diciembre de 1959, págs. 65-67.
— "Hacia una nueva estilística", en *Papel literario de El Nacional*, Caracas, 2 de mayo de 1957.
— "La poesía de Vicente Aleixandre (con motivo de *En un Vasto Dominio*)", en *Cuadernos*, n.º 72, París, mayo de 1963, págs. 19-21. Repetido en *El Bardo*, vol. 4, págs. 37-41.
— "La poesía española de hoy", en *Temas*, n.º 7, Madrid, 1966, págs. 80-84.
— "*Los Encuentros*, de Vicente Aleixandre", en *Cuadernos*, París, noviembre-diciembre de 1958.
— "Málaga en Vicente Aleixandre", en *Papeles de Son Armadans*, tomo XI, n.os 32-33, Madrid-Palma de Mallorca, noviembre-diciembre de 1958, páginas 332-340.
— "Noticia de la poesía española actual", en *Tempo-Modo*, Lisboa, junio de 1965, págs. 638-640.
— *Poesía española del siglo XX*. "La poesía de Vicente Aleixandre", en las págs. 261-310, Ed. Guadarrama, Madrid, 1960.

— "Tres poetas frente al misterio: Darío, Machado, Aleixandre", en *Cuadernos Americanos*, México, enero-febrero de 1960, págs. 227-231.

— "Vicente Aleixandre, lector de su poesía", en *Destino*, Barcelona, 20 de marzo de 1963.

— "Vicente Aleixandre: *Los Encuentros*", en *Cuadernos*, n.º 33, París, páginas 103-105.

— "Vicente Aleixandre: *Poesías Completas*", en *Cuadernos*, París, noviembre-diciembre de 1960, págs. 114-115.

— "Vicente Aleixandre y su *Ciudad del Paraíso*", en *Papel literario de El Nacional*, Caracas, julio de 1958.

— "Vicente Aleixandre y sus *Poesías Completas*", en *Papel literario de El Nacional*, Caracas, 9 de enero de 1961.

— "Vicente Aleixandre y sus *Retratos con Nombre*", en *Papel literario de El Nacional*, Caracas, 29 de agosto de 1965.

CARO ROMERO, JOAQUÍN, "*En un Vasto Dominio*", en *El Correo de Andalucía*, Sevilla, 8 de marzo de 1963. Repetido en *Novedades*, n.º 7, Sevilla, 13 de abril de 1963.

— "Entrevista con Vicente Aleixandre", en *El Correo de Andalucía*, Sevilla, 27 de diciembre de 1961.

— " 'Antigua casa madrileña', de Vicente Aleixandre", en *El Correo de Andalucía*, Sevilla, 5 de abril de 1962.

— "Palabras con Vicente Aleixandre", en *ABC*, Sevilla, 27 de junio de 1963.

— " 'Poemas amorosos', de Vicente Aleixandre", en *El Correo de Andalucía*, Sevilla, 5 de septiembre de 1961.

"Carta a Vicente Aleixandre", en *juventud*, Madrid, 24 de junio de 1954.

CARTOSIO, EMMA DE, "Una tarde y Vicente Aleixandre", en *La Nación*, Buenos Aires, 28 de julio de 1963.

CASSIERI, GIUSEPPE, "Incontro con il poeta Vicente Aleixandre", en *Il Popolo*, Roma, 2 de enero de 1952.

CASTAÑEDA GONZÁLEZ, MANUEL, "Nacimiento del amor", en *Gánigo*, n.º 26, Tenerife, marzo-abril de 1957.

CASTELLET, JOSÉ MARÍA, "Analogía entre dos poetas", en *Correo Literario*, Madrid, Barcelona, Buenos Aires, n.º 5, septiembre de 1954.

CASTILLO, HORACIO, "Vicente Aleixandre en Madrid", en *La Nación*, Buenos Aires, 23 de octubre de 1960.

CASTILLO-ELEJABEYTIA, DICTINO DE, "La poesia di Vicente Aleixandre", en *Il Giornale dei poeti*, Roma, 21 de julio de 1955.

CASTRO VILLACAÑAS, DEMETRIO, "Cómo trabaja... Vicente Aleixandre", en *Ateneo*, Madrid, 6 de junio de 1953.

CASTROVIEJO, CONCHA, "Dos nuevos libros de Vicente Aleixandre: *Presencias y Retratos con Nombre*", en *Informaciones*, Madrid, 2 de octubre de 1959.

Castro y Calvo, José María, "Una poética del amor", en *ABC*, 31 de marzo de 1957.

Cela, Camilo José, "El reino del amor y del dolor", en *Arriba*, Madrid, 13 de octubre de 1944.

— "Acrósticos para tocar campanas en un triple homenaje", en *Papeles de Son Armadans*, tomo XI, n.os 32-33, Madrid-Palma de Mallorca, noviembre-diciembre de 1958, págs. 324-325.

— "Loa de los jóvenes sesentones y llanto por el poeta muerto en flor", en *Papeles de Son Armadans*, tomo XI, n.os 32-33, Madrid-Palma de Mallorca, noviembre-diciembre de 1958, págs. 115-118.

Cela Trulock, Jorge, "12 retratos de 12 españoles" (comentario a los retratos de John Ulbricht), en *La Gaceta Ilustrada*, 2 de octubre de 1965.

Celaya, Gabriel, "Correo de España. *Los Encuentros*, de Vicente Aleixandre", en *Excelsior*, México, agosto de 1958.

— "Notas para una *Cantata en Aleixandre*", en *Papeles de Son Armadans*, tomo XI, n.os 32-33, Madrid-Palma de Mallorca, noviembre-diciembre de 1958, págs. 375-385.

— "Penúltimas noticias de Vicente Aleixandre", en *Índice literario de El Universal*, Caracas, 24 de abril de 1962.

Cernuda, Luis, "Vicente Aleixandre", en *Orígenes*, n.º 26, La Habana, 1950, págs. 9-15.

— "Vicente Aleixandre", en *Novedades*, México, 30 de octubre de 1955.

— "Clásico viviente. *Presencias*, por Vicente Aleixandre", en *SP*, Madrid, 15 de agosto de 1965.

Cohen, J. M., "Exile from paradise", en *The Times Literary Supplement*, London, 17 de mayo de 1957.

— "Recents poets of Spain", en *The Times Literary Supplement*, London, 2 de noviembre de 1956.

— "Visita inglesa a Aleixandre", en *Ínsula*, n.º 151.

— "Voices from postwar Spain. Vicente Aleixandre: *En un Vasto Dominio*", en *The Times Literary Supplement*, London, 19 de julio de 1963.

"Conferencia de D. Antonio Pereira sobre 'La poesía de Vicente Aleixandre'", en *Proa*, León, 28 de julio de 1955.

"Conferencias y conferenciantes. 'El amor, principio informador de mi poesía', por Vicente Aleixandre", en *Las Provincias*, Valencia, 6 de mayo de 1961.

Corbalán, Pablo, "Vicente Aleixandre leyó su discurso de ingreso", en *Informaciones*, Madrid, 23 de enero de 1950.

— "Vicente Aleixandre, académico", en *La Hora*, Madrid, febrero de 1950.

— "*Historia del Corazón*, por Vicente Aleixandre", en *Informaciones*, Madrid, 24 de julio de 1954.

— "Aleixandre o la historia de un corazón", en *Informaciones*, Madrid, 6 de septiembre de 1958.

— "Amigos y maestros de Aleixandre", en *Informaciones*, Madrid, 6 de septiembre de 1958.

CÓRDOBA, "¿En qué piensa un académico?", en *Pueblo*, Madrid, 2 de enero de 1950.

COSSÍO, JOSÉ MARÍA DE, "La forma poética", en *Arriba*, Madrid, 29 de julio de 1944.

COSTAFREDA, ALFONSO, "*Nacimiento Último*", en *Revista*, Barcelona, 25 de junio de 1953.

COTE LAMUS, EDUARDO, "Leyendo *Historia del Corazón*, de Vicente Aleixandre", en *Diario de Colombia*, Bogotá, octubre de 1954.

COUFFON, CLAUDE, "Les revues. Revues de langue espagnole", en *Les Lettres Nouvelles*, n.º 27, 28 de octubre de 1959.

CRÉMER, VICTORIANO ALONSO, "*Sombra del Paraíso*, de Vicente Aleixandre", en *Diario de León*, León, 1 de julio de 1944.

CRESPO, ÁNGEL, "Poemas de ver un río. A Vicente Aleixandre" (poema), en *Papeles de Son Armadans*, tomo XI, n.ºs 32-33, Madrid-Palma de Mallorca, noviembre-diciembre de 1958, págs. 407-409.

CROCE, ELENA, *Poeti del novecento...* ed. Einaudi, Torino, 1960, págs. 238-243.

CRUSAT, PAULINA, "*Los Encuentros*, de Vicente Aleixandre", en *Destino*, Barcelona, 27 de junio de 1959.

CRUSET, JOSÉ, "Vicente Aleixandre: Una ascendente aspiración a la luz", en *La Vanguardia Española*, Barcelona, 26 de enero de 1967.

CHABÁS, JUAN, "*Ámbito*", en *La Libertad*, Madrid, abril de 1928.

CHARRY LARA, FERNANDO, *Cuatro poetas del siglo XX: Aleixandre, Rilke, Machado, Valéry*, ed. Universidad Nacional de Colombia, Sección de extensión cultural, Bogotá, 1947.

— "El *Vasto Dominio*, de Aleixandre", en *El Tiempo*, Bogotá, 10 de marzo de 1963.

— "*Espadas como Labios*", en *El Tiempo*, Bogotá, 21 de diciembre de 1947.

CHUMACERO, ALÍ, "Vicente Aleixandre: *Mis mejores poemas*", en *Estaciones*, n.º 7, México, otoño de 1957.

DASI, RICARDO (JR.), "Unos pocos minutos con un poeta mediterráneo: Vicente Aleixandre", en *Las provincias*, 7 de mayo de 1965.

DAVI, HANS L., "*Spanische Lyrik der Gegenwart*", en *National-Zeitung Basel*, n.º 370, 13 de agosto de 1961.

— "Spanische und portugiesische Literatur", en *Luzerner Neueste Nachzichten*, Luzerna, 24 de julio de 1964.

D'AVILA, HUMBERTO, "Panorámica de poesia espanhola actual", en *Seara Nova*, 1.050, 13 de septiembre de 1947.

DEL ARCO, "Vicente Aleixandre", en *Diario de Barcelona*, Barcelona, 13 de noviembre de 1948.

— "Cinco minutos con Vicente Aleixandre", en *Destino*, Barcelona, 21 de abril de 1951.

— "Vicente Aleixandre", en *La Vanguardia*, Barcelona, 25 de noviembre de 1956.

DEL RÍO, ÁNGEL, "La poesía surrealista de Aleixandre", en *Revista Hispánica moderna*, Columbia University, New York, octubre de 1935, págs. 21-23.

— *Historia de la literatura española*, The Dryden Press, New York, 1948, págs. 254-262.

DÍAZ PLAJA, GUILLERMO, *La poesía lírica española*, ed. Labor, Barcelona, 1937, págs. 419-420.

— "La letra y el instante", en *Destino*, Barcelona, 25 de mayo de 1963.

DIEGO, GERARDO, *Poesia española. Antología. 1915-1931*, ed. Signo, Madrid, 1932, págs. 401-402.

— *Poesía española. Antología (Contemporáneos)*, Madrid, 1934, págs. 493-515.

—" Ciudad del Paraíso", en *ABC*, Madrid, 1944.

— "*La Destrucción o el Amor* o la poesía de Vicente Aleixandre", en *La Estafeta Literaria*, 31, Madrid, agosto de 1945.

— "Vicente Aleixandre", en *ABC*, Madrid, 28 de enero de 1950.

— "Curva ascendente", en *Ínsula*, 50, Madrid, 15 de febrero de 1950.

— "*Pasión de la Tierra*", en *Corcel*, 5-6 (Homenaje a Vicente Aleixandre), Valencia, 1944, págs. 17-18.

— "Tercera Cima", en *El Noticiero Universal*, Barcelona, 15 de septiembre de 1954.

— "Nacimiento Último", en *Correo literario*, Madrid, 15 de julio de 1953. (Por error, aparecido sin firma.)

— "*Los Encuentros*", en *Agora*, n.os 23-24, Madrid, septiembre-octubre de 1958.

— "Aleixandre y el Corazón", en *ABC*, Madrid, 29 de octubre de 1955.

DÍEZ CANEDO, ENRIQUE, "Libros de 1928. La poesía y los poetas", en *El Sol*, Madrid, 10 de enero de 1929.

DOLÇ, MIGUEL, "De la humanidad al hombre. *Presencias y Retratos*, de Vicente Aleixandre", en *La Vanguardia Española*, Barcelona, 21 de abril de 1966.

— "El dominio de Vicente Aleixandre", en *Las Provincias*, Valencia, 3 de febrero de 1963.

DOMENCHINA, JUAN JOSÉ, "*La Destrucción o el Amor*", en *La Voz*, Madrid, 6 de marzo de 1935: I; 9 de marzo de 1935: II.

— "La actual poesía española en España", en *Mañana*, México, 19 de agosto de 1950.

DOMENECH, RICARDO, "*En un Vasto Dominio*, de Vicente Aleixandre", en *Triunfo*, n.º 28, Madrid, 15 de diciembre de 1962.

DOMINGO, JOSÉ, "El estudio del tiempo en la poesía española contemporánea", en *Papeles de Son Armadans*, n.º 112, Madrid-Palma de Mallorca, 1965, págs. 191-202.

— "La humana poesía de Vicente Aleixandre", en *La Tarde*, Santa Cruz de Tenerife, 16 de mayo de 1957.

— "*Los Encuentros*, de Vicente Aleixandre", en *La Tarde*, 10 de julio de 1958.

— "Nuevo encuentro con Vicente Aleixandre", en *La Tarde*, Santa Cruz de Tenerife, 10 de diciembre de 1965.

— " 'Presencias' humanas en la obra de Vicente Aleixandre", en *La Tarde*, Santa Cruz de Tenerife, 16 de julio de 1965.

— "Vicente Aleixandre en su vasto dominio", en *La Tarde*, Santa Cruz de Tenerife, 1 de abril de 1963.

DOMÍNGUEZ MILLÁN, ENRIQUE, "Veraneantes en tierra adentro. El artista y sus vacaciones. Aleixandre a seis mil kilómetros", en *Pueblo*, Madrid, 2 de septiembre de 1958.

DORESTE, VENTURA, "La unidad poética de Aleixandre", en *Ínsula*, 50, Madrid, 15 de febrero de 1950.

— "Aleixandre, dios y humano", en *Asomante*, 3, San Juan de Puerto Rico, 1955.

— "Aspectos de Aleixandre. Con motivo de sus *Poesías Completas*", en *Ínsula*, n.º 167, Madrid, octubre de 1960.

— "La prosa de Vicente Aleixandre", en *Ínsula*, Madrid, 15 de agosto de 1958.

DORESTE SILVA, LUIS, "Salutación a Vicente Aleixandre", en *Falange*, Las Palmas, 23 de mayo de 1957.

D'ORS, EUGENIO, "La humanización del fuego", en *Arriba*, Madrid, 11 de noviembre de 1948.

— "Erótica en la Academia", en *Arriba*, Madrid, 25 de enero de 1950.

DORTA, ANTONIO, "Pregón de Vicente Aleixandre", en *La Tarde*, Santa Cruz de Tenerife, 16 de mayo de 1957.

"Dos poemas de Vicente Aleixandre", en *Las Provincias*, Valencia, 30 de agosto de 1953.

"Dos notas acerca de poesía", en *Destino*, Barcelona, julio de 1944.

"D. Vicente Aleixandre, insigne poeta de la Real Academia", en *Idealidad*, Alicante, mayo de 1952.

DUQUE, AQUILINO, "Una victoria sobre el tiempo", en *Cuadernos Hispanoamericanos*, n.º 133, Madrid, enero de 1961, págs. 125-134.

DURÁN GILI, MANUEL, *El superrealismo en la poesía española contemporánea*, Universidad Nacional Autónoma de México, Facultad de Filosofía y Letras, México D. F., 1950.

ECHEVERRI MEJÍA, ÓSCAR, "*Los Encuentros*, de Vicente Aleixandre", en *La República*, Bogotá, 5 de marzo de 1961.

— "*Los Encuentros*, de Vicente Aleixandre", en *Mundo Hispánico*, Madrid, octubre de 1960.

— "*Los Encuentros*, de Vicente Aleixandre", en *Revista javeriana*, n.º 270, Bogotá, Colombia, noviembre de 1960, págs. 735-739.

— "Una visita a Vicente Aleixandre", en *Diario Oficial*, Bogotá, 23 de abril de 1957.

EIROA, JORGE JUAN, "El hombre y su palabra. Vicente Aleixandre", en *Diario de Cuenca*, Cuenca, 21 de noviembre de 1965.

"El escritor y su espejo. Vicente Aleixandre", en *ABC*, 12 de agosto de 1965. Reproducido en la ed. aérea del 19 de agosto de 1965.

"El Premio Nacional de Literatura. Un libro de poesía de Vicente Aleixandre", en *Luz*, 2 de enero de 1934.

F. A. Y M., " 'Picasso', de Vicente Aleixandre", en *Poesía Española*, Madrid, junio de 1961, págs. 14-15.

FABBIANI RUIZ, JOSÉ, "Aleixandre y su *Historia del Corazón*", en *Índice literario de El Universal*, Caracas, 31 de enero de 1956.

FAJARDO, CELIA HELENA, "Una visita a Aleixandre", en *El Tiempo*, Bogotá, 4 de abril de 1954.

FERNÁNDEZ, MIGUEL, "Conversaciones con tres poetas de un mismo tema lírico: Vicente Aleixandre, Carlos Bousoño y Rafael Morales", en *Arriba*, Madrid, 20 de enero de 1963.

— "Vicente Aleixandre escribe siempre acostado", en *Ya*, Madrid, 20 de febrero de 1966.

— "Vicente Aleixandre: *Retratos con Nombre*", en *Jaén*, Jaén, 16 de mayo de 1965.

FERNÁNDEZ ALMAGRO, MELCHOR, "Glosas: el mundo de un poeta", en *El Norte de Castilla*, 24 de mayo de 1935.

— "Versos humanos", en *ABC*, Madrid, 8 de julio de 1949.

— "Aleixandre en la Academia", en *Las Provincias*, Valencia, 14 de julio de 1949.

— "*Mundo a Solas*, por Vicente Aleixandre", en *ABC*, Madrid, 14 de mayo de 1950.

— "Aleixandre y su *Historia del Corazón*", en *La Vanguardia Española*, Barcelona, 22 de septiembre de 1954.

— "*Historia del Corazón*, por Vicente Aleixandre", en *ABC*, Madrid, 13 de junio de 1954.

— "*Nacimiento Último*, por Vicente Aleixandre", en *ABC*, Madrid, 12 de julio de 1953.

— "Antología temática de Vicente Aleixandre", en *La Vanguardia Española*, Barcelona, 10 de junio de 1965.

— "*En un Vasto Dominio*, por Vicente Aleixandre", en *ABC*, Madrid, 2 de diciembre de 1962 (reproducido el 4 y el 6 de diciembre de 1962).

— "La literatura y el lector en 1958", en *Universidad de Antioquía*, Medellín (Colombia), octubre de 1958-marzo de 1959, págs. 707 y sigs.

— "*Los Encuentros*, por Vicente Aleixandre", en *ABC*, Madrid, 29 de junio de 1958.

— "Poesía de Vicente Aleixandre", en *La Vanguardia*, Barcelona, 13 de marzo de 1957.

— "*Retratos con Nombre*, de Vicente Aleixandre", en *ABC*, Madrid, 15 de julio de 1965. Repetido el 29 de julio.

FERNÁNDEZ CARVAJAL, RODRIGO, "El tiempo en la poesía de Vicente Aleixandre", en *Corcel*, 5-6 (Homenaje a Vicente Aleixandre), Valencia, 1944, páginas 41-43.

FERNÁNDEZ DE LA REGUERA, RICARDO, "Schriftsteller lesen für den Tagesspiegel: Er weiss, wie der Stein singt", en *Der Taugensspiegel*, Berlín, 24 de mayo de 1964.

— "Vicente Aleixandre, poeta y maestro".

FERRÁN, JAIME, "*Nacimiento Último*, de Vicente Aleixandre", en *Alcalá*, Madrid, mayo-julio de 1953.

— "Del objetivismo y el objetalismo. *En un Vasto Dominio*", en *Cuadernos Hispanoamericanos*, n.º 168, diciembre de 1963, págs. 674-679.

— "De Velintonia, 3, recuerdo sobre todo los domingos", en *Papeles de Son Armadans*, tomo XI, n.ºs 32-33, Madrid-Palma de Mallorca, noviembre-diciembre de 1958, págs. 370-371.

— "*Los Encuentros*, de Vicente Aleixandre", en *Poesía Española*, n.º 73, Madrid, enero de 1959.

— "Mirada cimal. Vicente Aleixandre y sus *Retratos con Nombre*", en *Eco*, Bogotá, septiembre de 1965, págs. 496-506.

— "*Mis poemas mejores*, de Aleixandre", en *Solidaridad Nacional*, Barcelona, 23 de enero de 1957.

— " 'Presencias', de Vicente Aleixandre", en *El Tiempo*, Bogotá, 29 de junio de 1965.

— "¿'Siglo de Oro' o 'Aurea mediocritas'?", en *El Alcázar*, Madrid, 16 de agosto de 1965.

FERREIRO, CELSO EMILIO, "Mientras imos andando" (poema homenaje a F. G. Lorca, D. Alonso y V. Aleixandre), en *Papeles de Son Armadans*, tomo XI, n.ᵒˢ 32-33, Madrid-Palma de Mallorca, noviembre-diciembre de 1958, páginas 439-441.

FERRERES, RAFAEL, "*Sombra del Paraíso*, por Vicente Aleixandre", en *Levante*, Valencia, 5 de abril de 1945.

— "Un corazón con historia", en *Levante*, Valencia, 25 de septiembre de 1954.

— "Dámaso Alonso y Vicente Aleixandre, estudiados", en *Levante*, Valencia, 8 de marzo de 1959.

— "*En un Vasto Dominio*, de Vicente Aleixandre", en *Levante* (Valencia), 22 de septiembre de 1963.

— "*Retratos con Nombre*, de Vicente Aleixandre", en *Levante*, Valencia, 5 de septiembre de 1965.

— "Sobre la generación poética de 1927", en *Papeles de Son Armadans*, tomo XI, n.ᵒˢ 32-33, Madrid-Palma de Mallorca, noviembre-diciembre de 1958, págs. 301-314.

— "Un libro de retratos", en *Levante*, Valencia, 13 de julio de 1958.

— "Vicente Aleixandre y su comentarista", en *Levante*, Valencia, 14 de octubre de 1956.

— "Vida entera de poesía", en *Levante*, Valencia, 29 de mayo de 1960.

FITZMAURICE-KELLY, *The Oxford book of Spanish verse*, Oxford, 1940.

FLORIT, EUGENIO, "Vicente Aleixandre. *Mis mejores poemas*", en *Revista Hispánica Moderna*, vol. XXIV, n.ᵒˢ 2-3, New York.

FOIX, J. V., "Tot és cleda, i sotmès, enllà del Segre... A Vicente Aleixandre" (poema), en *Papeles de Son Armadans*, tomo XI, n.ᵒˢ 32-33, Madrid-Palma de Mallorca, noviembre-diciembre de 1958, págs. 431-432.

F. MOLINA, A., "*Nacimiento Último*, de V. Aleixandre", en *Trilce*, n.º 6, Guadalajara, octubre de 1953.

FROLDI, RINALDO, "Due poesie di Vicente Aleixandre", en *La Fiera Letteraria*, Roma, 14 de diciembre de 1952.

— "Figure della cultura spagnola di oggi... [Vicente Aleixandre]", en *La Fiera Letteraria*, Roma, 14 de diciembre de 1952. (Publica también dos poemas de V. A. traducidos al italiano.)

FRUTOS, EUGENIO, "Poesía de temas eternos. En torno a la segunda edición de *La Destrucción o el Amor*", en *Amanecer*, Zaragoza, 12 de junio de 1945.

— "La luminosa poesía de Vicente Aleixandre", en *Amanecer*, Zaragoza, 6 de diciembre de 1944.

— "Poetización del vivir humano", en *Amanecer,* Zaragoza, 5 de agosto de 1954.

— "Poetización del vivir humano" (segunda parte), en *Amanecer,* Zaragoza, 6 de agosto de 1954.

— "El conocimiento poético (a propósito de un libro de Vicente Aleixandre)", en *El Noticiero Universal,* Barcelona, 15 de noviembre de 1966.

— "Hombres y paisajes de España. A más poesía. Sobre el último libro de Vicente Aleixandre", en *El Noticiero Universal,* Barcelona, 15 de enero de 1963.

— "La primera antología de Vicente Aleixandre", en *Índice,* n.º 104, Madrid, agosto de 1957.

— "Las poesías completas de Vicente Aleixandre", en *Índice,* Madrid, junio-julio de 1961.

— "*Los Encuentros*", en *Índice,* n.º 123, Madrid, marzo de 1959.

— "Vicente Aleixandre, en Velintonia", en *El Noticiero Universal,* Barcelona, 10 de agosto de 1962.

Fuster, Joan, "Poesía de Vicente Aleixandre", en *Jornada,* Valencia, 20 de julio de 1960.

G. de Lama, Antonio, "*Sombra del Paraíso*", en *Espadaña,* 3, León, junio de 1944.

Gabaldoni, Luis E., "Con el poeta español Vicente Aleixandre", en *Cultura Peruana,* Lima, mayo de 1956.

Galende, Blas, "El poema libre", en *Levante,* Valencia, 13 de abril de 1944.

"Galería de Escritores. Vicente Aleixandre", en *ABC,* Madrid, 28 de enero de 1965.

Galindo Herrero, Santiago, " 'Presencias', de Vicente Aleixandre", en *Hoja del Lunes,* Madrid, 16 de agosto de 1965.

Gallardo, Francisco, "Pablo Picasso en versos de Vicente Aleixandre", en *La Tarde,* Málaga, 19 de julio de 1961.

Gallego, José Luis, "Llegada de Aleixandre", en *Nivel,* n.º 37, México, enero de 1962, pág. 4.

Gallego, Julián, "El triunfo de Aleixandre", en *El Noticiero,* Zaragoza, 5 de febrero de 1950.

Gaos, Alejandro, "En Velintonia, 3, con Vicente Aleixandre", en *Levante,* Valencia, 21 de febrero de 1954.

— *Prosa fugitiva. Entrevistas,* ed. Colenda, Valencia, 1955, págs. 9-12.

— "Vicente Aleixandre, maestro de generaciones", en *Levante,* Valencia, 24 de noviembre de 1955.

Gaos, Vicente, "*Sombra del Paraíso,* de Aleixandre", en *Jornada,* Valencia, 20 de julio de 1944.

— "Poesía 1944", en *Levante*, Valencia, 4 de enero de 1945.

— "Polémica y poesía todavía", en *La Estafeta Literaria*, Madrid, 10 de julio de 1945.

— "Nuevo viaje alrededor de la poesía", en *El Español*, Madrid, 15 de septiembre de 1945.

— "Pintura de poeta a poeta", en *Levante*, Valencia, 7 de diciembre de 1946.

— "Vicente Aleixandre continúa activo", en *Temas*, New York, octubre de 1953.

— "Vicente Aleixandre: *Historia del Corazón*", en *Temas*, New York, septiembre de 1954.

— *Antología del grupo poético del 27*, págs. 24-25, 119-131, Biblioteca Anaya, Salamanca, 1965.

— "Fray Luis de León, fuente de Aleixandre", en *Papeles de Son Armadans*, tomo XI, n.os 32-33, Madrid-Palma de Mallorca, noviembre-diciembre de 1958, págs. 344-363. Reproducido en *Temas y problemas de la literatura española*, Ed. Guadarrama, Madrid, 1959, págs. 339-359.

GARCÉS, JULIO, "Carta a Vicente Aleixandre", en *Maricel*, 29 de mayo de 1949.

— "Sobre *Sombra del Paraíso*", en *Leonardo*, 1, Barcelona.

GARCÍA CABRERA, PEDRO, "Con él, Islas, os dejo", en *Gánigo*, n.º 26, Tenerife, marzo-abril de 1957.

GARCÍA LORCA, FEDERICO, "Dentro de la verja canta una fuente..." (poema a D. Alonso y V. Aleixandre), en *Papeles de Son Armadans*, tomo XI, n.os 32-33, Madrid-Palma de Mallorca, noviembre-diciembre de 1958, láms. 1 (ms.) y 4 (impresa).

GARCÍA-GÓMEZ, JOSÉ M., "Selección y nota de Vicente Aleixandre", en *Diario de Cádiz*, octubre de 1963.

GARCÍA MOREJÓN, JULIO, "A Lirica de Aleixandre", en *Suplemento Literário*, São Paulo, 26 de agosto de 1961.

— "La lírica de Aleixandre", en *Letras Hispánicas*, n.os 2-3, São Paulo, 1962, págs. 19-22.

GARCÍA NIETO, JOSÉ, "A Vicente Aleixandre", en *Juventud*, Madrid, 4 de julio de 1944.

GARCÍA NIÑO, GUILLERMO, "Carta abierta para España. Vicente Aleixandre, conversación de España", en *El Tiempo*, Bogotá, 27 de diciembre de 1959. Reproducido en *Ciclos Humanos*, Bogotá, 1960.

— "Diálogo con Vicente Aleixandre", en *El Tiempo*, Bogotá, 14 de agosto de 1960.

GARCÍA PAVÓN, FRANCISCO, "Vicente Aleixandre, poeta, académico", en *ABC*, 1 de diciembre de 1957.

GARCÍA RICHART, JOSÉ A., "Aproximación a Vicente Aleixandre", en *Levante*, Valencia, 16 de mayo de 1954.

GARCIASOL, RAMÓN DE, "*Los Encuentros*", en *Cuadernos Hispanoamericanos*, n.º 105, Madrid, septiembre de 1958, págs. 340-343.

— "Vicente Aleixandre. *Poesías Completas*", en *Revista Nacional de Cultura*, Caracas, mayo-agosto de 1960, págs. 245-247.

— "*Mis mejores poemas*. De Vicente Aleixandre", en *Poesía Española*, n.º 64, Madrid, noviembre de 1957.

— "Yo soy plaza", en *Ínsula*, n.º 151.

GARCÍA VELASCO, MARCELINO, "Fuentealeixandre", en *Rocamador*, n.º 22, Palencia, primavera de 1961.

— "Vicente Aleixandre: *Mis mejores poemas*", en *Rocamador*, Palencia, verano de 1957.

GARET MAS, JULIO, "Romance al poeta Vicente Aleixandre", en *Pleamar*, Portugalete, 1960.

GASPAR SIMÕES, JOÃO, "Tendencias de la poesía española contemporánea", en *O Primeiro de Janeiro*, Lisboa, y en *Así Es*, Madrid, 11 de octubre de 1944.

GAUTHIER, MICHEL, "Vicente Aleixandre, Narcisse écartelé. (Variations sur un poème de Vicente Aleixandre)", en *Langues néo-latines*, n.º 176, marzo-abril de 1966, págs. 3-23.

GEROLD, KARL GUSTAV, "Zwischen zwei Explosionen", en *Donnerstag*, 6, septiembre de 1951.

GIL, ILDEFONSO MANUEL, "Vanguardia y complemento de *Sombra del Paraíso*, en el último libro de Vicente Aleixandre", en *Cuadernos Hispanoamericanos*, 15, Madrid, mayo-junio de 1950, págs. 587-590.

GIL DE BIEDMA, JAIME, "Encuentro con Vicente al modo de Aleixandre", en *Papeles de Son Armadans*, tomo XI, n.ºs 32-33, Madrid-Palma de Mallorca, noviembre-diciembre de 1958, págs. 388-391.

GIMÉNEZ, SALVADOR, "Noticia elogio de *Sombra del Paraíso*", en *Línea*, 29 de octubre de 1944.

GÓMEZ NISA, PÍO, "Vicente Aleixandre en la Academia".

— "Perfil de Vicente", en *Caracola*, n.º 24, Málaga, octubre de 1954.

— "Un corazón con historia", en *Diario de África*, Tetuán, 31 de octubre de 1954.

— "Perfil. (Vicente Aleixandre)", en *Manantial*, n.º 1, Melilla, 1949.

GÓMEZ DE LA SERNA, RAMÓN, "Gemelismo. Gerardo Diego y Vicente Aleixandre", en *Revista Nacional de Cultura*, n.º 104, Caracas (Venezuela), mayo-junio de 1954, págs. 19 y sigs.

GÓMEZ PAZ, JULIETA, "Vicente Aleixandre y la casa de Lope de Vega", en *La Prensa*, Buenos Aires, 10 de febrero de 1963.

GONZÁLEZ MUÑOZ, ÁNGEL, "De dos palabras nítidas ahora. (Homenaje a Vicente Aleixandre)", en *Ínsula*, n.º 151.

GONZÁLEZ PAREDES, RAMÓN, "La última obra de Aleixandre", en *Índice literario de El Universal*, Caracas, 16 de octubre de 1954.

GONZÁLEZ RUANO, CÉSAR, *Antología de poetas españoles contemporáneos*, ed. Gustavo Gili, Barcelona, 1946, págs. 449-458.

GONZÁLEZ RUIZ, NICOLÁS, "Algo más que biografía o crítica: *Los Encuentros*", en *Ya*, Madrid, 22 de junio de 1958.

GONZÁLEZ SOSA, PEDRO, "Con Vicente Aleixandre", en *Falange*, Las Palmas, 23 de mayo de 1957.

GORDÓN, JOSÉ, "Aleixandre confía en los nuevos poetas", en *Informaciones*, Madrid, 23 de diciembre de 1948.

GROSMANN, RUDOLF, *Spanische Gedichte Zweisprachen-Ausgabe*, Carl Schünemann Verlag, Bremen, 1960, págs. 342 y sigs.

GUEREÑA, JACINTO LUIS, "Con Vicente Aleixandre y sus *Retratos con Nombre*", en *Álamo*, n.º 6, Salamanca, enero de 1966.

— "Dominios de Vicente Aleixandre", en *Papel literario de El Nacional*, Caracas, 21 de mayo de 1967.

— "Literatura Hispánica", en revista *Bloc-Notes*, págs. 28-30.

— "Escritos de Búsqueda y Hallazgo", en *El Universal*, Caracas, 30 de agosto de 1959.

GUERRERO ZAMORA, JUAN, *Miguel Hernández, poeta*, col. El Grifón, Madrid, 1955; cap. "Contactos e influencias", apartado "Vicente Aleixandre", páginas 263 y sigs.

GUILMAIN, ANDRÉS, "Vicente Aleixandre", en *Madrid*, Madrid, 6 de marzo de 1957.

GUILLÉN, JORGE, "Algunos poetas amigos", en *Papeles de Son Armadans*, tomo XI, n.ᵒˢ 32-33, Madrid-Palma de Mallorca, noviembre-diciembre de 1958, págs. 151-165.

GULLÓN, RICARDO, "Vicente Aleixandre: *Pasión de la Tierra*", en *Proel*, Santander, otoño de 1946, pág. 127.

— "Itinerario poético de Vicente Aleixandre", en *Papeles de Son Armadans*, tomo XI, n.ᵒˢ 32-33, Madrid-Palma de Mallorca, noviembre-diciembre de 1958, págs. 195-234.

GUTIÉRREZ, FERNANDO, *Antología de la poesía española contemporánea*, ed. José Janés, Barcelona, 1948, págs. 458-464.

— "Escribir para todos. *En un Vasto Dominio*", en *La Prensa*, Barcelona, 6 de abril de 1963.

— "Pintura del poema. *Retratos con Nombre*, por Vicente Aleixandre", en *La Prensa*, Barcelona, 27 de julio de 1965.

GUTIÉRREZ ALBELO, E., "Sobre la última obra de Aleixandre", en *El Día,* Santa Cruz de Tenerife, 18 de diciembre de 1955.
— "Estancia en Tenerife de Vicente Aleixandre", en *Gánigo,* n.º 26, Tenerife, marzo-abril de 1957.
— "Teoría de Vicente Aleixandre. (Poema con vocación de saludo)", en *Gánigo,* n.º 26, Tenerife, marzo-abril de 1957. Repetido en *El Día,* Santa Cruz de Tenerife, 17 de mayo de 1957.
GUZMÁN, FÉLIX, "Los poemas mejores de Vicente Aleixandre", en *Papel literario de El Nacional,* Caracas, 1 de agosto de 1957.

HERRERO, PEDRO MARIO, "Vicente Aleixandre solamente escribió en su vida un poema a la primavera", en *La Hora,* Madrid, 21 de marzo de 1957.
HIDALGO, JOSÉ LUIS, "Otra vez Pedro Caba y la poesía", en *El Español,* Madrid, 13 de octubre de 1945.
HIERRO, JOSÉ, "Carlos Salomón", en *Poesía española,* n.º 46, Madrid, octubre de 1955.
— "La nueva poesía de Vicente Aleixandre", en *La Atlántida,* n.º 1, Madrid, enero-febrero de 1963, págs. 98-100.
— "Testimonio de Vicente Aleixandre", en *Papeles de Son Armadans,* tomo XI, n.ºs 32-33, Madrid-Palma de Mallorca, noviembre-diciembre de 1958, págs. 240-244.
"Historia del Corazón", en *Caleta,* n.º 8, Cádiz, 1955.
Homenaje a Vicente Aleixandre, n.º 5 de *El Bardo,* colección de poesía, Moncada-Reixach (Barcelona), 1964. (Colaboran: José Miguel Ullán, Amelia Romero, Manuel Vázquez Montalbán, Joaquín Marco, Julián Marcos, José-Agustín Goytisolo, Carlos Bousoño, Lauro Olmo, Vicente Gaos, Julián Andúgar, Leopoldo de Luis, Blas de Otero, Antonio Buero Vallejo, Juan Ruiz Peña, Gabriel Celaya, Carlos Rodríguez Spiteri, Jorge Guillén.)
"Homenaje [a V. Aleixandre]", en *Letras Hispánicas,* n.ºs 2-3, São Paulo, 1962, pág. 4.

IBÁÑEZ, IRIS ACACIA, "Aproximación estilística al tema del puente", en *Humanidades,* tomo XXXVIII, La Plata, 1962, págs. 189-196.
IGLESIAS LAGUNA, ANTONIO, *"Retratos con Nombre".*

JARNÉS, BENJAMÍN, "Vicente Aleixandre: *Ámbito*", en *La Gaceta Literaria,* 35, 1 de junio de 1928.
— "La nueva épica" (sobre *La Destrucción o el Amor*), en *La Nación,* Buenos Aires, 28 de julio de 1935.
— "Letras españolas" (sobre *Pasión de la Tierra*), en *La Nación,* Buenos Aires, 9 de febrero de 1936.

JIMÉNEZ, JUAN RAMÓN, "Vicente Aleixandre", en *Corcel*, 5-6, "Homenaje a Vicente Aleixandre", Valencia (1944).

JIMÉNEZ, SALVADOR, "Noticia elogio de *Sombra del Paraíso*", en *Línea*, Murcia, 25 de octubre de 1944.

JIMÉNEZ MARTOS, LUIS, "Aleixandre en sus *Poesías completas*", en *La Estafeta Literaria*, Madrid, 1 de julio de 1960.

— "Dos generaciones poéticas", en *Ágora*, Madrid, agosto-octubre de 1960, n.os 46-48, pág. 39.

— "Homenaje a Vicente Aleixandre", en *La Estafeta Literaria*, Madrid, 2 de enero de 1965.

— "Vicente Aleixandre: *Los Encuentros*", en *La Estafeta Literaria*, Madrid, 5 de julio de 1958.

— "Vicente Aleixandre: *Retratos con Nombre*", en *La Estafeta Literaria*, número 326, Madrid, 11 de septiembre de 1965.

— "Vicente Aleixandre publica sus obras completas y prepara una antología de la poesía española", en *La Estafeta Literaria*, Madrid, 1 de mayo de 1960.

J. M. R., "Aleixandre y Merlo (Vicente)", art. publicado en *Enciclopedia Espasa, Suplemento*, pág. 125.

JOHANSSON, KJELL A., "Málaga och ett förlorat paradis", en *Dagens Nyheter*, 26 de noviembre de 1962.

— "Utflykten till Sevilla", en *Aftonbladet*, Estocolmo, 7 de junio de 1960 [va acompañado de la traducción de un poema de V. Aleixandre].

JOSÌA, VINCENZO, *Poeti sivigliani di oggi. Vicente Aleixandre*, "Il Tesoretto", 2, Ed. Opere Nuove, Roma, 1966, págs. 11-29. Reproducido en *Il Giornale dei Poeti*, Roma, noviembre-diciembre de 1966.

"Júbilo del Parnaso español: *Sombra del Paraíso* de Vicente Aleixandre", en *Córdoba*, Córdoba, 27 de agosto de 1944.

JURO, "Vicente Aleixandre, poeta colorado", en *Destino*, Barcelona, 11 de diciembre de 1948.

KIEW, DIMAS, "Vicente Aleixandre o el momento solitario", en *Índice literario de El Universal*, Caracas, 28 de agosto de 1954.

— "*Historia del Corazón*, de Vicente Aleixandre", en *Índice literario de El Universal*, Caracas, 18 de octubre de 1955.

— "*Mis poemas mejores*, de Vicente Aleixandre", en *Índice literario de El Universal*, Caracas, 9 de abril de 1957.

L. C., " 'Picasso', de Vicente Aleixandre, el más reciente de los 'Cuadernos de María Cristina' ", en *Sur*, Málaga, 2 de julio de 1961.

"La Cárcel de papel: Sentencia dictada contra Vicente Aleixandre", en *La Codorniz*, Madrid, 21 de diciembre de 1952.

LACALLE, ÁNGEL, *Historia de la literatura española*, Barcelona, 1943.

LAFFON, RAFAEL, "Vicente Aleixandre o la culminación incorporada", en *ABC*, Sevilla, 31 de enero de 1963.

LAFORET, CARMEN, "Literatura: comunicación", en *Pueblo*, 19 de mayo de 1962.

LAGOS, RAMIRO, "Sobre Vicente Aleixandre", en *Diario Oficial*, Bogotá, 11 de febrero de 1957.

LANDINEZ, LUIS, "Cara y cruz en la poesía de Vicente Aleixandre", en *Revista de la Universidad de Oviedo*, Oviedo, marzo de 1950.

— "La poesía de Aleixandre, en el centro escolar y mercantil", en *Las Provincias*, Valencia, 3 de noviembre de 1961.

"La poesía de Vicente Aleixandre en Aula Mediterránea", en *Levante*, Valencia, 22 de marzo de 1946.

LASSAIGNE, J., "Poètes espagnoles", en *Le Figaro*, París, 21 de enero de 1933.

LÁZARO CARRETER, FERNANDO, "Poetas solos", en *Trabajos y Días*, Salamanca, marzo-abril de 1950.

LEFEBVRE, ALFREDO, "Vicente Aleixandre: *Nacimiento Último*", en *Finisterre*, n.º 1, Santiago de Chile, primer trimestre de 1954, págs. 85-88.

LEÓN, RAFAEL, "Ciudad del Paraíso", en *Sur*, Málaga, 10 de abril de 1954.

— "Vicente Aleixandre: *Los Encuentros*", notas al número setenta de *Caracola*, Málaga, agosto de 1958.

LEYVA, RAÚL, "La poesía de Vicente Aleixandre", en *Excelsior*, México, 21 de julio de 1963.

— "Vicente Aleixandre: 'Antigua casa madrileña'", en *Nivel*, 41, México, mayo de 1962.

LIND, GEORG, "Carlos Bousoño, *La poesía de Vicente Aleixandre*", Sonderdruck aus *Romanische Forschungen*, Band 65/1953, Heft 1/2, págs. 216-220.

— "Moderne spanische Lyrik. Vicente Aleixandre oder der Abglanz des Paradieses", en *Die Tat*, Zürich, 27 de junio de 1953.

LÓPEZ ÁLVAREZ, LUIS, "*Historia del Corazón*, de Vicente Aleixandre", en *Cuadernos del congreso por la libertad de la cultura*, 14, París, septiembre-octubre de 1955.

LÓPEZ GORGÉ, JACINTO, "La *Historia del Corazón*, de Vicente Aleixandre", en *El Telegrama del Rif*, Melilla, 27 de octubre de 1954.

— "Una entrevista con Vicente Aleixandre", en *Diario de África*, 24 de abril de 1953.

— "Antología de la nueva poesía española. Vicente Aleixandre: *Los Encuentros*", en *Ketama* (Suplemento Literario de *Tamuda*), Tetuán, 1958.

— "*En un Vasto Dominio*, último libro de Vicente Aleixandre", en *España*, Tánger, 18 de marzo de 1965.

— "Vicente Aleixandre y sus poemas mejores", en *Diario de África*, Tetuán, 17 de julio de 1957.

LORING, SALVADOR, S. J., "*Presencias*. Vicente Aleixandre", en *Reseña*, n.º 9, Madrid, octubre de 1965, págs. 285-289.

"Los dos últimos libros de Vicente Aleixandre y Dámaso Alonso" (sobre *Los Encuentros* y *De los siglos oscuros al de Oro*), en *Papeles de Son Armadans*, tomo XI, n.ºs 32-33, Madrid-Palma de Mallorca, noviembre-diciembre de 1958, págs. 433-435.

"Los encuentros literarios de Vicente Aleixandre", en *Ya*, Madrid, 13 de julio de 1958.

LUIS, LEOPOLDO DE, "Actualidad de *Ámbito*, el primer libro de Aleixandre", en *Ínsula*, 52, Madrid, 15 de abril de 1950.

— "Vicente Aleixandre: *Historia del Corazón*", en *Poesía Española*, Madrid, agosto de 1954.

— "Vicente Aleixandre: *Nacimiento Último*", en *Poesía Española*, Madrid, junio de 1953.

— "El sentido social en la poesía de Vicente Aleixandre", en *Papeles de Son Armadans*, tomo XI, n.ºs 32-33, Madrid-Palma de Mallorca, noviembre-diciembre de 1958, págs. 415-428.

— "*En un Vasto Dominio*", en *Papeles de Son Armadans*, n.º 83, Madrid-Palma de Mallorca, febrero de 1963, págs. 157-169.

— "La actual poesía de Aleixandre", en *Índice literario de El Universal*, Caracas, 21 de noviembre de 1965.

— "La obra completa de Vicente Aleixandre", en *Papeles de Son Armadans*, n.º 53, Madrid-Palma de Mallorca, agosto de 1960, pág. 196.

— "La poesía de Vicente Aleixandre", en *Nivel*, n.º 37, México, enero de 1962, págs. 1 y 10. (En el mismo n.º aparecen varios poemas de V. Aleixandre.)

— "La poesía de Vicente Aleixandre: una ascensión hacia la luz", en *Estaciones*, n.º 6, México, 1957, págs. 157-162.

— "*Los Encuentros*: los hallazgos", en *Índice literario de El Universal*, Caracas, 4 de septiembre de 1958.

— "*Mis poemas mejores*, de V. Aleixandre", en *Ágora* (2.ª época), n.ºs 7-8, mayo-junio de 1957.

— "Picasso y los poetas", en *Índice literario de El Universal*, Caracas, 5 de diciembre de 1961.

— "*Poemas paradisíacos*. De Vicente Aleixandre", en *Poesía Española*, n.º 12, Madrid, diciembre de 1952.

— "Restos de Superrealismo", en *Índice literario de El Universal*, Caracas, 4 de octubre de 1960.

— "Un nuevo libro de Aleixandre. [*Retratos con Nombre*]", en *Papeles de Son Armadans*, n.º 115, octubre de 1965, págs. 95-102.

LUJÁN, NÉSTOR, "Un homenaje al poeta Vicente Aleixandre", en *Destino*, Barcelona, abril de 1944.

— "La poesía española en esta primavera", en *Destino*, Barcelona, 12 de mayo de 1945.

— "Defensa de la poesía", en *Destino*, Barcelona, julio de 1948.

— "Presencia en Barcelona de Vicente Aleixandre", en *Destino*, Barcelona, 20 de noviembre de 1948.

— "La vida y la obra: Vicente Aleixandre", en *Destino*, Barcelona, 26 de abril de 1952.

— Véase "Néstor".

LUZI, MARIO, "Aleixandre nel Novecento spagnolo", en *Il Popolo*, Roma, 14 de febrero de 1961.

— "Il Neoromanticismo di Aleixandre", en *Il Tempo*, Milán, 24 de septiembre de 1960.

M. A. (MARCELO ARROITA-JÁUREGUI), "Sombra elegida", en *Correo Literario*, Madrid, 1 de noviembre de 1953.

— "Un nuevo libro de un gran poeta", en *Alcalá*, n.º 60, Madrid, 25 de noviembre de 1954.

MACRÍ, ORESTE, "Un poeta della luce", en *Il Mattino*, Firenze, 13 de mayo de 1953.

— "Poesia spagnola del novecento", en *Guanda*, Collezione Fenice, Bologna, 1952, págs. XLI-XLIV y 298-321.

— "Antologia di Aleixandre", en *Quaderni Ibero-Americani*, 14, Torino, junio de 1953.

— "Vicente Aleixandre: Poesie", en *Quaderni Ibero-Americani*, Torino, vol. III, n. 11, diciembre de 1951.

— "Ancora su Aleixandre", en *Quaderni Ibero-Americani*, n.º 15, Torino, abril de 1954.

— "Letteratura spagnola. Passaggio all'umano di Aleixandre", en *L'Approdo Letterario*, n.º 7, Torino, 1959.

— "Letteratura spagnola. Un nuovo Romancero", en *L'Approdo Letterario*, n.º 11, Torino, 1960.

— *Poesia spagnola del novecento*, págs. XLI-XLIV, 360-389, Ed. Guanda, 1961.

MANEGAT, JULIO, "*Historia del Corazón*, por Vicente Aleixandre", en *El Noticiero Universal*, Barcelona, 10 de agosto de 1954.

— *"Nacimiento Último,* por Vicente Aleixandre", en *El Noticiero Universal,* Barcelona, 27 de julio de 1953.

— *"En un Vasto Dominio,* de Vicente Aleixandre", en *El Noticiero Universal,* Barcelona, 2 de abril de 1963.

— *"Los Encuentros,* de Vicente Aleixandre", en *El Noticiero Universal,* Barcelona, 18 de noviembre de 1958.

— *"Poesías completas,* de Vicente Aleixandre", en *El Noticiero Universal,* Barcelona, 14 de febrero de 1961.

MANTERO, MANUEL, "Aleixandre, Vicente: 'Antigua casa madrileña' ", en *Ágora,* n.ᵒˢ 61-62, Madrid, noviembre-diciembre de 1961.

— "Aleixandre, Vicente: *Retratos con Nombre"*, en *Revista de Literatura,* tomo XXIX, 1966, págs. 246-249.

— "La plenitud del ser y la armonía del universo en la poesía de Aleixandre", en *Ágora,* n.ᵒˢ 43-45, Madrid, mayo-julio de 1960, págs. 24-28.

— "Vicente Aleixandre: *Los Encuentros"*, en *El Correo de Andalucía,* 15 de agosto de 1958.

— "Vicente Aleixandre ante el proceso de lo real", en *Ágora,* n.ᵒˢ 71-72, Madrid, septiembre-octubre de 1962, págs. 49-51.

MANZANARES, LUIS, "Numen y número", en *Técnica Económica,* 168, Madrid, marzo de 1950.

MAÑACH, JORGE, "Aleixandre es un gran poeta y su obra una diáfana verdad eterna de la poesía española", en *Diario de la Marina,* La Habana, 3 de marzo de 1959.

— "Visitas españolas: Vicente Aleixandre", en *Ínsula,* Madrid, mayo de 1960.

MAR, FLORENTINA DEL, "Por la infancia ajena. Vicente Aleixandre", en *Revista,* Barcelona, 19 de junio de 1952.

MARGARINO, ALFREDO, "O Amor. Num dos últimos livros de Vicente Aleixandre", en *Diário de Notícias,* Lisboa, 9 de julio de 1960.

MARÍAS, JULIÁN, "Aleixandre, Vicente", en *Diccionario de literatura española,* ed. Revista de Occidente, 1949, pág. 15; 3.ª ed., pág. 18.

MARRA, NELSON, "La Poesía de Vicente Aleixandre", en *Temas,* IV, Montevideo, noviembre-diciembre de 1965, págs. 26-29.

MARRÉ, LUIS, "Un nuevo libro de Vicente Aleixandre", en *Ciclón,* n.ᵒ 5, La Habana, mayo de 1955, págs. 53-54.

MARTÁN, HELCÍAS, "El testimonio de Aleixandre", en *Diario Oficial,* Bogotá, 17 de abril de 1957.

MARTÍNEZ, DAVID, "Soledad pasional y creadora en la poesía de Vicente Aleixandre", en *Saber Vivir,* n.ᵒ 111, Buenos Aires, enero-marzo de 1955.

MARTÍNEZ RUIZ, FLORENCIO, "Actualidad y polémica de la cultura. Vicente Aleixandre, ¿poeta épico?", en *El Español,* Madrid, 23 de febrero de 1963.

— "*Encuentros* en la orilla de la literatura. Vicente Aleixandre evoca a los escritores más famosos de este siglo", en *El Español*, Madrid, 9 de noviembre de 1958.

MARURI, JULIO, "Aleixandre fundó estirpe", en *El Español*, Madrid, 29 de septiembre de 1945.

MASOLIVER, JUAN RAMÓN, "Nuestras letras en 1944", en *La Vanguardia Española*, Barcelona, 31 de diciembre de 1944.

MASSIP, J. M., "En Velintonia, con Vicente Aleixandre", en *Geminis*, n.º 17, Tortosa, noviembre-diciembre de 1954.

— "*Los Encuentros*", en *Géminis*, n.º 39, Tortosa, marzo de 1959.

— "*Historia del Corazón*", en *Géminis*, n.º 13, Tortosa, julio de 1954.

MAZZEI, ÁNGEL, "Diálogo necesario", en *La Nación*, Buenos Aires, 13 de febrero de 1966.

MEDINA, JOSÉ RAMÓN, "*Historia del Corazón*, último libro de Aleixandre", en *Índice literario de El Universal*, Caracas, 9 de octubre de 1954.

— "Vicente Aleixandre, nuevo poeta", en *El Nacional*, Caracas, 6 de octubre de 1953.

— "*Mis poemas mejores*, de Aleixandre", en *El Nacional*, Caracas, 2 de agosto de 1957.

— "Vicente Aleixandre en *Historia del Corazón*", en *Razones y Testimonios*, ed. Cuadernos Literarios, Caracas, 1960, págs. 31-39.

— "Vicente Aleixandre en una antología", en *Razones y Testimonios*, ed. Cuadernos Literarios, Caracas, 1960, págs. 25-30.

— "Vicente Aleixandre: la creación, el hombre y su historia en una poesía", en *Papel literario de El Nacional*, Caracas, 29 de agosto de 1957.

MELLADO, O. P., FR. AMADOR, "La superación en la poesía de Vicente Aleixandre", en *Visitas*, Granada, n.º 31, 1957.

MERCADER [TRINA], "Vicente Aleixandre: *Historia del Corazón*", en *Al-Motamid*, Tetuán, septiembre de 1954.

— "Vicente Aleixandre, niño", en *Al-Motamid*, Tetuán, noviembre-diciembre de 1954.

— "*Nacimiento Último*", en *Al-Motamid*, n.º 27, Tetuán, febrero de 1954.

MERINO, EMILIO, "Vicente Aleixandre, *Presencias. Poesía*", en *Hoja del Lunes*, La Coruña, 13 de octubre de 1965.

MIOMANDRE, FRANCIS DE: "Lettres Ibériques" (sobre *Historia del Corazón*), en *Hommes et Mondes*, n.º 99, París, octubre de 1954.

MIORGO, "Hablando con Vicente Aleixandre", en *Córdoba*, Córdoba, 23 de abril de 1949.

MIQUELARENA, "Vicente Aleixandre y sus poemas en Londres", en *ABC*, Madrid, 10 de mayo de 1950.

MIRANDA, VASCO, "Vicente Aleixandre e o surrealismo", en *Diário de Notícias,* Lisboa, 21 de agosto de 1958.

MIRÓ, EMILIO, "El *otro* en la poesía de Vicente Aleixandre", en *Cuadernos Hispanoamericanos,* n.º 197, Madrid, mayo de 1966, págs. 390-397.

MOLHO, MAURICIO, "Dos antologías poéticas", en *Proel,* Santander, estío de 1946.

— "La aurora insumisa de Vicente Aleixandre", en *Insula,* Madrid, 15 de febrero de 1947.

MOLINA, JUAN, "Vicente Aleixandre cumple sesenta y ocho años", en *Heraldo de Aragón,* 5 de mayo de 1966.

MOLINA, MANUEL, "Panorama parcial del Madrid literario. (Apuntes de un visitante)", en *Boletín de Información de la "Casa de Madrid" en Alicante,* mayo de 1959, pág. 11.

— "Tarjeta", en *La Marina,* Alicante, 16 de abril de 1966.

— "A Vicente Aleixandre", en *Puntal.*

MOLINA, RICARDO, "Velintonia, 3, Hogar de poesía", en *Córdoba,* Córdoba, 26 de abril de 1949.

— "El delta de Vicente Aleixandre", en *Córdoba,* Córdoba, 30 de junio de 1963.

— "Vicente Aleixandre o el fuego creador y destructor", notas al n.º 4 de *Cántico,* Córdoba, abril de 1948.

MONTES, HUGO, "La poesía de Vicente Aleixandre", en *Finisterre,* n.º 7, páginas 40-60, Santiago de Chile, tercer trimestre de 1955.

MORALES, RAFAEL, "La poesía de Vicente Aleixandre", en *Cuadernos Hispanoamericanos,* Madrid, n.º 28, abril de 1952.

— "Sombra y luz del paraíso en la poesía de Aleixandre", en *Estafeta Literaria,* Madrid, 28 de febrero de 1945.

— "Vicente Aleixandre y la honda humanidad de *Historia del Corazón*", en *Ateneo,* Madrid, 15 de junio de 1954.

— "La poesía objetiva de Vicente Aleixandre", en *Arriba,* Madrid, 27 de junio de 1965.

— "*Poesías completas,* de Vicente Aleixandre", en *El Alcázar,* Madrid, 28 de mayo de 1960.

— "*Retratos con Nombre*", en *Arriba,* Madrid, 12 de septiembre de 1965.

— "Un nuevo libro de Vicente Aleixandre", en *Cuadernos Hispanoamericanos,* Madrid, julio de 1953.

— "Vicente Aleixandre y sus sesenta jóvenes años", en *La Estafeta Literaria,* n.º 167, Madrid, 15 de abril de 1959.

MORATORIO, ARSINOE, "*Historia del Corazón,* por Vicente Aleixandre", en *Alfar,* n.º 91, Montevideo, 1954-1955.

— *"Historia del Corazón*, por Vicente Aleixandre", en *La Mañana*, Montevideo, 24 de octubre de 1954.

— "Con el poeta Vicente Aleixandre, en su casa de los alrededores de Madrid", en *Mundo Uruguayo*, Montevideo, febrero de 1954.

— *"Mis poemas mejores*, por Vicente Aleixandre", en *El Hogar*, Buenos Aires, 17 de mayo de 1957.

MOREAU ARRABAL, LUCE, "Breve retrospectiva del surrealismo español", en *Margen*, n.º 2, París, noviembre de 1966-diciembre de 1967, págs. 120-128.

MORENO, ALFONSO, *Poesía española actual*, ed. Nacional, Madrid, 1946, páginas 297-319.

MORÓN, GUILLERMO, "Vicente Aleixandre", en *Papel literario de El Nacional*, Caracas, 25 de junio de 1953.

MOSTAZA, BARTOLOMÉ, "La muerte, asunto de poesía", en *Ya*, Madrid, 19 de julio de 1953.

— "El amor, cantado como infinito vital", en *Ya*, 1 de agosto de 1954.

— "El poeta reunido. *Poesías completas*, de Vicente Aleixandre", en *Ya*, Madrid, 5 de octubre de 1960.

— "El sistema poético de Aleixandre", en *Ya*, Madrid, 27 de enero de 1957.

M. P. (MANUEL PINILLOS), "La soledad acompañada de Vicente Aleixandre", en *Heraldo de Aragón*, Zaragoza, 12 de marzo de 1953.

MÚJICA, ELISA, "Vicente Aleixandre", en *Suplemento Literario de El Tiempo*, Bogotá, 13 de septiembre de 1953.

MUÑOZ, RAFAEL JOSÉ, "Vicente Aleixandre. *Sombra del Paraíso*", en *El Universal*, Caracas, 22 de octubre de 1967.

MUÑOZ CORTÉS, MANUEL, "Un dominio vasto y en movimiento", en *Aulas 63*, Madrid, 4 de junio de 1963.

— "Figuras: Vicente Aleixandre", en *Arriba*, Madrid.

MUÑOZ ROJAS, JOSÉ ANTONIO, "*Sombra del Paraíso*, de Vicente Aleixandre", en *Escorial*, 43, Madrid, mayo de 1944, págs. 458-463.

— "A cielo raso. Vicente Aleixandre: *La Destrucción o el Amor*", en *Cruz y Raya*, 25, Madrid, 1935, págs. 135-147.

— "Vicente Aleixandre a treinta años vista", en *Papeles de Son Armadans*, tomo XI, n.ᵒˢ 32-33, Madrid-Palma de Mallorca, noviembre-diciembre de 1958, págs. 322-323.

MURCIANO, CARLOS, "*En un Vasto Dominio*, de Vicente Aleixandre", en *Punta Europa*, Madrid, enero de 1963. Reproducido en *Poesía Española*, Madrid, abril de 1963, págs. 1-5.

— "Homenaje a un poeta", en *Punta Europa*, n.ᵒˢ 70-71, Madrid, octubre-noviembre de 1961.

— "*Los Encuentros*", en *Punta Europa*, n.º 34, Madrid, octubre de 1958, páginas 116-118.

— "Metáfora y greguería", en *Punta Europa*, n.º 62, Madrid, febrero de 1961, págs. 132-133.

— "Presencia de Aleixandre", en *La Prensa Literaria*, Managua, 14 de noviembre de 1965.

— "Una antología temática. Presencia de Aleixandre", en *La Tarde*, Caracas, 19 de julio de 1965.

— "Viviendo más. Vencedor del tiempo y su ceniza", en *La Vanguardia Española*, Barcelona, 26 de enero de 1967.

"*Nacimiento Último*", en *Ateneo*, Madrid, 6 de junio de 1953.

"*Nacimiento Último*", en *Ciudad*, Lérida, agosto de 1953.

NÁCHER, MANUEL, "Vicente Aleixandre", en *Mediterráneo*, 16, Valencia, 1946.

NAVARRO, J. M., "La nueva poesía española", en *Revista Nacional de Cultura*, Caracas, 1962, págs. 110-119.

NÉSTOR, "Cuatro Visitas", en *Destino*, Barcelona, 15 de marzo de 1952.

NIETO, JOSÉ GARCÍA, "A Vicente Aleixandre", en *Juventud*, Madrid, 4 de julio de 1944.

NIVEIRO DÍAZ, EMILIO, "*La Destrucción o el Amor*", en *El Sol*, Madrid, 30 de junio de 1936.

NOEL-MAYER, ROGER, "El poeta canta por todos", en *La Tour de Feu*, revue internationale de création poétique, cah. 73, Jarnac (Charente), abril de 1962, págs. 151-155.

— "Un son nouveau. (Chronique de poésie espagnole.) Vicente Aleixandre", en *La Tour de Feu*, revue internationale de création poétique, Jarnac (Charente), marzo de 1965, págs. 122-123.

NORA, EUGENIO DE, "Hacia una revisión de libros capitales. *La Destrucción o el Amor*, de Vicente Aleixandre", en *Cisneros*, 6, Madrid, 1943, págs. 97-102.

— "Forma poética y cosmovisión en la obra de Vicente Aleixandre", en *Cuadernos Hispano-Americanos*, Madrid, enero-febrero de 1949, págs. 115-121.

— "*Mundo a Solas*", en *Correo Literario*, 1, Madrid, 1 de junio de 1950.

— "Aleixandre, renovador", en *Corcel*, 5-6, "Homenaje a Vicente Aleixandre", Valencia (1944), págs. 31-32.

NORBERTO SILVA, MARIO, "Vicente Aleixandre", en *Exposición*, n.ºs 2-3, Buenos Aires, enero-marzo de 1961, págs. 13-16.

NÚÑEZ, VICENTE, "Vicente Aleixandre: *Nacimiento Último*", en *Caracola*, Málaga, agosto de 1953.

— "Vicente Aleixandre: *Historia del Corazón*", en *Caracola*, Málaga, noviembre de 1954. (Véase "V. N.".)

OLIVER, ANTONIO, *Nueva nómina de la poesía contemporánea*, ed. León Sánchez C., Madrid, 1948, págs. 11-12.

OLIVIO JIMÉNEZ, JOSÉ, "El tiempo en la poesía española actual", en *Insula*, número 218, enero de 1965.

— "Poesía española 1962-63. Los poetas del 27", en *Boletín de la Academia Cubana de la Lengua*, vol. XI, La Habana, enero-diciembre de 1964, páginas 70-98.

— "Paisaje interior de la nueva poesía española", en *Boletín de la Academia Cubana de la Lengua*, La Habana, enero-diciembre de 1959, págs. 151-175.

— "Vicente Aleixandre. *Presencias y Retratos con Nombre*", en *La Palabra y el Hombre*, revista de la Universidad Veracruzana, Xalapa (México), enero-marzo de 1966, págs. 133-138.

— "Vicente Aleixandre en dos tiempos", en *Revista Hispánica Moderna*, volumen XXIX, 3-4, julio-octubre de 1963, págs. 263-289.

OLMOS GARCÍA, F., "Relaciones entre personas y poesía, vida y obra [sobre V. Aleixandre]", en *Norte*, Amsterdam, año V, n.º 1, enero-febrero de 1964, págs. 1-4.

OLONA, JOSÉ MARÍA, "La sinestesia en la poesía moderna", en *Índice*, Madrid, 15 de marzo de 1952.

ORTIZ SARALEGUI, JUVENAL, "Cartas de viaje. Una visita a Vicente Aleixandre", en *Mundo Uruguayo*, Montevideo, 9 de febrero de 1956.

PACHECO, JOSÉ E., "Simpatías y diferencias. *La Destrucción o el Amor*", en *Universidad de México*, México, D. F., septiembre de 1960.

— "Vicente Aleixandre: *Los Encuentros*", en *Nivel*, México, 1959.

PALM, ERWIN WALTER, *Rose Aus Asche*, R. Ed. R. Piper & Coverlag. München, 1955, pág. 27.

PANERO, LEOPOLDO, "La poesía de Vicente Aleixandre: *Sombra del Paraíso*", en *Arriba*, 4 de julio de 1944.

— "Vicente Aleixandre en la Academia", en *Cuadernos Hispanoamericanos*, Madrid, julio-agosto de 1949, págs. 221-222.

— "La verdad como fantasía. Vicente Aleixandre: *Los Encuentros*", en *Blanco y Negro*, Madrid, 19 de julio de 1958.

PAOLI, ROBERTO, "Appunti. Aleixandre e i suoi incontri", en *Paragone*, 110, Firenze, febrero de 1959, págs. 77-84.

PAREDES, PEDRO PABLO, "*Los Encuentros*", en *El Nacional*, Caracas, 8 de septiembre de 1963.

PASTOR, MIGUEL ÁNGEL, "Las *Presencias* en Vicente Aleixandre", en *El Norte de Castilla*, Valladolid, 20 de junio de 1965.

P. DE L., "La generación de Málaga", en *Blanco y Negro*, Madrid, 2 de septiembre de 1961.

PERELLÓ PARADELO, RAFAEL, *"Retratos con Nombre*, de Vicente Aleixandre",
en *Onda poética* (Revista radiofónica de Radio Mallorca), 4 de julio de 1965.

PÉREZ FERRERO, MIGUEL, "Como yo los veo", en *España*, Tánger, 13 de febrero de 1950.

— "Vicente Aleixandre: *Mis mejores poemas*", en *ABC*, 15 de mayo de 1957.

PÉREZ HERVADA, EDUARDO, *"Presencias*, poesías de Vicente Aleixandre", en
Galicia Clínica.

PÉREZ MARTÍN, JOSÉ MARÍA, "Aleixandre, en su casa", en *Levante*, Valencia,
16 de diciembre de 1962.

PERUCHO, JOAN, "Dos Homenatges. A Vicente Aleixandre", en *Papeles de Son
Armadans*, tomo XI, n.os 32-33, Madrid-Palma de Mallorca, noviembre-diciembre de 1958, págs. 372-373.

PINILLOS, MANUEL, "Libros que recordar. Un Aleixandre que se amplía al reducir su amplitud intemporal", en *Poemas*, Zaragoza, 5 de febrero de 1963.
(Véase M. P.)

PINTO GROTE, CARLOS, *"Historia del Corazón*, un libro de Aleixandre", en *La
Tarde*, Santa Cruz de Tenerife, 27 de enero de 1955.

"Poemas amorosos. Vicente Aleixandre", en *Negro sobre Blanco*, n.º 18,
Buenos Aires, abril de 1961.

"Poesías completas de Vicente Aleixandre", en *Pregón*, de Aguilar, abril de
1960.

"Poetry of the dispersion", en *The Times Literary Supplement*, London,
23 de diciembre de 1955.

PONS, MIGUEL, "Un profesor y un amigo cumplieron sesenta años", en *Diario
de Mallorca*, 6 de junio de 1959.

— "Visita a Vicente Aleixandre", en *Diario de Mallorca*, 9 de diciembre de
1956.

PORCEL, BALTASAR, "Vicente Aleixandre, en su ámbito", en *Destino*, Barcelona,
8 de abril de 1967, págs. 26-27.

PUCCINI, DARIO, "Il realismo. Visita a Vicente Aleixandre", en *Il Contempo-
raneo*, Roma, 13 de abril de 1957.

QUERO, VICENTE, "Charla con Vicente Aleixandre", en *El Telegrama del Rif*,
Melilla, 23 de abril de 1959. (En el mismo periódico se habla de una confe-
rencia de V. A., y se reproducen dos de sus poesías: "A Fray Luis de
León" y "Diosa".)

RAMOS, VICENTE, "El poeta, en Alicante", en *Información*, Alicante, 6 de agosto de 1954.

"Retratos con Nombre", en *La poesía, primera palabra* (Revista radiofónica
de Radio Nacional de España), 11 de agosto de 1965.

"*Retratos con Nombre*. Vicente Aleixandre", en *Siglo XX*, Madrid, 17 de julio de 1965.

REYES NEVARES, SALVADOR, "Vicente Aleixandre: *Mis páginas mejores*", en *Estaciones*, n.º 7, México, otoño de 1957.

R. G. P., "Aleixandre, Vicente: *Historia del Corazón*", en *Cultura Universitaria*, n.º 45, Caracas, septiembre-octubre de 1954.

RIBA, CARLES, "Sobre un tema de Vicente Aleixandre" (poema), en *Papeles de Son Armadans*, tomo XI, n.ᵒˢ 32-33, Madrid-Palma de Mallorca, noviembre-diciembre de 1958, págs. 170-171.

RINCÓN, MARÍA EUGENIA, "Un hombre, visto por una mujer. Vicente Aleixandre", en *Levante*, Valencia, 16 de mayo de 1961.

RODRÍGUEZ, CLAUDIO, "Fuerte olor a existencia. Vicente Aleixandre" (poema), en *Papeles de Son Armadans*, tomo XI, n.ᵒˢ 32-33, Madrid-Palma de Mallorca, noviembre-diciembre de 1958, págs. 429-430.

— "Suscripción sobre una fuente (Vicente Aleixandre)", en *Ínsula*, n.º 151.

RODRÍGUEZ-FORNOS DE ZABALA, CONSUELO, "La nobleza de Vicente Aleixandre", en *Levante*, Valencia, 4 de diciembre de 1955.

RODRÍGUEZ SPITERI, CARLOS, "Vicente Aleixandre: *Sombra del Paraíso*", en *Sur*, Málaga, 15 de octubre de 1944.

— "Antología de Adonais", en *Caracola*, 19, Málaga, mayo de 1954.

— "Lectura (de las poesías de Vicente Aleixandre)", en *Papeles de Son Armadans*, n.º 87, junio de 1963, págs. 257-264.

ROJAS OLARTE, HELIODORO DE, "Vicente Aleixandre, *Historia del Corazón*", Universidad de Antioquía, Medellín, Colombia, enero-febrero de 1955.

ROLDÁN, MARIANO, "*En un Vasto Dominio*, nuevo libro de Vicente Aleixandre", en *Córdoba*, Córdoba, 24 de febrero de 1963.

ROSSLER, OSVALDO, "El orbe poético de Vicente Aleixandre", en *La Nación*, Buenos Aires, 4 de septiembre de 1960.

RUBIO, ALBERTO, "Pinos, lomajes, recuerdos junto a Vicente Aleixandre", en *Pro Arte*, Santiago de Chile, 23 de marzo de 1950.

RUIZ K., JORGE, "Vicente Aleixandre, poeta actual", en *El Mercurio*, Valparaíso, 27 de febrero de 1955.

RUIZ PEÑA, JUAN, "La cósmica voz de Vicente Aleixandre", en *ABC*, Sevilla, 20 de agosto de 1944.

SABBAG, MOHAMMAD, "*Historia del Corazón*, de Vicente Aleixandre" (texto en árabe), en *Al-Motamid*, n.º 29, Tetuán, octubre de 1954.

SADI GROSSO, LUIS, "La Poesía", en *El Litoral*, Santa Fe (Argentina), 11 de diciembre de 1955.

SAGARRA, JOSÉ MARÍA DE, "El remanso en el mesón", en *Destino*, Barcelona, 1 de marzo de 1952.

SÁINZ DE ROBLES, FEDERICO CARLOS, *Historia y antología de la poesía castellana (siglos XII al XX)*, ed. M. Aguilar, Madrid, 1946, págs. 213 y 1.404-1.417.

— "Aleixandre, Vicente: *Historia del Corazón*", en *Madrid*, Madrid, 5 de julio de 1954.

— "Aleixandre, Vicente. *En un Vasto Dominio*", en *Madrid*, Madrid, 6 de marzo de 1963.

— "Aleixandre, Vicente: *Los Encuentros*", en *Madrid*, Madrid, 18 de diciembre de 1958.

— "*Poesías completas*, de Vicente Aleixandre", en *Madrid*, Madrid, 16 de julio de 1960.

— "Aleixandre, Vicente: *Retratos con Nombre*", en *Madrid*, Madrid, 28 de septiembre de 1965.

— "Los climas artificiales", en *La Vanguardia*, Barcelona, 12 de junio de 1965.

SALAS Y GUIRIOR, JOSÉ, "La ciudad soñada", en *Sur*, Málaga, 10 de febrero de 1949.

— "Aleixandre", en *Sur*, Málaga, 29 de enero de 1950.

SALAS VIU, VICENTE, "Encuentro con Vicente Aleixandre", en *El Mercurio* (Suplemento Literario), Santiago de Chile, 22 de septiembre de 1963.

SALAZAR, ADOLFO, "*Espadas como Labios*", en *El Sol*, Madrid, 30 de marzo de 1933.

SALAZAR CHAPELA, E., "Vicente Aleixandre: *Ámbito*", en *El Sol*, junio de 1928.

— "*Los Encuentros*. Essays, by Vicente Aleixandre", en *International P. E. N.*, London, otoño de 1958, págs. 67-68.

— "*Poesías completas*", en *International P. E. N.*, London, vol. XIII, n.º 3, 1962.

SALINAS, PEDRO, *Literatura española. Siglo XX*, Lucero, ed. Séneca, México, 1941 (capítulos "El siglo de la literatura española" y "Vicente Aleixandre entre la destrucción y el amor").

— "Nueve o diez pesetas", en *Contemporary Spanish poetry*, de Eleanor L. Turnbull, The John Hopkins Press, Baltimore, 1945, págs. 16-17 y 34-35.

— "Vicente Aleixandre: *Espadas como Labios*", en *Indice Literario*, V, Madrid, diciembre de 1932, págs. 151-152.

— "Nueva poesía (sobre *La Destrucción o el Amor*)", en *Indice Literario*, V, Madrid, 1935, págs. 93-100.

— "*La Destrucción o el Amor*", en *El Tiempo*, Madrid, 21 de diciembre de 1947.

SALVADOR, TOMÁS, "*Los Encuentros*, por Vicente Aleixandre", en *Ondas*, Barcelona, 1 de noviembre de 1958.

SAMPELAYO, JUAN, "El descanso del trabajo", en *Pueblo*, Madrid, 6 de agosto de 1954.

SANDER, CARLOS, "Con el poeta Vicente Aleixandre", en *La Nación*, Santiago de Chile, 18 de abril de 1954.

— "Aleixandre o el solitario de Velintonia", en *La Nación*, Santiago de Chile, 21 de junio de 1953.

— "Nuevamente con Vicente Aleixandre", en *La Nación*, Santiago de Chile, 25 de agosto de 1955.

— "*Los Encuentros*, de Vicente Aleixandre", en *El Mercurio*, Antofagasta (Chile), 18 de marzo de 1962.

SÁNCHEZ, LUIS ALBERTO, "Panorama de la literatura actual", en *Ercilla*, Santiago de Chile, 1935.

SÁNCHEZ, M., "Vicente Aleixandre (a la *Sombra del Paraíso*)", en *Semana*, Madrid, 24 de marzo de 1964.

SANTA-MARÍA, ALEJO, "Reseña Cultural de la Península. Vicente Aleixandre", en *Índice literario de El Universal*, Caracas, 2 de junio de 1960.

SANTOS, DÁMASO, "*Los Encuentros*", en *Pueblo*, Madrid, 10 de julio de 1958.

— "*Obras completas* y *Obras selectas*: Sánchez Silva y Aleixandre", en *Madrid*, Madrid, 16 de diciembre de 1960.

— "Vicente Aleixandre: *En un Vasto Dominio*", en *Pueblo*, Madrid, 16 de mayo de 1963.

SCARPA, ROQUE ESTEBAN, *Poesía del amor español. Antología*, ed. Zig-zag, Santiago de Chile, 1941, págs. 24 y 267-269.

— *Poetas españoles contemporáneos. Breve antología*, ed. Zig-zag, Santiago de Chile, 1944, págs. 91-96.

SCHALK, FRITZ, *Spanische Geisteswelt. Von Maurischen bis zum Modernen Spanien*, Halle-Verlag, Baden-Baden, 1957, págs. 325-328.

"Segunda Conferencia de Roque Esteban Scarpa", en *Arriba*, Madrid, 8 de diciembre de 1947.

SEIFERT, EVA, "Carlos Bousoño: *La poesía de Vicente Aleixandre*", Archiv für das Studium der Neueren Sprachen, 189 Band, abril de 1953, págs. 399-400.

SERGIO, "La poesía de Vicente Aleixandre", en *La Paz*, Bogotá, 3 de enero de 1957.

SERRANO, EUGENIA, "Collar de cuentas malagueñas", en *La Tarde*, Málaga, 25 de junio de 1963.

SIEBENMANN, GUSTAV, "Vicente Aleixandre. Die Abkehr der spanischen Lyrik von der Moderne", en *Neue Zürcher Zeitung*, Zurich, 27 de junio de 1965.

SIJÉ, RAMÓN, "Flor fría a todos los vientos. Vicente Aleixandre, Santo Tomás novísimo de la poesía española" (sobre *Espadas como Labios*), en *La Verdad*, Murcia, 1 de enero de 1933.

SODERBERG, LASSE, "Efter änglarna", en *Upptakt*, Stockholm, Bonniers, 1957.

SOLANA, *"Retratos con Nombre*, en Vicente Aleixandre", en *Rocamador*, n.º 41,
Palencia, abril de 1966.

SORDO LAMADRID, ENRIQUE, "Aleixandre", en *Alerta*, Santander, 10 de agosto
de 1944.

— "El nuevo Aleixandre", en *La Prensa*, Barcelona, abril de 1963. Reproducido
en *Solidaridad Nacional*, Barcelona, 22 de julio de 1965.

— *"Los Encuentros*, de Vicente Aleixandre", en *Revista*, Barcelona, 26 de
julio de 1958.

SOS, ELADIO, "Significación de Vicente Aleixandre", en *El Telegrama del Rif*,
Melilla, 23 de julio de 1949.

— "Vida del poeta, el amor y la poesía", en *Al-Motamid*, n.º 21, Larache,
julio de 1950.

SOUVIRÓN, JOSÉ MARÍA, *Antología de poetas españoles contemporáneos*, ed.
Nascimento, Santiago de Chile, 1947, págs. 381-389.

— "Humano y excelente", en *Cuadernos Hispanoamericanos*, n.º 55, Madrid,
julio de 1954.

— "Con los debidos respetos", en *Papeles de Son Armadans*, tomo XI, n.ºs 32-
33, Madrid-Palma de Mallorca, noviembre-diciembre de 1958, págs. 315-319.

"Spanischer Dichter zu Besuch", en *Main-Post*, Samstag, 18 de julio de
1953.

TENTORI, FRANCESCO, "Poesia in fuga verso il regno generoso: Vicente Aleixandre", en *La Fiera Letteraria*, Firenze, 4 de octubre de 1953.

— "Un' Antologia del Surrealismo spagnolo", en *Galleria*, Caltanisseta, Roma,
enero-abril de 1955, págs. 44-48.

TIJERAS, EDUARDO, "Vicente Aleixandre, de la Real Academia, hijo de un
ferroviario", en *Vía Libre*, n.º 3, Madrid, 1 de marzo de 1964.

TORRE, GUILLERMO DE, "Vicente Aleixandre: *Sombra del Paraíso*", en *Realidad*, Buenos Aires, marzo-abril de 1948, pág. 274.

TOTI, GIANNI, " 'Picasso' (de Vicente Aleixandre)", en *Paese-Sera-Libri*, Roma,
10 de mayo de 1963.

TOVAR, ANTONIO, "Ni un día sin línea. Como en el mar las olas", en *La Gaceta
Ilustrada*, Madrid, 25 de septiembre de 1965 (sobre *Presencias* y *Retratos
con Nombre*).

— "Ni un día sin línea. Un libro de maestro de poesía", en *La Gaceta Ilustrada*,
Madrid, 5 de enero de 1963.

TRENAS, JULIO, "Los chismes del compadre", en *Pueblo*, Madrid, 23 de enero
de 1950.

— "Dos generaciones al habla", en *Juventud*, Madrid, 2 de febrero de 1950.

— "Así trabaja Vicente Aleixandre", en *Pueblo*, 21 de marzo de 1957.

TURNBULL, ELEANOR L., *Contemporary Spanish poetry, selection from ten poets*, The John Hopkins Press, Baltimore, 1955, págs. 299-337.

ULISES, "A propósito de *Historia del Corazón*", en *Correo Literario*, Barcelona, octubre de 1954.
— "Vicente Aleixandre revalora su poesía", en *Suplemento cultural de Últimas Noticias*, Caracas, 24 de octubre de 1954.

ULLÁN, JOSÉ-MIGUEL, "*Retratos con Nombre*: Vicente Aleixandre", en *El Adelanto*, Salamanca, 20 de febrero de 1965.

UMBRAL, FRANCISCO, "Fin de semana con Vicente Aleixandre", en *Mundo Hispánico*, n.º 186, Madrid, septiembre de 1963.
— "Las letras y la gente. Vicente Aleixandre", en *Ya*, Madrid, 6 de octubre de 1967.
— "Vicente Aleixandre", en *Poesía Española*, n.º 131, Madrid, noviembre de 1963.

UN ALUMNO, "Visita a Vicente Aleixandre", en *Senda*, Madrid, abril de 1960.

UN OBSERVADOR, "El poeta Vicente Aleixandre, maestro de juventudes", en *Diario de la Marina*, La Habana, 26 de marzo de 1950.

VALBUENA PRAT, ÁNGEL, *La poesía española contemporánea*, Madrid, 1930, página 128.
— *Historia de la literatura española*, vol. II, Barcelona, 1938, págs. 963-964.

VALENTE, JOSÉ ÁNGEL, "Trayectoria ejemplar de Vicente Aleixandre", en *Índice*, Madrid, octubre-noviembre de 1953.
— "El ciclo de la realidad imaginada. Notas sobre la poesía de Vicente Aleixandre en un aniversario", en *Índice*, n.º 123, Madrid, marzo de 1959.
— "Vicente Aleixandre: la visión de la totalidad" (sobre *En un Vasto Dominio*), en *Índice*, Madrid, junio de 1963.
— "Vicente Aleixandre" (poema), en *Papeles de Son Armadans*, tomo XI, números 32-33, Madrid-Palma de Mallorca, noviembre-diciembre de 1958, páginas 410-411.

VALERI, LUIS, "Espíritu y materia. Los brazos", en *La Vanguardia*, Barcelona, 14 de julio de 1963.

VALVERDE, JOSÉ MARÍA, "De la disyunción a la negación en la poesía de Vicente Aleixandre (y de la sintaxis a la visión del mundo)", en *Escorial*, 52, Madrid, 1945, págs. 447-457.
— "Vicente Aleixandre: *Historia del Corazón*", en *Arbor*, n.º 108, Madrid, diciembre de 1954.
— "Aleixandre, Vicente", en *Gran Enciclopedia del Mundo*, Ed. Durvan, Bilbao, tomo I, pág. 663.

— "Dos visitas. Visita a Vicente", en *Papeles de Son Armadans*, tomo XI, n.ᵒˢ 32-33, Madrid-Palma de Mallorca, noviembre-diciembre de 1958, páginas 328-329.

VANDERCAMMEN, EDMOND, "Vicente Aleixandre ou le romantisme de l'insatisfaction", en *Le journal des poètes*, Bruxelles, 1 de febrero de 1949.

— "Vicente Aleixandre ou l'histoire du coeur", en *Le Soir*, Bruxelles, 9 de septiembre de 1950.

— "Poésie espagnole. *Historia del Corazón*. Vicente Aleixandre", en *Le journal des poètes*, Bruxelles, enero de 1955.

— "Livres espagnols. Vicente Aleixandre: *Los Encuentros*", en *Le journal des poètes*, Bruxelles, febrero de 1959.

— "Poésie espagnole. Un essai et une anthologie", en *Le journal des poètes*, n.ᵒ 6, Bruxelles, junio-julio de 1961.

— "Trois essais de la langue espagnole", en *Le journal des poètes*, Bruxelles, marzo de 1957.

— "Vicente Aleixandre, *poète* de l'amour", en *Le journal des poètes*, Bruxelles, febrero de 1961.

VARELA JACOME, BENITO, "Con el profesor Roggiano... Vicente Aleixandre y Dámaso Alonso, guías españoles de la lírica americana", en *La Noche*, Santiago, 26 de julio de 1949.

VARGAS, AMPARO, "Vicente Aleixandre prepara un nuevo libro: *Los Encuentros*", en *El Tiempo*, Bogotá, 16 de febrero de 1958.

VÁZQUEZ ZAMORA, RAFAEL, "El corazón de Vicente Aleixandre", en *Suplemento de España*, Tánger, 13 de junio de 1954.

— "Fin y principio", en *España*, Tánger, 26 de julio de 1953.

— "Aleixandre: *En un Vasto Dominio*", en *España*, Tánger, 3 de febrero de 1963.

— "Angel Caffarena Such: *Antología de la poesía malagueña contemporánea*", en *Destino*, Barcelona, 22 de abril de 1961.

— "Homenaje de *El Bardo* a Vicente Aleixandre", en *España*, Tánger, 21 de febrero de 1965.

— "Las poéticas instantáneas de Vicente Aleixandre", en *España*, Tánger, 13 de julio de 1958.

— "Málaga lírica", en *España*, Tánger, 2 de abril de 1961.

— "*Poesías completas*, de Vicente Aleixandre", en *España*, Tánger, 12 de marzo de 1961.

— "Vicente Aleixandre: *En un Vasto Dominio*", en *Destino*, Barcelona, 8 de diciembre de 1962.

— "Vicente Aleixandre evoca a Emilio Prados", en *Destino*, Barcelona, 11 de agosto de 1962.

— "Vicente Aleixandre: *Poesías completas*", en *Destino*, Barcelona, 25 de febrero de 1961.

VEGA, "*Sombra del Paraíso*", en *Juventud*, Madrid, 9 de agosto de 1944.

VELASCO, G., "Vicente Aleixandre. *Los Encuentros*", en *Rocamador*, n.º 14, Palencia, noviembre de 1959.

VELAZCO, CARLOS A., "Poetas españoles vistos por un joven poeta argentino: Mario Norberto Silva. Aleixandre...", en *Esquiu*, Buenos Aires, febrero de 1961.

"Vicente Aleixandre, a las Américas", en *Pueblo*, Madrid, enero de 1961.

"Vicente Aleixandre", en *ABC*, Madrid, 24 de mayo de 1953.

"Vicente Aleixandre", art. de la *Enciclopedia Labor*, tomo VII, año 1957, pág. 681.

"Vicente Aleixandre. *En un Vasto Dominio*", en *Rocamador*, n.º 27, Palencia, otoño de 1962.

"Vicente Aleixandre fala sôbre poesia: de Lorca a Cabral", en *Jornal da Bahia*, Salvador (Brasil), 6 de julio de 1964.

"Vicente Aleixandre. 'L'homme n'existe pas'", en *Dulcinée*, revue des poètes espagnols contemporains, n.º 2, Barcelona, mayo-junio de 1957.

"Vicente Aleixandre, nos visita", en *Levante*, Valencia, 7 de mayo de 1961.

"Vicente Aleixandre: *Poemas amorosos: antología*", en *Negro sobre Blanco*, Buenos Aires, febrero de 1961.

"Vicente Aleixandre, primer premio del concurso nacional de poesía", en *Heraldo de Madrid*, Madrid, 2 de enero de 1934.

"Vicente Aleixandre: *Poemas amorosos (Antología)*", en *Ágora*, n.ºs 51-52, Madrid, enero-febrero de 1961.

"Vicente Aleixandre: *Presencias*", en *El Mercurio*, Santiago de Chile, 23 de enero de 1966.

"Vicente Aleixandre", en *Pueblo*, Madrid, 9 de marzo de 1949.

"Vicente Aleixandre rompe su clausura", en *El Español*, Madrid, 16 de agosto de 1953.

"Vicente Aleixandre: *Sombra del Paraíso*", en *Arte y Hogar*, agosto de 1944.

"Vicente Aleixandre: *Sombra del Paraíso*", en *Haz*, 14, Madrid, 1949.

VIEIRA, MARUJA, "Vicente Aleixandre", en *El Universal*, Caracas, 7 de mayo de 1955.

VIENTÓS GASTÓN, NILITA, "*Los Encuentros*, de Vicente Aleixandre", en *El Mundo*, San Juan de Puerto Rico, 30 de mayo de 1959.

VILANOVA, ANTONIO, "Poesía 44", en *Estilo*, Barcelona, 24 de diciembre de 1944.

— "La poesía de Vicente Aleixandre", en *Estilo*, 10, Barcelona, 27 de enero de 1945.

— "*Mundo a Solas*, de Vicente Aleixandre", en *Destino*, Barcelona, 3 de junio de 1950.

— "*Historia del Corazón*, de Vicente Aleixandre", en *Destino*, Barcelona, 12 de junio de 1954.

— "*Nacimiento Último*, de Vicente Aleixandre", en *Destino*, Barcelona, 4 de julio de 1953.

— "*En un Vasto Dominio*, de Vicente Aleixandre", en *Destino*, Barcelona, 9 de marzo de 1963.

— "La poesía cósmica de Vicente Aleixandre", en *Destino*, Barcelona, 2 de marzo de 1963.

— "*Los Encuentros*, de Vicente Aleixandre", en *Destino*, Barcelona, 5 de julio de 1958.

VILAR, SERGIO, "Retratos españoles. Vicente Aleixandre", en *La Vanguardia Española*, Barcelona, 17 de febrero de 1966.

— "Vicente Aleixandre: *Presencias*", en *Destino*, Barcelona, 28 de agosto de 1965.

VILLA PASTUR, JESÚS, "Vicente Aleixandre: *Los Encuentros*", en *Pliego Crítico*, n.º 5. Suplemento de *Archivum*, Universidad de Oviedo, enero-marzo de 1958, págs. 14-15.

— "Vicente Aleixandre. *Poesías completas*", en *Pliego Crítico*, n.º 10. Suplemento de *Archivum*, Universidad de Oviedo, enero-diciembre de 1960.

V. N. (VICENTE NÚÑEZ), "Lectura-recital de Vicente Aleixandre", en *Caracola*, n.º 30, Málaga, abril de 1955.

VIVANCO, LUIS FELIPE, *Introducción a la poesía española contemporánea*. "El espesor del mundo en la poesía de Vicente Aleixandre", en las págs. 339-384, Ed. Guadarrama, Madrid, 1957.

VIVES, P., "Vicente Aleixandre", en *Les Lettres Françaises*, París, 24 de mayo de 1962.

VOCOS LESCANO, JORGE, "*Nacimiento Último*, por Vicente Aleixandre", en *Criterio*, Buenos Aires, 26 de agosto de 1954.

— "*La Destrucción o el Amor*, por Vicente Aleixandre", en *Criterio*, Buenos Aires, 24 de febrero de 1955.

— "Vicente Aleixandre: *Nacimiento Último*", en *Sur*, Buenos Aires, enero-febrero de 1954.

— "Carlos Bousoño: *La poesía de Vicente Aleixandre*", en *Reunión*, Buenos Aires, marzo-abril de 1952.

XIRAU, RAMÓN, "Los hechos y la cultura", en *Nivel*, México D. F., 25 de julio de 1963.

Y., "Una hamaca, una sombra y un libro, requisitos de unas buenas vacaciones", en *Informaciones*, Madrid, 31 de agosto de 1954.

YEPES BOSCÁN, GUILLERMO, "Poesía Contemporánea Española. Vicente Aleixandre y su obra poética", en *Esfera*, Caracas, 21 de enero de 1963.

ZABALA, ARTURO, "Dámaso Alonso y Vicente Aleixandre, en la plenitud luminosa de sus 60 años. La poesía contemporánea española", en *Levante*, Valencia, 8 de marzo de 1959.

ZARDOYA, CONCHA, "La presencia femenina en *Sombra del Paraíso*", en *Revista de las Indias*, 107, Bogotá, enero-febrero de 1949, págs. 147-174.

— "Los tres mundos de Vicente Aleixandre", en *Revista Hispánica Moderna*, New York, enero-abril de 1954, págs. 67-73.

— "*Historia del Corazón*: historia del vivir humano", en *Cuadernos Americanos*, 4, México, julio-agosto 1955, págs. 236-279.

— "La técnica metafórica en la poesía española contemporánea. Vicente Aleixandre", en *Cuadernos Americanos*, n.º 3, 1961, págs. 275-277.

— *Poesía española contemporánea*. "Vicente Aleixandre: De *La Destrucción o el Amor* a *Los Encuentros*", en las págs. 437-598, Ed. Guadarrama, Madrid, 1961.

— "Present-Day Spanish Poetry", en *Yale French Studies*, 21, New Haven, 1958.

ÍNDICE DE NOMBRES PROPIOS

ÍNDICE GENERAL

BIBLIOTECA ROMÁNICA HISPÁNICA

Director: DÁMASO ALONSO

I. TRATADOS Y MONOGRAFÍAS

1. Walther von Wartburg: *La fragmentación lingüística de la Romania*. Agotada.
2. René Wellek y Austin Warren: *Teoría literaria*. Con un prólogo de Dámaso Alonso. Cuarta edición. 432 págs.
3. Wolfgang Kayser: *Interpretación y análisis de la obra literaria*. Cuarta edición revisada. 594 págs.
4. E. Allison Peers: *Historia del movimiento romántico español*. Segunda edición. 2 vols.
5. Amado Alonso: *De la pronunciación medieval a la moderna en español*.
   Vol. I: Segunda edición: 382 págs.
   Vol. II: En prensa.
6. Helmut Hatzfeld: *Bibliografía crítica de la nueva estilística aplicada a las literaturas románicas*. Segunda edición, en prensa.
7. Fredrick H. Jungemann: *La teoría del sustrato y los dialectos hispano-romances y gascones*. Agotada.
8. Stanley T. Williams: *La huella española en la literatura norteamericana*. 2 vols.
9. René Wellek: *Historia de la crítica moderna (1750-1950)*.
   Vol. I: *La segunda mitad del siglo XVIII*. 396 págs.
   Vol. II: *El Romanticismo*. 498 págs.
   Vol. III: En prensa.
   Vol. IV: En prensa.
10. Kurt Baldinger: *La formación de los dominios lingüísticos en la Península Ibérica*. 398 págs. 15 mapas. 2 láminas.
11. S. Griswold Morley y Courtney Bruerton: *Cronología de las comedias de Lope de Vega (Con un examen de las atribuciones dudosas, basado todo ello en un estudio de su versificación estrófica)*. 694 págs.

II. ESTUDIOS Y ENSAYOS

1. Dámaso Alonso: *Poesía española (Ensayo de métodos y límites estilísticos)*. Quinta edición. 672 páginas. 2 láminas.
2. Amado Alonso: *Estudios lingüísticos (Temas españoles)*. Tercera edición. 286 págs.